Rachel Hore

De droomtuin

2007 – De Boekerij – Amsterdam

Oorspronkelijke titel: The Memory Garden (Pocket Books)
Vertaling: TOTA/Erica van Rijsewijk
Omslagontwerp en -beeld: marliesvisser.nl

ISBN 978-90-225-4836-3

*Voor David
en ter nagedachtenis aan zijn vader,
J.R.G. Taylor, MBE, 1921-2006*

'We zijn hier op aarde om zowel lichte als donkere dingen te leren; zonder het een kan het ander niet bestaan. Wit tekent zich af tegen zwart, paars versterkt geel, ruw doet ons glad waarderen.'
Dame Laura Knight, *Oil Paint and Grease Paint* (1936)

Merryn Hall, Lamorna, Cornwall, TR20 9AB

Mej. Mel Pentreath
23a Southcote Road
Clapham
Londen SW12 9BC

15 maart 2006

Beste Mel,

Bedankt voor het terugsturen van het huurcontract voor Gardener's Cottage en voor de cheque. Ik sluit je ontvangstbewijs hierbij in plus een routekaart vanaf Penzance.

Ik kijk ernaar uit je volgende maand hier op Merryn Hall te zien. Zoals ik aan de telefoon al zei, ben ik waarschijnlijk nog in Londen als je aankomt, maar mw. Irina Peric, die voor mij een oogje op het huis houdt, zal je de sleutel voor de cottage geven. Zou je haar een paar dagen van tevoren kunnen bellen op 01736-455836 om te zeggen wanneer ze je kan verwachten?

Ik weet zeker dat Lamorna een vredige haven voor je zal zijn waar je lekker met je onderzoek aan de slag kunt; het is een betoverende plek. Zoals je zus je al wel zal hebben gezegd, heb ik de Hall nog maar kortgeleden geërfd, en je zult zien dat er nog verschrikkelijk veel moet gebeuren aan het huis en het terrein eromheen. Maar de cottage vind je vast heel comfortabel.

Hartelijke groeten van
Patrick Winterton

Merryn Hall, Lamorna

Adeline Treglown
The Blue Anchor
Harbour Street
Newlyn

paasmaandag, 1912

Geachte mevrouw Treglown,

Mijn kokkin, mw. Dolly Roberts, die, als ik me niet vergis, uw schoonzus is, heeft mij laten weten dat u op zoek bent naar een dienstbetrekking voor uw dochter, en ze verzekert me dat de jongedame nuchter, eerlijk en ijverig is.

Ik heb behoefte aan een dienstmeisje voor algemene werkzaamheden dat ik ook kan opleiden tot kamenierster, en Pearl klinkt heel geschikt. Mijn tuinman, dhr. Boase, gaat elke marktdag met de wagen naar Penzance en zou haar als het uitkomt aanstaande donderdag om twaalf uur 's middags bij het Davy-standbeeld kunnen komen ophalen. Ik kan haar twaalf guinje betalen, maar houd 6p per maand in voor haar uniform.

Het speet mij bijzonder over uw moeilijkheden te moeten vernemen.

Hoogachtend,
Emily Carey (mw.)

1

Cornwall is bij uitstek een plek om te verdwalen, bedacht Mel met een ongemakkelijk gevoel terwijl ze de krakende autoradio uitzette en door de door de regen gegeselde voorruit het pikkedonker in keek. Ze had domweg geen idee welke kant ze op ging. Zelfs met het slakkengangetje waarmee ze over de kronkelende landweggetjes met hun steile bermen reed was het net of ze in een achtbaan zat, want in het licht van de koplampen doemden de heggen zo plotseling op dat je hart er een slag van oversloeg.

'Tweeënhalve kilometer buiten Newlyn, linksaf langs de pottenbakkerij op de kruising,' had Patrick met een vulpen met dikke punt onder aan de gefotokopieerde routekaart gekrabbeld die hij had opgestuurd. Maar Mel had in het donker helemaal geen bord van een pottenbakkerij gezien en was hopelijk niet bij de verkeerde kruising linksaf gegaan. Waarom leken al deze weggetjes toch in kringetjes rond te lopen, vroeg ze zich verstoord af, en waarom waren er amper borden te zien?

Het was jammer dat deze reis op zo'n nachtmerrie was uitgedraaid, want Mel had zich al een hele tijd op deze tocht verheugd. Al vanaf het moment dat David Bell, de hoogleraar aan de universiteit in Zuid-Londen waar zij kunstgeschiedenis gaf, had voorgesteld dat ze een trimester studieverlof zou nemen. Zijn waarschuwende woorden klonken nog na in haar oren: 'Als je er niet een poosje tussenuit gaat, Mel, ben ik bang dat je jezelf nog ziek maakt.'

Je kon op vele manieren verdwalen, bedacht ze mismoedig terwijl ze de auto de zoveelste bocht in stuurde. Wat was dát nou?! Ze ramde haar voet op de rem toen er plotseling een projectiel uit het donker kwam aansuizen. Een uil – ze ving een glimp op van glimmende ogen boven een gekromde snavel, waarna de vogel nog net voordat hij met haar in botsing zou komen wegwiekte het donker in. Mel bleef even geschrokken zitten en haalde toen, nog steeds met bonzend hart, voorzichtig haar voet van de rem. De auto reed verder. Maar na de volgende bocht kwam ze nogmaals abrupt tot stilstand: een kruising. Welke kant moest ze nu in vredesnaam op? Ze trok de handrem aan, wierp een blik op het klokje – kwart over acht; het was echt donker voor een avond in april – en knipte de binnenverlichting aan.

In het zwakke schijnsel tuurde Mel naar Patricks kaart, terwijl ze de spieren in haar nek en schouders probeerde los te maken om een opkomende hoofdpijn te onderdrukken. Met haar vinger volgde ze de flauwe lijnen van wegen die allemaal in elkaar overliepen, en toen de lijn van de weg die ze zocht. Die zigzagde langs Merryn Hall, waarna hij linksaf ging door het dorpje Lamorna en omlaag naar Lamorna Cove.

Ze draaide het raampje omlaag en boog zich huiverend naar buiten, door de regen heen turend op zoek naar een bord, een merkteken in het landschap dat ze kon terugvinden op haar kaart. Maar er was niets te zien. Ze moest nu toch echt wel bij Lamorna in de buurt zijn, maar als ze niet oppaste kon ze de hele nacht rond blijven rijden. Ze pakte haar weekendtas van de passagiersstoel en grabbelde naar haar mobieltje, waarna ze het contactnummer intoetste dat Patrick boven aan de kaart had onderstreept. De woorden GEEN BEREIK flitsten op op het schermpje.

Was Jake hier maar. Het verraderlijke innerlijke stemmetje liet zich ongevraagd horen. Jake had er slag van met kaarten en auto's om te gaan, zoals hij ook goed met katten en telvisies overweg kon. Helaas had hij uiteindelijk niet goed met Mel overweg gekund. Jake was weg en ze zou zich op eigen kracht een weg uit deze ellende moeten banen. Die gedachte maakte haar besluitvaardig. Het was vervelend, maar ze zou terug moeten rijden. In de hoop dat er niet uitgerekend op dit moment een andere auto de hoek om zou komen, stak ze in de krappe ruimte die ze ter beschikking had vijf keer heen en weer om te kunnen keren en reed ze dezelfde weg terug als waarlangs ze gekomen was.

Dit keer had ze het geluk aan haar kant, want na een paar minuten vond ze wat ze de eerste keer over het hoofd had gezien: een smal weggetje dat naar links ging. Lamorna lag in een dal, dus ze kreeg goede hoop toen het weggetje heuvelafwaarts bleek te leiden, met aan weerskanten hoog oprijzende heggen. Verderop werd de helling steiler en werden de bochten in de weg regelmatiger, en ze moest zich tot het uiterste concentreren om de auto op de weg te houden. Gelukkig leek het nu minder hard te regenen.

Ze begon uit te kijken naar tekenen van bewoning. Een tijdje later maakte de heg naast haar plaats voor een laag stenen muurtje met bomen erlangs. Weldra doemden er twee hekpalen op in het donker. Ze minderde vaart. Zou dit het kunnen zijn? Ze draaide het zijraampje omlaag om te kijken. Een verweerd uithangbord, half begroeid met klimop, hing scheef aan een van de palen. Op de afbladderende verf waren nog net de woorden ERRYN HALL te lezen. Opluchting golfde door haar heen toen ze de auto tussen de twee hekpalen door stuurde.

Pikkedonker. Nee, daar in de verte tussen de zware donkere boomstammen door zag ze een lichtje. De koplampen beschenen een slingerende modderige oprijlaan vol kuilen, aan weerskanten omzoomd door dichte plantengroei.

De regen was eindelijk gestopt en ze hotste een paar honderd meter de oprijlaan over, totdat voor haar uit de gele gloed van een buitenlantaarn twee grote zuilen van een Georgian portaal bescheen. Aan de voet daarvan rimpelden drie halfronde treetjes omlaag naar een verweerde, met flagstones geplaveide voorhof die was overwoekerd door onkruid. De buitenlamp was het enige teken van leven.

Mel aarzelde, maar parkeerde toen aan de rand van de voorhof en zette de motor uit. Ze bleef even zitten luisteren en rondkijken, terwijl ze haar best deed om niet aan al die afgezaagde gothic horrorfilms te denken die ze als tiener had gezien, waarin de heldin in een stormachtige nacht haar toevlucht zocht in een donker verlaten kasteel, waar de voordeur krakend openging en vervolgens alle verschrikkingen begonnen...

Kom op nou. In Cornwall zijn geen vampiers.

Zover jij weet dan... De met een griezelig stemmetje uitgesproken woorden, die vroeger toen ze klein waren veelvuldig door haar broertje William in de mond waren genomen, kwamen haar weer in gedachten.

Ach, doe niet zo dwaas, riep ze zichzelf tot de orde. Het heeft geen zin hier te blijven zitten als je je zinnen hebt gezet op een hapje eten en een bed voor de nacht. Dus duwde ze het portier open.

Het enige wat er te horen viel waren de regendruppels die van de bladeren drupten. Het huis stond te wachten in het vochtige duister, het vensterglas inktzwart blikkerend in het licht van de buitenlamp. Ze kon nog net een kanteelpatroon in het steen ontwaren, als bij een kasteel, hoog boven de ingang, links en rechts vervagend in het donker. Bomen, struiken en braambosjes groeiden aan weerskanten van de hof hele- maal tot aan de muren van de Hall, en ook over de voorkant, zodat ze in het donker maar een beperkte indruk kreeg van de omvang van het gro- te fronsende pand. Het algehele effect was dat van desolaatheid en ver- val, en nog iets veel onheilspellenders.

De laatste druppels van Mels kleine voorraadje moed lekten weg. Het had weinig zin om aan te kloppen, want het huis was duidelijk verlaten. Na haar lange reis van de ene wereld naar de andere was er niemand om haar te ontvangen, niemand om haar welkom te heten. Alleen maar dit enorme bouwsel dat afwijzend op haar toenadering leek te reageren.

Vanuit de ondergroei klonk gekraak. Ze draaide zich om, al haar zin- tuigen plotseling op scherp. Ze wachtte; het donker wachtte ook. Vast een vogel, hield ze zichzelf voor, maar haar hoofd bonsde van de span- ning. Ze bevond zich tenslotte alleen in het meest geïsoleerde gedeelte van het ruige Cornwall in wat aanvoelde als het holst van de nacht. En ze had het bizarre gevoel dat iemand haar gadesloeg.

Ze keek op naar Merryn Hall en huiverde. Wat had ze verwacht aan te treffen? Een fraaie cottage, knus op het keurig bijgehouden terrein van een klein landhuis genesteld? Een warm welkom, ouderwetse gast- vrijheid van het platteland? In zijn brief had Patrick haar wel voorbe- reid op enig verval, maar niet op zoiets… Deze verlatenheid en de drei- ging die ervan uitging zaten haar helemaal niet lekker.

Wie wás Patrick trouwens? Een vriend van een studievriend van haar zus Chrissie. Iemand met wie Chrissie zelf nu nog amper omging en die Mel nog nooit had ontmoet.

Taferelen van de lievelings-Disneyfilm van haar neefje Rory kwamen haar voor de geest. Ze zou een moderne Beauty kunnen zijn, die in de wildernis op het kasteel van het Beest stuitte en daar toen ze er haar toe- vlucht zocht iets heel anders aantrof. Maar zo stoer als ze eruitzag in haar niet meer zo nieuwe leren jasje en met modder bespatte spijker- broek, met haar rode haar sluik om haar gezicht, zou ze bepaald niet de eerste zijn die in aanmerking kwam voor de rol van Beauty.

Iets dapperder nu trok ze de riem van haar tas hoger op haar schouder en liep naar de portiek toe met het plan toch maar aan te bellen, want je wist maar nooit. Op dat moment zag ze iets wapperen op de afbladderende verf van de voordeur. Toen ze de treetjes op was gelopen haalde ze een opgevouwen stuk papier onder de koperen deurklopper vandaan en vouwde het open. Er stond een boodschap op in schuine blokletters:

Beste Mel,
Neem me niet kwalijk. Ik heb tot zeven uur gewacht, maar nu moet ik echt weg om mijn dochter op te halen. Als je de weg nog een stukje af rijdt, kom je bij een laantje dat naar de cottage gaat. De sleutel ligt onder de mat. Ik kom morgen even bij je kijken.
Hartelijke groet,
Irina Peric

Mel bestudeerde de formele zinnen, de zorgvuldig geschreven letters. Aan de telefoon had Irina een Oost-Europees accent gehad, waarbij ze telkens de eerste lettergreep van woorden beklemtoonde en de r zachtjes liet rollen.

De kwestie verdween naar de achtergrond van haar gedachten. Haar aandacht was er al op gericht weer in de auto te stappen en de weg verder af te rijden om de cottage te zoeken voordat ze tegen de grond sloeg van moeheid. Terwijl ze in haar zak naar haar sleutel tastte, keek ze op naar de optrekkende bewolking, waarna er in een sluier van mist een prachtige maan verscheen om haar bij te lichten.

Het duurde nog twintig minuten voordat Mel de voordeur van Gardener's Cottage achter zich kon sluiten en haar blik liet gaan over de stapel bagage die ze in de hal had neergezet. Eerst iets eten, hield ze zichzelf voor, zoekend naar de draagtas met de bescheiden hoeveelheid proviand die ze thuis uit de kast had getrokken. Eten, en dan uitpakken wat ze voor de eerste nacht nodig zou hebben. Meer kon ze nu niet opbrengen met die hoofdpijn, die toch had doorgezet. Ze was moe, hondsmoe.

Ze liet een lange zucht ontsnappen en beende toen, tegen haar dierlijke instinct om behoedzaam te zijn in, het halletje door en begon het huis te verkennen, waarbij ze onderweg alle lampen aanknipte. Rechts van de lange gang, voor de trap, was een zitkamer, links een kamer met een opgewreven eettafel en stoelen, en achteraan een groezelige keuken met een ronde grenenhouten tafel, een beige formica aanrecht, een kleine koelkast en een wasmachine. Boven haar hoofd flikkerde en zoemde de tl-buis. Dat euvel verdween niet toen ze hem een paar keer aan- en uitknipte. Achter de keuken was een badkamer met stenen vloer, met wit sanitair, maar zonder douche.

De bovenverdieping bestond uit twee slaapkamers en een rommelkamertje. Allemaal netjes en schoon, hoewel het meubilair vrij sjofel was. Nadat ze voorzichtig de steile trap met zijn verschoten loper weer af was gedaald, zag ze dat de verf op de ruwstenen muur bladderde; meteen begreep ze waarom Patrick het huisje zo moeilijk verhuurd kreeg. Zij zou zich er de komende maand wel redden. Comfortabel, sjofel, maar merkwaardig vertrouwd. De bemiddelde vakantieganger van tegenwoordig stelde prijs op een moderne inrichting, frisse verf en glanzend nieuw meubilair.

De maand die voor haar lag wilde ze gebruiken om in de voetsporen te treden van een paar schilders die rond 1900 waren neergestreken in en rond het naburige vissersplaatsje Newlyn en Lamorna, om de plekken te bekijken waar ze hadden geschilderd, om musea en archieven te bezoeken – en haar aantekeningen om te werken tot een boek dat ze in opdracht schreef. Ze zou het afmaken als ze weer terug was in Londen. Het was een kans om zich helemaal te verdiepen in haar werk en om even bij te komen van alle strubbelingen van het afgelopen jaar.

Gardener's Cottage voelde aan als thuis – te veel als thuis zelfs, zag Mel toen ze haar tas met etenswaren op de keukentafel zette en een krakkemikkige kast opendeed van waaruit het ontbijtservies van haar moeder haar aankeek. Wit porselein met een bloemetjesrand. Ze pakte een kom op en draaide hem rond in haar handen. Zo lang ze zich kon heugen had Mel in haar jeugd elke ochtend met haar lepel over dit dessin geschraapt, en een ongemakkelijk ogenblik lang waande ze zich weer terug bij haar broer en zus in hun vrolijk rommelige victoriaanse halfvrijstaande huis in een lommerrijke voorstad van Hertfordshire, haastig hun ontbijt naar binnen werkend, terwijl hun moeder, Maureen, die er chic uitzag in haar nette pakje en met haar koffertje, hen aanspoorde om nú in de auto te stappen, omdat ze anders naar school zouden moeten lopen.

De porseleinen kommen van de Pentreaths waren er nu niet meer, het huis was verkocht, en de pijn om afscheid te moeten nemen van hun jeugd in hun ouderlijk huis had zich boven op die andere gestapeld: de pijn om hun moeders overlijden, nu bijna een jaar geleden. Mel zette de kom terug en sloot het kastje, waarna ze ertegenaan leunde alsof ze de herinneringen wilde wegsluiten. Was dat maar zo gemakkelijk.

Weer werd ze bekropen door twijfel. Vier weken in dit huisje, alleen met haar gedachten, terwijl ze emotioneel zo zwak in haar schoenen stond – waarom was ze in vredesnaam hiernaartoe gekomen? Opeens verlangde ze terug naar haar appartement in Clapham, met uitzicht op de zorgvuldig onderhouden strook tuin waar gele en witte lentebloeiers weldra plaats zouden moeten maken voor het rijke blauw van ceanothus en paarse sering. Maar Clapham leek ook geen goede plek meer. Sinds Jake ervandoor was gegaan had haar flat niet meer aangevoeld als een thuis. Ze bezat niet genoeg boeken om de open plekken op de planken te vullen, en de schilderijen die hij van de muren had gehaald hadden daar spookachtige vormen op achtergelaten die hun afwezigheid – en de zijne – luidkeels kenbaar maakten. Ze besefte dat David gelijk had gehad: ze moest er echt even uit.

Drie weken geleden was ze uit een van die eindeloze faculteitsvergaderingen gekomen, zo een van het soort waarin alles grondig wordt besproken maar geen besluiten worden genomen, toen de hoogleraar achter haar aan was gelopen.

'Mel, heb je even? Misschien snel een broodje?' David keek op zijn horloge. 'Om twee uur heb ik een andere vergadering, maar…'

Ze baanden zich een weg door de stroom van studenten naar de kantine voor het personeel, en even later zat Mel in een quiche en salade te prikken, en deed ze haar best om haar stem levendig te laten klinken terwijl ze antwoord gaf op Davids routinevragen naar haar werk. Ze mocht hem niet laten merken hoe dat haar op dit moment verveelde, hoe kleurloos ze de dagelijkse tredmolen van doceren en cijfers geven vond – hoe kleurloos álles haar voorkwam. Ze voelde zich uitgeknepen. Maar hij leek haar gedachten te hebben gelezen.

'Mel,' zei hij vriendelijk. Ze kromp in elkaar onder zijn onderzoekende blik en besefte dat ze grote donkere kringen rond haar ogen had, in een voor de rest bleek gezicht.

Hij glimlachte, een troostende knuffelbeer van een man, met springerig zilverkleurig haar en levendige ogen die het feit weerspraken dat ook hij het niet makkelijk had. De druk die op hen werd uitgeoefend om steeds grotere aantallen studenten aan te nemen, terwijl ze daar eigenlijk geen capaciteit voor hadden en maar een beperkt budget, eiste van iedereen zijn tol. David keek, wist Mel, uit naar zijn pensioen aan het eind van het zomertrimester, wanneer hij geen college meer zou hoeven geven en geen administratieve taken meer zou hebben, zodat hij zich kon bezighouden met het historisch onderzoek waar hij anders nooit aan toekwam. Nu zei hij: 'Zeg gerust dat ik me er niet mee mag bemoeien, maar ik heb tijdens de vergadering eens goed op je gelet. Je zag eruit alsof alle lasten van de wereld op jouw schouders rustten.'

'Dat komt doordat ik John O'Hagen moest aanhoren.' Mel probeerde te lachen, verwijzend naar de 'jonge hond' van de kunstfaculteit. 'Hij zat maar te drammen over vakbondsreglementen. In theorie weet ik natuurlijk wel dat hij gelijk heeft, maar we kunnen niet voor allerlei wissewasjes vakbondsacties gaan voeren. We hebben verantwoordelijkheden. God, zeg!' In een plotselinge vlaag van woede rolde ze met haar ogen.

'Zo ken ik je weer.' David reikte over tafel en gaf een kneepje in haar gebalde vuist. 'Een jaar geleden zou je hem onder tafel hebben gekletst, weet je.'

'Ja, dat geloof ik ook.' Mel ontspande zich enigszins en schonk hem half en half een van haar duizelingwekkende glimlachjes, waarna ze weer mismoedig haar schouders liet zakken. 'Sorry, ik ben momenteel niet zulk prettig gezelschap.'

'Jij bent altijd prettig gezelschap,' zei David. 'Maar op de een of andere manier heb je geen fijn jaar achter de rug...'

'Nee, fijn was het zeker niet.'

'Hoe is het met je familie?'

Mel stak een stukje quiche in haar mond en kauwde erop, wat haar de tijd gaf om over de vraag na te denken. 'Ik heb geen flauw idee wat er in mijn broer William omgaat. Hij is altijd iemand geweest die graag verder wil. Die zich afsluit voor zijn gevoel. Het is stukken makkelijker om met Chrissie te praten, mijn zus.' Ze zweeg even, en ratelde toen door: 'Maar het is gewoon niet eerlijk. Dat de kanker mam zo snel te pakken heeft genomen. Ik moet maar steeds denken aan hoe het is gelopen. Hebben we wel genoeg ons best gedaan om de juiste behandeling voor haar te vinden? Had het ons niet eerder moeten opvallen dat ze zo ziek was? Ze viel al een poosje af en was steeds moe, maar ik had helemaal niet in de gaten dat…'

'Je moet je niet schuldig voelen,' onderbrak David haar, en hij koos zijn woorden met zorg. 'Met zo'n agressieve vorm van die ziekte had je volgens mij weinig kunnen doen.'

Mel keek naar haar bord. 'Dat zeiden de artsen ook.'

Allebei aten ze even in stilte verder, en toen zei David langs zijn neus weg: 'En dan hebben we Jake ook nog.'

'En dan hebben we Jake ook nog,' zei Mel, die naar haar waterglas reikte en een slok nam alsof het een vies medicijn was. David kende Jake goed, want de ironie wilde dat Mels ex-vriend ook docent aan de kunst-faculteit was – hij gaf creatief schrijven – en dat ze hem om de haverklap tegenkwam: bij de koffieautomaat, bij de kopieermachine, in de kantine. Ze had vanochtend op de vergadering haar zitplaats zo uitgekozen dat ze hem niet elke keer dat ze opkeek recht aan hoefde te kijken. Maar desondanks was ze zich ervan bewust dat hij daar zou zitten, poppetjes tekenend op zijn A4-blok, en ze kon haar oren niet afsluiten voor de lome klank van zijn stem, die ooit zo zacht alleen in haar oor geklonken had, of voor de opmerkingen die hij maakte, die zoals altijd scherp en ter zake waren.

'Mel, ik wil je een voorstel doen,' zei David opeens. 'Ergens volgend jaar heb je toch recht op een trimester studieverlof?'

'Ja. De laatste keer is vijf jaar geleden,' zei Mel, die net als iedereen op de faculteit tot op de dag nauwkeurig had bijgehouden wanneer ze weer recht zou hebben op een doorbetaald sabbatical.

'Waar ben je momenteel mee bezig? Heb je al plannen?'

'Ja, die heb ik zeker. Ik heb onderzoek gedaan naar kunstenaars in Cornwall,' antwoordde ze. 'De Newlynse School aan het eind van de ne-gentiende eeuw en hun relaties met de kunstenaars die zich aan de kust in Lamorna hadden gevestigd.'

'O, hou maar op. Stanhope Forbes was toch van de Newlynse School?' giste David met een lichtelijk gealarmeerd gezicht. Hij was me-diëvist en op de faculteit was het een standaardgrap dat hij maar heel weinig van artefacten wist als die niet ofwel waren opgegraven, ofwel door monniken met de hand op perkament waren opgetekend.

'Ja, en zijn Canadese vrouw Elizabeth ook. Verder had je Thomas en Caroline Gotch, Walter Langley. Dat zijn de beroemdheden. En later, in

Lamorna, Harold en Laura Knight, sir Alfred Munnings…'

David knikte. 'Die ken ik. Dat is toch degene die paarden schilderde?'

'Klopt. Grosvenor Press, de uitgever van kunstboeken, heeft me gevraagd een boek te schrijven over de kunstenaars van Newlyn en Lamorna, en over hun werk. Ik was van plan de komende maanden mijn onderzoek af te ronden, een paar weken naar Cornwall te gaan als in juli het academisch jaar is geëindigd, en dan als ik terugkom met schrijven te beginnen. De deadline is pas volgend jaar, weet je.'

'Dat klinkt als een interessante opdracht.'

'O, dat is het ook. Vooral de vrouwen spreken me aan. Die hadden veel vrijheid in hun persoonlijke en werkende leven, maar sommigen hadden het heel zwaar. Neem nou Laura Knight; dat was een wees die geen cent te makken had…' Ze deed er het zwijgen toe, omdat ze ineens besefte dat ze in het vuur van haar betoog met haar vork rondzwaaide en dat de kruimels alle kanten op vlogen. David zat haar met een steeds bredere scheve grijns op te nemen.

'Waarom begin je nú niet met je sabbatical? Neem het zomertrimester vrij, wacht niet tot volgend jaar. Als je het combineert met je zomervakantie, heb je bijna een halfjaar om je boek te schrijven.'

Mels gezicht lichtte even op, waarna het licht weer doofde.

'Dat klinkt geweldig,' zei ze, 'maar word ik niet geacht komend trimester colleges te geven over negentiende-eeuwse schilderkunst? En een inleiding over het modernisme? En wie zorgt er dan voor mijn MA-studenten?'

'Mel, ik heb vorige week een mailtje gekregen van Rowena Stiles,' zei David, die ondertussen goed in de gaten hield hoe ze reageerde.

Onwillekeurig fronste Mel haar wenkbrauwen. Rowena was een trimester ingevallen toen Mel anderhalf jaar geleden verlof had gekregen wegens familieomstandigheden. Er was sprake van geweest dat ze een vaste aanstelling zou krijgen, maar toen had ze ineens laten weten dat ze met haar man, een bankier, naar New York zou gaan, en Mel had een zucht van verlichting geslaakt. Het was geen geheim dat de twee vrouwen elkaar niet lagen.

David vervolgde: 'Ze is voor een paar maanden terug in Londen en zou je graag vervangen.'

'Heb je haar dat dan al gevraagd?' zei ze, en ze ging rechtop op haar stoel zitten.

'Nee, natuurlijk niet. Ze heeft alleen maar contact gezocht omdat ze om werk verlegen zat. Kalm nou maar.'

Mel dacht even na en woog de verleidelijke glimp van vrijheid die aan de horizon gloorde, alsof ze een kiertje licht zag door een deur in een donkere kamer, af tegen het vooruitzicht dat Rowena nogmaals haar taken over zou nemen. Rowena was vakinhoudelijk goed, dat wel, maar ze deelde graag de lakens uit en had een irritante manier van doen. Mel was er trots op dat zijzelf goed met haar studenten kon opschieten. Haar dramatische rode haar en kleurrijke bohemienachtige kledij gaven haar een vertrouwenwekkende artistieke uitstraling, en ze strooide altijd kwistig rond met bemoedigende opmerkingen en viel degenen die hun werk te laat inleverden niet te hard. Maar bij Rowena moesten ze op hun tellen passen. En die zou er dit keer misschien geen genoegen mee nemen haar slechts tijdelijk te vervangen, want als ze eenmaal haar voeten onder Mels bureau had uitgestrekt...

Maar zes maanden vrij, met ingang van volgende week, als het paasvakantie was? Het was verleidelijk, heel verleidelijk.

'Rowena doet het uitstekend, Mel,' zei David resoluut. 'Ik weet dat ze... assertief kan zijn.'

Drammerig en manipulatief, zul je bedoelen, dacht Mel. Ze vroeg zich af hoe het was afgelopen met die begerenswaardige baan bij het museum in Manhattan waar Rowena zich zo trots over had uitgelaten. Nou, David had gelijk; misschien konden haar studenten het wel een trimester met Rowena uithouden, en formeel gezien zou ze echt niet zomaar Mels baan kunnen inpikken.

'Weet je zeker dat je niet probeert me te lozen?' plaagde ze hem, en er brak een glimlach door op haar vermoeide gezicht.

'Nee, doe niet zo mal,' zei hij. 'Mel, ik zeg dit tegen je als vriend: ik ben bang dat als je er niet een poosje tussenuit gaat, je jezelf ziek maakt. En ik wil niet dat het zover komt. Denk er in het weekend over na en kom dan maandag naar me toe.'

Hoe meer ze erover nadacht, hoe aantrekkelijker het plan haar voorkwam, maar er was één probleem.

'Ik heb geen plek om naartoe te gaan. Het is Pasen, en alles is volgeboekt.' Mel voerde de zondagavond daarop een telefoongesprek met haar zus Chrissie. Chrissie, die in Noord-Londen woonde met haar beminnelijke echtgenoot Rob, een ambtenaar, deed haar uiterste best om een parttime administratieve baan bij een tv-zender te combineren met de opvoeding van haar twee zoontjes, Rory en Freddy.

'Wacht even, Rory, lieverd, ik zit aan de telefoon. Sorry, Mel. Waar wilde je ook weer precies heen?'

'Naar West-Cornwall. Het liefst in de streek rond Penzance.'

'Ah, het wilde westen. Mam was dol op dat gebied,' zei Chrissie met een zucht. Hun ouders hadden elkaar op school in Cornwall leren kennen, maar verder naar het oosten, in Falmouth. Kort na hun trouwen waren ze 'noordwaarts' verhuisd naar Londen, toen Tom Pentreath zijn bevoegdheid had gehaald als jonge arts – het begin van een duizelingwekkende carrière als hartchirurg. 'Jammer dat we daar niemand meer kennen sinds tante Jean is overleden. Wanneer was dat ook weer, ik kan er niet… Wacht, wacht, er schiet me net iets te binnen. Mel, dit geloof je niet. Ken je Patrick?'

'Patrick wie?'

'Patrick Winterton. Die vriend van Nick?' Nick was op de universiteit van Exeter Chrissies vriendje geweest, en nadat er een einde aan hun relatie was gekomen had ze contact met hem gehouden. Chrissie hield met iedereen contact.

'Nee,' zei Mel kortweg, 'ik ken geen Patrick.' Dat deed Chrissie nou altijd: ze ging ervan uit dat zij, Mel, iedereen kende die zijzelf kende. En aangezien Chrissie een brede kennissenkring had, kon dat ontzettend verwarrend zijn.

'Hij heeft geschiedenis gestudeerd in Exeter. En nu heeft hij een eigen zaak. Het heeft iets met internet van doen,' zei ze vagelijk. 'Hij is nog precies zoals vroeger – grappig dat sommige mensen geen spat veranderen… Hé, Rory, hou daar eens mee op, schatje, jij mag zo even met tante Mel praten. Maar goed, hij vertelde me dat hij kortgeleden een huis bij Penzance heeft geërfd, van een oudoom of zoiets. Ik weet bijna zeker dat hij het over Lamorna had – daar wil jij toch heen? Er staat een cottage op het terrein die hij misschien wel wil opknappen en verhuren. Ik weet niet hoe het er nu uitziet daar. Mel, praat jij even met Rory; dan zoek ik het e-mailadres op dat hij me heeft gegeven.'

In de vage gloed van de muurlampen met hun rode kapjes met ruches zag de zitkamer van de cottage er sjofel, maar knus uit. Afgezien van een enorme zilverkleurige televisie die als een ruimteschip van buitenaardse wezens in de hoek neerhurkte, leken de meubels even oud als het huis zelf. Een paardenharen bank met houten armleuningen en twee bijpassende makkelijke stoelen bij de haard, allemaal voorzien van kanten antimakassars op de rugleuning, stonden opgesteld voor de kleine haard, waar een keurig opgestapelde piramide van krantenpapier, aanmaakhout en houtblokken wachtte tot de brand erin werd gestoken. Een vuurtje zou de kamer opvrolijken, maar het had geen zin om er zo laat nog eentje aan te leggen. Mel vroeg zich doelloos af waar de rest van het haardhout zou liggen opgeslagen. Nog iets wat ze de volgende ochtend zou moeten uitzoeken.

Ze liet zich neerzakken in een van de fauteuils. Die zat verrassend comfortabel. Zoals altijd wekten de decoraties aan de muur haar vakmatige interesse op. In plaats van goedkope reproducties en in massa geproduceerde prenten waar eigenaren van vakantiehuisjes hun huurders vaak op vergastten, hingen hier een stuk of wat fraaie aquarellen van bloemen.

Ze stond op om het schilderijtje boven een mahoniehouten bureau beter te bekijken. Omdat het zwakke licht weerkaatste op het glas, moest ze het van de muur halen om het goed te kunnen bestuderen. De woorden *Magnolia sargentiana robusta* waren luchtig onder de verfijnde voorstelling van drie bleekroze bloemen op een houtige stengel geschilderd, met de initialen *P.T.* erachter. Ze zag dat de meeldraden haarfijn waren weergegeven, dat de lichte kleurwassing geleidelijk aan donkerder werd naar het midden van de bloemen toe, de glans van het hout. De schilder had heel aandachtig gekeken en de bloemen minutieus weergegeven.

Ze hing de magnolia weer op en liep naar de andere aquarellen. Er waren een crèmekleurige *Rhododendron macabeanum*, een dieprode camelia, een paarse iris en twee soorten rozen. Alle schilderijtjes waren al even fraai als het eerste. En allemaal waren ze gesigneerd met *P.T.* Voordat ze de zesde en laatste aquarel terughing aan de muur, draaide ze hem om in de hoop een datum aan te treffen. Maar op het bruine pakpapier aan de achterkant stond niets geschreven.

Een plastic reiswekker op de schoorsteenmantel, die er in deze aftandse victoriaanse setting even misplaatst uitzag als de televisie, gaf aan dat het vijf voor tien was. Mel liep de kamer uit om haar koffers naar boven te sjouwen.

In de grootste van de twee slaapkamers was het victoriaanse eiken-
houten tweepersoonsbed – gelukkig – opgemaakt met een bol dekbed,
in plaats van met ouderwetse lakens en dekens. Maar de vochtige lucht
die ze rook was hier sterker. Ze zette de koffers op de grond en vroeg
zich af waar ze morgen al haar spullen zou opbergen. Naast de deur
stond een grof gemaakte ladekast met een wigje van karton onder een
van de klauwpoten aan de voorkant. Erbovenop was een gebarsten lam-
petkan-met-waskom neergezet, en met een arm vol schoon ondergoed
streek Mel met haar vinger over de erop geschilderde motieven van ooi-
evaars.

Met haar vrije hand trok ze aan de knop van de bovenste la, met de
bedoeling daar haar ondergoed in te stoppen, maar in de la kwam geen
beweging. Ze liet de kleren op het bovenblad vallen en trok eraan met
twee handen. De la ging halfopen en blokkeerde toen. Mel tuurde naar
binnen.

Achterin zat een prop vergeeld krantenpapier vast, die ze er voorzichtig uit haalde en openvouwde. De datum was gescheurd, maar ze
hield de randen van de scheur tegen elkaar aan tot ze de woorden 'april
1912' kon lezen. Bijna honderd jaar geleden. Haar belangstelling werd
gewekt door een kort stukje over een treinlading werkloze tinmijnwer-
kers en hun gezinnen die uit Penzance vertrokken naar een schip dat
vanuit Southampton naar de Kaap zou varen. 'De vloed van emigranten
kent geen eb, maar blijft stijgen, sneller en hoger dan ooit…' aldus het
artikel.

Ze draaide het papier om. Te midden van advertenties voor patent-
geneesmiddelen en damesmode stond een ander artikel:

Tragedie in Newlyn

Zaterdagavond even na tienen werden cafébezoekers opgeschrikt
door een plotselinge vuurzee op de bovenste verdieping van de
Blue Anchor Inn bij de haven (eigenaresse mw. Adeline Treglown). Er werd alarm geslagen, het pand werd geëvacueerd en de
kustwacht, een deel van de bemanning van de HMS *Mercury* en vissers schoten te hulp. Hoewel die het vuur onder controle kregen,
werd te midden van de ravage het lichaam van een man aangetroffen. Hij werd later geïdentificeerd als Arthur Reagan (52), een be-

zoeker uit Londen. Volgende week zal er een onderzoek worden ingesteld.

Mel las het bericht twee keer door en vroeg zich af waarom iemand dit bewaard had. Of had het alleen maar gediend om er de la mee te bekleden? Ze vouwde het papier weer op en borg het terug in de la. Terwijl ze een oud slaapshirt aantrok en haar tanden poetste bij een kleine wastafel, liet ze haar gedachten gaan over de gebeurtenissen in de Blue Anchor van een eeuw geleden, en ze stelde zich zo voor dat de zeelieden van Hare Majesteit toen de brand uitbrak dicht opeen aan de bar moesten hebben gestaan en waarschijnlijk niet veel hadden kunnen doen om de vlammen te doven. Al mijmerend verbaasde ze zich over de toevallige manier waarop andere levens vanuit het verleden in haar bewustzijn waren binnengedrongen: ze had alleen maar een plekje gezocht om haar ondergoed op te bergen, en had in plaats daarvan een verhaal aangetroffen.

Cornwall was een van de delen van Engeland waar de meeste geesten rondwaarden, had Mels moeder haar ooit verteld. Vroeger, toen ze klein waren, was er een tijd geweest dat William het heerlijk vond om Mel en Chrissie Cornish spookverhalen voor te lezen over ruiters zonder hoofd, over zeemeerminnen en spooklichten die schepen naar hun ondergang lokten, totdat de zusjes 's avonds verstijfd van angst in hun bed lagen en niet meer in slaap konden komen. Zijn favoriete verhaal ging over de geest van een zelfmoordenaar die op een kruising van wegen was begraven; je kon alleen voorkomen dat hij aan het rondzwerven sloeg als je een speer in de borstkas van het lijk wist te drijven. De kleine Mel kreeg er nachtmerries van, waaruit ze krijsend wakker werd, totdat hun moeder hun het boek afpakte. Ze bracht de nachtelijke angsten van de meisjes altijd tot bedaren met een oud Cornish gebed dat ze als kind had geleerd – hoe ging het ook alweer? Iets over gevrijwaard blijven van geesten, demonen, langpotige monsters en wezens die 's nachts tot leven kwamen. Het eindigde met: 'Lieve-Heer, verlos ons!'

Op dat moment klonk er buiten de kamer, op de overloop, een luid gekraak. Mel, die in bed lag, verstarde, en haar zesde zintuig stond meteen op scherp.

Het is het hout van de trap maar dat zich voegt, stelde ze zichzelf gerust. Toen de schrik langzaam wegebde, vroegen in plaats daarvan de spoken van de twijfel en het verdriet haar aandacht, en golven van eenzaamheid sloegen door haar heen. Ze moest even huilen en voelde zich zo kwetsbaar als een kind in het donker. Op het laatst klemde ze, net zoals ze vroeger altijd had gedaan, bij wijze van troost haar kussen in haar armen. Toen ze wegzakte in een onrustige slaap, kon ze de stem van haar moeder bijna horen fluisteren: 'Straks bij daglicht ziet het er allemaal een stuk beter uit, liefje.' Ze hoopte maar dat, nu haar moeder er niet meer was, die mantra nog steeds waar zou blijken.

Terwijl ze lag te slapen, fluisterde het huis zijn geheimen.

Ik leg alles in de laden, zoals Jenna heeft gezegd, behalve de boeken die meneer Reagan me heeft gegeven. Dan zie ik de krant onder in de tas liggen. Ik strijk hem glad. Ik hoef hem niet meer te lezen, want ik kan je zo ook wel precies vertellen wat erin staat. En wat dat betekent. Dat ik alles ben kwijtgeraakt nog voordat ik het heb gevonden. En daarom word ik weggestuurd ver van huis naar deze kale zolderkamer met uitzicht op de vroege avondlucht. Buiten wervelen tientallen roeken rond, misschien wel honderden, die met elkaar kwebbelen en krakelen als visvrouwen op marktdag. Moet je ze zien vliegen! Daar gaan ze, op weg naar de dennen op de heuvel in de verte.

Voetstappen op de trap. 'Pearl?' Het is Jenna. Snel vouw ik de krant op, trek de bovenste la van de kast open en laat de krant naar binnen glijden, net op het moment dat zij de kamer binnen komt.

2

In het holst van de nacht stak de wind op; hij huilde door de schoorsteen, joeg tussen de bomen door en deed de ramen rammelen als de op
hol geslagen geest van een kind. Mel werd om drie uur wakker en bleef
gespannen en met gespitste oren liggen, verscholen als een klein dier in
zijn hol, totdat de storm bij het ochtendgloren ging liggen en ze weer
wegzakte in een uitgeputte sluimering.

Toen ze daarna haar ogen opendeed, stroomde zonlicht de kamer in
en bonkte er iemand op de voordeur. Verdwaasd ging ze rechtop zitten
en keek op haar horloge. Tien over negen – in Londen werd ze nooit zo
laat wakker. Nadat ze het dekbed van zich af had geslagen, pakte ze haar
ochtendjas, en nog helemaal verkreukeld door de slaap stommelde ze
naar beneden.

Ze deed de voordeur van het slot en keek net op tijd om het hoekje
om een lange, slanke vrouw het weggetje af te zien lopen.

'Hallo,' riep Mel met schorre stem, en de vrouw draaide zich om.
Toen ze Mel zag, haastte ze zich terug, waarbij in de wind haar donkere
krullen om haar hoofd warrelden. Ze was gekleed in een fleece vest met
rits en had haar armen strak om haar lichaam geslagen tegen de kou. In
haar ene hand had ze, zag Mel, een autosleutel. Ze deed de deur verder
open.

'Sorry dat ik je wakker heb gemaakt. Ik ben Irina.' De vrouw was ongeveer van Mels leeftijd, misschien een paar jaar jonger, en Mel mocht
haar meteen. Haar ogen waren in haar hartvormige gezicht donkere
poelen van verdriet, maar toen ze glimlachte, bleek ze hagelwitte tanden
te hebben, die afstaken tegen haar olijfkleurige huid, en leek haar gezicht van binnenuit op te lichten. Haar stem was hoger en helderder dan

27

hij aan de telefoon had geklonken, met een zangerigheid die Mel nog steeds niet goed kon plaatsen.

'O, hallo,' antwoordde Mel. 'Dat geeft niet, ik moest toch opstaan. Waarom kom je niet binnen?' Ze stapte naar achteren en hield de deur open, maar Irina wierp een blik op Mels nachtgoed, bespeurde een vage ondertoon van onzekerheid in haar stem en schudde haar hoofd.

'Nee, mijn dochter zit in de auto. Ik kwam alleen maar even kijken of je veilig was aangekomen. Sorry dat ik hier gisteravond niet was. Ik moest Lana ophalen bij een vriendinnetje, zie je. Is alles in orde? Heb je een zware reis gehad?'

Mel begon te vertellen dat ze verdwaald was geraakt en dat ze niet had kunnen bellen. 'Het was een prima idee dat je eten in de koelkast had klaargezet,' zei ze. 'Anders zou ik zijn verhongerd.'

'Graag gedaan. Ik weet niet wat je verder nog nodig hebt, maar in het dorp is een goede winkel,' liet Irina haar weten. 'Een van de dames verkoopt eten dat ze zelf heeft klaargemaakt. Maar als je een grote supermarkt zoekt, moet je naar Penzance.'

'Hoe ver is het dorp hiervandaan? Ik weet niet of ik het vandaag wel aankan om auto te rijden, zeker niet als dat betekent dat ik terug moet over de weg waarlangs ik gekomen ben.'

Irina glimlachte en wees naar het weggetje. 'Het is misschien vijf, zes minuten lopen de heuvel af. Niet ver.' Ze trok haar schouders op en huiverde. 'God, wat een wind.'

Mel ademde de ziltige lucht in. 'Lekker,' zei ze. 'Heel verfrissend na Londen.'

'Waar in Londen woon je? Ik heb vroeger in Wandsworth gewoond,' zei Irina.

'Clapham. Vlak bij het metrostation Clapham South. Hoe lang heb je daar gewoond?' vroeg Mel, die zich nogmaals afvroeg waar Irina vandaan kwam, maar ze vond dat ze elkaar nog te kort kenden om er expliciet naar te vragen.

'Dat zal een jaar geweest zijn,' zei Irina, en er streek een schaduw over haar gezicht. 'Ik ben nu twee jaar hier.'

Mel wilde haar mond opendoen om te vragen naar de tijd vóór Wandsworth, maar Irina praatte al verder.

'Bel me maar als je hulp nodig hebt,' zei ze. 'Ik woon bij de baai, in het huis met de gele deur. Het heet Morwenna. Klop maar aan als je iets nodig hebt, of gewoon voor een kop koffie. En je hebt natuurlijk mijn telefoonnummer.'

'Ja. Ja, dat zal ik doen. Dank je wel, dat is heel aardig.'

Mel keek Irina na toen ze zich terug haastte het weggetje af, waar ze nog net een glimp opving van de achterkant van een rode, met modder bespatte auto. De motor kwam sputterend tot leven, en even later reed de auto weg. Patrick had gezegd dat Irina voor Merryn Hall zorgde, herinnerde ze zich toen ze huiverend de deur sloot. Wat was ze, een huishoudster misschien? Maar Patrick leefde toch niet op zo grote voet dat hij een huishoudster had? Niet als ze mocht geloven wat Chrissie over hem had verteld, en ook niet als hij hier niet woonde. Een werkster dan. Nee, dat was ook niet waarschijnlijk. Irina kwam bepaald niet overeen met het stereotiepe beeld van een werkster op het platteland: een vrouw van middelbare leeftijd met appelwangen en een provinciaals accent. Irina had iets intrigerends, iets exotisch. Ze had een heel apart gezicht, een gezicht dat Mel wel zou willen tekenen. Misschien zou deze vakantie een goede gelegenheid zijn om weer te gaan schilderen. Alleen, bracht ze zichzelf streng in herinnering terwijl ze naar de badkamer schuifelde, was dit geen vakantie en zou ze aan de slag moeten om over andere kunstenaars te schrijven, niet om er zelf eentje te worden. Ze voelde zich vanochtend zonder meer een stuk vrolijker.

Het was echt prima weer om op verkenning uit te gaan. Mel kreeg bijna de kriebels van opwinding toen ze een halfuur later naar buiten stapte, gekleed in een schone spijkerbroek, enkellaarsjes met lage hak en een kort roestkleurig tinneroy jasje. De dolgedraaide windgeest van de afgelopen nacht kwam haar nu als iets dwaas voor, nu het briesje bloemkoolachtige wolken langs een hemel liet drijven die zo blauw was als de broek van een zeeman. Mel sloot haar ogen en verwelkomde de warme zon op haar gezicht. Toen ze ze weer opendeed, was ze even verblind, waarna ze haar blik weer scherpstelde op haar omgeving. Ze hapte bijna naar adem.

Het terrein van Merryn Hall was aan alle kanten een wildernis. Ze tuurde met samengeknepen ogen in het heldere licht naar de Hall, waar ze tussen de platanen en essen door een glimp opving van de stenen muren, die half begroeid waren met klimplanten: blauweregen, klimop en wilde wingerd. Er kwamen vage flarden van herinneringen in haar op. Lang geleden, toen ze nog kinderen waren, hadden William, Chrissie en zij in net zo'n wildernis gespeeld. Een niemandsland vlak bij hun huis, met een vervallen gebouw en bordjes met GEVAARLIJK – NIET BETREDEN aan het ingestorte hek. Hun moeder zou woest zijn geweest als ze het geweten had.

Mel draaide zich om en nam het uitzicht heuvelafwaarts vanaf haar cottage in zich op. Hoge wallen van dicht groen strekten zich voor haar uit, overwoekerd met klimplanten, bramen en adelaarsvarens. Alsof het levende stoflakens waren, mijmerde ze, waardoor de vormen van bomen, struiken en wie wist wat allemaal nog meer omhoogstaken als de vormen van meubels in een ongebruikte kamer.

Op het niemandsland waar ze als kinderen hadden gespeeld had een elektriciteitsmast gestaan. De stroom had om hen heen gepulseerd en gegonsd terwijl ze verstoppertje speelden of hutten bouwden in de ondergroei. Ze herinnerde zich dat William een keer in de mast had willen klimmen en alleen maar had moeten lachen om Chrissies waarschuwingen.

'Kom naar beneden, straks ben je dood, straks ben je dood!' had Chrissie uitgeroepen toen de elektriciteit hypnotiserend om hen heen zoemde, terwijl Mel, die met haar zes jaren het gevaar nog niet helemaal goed begreep, even enthousiast was als William en hem in stilte aanmoedigde om steeds hoger te klimmen. Gelukkig was hij tegengehouden door een barrière van prikkeldraad.

Nu keek Mel vol verbazing om zich heen naar de verwaaide tuinen van Merryn Hall. Haar eerste indrukken kwamen terug. Hier knetterde geen elektrische energie, maar er was wel iets anders: mysterie, desolaatheid, een gevoel van waakzaamheid. Bij daglicht voelde het hier niet aan als het decor voor Dracula of het kasteel van het Beest, maar meer als het paleis van Doornroosje, door een boosaardige betovering afgesneden van de wereld en overwoekerd door doornstruiken.

Ze glimlachte bij zichzelf. Een Schone Slaapster kon ze wel aan. Vampiers hoorden elders thuis. Ze kon alleen maar hopen dat er geen Beest was. En terwijl ze de riem van haar tas hoger op haar schouder trok, liep ze het pad af naar de weg.

Merryn Hall lag neergevlijd aan de zijkant van een beboste vallei, en Mel volgde de smalle weg die door een tunnel van bemoste bomen kronkelend de heuvel af liep. Waar de muur die het terrein van het landhuis omgaf ophield, overspande een stenen bruggetje een beekje dat gezwollen was door het water van de recente regen, en daarna liep het laantje met een scherpe bocht naar links, om uit te komen aan de noordkant van het watertje dat heuvelafwaarts stroomde, door het midden van de vallei naar de zee. Deze koele groene wereld van vervlochten boomtakken en water zou heel goed het decor kunnen hebben gevormd van een schilderij waar Mel dol op was: *Lamorna Birch en zijn dochters*, van Laura Knight, waarop het ene jonge meisje op een boomtak zat en het andere op de arm van haar vader, de kunstenaar.

Terwijl ze voortliep, probeerde Mel de route te zien zoals de kunstenaars die ze bestudeerde die gezien moesten hebben, zich ondertussen afvragend hoeveel het aanzicht inmiddels zou zijn veranderd. De vallei, had ze in een boek over de plaatselijke geschiedenis gelezen, was toen niet zo bebost geweest als nu. Ze passeerde huizen en paadjes die naar andere landgoederen op de heuvelflank leidden, toen een bord naar een hotel en vervolgens, links, een pub – de Wink, herinnerde ze zich, waar Alfred Munnings een poos had gelogeerd. Sommige huizen moesten er honderd jaar geleden ook al hebben gestaan, maar hier en daar stonden modernere gebouwen.

Op het laatst stopte de bomengroei, en weldra kwam ze op een kruising, met aan de linkerkant een langgerekt granieten pand, dat ten opzichte van de weg iets naar achteren lag en was voorzien van een bord met POSTKANTOOR. Aan de voorkant stonden rekken met ansichtkaarten en emmers verse bloemen, terwijl draaimolentjes voor kinderen met een zacht geluid rondwervelden in het briesje.

Het eten kan wel wachten, zei ze bij zichzelf, want haar blik werd getrokken door de volgende bocht in het weggetje. Ze kon de zee nog niet zien, maar meende hem wel te kunnen horen. Zo blij als een kind rende ze er bijna naartoe.

Vandaag had het water een diep heldergroene kleur, met voortijlende plekken bruine schaduw van de voorbijdrijvende wolken, en de rimpelingen van het water schitterden in de wind. Terwijl ze haar verwaaide haren naar achteren streek, liep Mel de kade op en boog zich over het verweerde muurtje om te kijken hoe de golven tegen de brekers beneden beukten, waarna ze haar blik over het water liet gaan, waar een vissersboot langs de horizon voer. De zilte wind en de fijne waternevel op haar gezicht namen haar zintuigen volkomen in beslag.

Even later draaide ze zich om naar de baai, wetend dat het niet lang zou duren of ze zou hier niet meer naar kunnen kijken met de onbevooroordeelde blik van de observator, de buitenstaander. Het was eb, en een aftands vissersbootje dobberde verlaten tegen de grote ronde keien die overgingen in het zand. Daarachter, op de muur van de haven, lag een stapel netten en kreeftenfuiken, die een man in een reflecterende jas met geduldige bewegingen opstapelde achter in een kleine vrachtauto.

Een onderbroken boog van grijze gebouwen groepte samen onder aan een klif vol sporen van houwelen. Welk huis was dat van Irina? Een van de rij aan de rechterkant, stelde ze zich zo voor. Zoekend naar een gele deur liet Mel haar blik langs de gebouwen gaan, en ze besloot dat het de goudcrèmekleurige aan het uiteinde moest zijn.

Lamorna Cove. Haar bekend van de olieverfschilderijen en aquarellen van de kunstenaars die ze had bestudeerd. De frisse schoonheid en de sfeer van de baai spraken Mel net zo aan als de kunstenaars die zich honderd jaar geleden tot dit gebied aangetrokken hadden gevoeld. Het uitzicht was veranderd – dat moderne huis met zijn panoramaramen had in die tijd vast de heuvel nog niet getooid, en de ooit zo steenachtige weg was nu geasfalteerd, maar de rotsige kromming van het strand, de strook modderig zand rechts van haar, die nu langzaam verdween onder het opkomende tij, de ruige kaap, de rotsen die uitstaken vanuit de groene deken vol mottengaten, zouden regelrecht uit een van Laura Knights adembenemend mooie landschappen afkomstig kunnen zijn.

Na een paar minuten zocht ze zich een weg over de rotsen naar het strandje, trok haar laarsjes en sokken uit, rolde haar spijkerbroek op en wandelde over het natte zand. Het water was zo koud dat het pijn deed, en die bekende sensatie gaf haar een schokje. Toen ze nog klein waren, hadden William, Chrissie en zij altijd wedstrijdjes gehouden wie het eerst zijn badkleding aanhad en de zee in was gedoken. Meestal won Will, maar toen Chrissie eenmaal doorhad dat ze 's ochtends ook meteen haar bikini kon aantrekken in plaats van haar ondergoed, hoefde ze alleen maar haar korte broek en T-shirt uit te trekken en kon ze zo de golven in rennen. Mel, de jongste, was altijd de laatste en krijste van hulpeloze woede terwijl ze zich uit en in haar kleren wurmde, terwijl hun moeder haar probeerde te sussen en haar oudere kinderen meestal vergeefs dringend verzocht te wachten op de kleinste.

Tegenwoordig, bedacht Mel terwijl ze een kleine zeester redde die ondersteboven op het zand lag, met zijn armen omhooggekruld in de lucht, was William nog steeds degene die won; hij was typisch het oudste kind dat uitstekend presteerde en werkte nu als chirurg in hetzelfde ziekenhuis waar hun vader had gewerkt. Maar Chrissie was nooit het prototypische middelste kind geweest dat in verwarring verkeerde. Die bofkont van een Chrissie had zich nooit door het leven van de wijs laten brengen en had nooit naar het onmogelijke verlangd. In plaats daarvan was Mel, de benjamin, degene die nog steeds het gevoel had dat ze ergens achteraan bungelde.

Toen ze vlakbij stemmen hoorde, keek ze op. Twee vrij jonge mannen in wetsuits en met zuurstofflessen en zwemvliezen in hun hand kwamen over de rotsen naar haar toe geklauterd. De ene was een potige kerel, met de goed ontwikkelde spieren van een gewichtheffer; de andere was pezig en atletischer, met kortgeknipt donker haar dat als de vacht van een waterzoogdier op zijn hoofd lag. Toen ze bij de waterkant bleven staan om hun spullen neer te leggen – net een paar otters die op hun achterpoten liepen – schoof de dunste zijn masker omhoog, glimlachte en zei haar gedag.

'Wat valt er daar op zee te zien?' riep Mel tegen de wind in.

'Voornamelijk vis, en een wrak als we geluk hebben,' riep hij terug terwijl hij de banden van zijn zuurstoffles schikte. 'Maar geen schat, ben ik bang.'

Ze keek toe hoe ze de golven in waadden, en hun kreten vanwege de kou klonken duidelijk over het water. Vervolgens zonken ze onder het oppervlak, waarbij ze een spoor van luchtbellen achterlieten.

Het was een warme wandeling terug de heuvel op en een opluchting om onder de lage deuropening door de winkel in te gaan. De schemerige ruimte binnen was klein, vol met mensen die een krant, levensmiddelen of ansichtkaarten kochten. Een pezige vrouw van in de zestig hield hof vanaf een kruk achter de toonbank. Een andere, gezettere dame, die niet anders dan haar zuster kon zijn, zat achter het loket van het postkantoortje.

Mel pakte een plastic winkelmandje en begon wat rond te scharrelen, geamuseerd door de dingen die de gezusters elkaar toeriepen.

'Mary, liefje,' riep de vrouw aan de toonbank. 'Gember. Hebben we gember in huis? Mary. Gem-ber.'

33

Mary, die in het postkantoor munten zat te tellen, schudde verwoed haar hoofd zonder van haar werk op te kijken.

'Nee, dat hebben we niet, schat,' zei de pezige vrouw tegen haar klant.

'Mary,' riep ze weer, 'zet gem-ber even op de lijst, wil je?'

Mel koos een brood, ham, salade, een bloemkool, wat wortelen, fruit en een fles wijn uit. Het vooruitzicht dat ze net als anders voor zichzelf zou moeten koken kon haar niet bekoren. Hier, met al dat verse plaatselijke voedsel, zou ze wat beter haar best kunnen doen om gezond te eten, maar koken vond ze alleen leuk voor andere mensen.

Een puberjongen, met hetzelfde ronde gezicht en dezelfde wijd uiteen staande ogen als de twee zussen, legde in antwoord op Mels vraag zijn etiketteerapparaat neer en leidde haar zwijgend naar een vrieskist, waarin rijen zelfgemaakte maaltijden in folieschaaltjes stonden opgestapeld: biefstuk stroganoff, lasagne, vispastei... Niet goedkoop, maar een stuk gezonder en smakelijker dan merkspullen. Ze koos een paar maaltijden uit, pakte een krant uit het rek en ging in de rij staan bij de kassa. Tijdens het wachten stopte ze nog een paar ansichtkaarten in haar mandje. David Bell zou zich wel afvragen hoe het met haar ging, en Chrissies kinderen zouden die kaart met de ezel prachtig vinden.

Toen klom ze, zwoegend met de twee zware draagtassen in haar handen, de heuvel weer op.

Bij de laatste kleine stenen cottage voor de brug rechtte een oude grijsharige man die in zijn voortuintje stond te wieden zijn rug om die even te ontspannen en nam haar met fletsblauwe ogen aandachtig op. Ze glimlachte zenuwachtig, en hij knikte ten teken dat hij haar zag, maar zijn gezicht verried niets. Ze liep verder, zich bewust van zijn ogen die zich in haar rug boorden, totdat ze bij de brug kwam, maar toen ze omkeek, zag ze alleen maar dat hij weer druk bezig was.

Na de lunch sloeg de matheid toe. Ze wierp een blik uit het raam. De lucht betrok weer. Misschien zou ze voordat het ging regenen eerst het terrein eens moeten verkennen. Of moest ze binnenblijven om haar kleren weg te hangen? Of kijken of ze haar laptop goed aangesloten kreeg op de telefoonverbinding, een werkplek inrichten, of zelfs een begin maken met schrijven...? Maar op de een of andere manier had ze nergens fut voor.

Misschien ben ik alleen maar moe van de reis, hield ze zichzelf voor.

Ben ik moe en heb ik het even helemaal gehad. In haar flat in Londen had ze, nadat Jake zijn bezittingen keurig in dozen had gepakt en was vertrokken, zich met wortels en al had losgetrokken als een plant die uitkijkt naar een grotere pot, geen energie gehad om nog goed voor zichzelf te zorgen; het wasgoed had zich opgestapeld, de vuile vaat was blijven staan in de gootsteen…

Drie weken nadat hij was vertrokken was haar vriendin Aimee, die een paar maanden daarvoor van haar man Mark af was gegaan, onverwacht langsgekomen. Ze overzag de rotzooi en drukte Mel even meelevend tegen zich aan. 'Het geeft niet, ik help je wel een handje. Bij mij heeft het tijden geduurd voor ik weer ergens toe in staat was.' Ze had haar kleine hoofd met de kortgeknipte haren naar achteren gegooid. 'Nu ben ik blij dat ik het huis voor mezelf heb. Ik mis Mark ontzettend, maar hij was een vreselijke rommelkont.'

Terwijl ze in de keuken van Gardener's Cottage zat, rekende Mel uit dat het komende donderdag twee maanden geleden was dat Jake was weggegaan. Wanneer was er de klad in gekomen? Het was nog allemaal te kort geleden om er een helder beeld van te krijgen.

Ze had Jake leren kennen toen hij vier jaar geleden bij de universiteit was komen werken. Na jaren journalist te zijn geweest had hij het roer omgegooid, had hij haar tijdens een borrel verteld. Nadat hij twee dichtbundels had uitgebracht, werkte hij nu aan een roman. Mel wist dat de universiteit heel blij was dat ze hem hadden weten te strikken voor de wetenschap.

'Ik hoop maar dat deze baan me meer tijd en ruimte geeft om te schrijven,' zei hij met zijn gruizige stem en een frons op zijn voorhoofd. Hij was een tamelijk lange man, met een fraai postuur; hoewel hij gespierd was, had hij iets lichts over zich. Maar Mel liet zich door zijn relaxte manier van doen niet bedotten. Zijn zwarte ogen gloeiden fel terwijl hij over zijn werk vertelde en hij had de nerveuze gewoonte om door zijn korte blonde haar en baard te woelen, waaruit opgekropte energie sprak.

'Dan zul je wel moeten leren om nee te zeggen,' zei Mel lachend, ontspannen en flirterig na haar tweede glas wijn. 'Voor je het weet krijg je allerlei vergaderingen en extra taken op je bord. En dan heb ik het nog niet eens over al het nakijkwerk en die hele papierwinkel. Maar je moet het maar zeggen als ik je kan helpen. Met hoe het er hier aan toegaat, bedoel ik.' Hun blikken kruisten elkaar en Mel had zelfs op dat moment al de vonk van interesse in de zijne gezien.

En dus klopte Jake bij haar aan elke keer dat hij verlegen zat om goede raad, of het nu ging om het invullen van een van de eindeloze formulieren of om een probleemstudent. Allebei bleven ze vaak tot laat doorwerken, lang nadat collega's die getrouwd waren en een gezin hadden al naar huis waren gegaan. Hij trof haar vaak terwijl ze zat te lezen of werkstukken na zat te kijken, opgekruld op de kleine bank die ze in een kringloopwinkel had gekocht, het versleten leer artistiek gecamoufleerd door een Indiase foulard, en dan nam hij elegant plaats in de fauteuil daartegenover, of beende door het kleine kantoor heen en weer en babbelde onderhoudend over hun collega's, of probeerde haar welbewust te verlokken om een vernietigend oordeel te geven over conceptuele kunst, of plaagde haar omdat ze zo fel kon discussiëren ('Je bent veel te serieus,' prikkelde hij haar). De ene keer zette ze een pot thee, andere keren trok hij een fles wijn open. Ze kwam te weten dat hij kortgeleden gescheiden was en twee jonge dochters had, die hij alleen in de weekends zag.

En zo kwam de dag, kort na Kerstmis, dat Jake zich naast Mel op de kleine bank liet glijden. Mels hart hamerde en haar stem weigerde dienst terwijl hij haar betoverde met zijn vloed van vleiende woorden, haar in de ogen keek, zijn arm over de rugleuning sloeg, waarbij hij bijna toevallig haar schouder raakte, en haar haar om zijn vinger wond. Op het laatst zakte ze tegen hem aan en liet ze zich intens, hartstochtelijk zoenen, totdat ze helemaal gesmolten was. Pas toen de schoonmaakster zonder te kloppen naar binnen kwam om de prullenbak leeg te gooien maakten ze zich, buiten adem en giechelend, van elkaar los.

Het diner later die avond in een Thais restaurant was slechts een voorspel op de nacht die ze samen zouden doorbrengen. Mel had amper in de gaten wat ze at.

Op een gegeven moment kon ze het niet nalaten te vragen, hoewel een deel van haar het niet wilde weten: 'Je huwelijk. Wat… is er misgegaan?'

Hij haalde zijn schouders op. 'Met Helen werd alles anders toen we kinderen hadden gekregen,' zei hij. 'Allebei waren we aan het eind van ons Latijn. We gingen nooit meer samen uit, we hadden amper tijd samen. Freya, de jongste, is een droppie, maar een ontzettende lastpost; ze wilde nooit slapen. En Helen ging heel erg in hen op en kon alleen nog maar babytaal praten. Het leek wel of ze alleen maar iets tegen me zei als ze wilde dat ik iets voor haar deed – een luier verschonen of vissticks bakken. We raakten van elkaar vervreemd.'

'Wat akelig,' zei Mel, een kneepje gevend in de hand die de hare vasthield.

Op dat moment kon Mel alleen maar zíjn standpunt zien. Maar toen ze er later – te laat – op terugkeek, besefte ze dat dit gesprek een waarschuwing voor haar had moeten zijn. Toen was ze echter al zo verliefd op deze geweldige, charismatische man dat ze niet verder kon kijken dan het hier en nu. En het hier en nu was zalig.

Algauw werden ze 'Jake en Mel' en waren ze vrijwel altijd samen, en het duurde niet lang of Mels Spaanse bovenbuurvrouw Cara raakte eraan gewend om hem in de centrale hal tegen te komen als ze naar haar werk ging. Maar hij hield zijn speciaal gebouwde appartement in Kennington aan, dat hij had gekocht nadat hij van Helen was gescheiden. Mel stelde wel eens voorzichtig voor het te verhuren, zodat hij bij haar kon intrekken, maar daar voelde hij weinig voor.

'Ik moet een plek hebben om te kunnen schrijven,' zei hij. 'En ik wil mijn boeken op één plek bij elkaar hebben.'

Maar na verloop van tijd installeerde hij zich toch in Mels tweede slaapkamer, tegenover het rommelkamertje, dat ze haar werkkamer noemde, en een heleboel van zijn boeken en een paar schilderijen maakten de reis door Zuid-Londen. In de begintijd ging hij terug naar Kennington als het zijn beurt was om Anna en Freya te hebben, maar naarmate hun moeder eraan gewend raakte dat Mel nu Jakes vaste vriendin was, kwamen de meisjes soms ook naar het appartement in Clapham, want ze vonden het hartstikke leuk om bij papa's vriendin te kamperen.

Nadat dit heen-en-weer gereis anderhalf jaar had geduurd, begon Mel er steeds meer op te zinspelen dat ze hun beider huizen misschien maar eens moesten verkopen en samen een huis moesten kopen. Jake en zij hielden van elkaar, en ze zouden vast wel een huis kunnen vinden met genoeg slaapkamers om Anna en Freya onder te brengen, en voor het moment in de wazige verre toekomst dat Jake en zij, zo droomde ze, zouden trouwen en zelf kinderen zouden krijgen.

Maar Jake leek daar nog niet zo zeker van. Hij hield van haar, stelde hij nadrukkelijk, en hij wilde altijd bij haar blijven, maar het was nog te kort na zijn scheiding om al voor zo veel vastigheid te kiezen. En het was zeker nog te vroeg om over baby's te beginnen. Misschien dat ze als zijn roman af was wat huizen konden gaan bezichtigen. Hij had het gevoel dat hij momenteel in een soort vacuüm leefde en niet in staat was grote beslissingen te nemen.

Met de roman ging het niet zo voorspoedig als Jake had gehoopt. Twee jaar nadat hij Mel had leren kennen maakte hij hem af en stuurde hem vol verwachting naar Sophie, zijn literair agent. Sophie vond dat het manuscript nog niet in een fase verkeerde waarin zij er genoeg vertrouwen in had om het naar uitgevers te sturen. Het was te… cerebraal, het ging te veel over ideeën en niet genoeg over mensen en emoties. Zou hij er nog wat aan kunnen schaven? Nadat hij zich had hersteld van deze klap sloot Jake zichzelf een halfjaar lang in de weekends en op vrije dagen op om te worstelen met zijn meesterwerk. Dat vergde al zijn aandacht. Als hij niet daadwerkelijk aan het schrijven was, deed hij afstandelijk en nukkig, en Mel voelde zich aan de kant geschoven. Lijden omwille van je eigen kunst was één ding; lijden voor die van iemand anders was iets heel anders.

Op een zaterdag, toen Helen Anna en Freya afzette bij Mels flat, in de verwachting dat Jake er zou zijn om hen van haar over te nemen, maar alleen Mel thuis bleek te zijn, kwam het tot een uitbarsting. Helen en Mel konden over het algemeen goed met elkaar overweg, maar ditmaal kon Helen haar ergernis niet verbergen.

'Waar zit hij dan?' vroeg ze, terwijl ze haar warrige blonde paardenstaart opnieuw opbond met een roze haarbandje. Haar knappe, jonge gezichtje stond tobberiger dan anders en haar scherpe toon wakkerde Mels eigen toenemende ergernis alleen maar aan.

'Vast nog steeds opgesloten in zijn creatieve cocon in Kennington, stel ik me zo voor,' zei Mel vermoeid. 'Hij is ons denk ik helemaal vergeten.'

Helen zei niets, maar knikte langzaam en schonk Mel een blik van wetend medelijden die meer zei dan duizend woorden.

Die avond hadden Jake en zij hun eerste echte ruzie.

'Je bent er nooit, je waardeert me niet,' schreeuwde Mel bijna. Zijn reactie bestond eruit dat hij haar in zijn armen klemde en meevoerde naar het bed.

'Ik ben er nu toch, of niet soms?' gromde hij een uur later in haar vochtige haar toen ze verhit en uitgeput naast elkaar lagen.

Mel schudde zichzelf wakker uit haar mijmerijen. Als er iets was wat ze zichzelf had beloofd in Cornwall niet te zullen gaan doen was het wel piekeren over het verleden. Ze zou zich verdiepen in haar werk, leren zich weer prettig te voelen in haar eigen gezelschap, weg van de duizend-en-een onderbrekingen van haar docentenbaan en de onvermijdelijkheid hém elke dag te zien. Ze stond op van de keukentafel, borg met abrupte, nijdige bewegingen het eten dat over was in de koelkast, en slenterde naar buiten.

De wind was gaan liggen, maar er hing nog een zware dreiging van regen in de lucht; wolkenflarden die veel weg hadden van rookslierten dreven over de boomkruinen voorbij. Het was net alsof de verlaten tuin ergens op wachtte...

Ze wandelde over het gras en vroeg zich doelloos af wie dit gazon zou maaien. Vast niet Patrick. Ze bukte zich en plukte een lange rank klimop af die zich een weg baande over het kortgeknipte gras. Diverse slierten maakten zich los uit de wildernis, en tot haar verbazing had ze even later haar armen vol met nat onkruid. Ze stapte naar achteren en rukte er ongeduldig aan, waarna er een hele pluk losliet; een paar slierten knapten met een hard geluid af, en de schimmelige stank van sap wolkte eruit op. De rest bleef vastzitten, vervlochten met de braamtakken en winde. Ze gooide de bladeren terug in de zee van groen. Wat had het voor zin? Haar zwakke pogingen leken geen enkel verschil uit te maken.

Toen ze omlaag keek, zag ze dat ze zomaar een scheur had gemaakt in de sluier van begroeiing. Ze zag een flits paars in de ondergroei, als bloed dat opwelde uit een verse wond. Ze bukte zich om beter te kijken. Viooltjes! En een glimp van crèmeachtig wit bleek een polletje sleutelbloemen te zijn. Opeens was ze opgetogen. Ze hurkte neer en trok ongeduldig aan de klimop, omdat ze wilde zien wat de verstikkende deken nog meer voor schatten zou verbergen. De klimop viel uiteen in lange strengen, nog meer plukken paars en crème onthullend die worstelden om ademruimte te krijgen. Eigenlijk zou ze tuingereedschap moeten hebben. Misschien dat er wel iets te vinden was in een van de bijgebouwen van het grote huis.

Achter de cottage vond ze een smal, met steentjes bezaaid pad dat omhoogliep naar de terrassen in precies die richting. Ze zigzagde tussen de braamstruiken aan de achterkant van het huis door, langs de vervallen boog van een afbrokkelende bakstenen muur, totdat ze bij het stallenblok kwam, dat parallel aan de voorkant van het huis stond, op een kleine met keitjes geplaveide hof. Twee van de deuren waren met een hangslot afgesloten, maar de derde zat slechts dicht met een roestige grendel, die onwillig meegaf, waarbij haar vinger even pijnlijk klem kwam te zitten. Terwijl ze haar bezeerde hand tegen haar mond drukte, maakte ze met de andere de deur open, waarna ze in een grote schuur stond die rook naar stof en creosoot. Overal op de keitjesvloer lagen stapels rommel. Sommige leken aan de grond vastgegroeid door spinnenwebben en zagen eruit alsof ze in geen tientallen jaren waren aangeraakt: een oude wals, een roestige maaimachine van onbestemde leeftijd, diverse spades en harken, en een wiedvork die niet al te erg was gecorrodeerd. Die pakte ze – kuchend – op, samen met een paar stevige handschoenen die eruitzagen alsof iemand ze kortgeleden op de oude schraagtafel had laten vallen, nog zo gevormd alsof er onzichtbare handen in zaten. Haar laatste trofee was een klein snoeimes. Ondanks de vlokken roest blonk het blad haar tegemoet. Nadat ze de deur had gesloten door haar rug ertegenaan te drukken, keerde Mel met haar buit terug naar de plek van haar archeologische opgravingen en knielde neer om weer aan het werk te gaan; ze maaide het lange gras, groef het onkruid rondom de bloemen uit, en wenste ondertussen dat ze een goede kniptang had om de dikke, doornige braamranken terug te snoeien.

Het duurde niet lang of ze had een kleine border vrijgemaakt, waar de viooltjes, narcissen en sleutelbloemen tenminste een beetje lucht en licht kregen. Hoe lang geleden zouden ze geplant zijn, of zouden ze zichzelf hebben uitgezaaid?

Het was goed om zo lichamelijk bezig te zijn. De geur van de bloemen, het sterk ruikende plantensap en het aroma van de aarde waren opwindend. Nu ze hier zo buiten was, waar overal om haar heen nieuw leven ontkiemde, was het onmogelijk om in sombere gedachten te verzinken. In plaats daarvan merkte Mel dat ze plannen begon te maken.

Ze moest zichzelf echt tot de orde roepen, want anders zou ze haar kostbare tijd hier maar verdoen. Ze zou zichzelf de rest van de dag vrijaf geven, genieten van de tuin, haar laatste spullen uitpakken, een van de zelfgemaakte diepvriesmaaltijden als avondmaal gebruiken, met een glas wijn erbij – maar niet meer dan één – en vroeg naar bed gaan. Morgen zou ze beginnen aan het werk voor haar boek.

Er verstreek een uur, en nog een. Stijfjes kwam ze overeind om haar pijnlijke ledematen te strekken, waarna ze tot haar verbazing constateerde dat ze twee meter bloembed van onkruid had ontdaan. Ik heb iets van betekenis gedaan, hield ze zichzelf met een tinteling van plezier voor terwijl ze haar blik over de bloemen liet gaan en bleke nieuwe scheuten zich een weg omhoog zag boren vanuit de kastanjebruine aarde. Een paar houtduiven fladderden wellustig met hun vleugels en braken door het bladerdak boven haar hoofd. Groot en welgedaan waren dit heel andere dieren dan hun schriele Londense neven en nichten. Hoog in de hemel, afgetekend tegen de wolken, liet een roofvogel zich meevoeren op de wind, en het was alsof Mels hart met hem meevloog, hunkerend naar iets waarvan ze nog niet wist wat het was.

Toen het frisser werd, sjouwde ze heen en weer met vorken vol onkruid, die ze toevoegde aan een hoop op een stukje niemandsland een eindje achter de cottage. Ze wilde net het tuingereedschap verzamelen toen een rood katje behoedzaam om de zijkant van het huis kwam kijken. Hij bleef stokstijf staan toen hij Mel zag en hurkte toen in gespannen sluiphouding neer omdat hij niet goed wist waar hij heen moest.

Mel bleef roerloos staan, en daardoor aangemoedigd trippelde de kat over het bloembed, snuffelde even voorzichtig met zijn roze neusje aan een narcis en sloeg er toen met een fluwelen pootje tegenaan.

Mel maakte lokkende geluidjes en stak haar hand uit. De kat ging zitten en staarde haar even aan, waarna hij met lome bewegingen zijn witte bef begon te likken, terwijl zijn groengouden ogen strak op haar gezicht gericht bleven. Na een poosje hield hij daarmee op en drentelde zonder zich iets van Mel aan te trekken over het pad naar de weg, zijn staart in de lucht. Mel vroeg zich af van wie hij was, of dat hij net als zij een zwerver was.

Binnen zette ze thee en liet ze het bad vollopen; ook al was de rest van de cottage nog zo victoriaans, de verwarmingsketel en de waterleiding waren gelukkig modern. Het was zalig om zich in het warme water te laten zakken.

Het enige probleem met een bad, bedacht ze huiverend toen ze twintig minuten later met haar tenen de stop eruit trok, was dat het je tot dagdromerijen verleidde. Al haar plannen om positief te zijn waren weggesijpeld. Opnieuw waren haar gedachten teruggekeerd naar Jake en had ze het einde van hun relatie keer op keer de revue laten passeren.

In de periode dat ze met Jake in een niemandsland leefde en van harte hoopte dat hij weer zijn oude charmante zelf zou worden als hij eenmaal klaar zou zijn met de herziene versie van zijn boek, had de tragedie toegeslagen. Bij haar moeder werd een zeldzame vorm van kanker geconstateerd, die was uitgezaaid naar haar alvleesklier.

Toen Mel, Chrissie en soms ook William om de beurt hun moeder vergezelden op een deprimerende ronde van ziekenhuisafspraken en afmattende behandelingen, en uiteindelijk een plekje voor haar hadden weten te vinden in een hospice vlak bij hun huis, was haar familie heel hecht geworden. Maar het was net of Jake van buitenaf naar binnen keek.

Hij steunde haar, dat wel, in die zin dat hij Mel troostte en ontzettend lief voor haar was, maar Mel had het gevoel dat hij haar verdriet geen moment echt deelde. Ze had het afgrijzen in zijn ogen kunnen lezen bij de zeldzame gelegenheden dat hij de uiterst verzwakte gestalte van haar moeder in het hospice kwam bezoeken. Terwijl voor Chrissies man, Rob, gold dat haar leed zijn leed was. Eén keer, na een wel heel aangrijpend bezoek, toen haar moeder overduidelijk een heleboel pijn leed, zag Mel dat Rob bij de receptie van het hospice stond te huilen. Ze was diep getroffen door zijn medeleven.

'Hebben we Jake op de een of andere manier beledigd?' merkte Chrissie een andere keer op, toen Jake Mel afzette bij het hospice en zwaaiend wegreed. 'Waarom komt hij niet mee naar binnen?'

'Hij wil bij een boekhandel langs,' zei Mel met een zijdelingse blik op haar zus terwijl ze de gang van het hospice door liepen, zich schrap zettend bij haar scherpe toon. Vandaag, zag ze, waren Chrissies ogen roodomrand en had ze niet de moeite genomen haar anders zo smetteloze make-up aan te brengen.

'Ik bedoel,' zei Chrissie, 'hij hoort hier toch te zijn, om jou te steunen.' *Net als Rob*, was de onuitgesproken implicatie. 'Hij is best erg, eh... met zichzelf bezig, niet?'

'Je snapt het niet,' had Mel terug gesnauwd. Chrissie had een gevoelige snaar geraakt. 'Hij voelt zich hier gewoon niet op zijn gemak, meer niet. Hij kent mam niet zo goed. Niet zoals Rob. En hij moet niets van ziekenhuizen hebben, sinds zijn kleine zusje toen hij tien was bijna aan hersenvliesontsteking is overleden.'

Ze waren bij de zaal aangekomen waar hun moeder lag, dus trok Chrissie bij wijze van antwoord alleen irritant veelbetekenend haar wenkbrauwen op.

Op een mooie dag begin mei zakte Maureen Pentreath voorgoed weg in een door medicijnen veroorzaakte verdoving. Op weg naar het crematorium kwam de stoet over een laan die was omzoomd door kersenbomen. De bloesemblaadjes dwarrelden zacht als sneeuwvlokken omlaag.

In de maanden na haar moeders dood sloeg Mel Jake nauwlettend gade, en diep in haar hart moest ze bekennen dat er wel enige waarheid school in wat Chrissie had gezegd. Jake had niemand anders nodig. Hij hield van haar, dat wist ze zeker. Maar hij had ook van zijn vrouw gehouden, en toch had hij het laten gebeuren dat ze uit elkaar waren gegroeid. Hij hield van zijn kinderen, maar soms leek het wel of hij prima zonder hen kon leven, zozeer ging hij op in zijn schrijverij.

'Ik vraag me af of als wij samen kinderen zouden hebben, die op Anna en Freya zouden lijken,' zei ze op een zondagavond voorzichtig.

Daar had hij om moeten lachen, onzeker. 'Niet als het jongens zouden zijn. Trouwens, Mel, dat is wel het laatste waar we op dit moment op zitten te wachten. Een baby zou voor ons de nekslag zijn.'

'Hoe bedoel je?' zei ze.

'Al die ontregeling. Wanneer zou ik dan moeten werken? Wanneer zou jíj moeten werken, nu we het er toch over hebben? Ik wil dat de eerstkomende tijd allemaal liever niet nog eens meemaken.'

'Maar later misschien wel?'

'Voorlopig niet, wil ik alleen maar zeggen.'

Daardoor had ze zich enigszins laten vermurwen, maar in haar binnenste stapelden smartelijke gevoelens zich op. Ze was al zo kwetsbaar omdat ze rouwde om haar moeder, en een van de dingen die ze het ergst vond, bekende ze tegenover Aimee, was dat haar moeder er niet meer was als ze zelf kinderen zou krijgen. Ze zou de kinderen van haar jongste dochter nooit zien, en zij zouden hun grootmoeder nooit kennen. Die gedachte was ontzettend pijnlijk.

Begin november had Jake meegedeeld dat hij zijn boek af had. Dit keer klonk zijn agent nog steeds wel bemoedigend, maar vooral ongeduldig. 'Het is veel beter geworden dan het was,' liet ze hem aan de telefoon weten. 'Echt een fascinerend verhaal. Maar aan de toon klopt nog steeds iets niet. En je personages zouden meer emotionele betrokkenheid moeten tonen.'

'Wat mag dat in vredesnaam betekenen?' riep Jake vertwijfeld uit nadat hij het gesprek had beëindigd. 'Emotionele betrokkenheid? We hebben het hier wel over een literaire roman, niet over een stuiversromannetje. Wat weet ze er eigenlijk van, die domme koe?'

'Jake! Waarom zoek je niet een andere agent als je Sophie niet meer ziet zitten?' zei Mel. Jake had haar het manuscript tegelijk met zijn agent laten lezen. Eigenlijk was ze het helemaal met Sophie eens, maar ze liet het wel uit haar hoofd om dat tegen Jake te zeggen. De prozastijl was briljant, inventief en speels, de plot ingenieus. Maar was het boek niet misschien een beetje verliefd op zichzelf? En waren zijn personages – de roman was een satire op de wereld van de moderne kunst – niet alleen maar pratende hoofden, waarin Jake zijn eigen overtuigingen kwijt kon.

'Nee,' zei hij, en hij sloeg met zijn vuist tegen de muur. 'Dit is het beste agentschap voor mij. Laat ze het eerst maar eens naar uitgevers sturen, dan zullen we nog wel eens zien wie er gelijk krijgt.'

Maar uiteindelijk bleken Sophie en Mel gelijk te krijgen. Alle uitgevers aan wie Sophie het manuscript toestuurde wezen het, zich uitputtend in beleefdheidsfrasen, af. Een gekopieerd setje afwijsbrieven, samengesteld door Sophies overijverige assistente, plofte te midden van de kerstkaarten op de mat in Kennington neer. 'Maar mocht Jake Friedland in de toekomst nog iets anders schrijven, zou ik het graag ter beoordeling ontvangen' was een zin die regelmatig terugkeerde.

En tot overmaat van ramp kwam op dat moment ook de brief van Grosvenor Press voor Mel, waarin stond dat ze een artikel van haar hadden gelezen in de *Journal of Art History* en dat ze haar graag wilden uitnodigen om een opzet in te dienen voor een boek in hun prestigieuze serie over Britse schilders. Daar gaf Mel uiteraard maar al te graag gehoor aan.

Jake verzonk in een diepe, duistere depressie.

Het was de week voor Kerstmis, maar Mel durfde niet te veel plannen te maken. Deze kerst zou de eerste zijn zonder haar moeder. Zou het feest nu voor altijd een symbool van droefheid worden? Ze keek met angst en beven naar de dag zelf uit, die ze bij haar zus thuis zou doorbrengen, waar William en zijn gezin ook waren uitgenodigd. Jake ging met Anna en Freya naar zijn ouders, wat ze eerlijk gezegd een hele opluchting vond.

Maar in de week na kerst kon ze de gespannen sfeer niet langer verdragen.

'Jake, je moet echt wat vrolijker worden,' zei ze op een avond toen hij na het eten in haar keuken bleef rondhangen. Hij gaf geen antwoord. Ze gooide het over een andere boeg. 'Ik weet dat je teleurgesteld bent. Je hebt immers zo hard gewerkt.'

Hij draaide zich om en keek haar aan. Zijn ogen glinsterden ondoorzichtig, ondoorgrondelijk.

'Aan je boek, bedoel ik,' voegde ze eraan toe, wanhopig nu. Het was niet eerlijk. Waarom zou zij dag in dag uit, week na week zijn chagrijn moeten verdragen en elk woord dat ze zei op een goudschaaltje moeten wegen en goed moeten opletten bij alles wat ze deed voor het geval ze hem per ongeluk ontriefde? Om het minste of geringste viel hij tegenwoordig tegen haar uit. Er sloeg een vlaag van woede door haar heen. Ze griste een mok uit het afdruiprek. Het dwaas lachende varken dat erop stond leek de spot met haar te drijven. In een plotselinge beweging smeet ze de beker op de grond. De stukken vlogen om hun oren.

'Mel!' Ze staarden elkaar allebei geschrokken aan. Jake bracht zijn vinger naar zijn wang en voelde bloed.

'Sorry,' riep ze uit. 'Sorry, maar ik kan er niet meer tegen! Het is niet eerlijk, zoals jij doet. Ik probeer je alleen maar te helpen. Zo kan ik niet verder.'

Hij kwam naar haar toe, sloeg zijn armen om haar heen en drukte haar stijf tegen zich aan. 'Het spijt me, het spijt me,' mompelde hij in haar haar. 'Ik gedraag me als een onbehouwen beer, hè?'

Ze maakte zich los en keek naar hem op. 'Ik hou van je, maar ik moet weten,' zei ze, 'of we samen een toekomst hebben. Ik heb er een ontzettende hekel aan om zo aan het lijntje gehouden te worden, om niet te weten waar ik aan toe ben. En kinderen… Ik wil graag een baby, Jake, dat weet je. Van jou. Daar wil ik niet pas aan beginnen als het al te laat is.'

De koppige uitdrukking die over Jakes gezicht gleed en de vastberaden trek om zijn mond deden haar wensen dat ze haar mond had gehouden.

Een maand lang had Jake zijn best gedaan om opgewekter te zijn, maar Mel wist dat zijn afstandelijke beleefdheid peilloze diepten van narigheid moest camoufleren. Op de een of andere manier zetten ze hun leven voort zoals dat zich de afgelopen paar jaar had afgespeeld, maar het was net alsof ze alleen maar de schijn ophielden. Toen kwam Jake op een avond niet meer thuis na een feestje bij de krant waar hij vroeger gewerkt had.

Ze wist meteen wat er gebeurd was en sprak hem erop aan.

'Het had niets te betekenen. Ze is niet belangrijk, ik zie haar toch nooit meer,' zei hij, maar ze wisten allebei wat het betekende: hij had de bijl in hun relatie gezet omdat ze er geen van tweeën in slaagden op een andere manier uit elkaar te gaan.

Twee dagen later had hij zijn spullen achter in de auto gestapeld, haar zo hartstochtelijk gezoend dat ze al haar wilskracht moest aanwenden om hem niet te smeken te blijven, en was hij teruggegaan naar Kennington – en, stelde ze zich zo voor, het eerste hoofdstuk van een nieuwe roman.

De volgende horde was bij Anna en Freya op bezoek gaan om het uit te leggen. Ze wilde hen nog steeds graag zien, zei ze nadrukkelijk, maar hoewel ze elkaar in de armen vielen en van alles beloofden, beseften ze alle drie dat het nooit meer hetzelfde zou zijn. En voor de tweede keer binnen één jaar was Mel in de rouw.

Ik moet hun een keer schrijven, Anna en Freya, bedacht Mel die avond toen ze wachtte tot de lasagne uit de winkel in de oven was opgewarmd. Ze at het gerecht op aan de keukentafel, met een roman rechtop neergezet voor haar neus. Later probeerde ze naar een misdaadprogramma op de televisie te kijken, maar omdat ze genoeg kreeg van de eindeloze reclameonderbrekingen zette ze het toestel uit. Opgekruld in een fauteuil bleef ze zitten, zich afvragend wat ze nu zou gaan doen. Chrissie bellen, besloot ze, en ze reikte naar de telefoon.

'Het is raar,' zei ze tegen haar zus in antwoord op de vragen die Chrissie op haar afvuurde. 'Ik was helemaal vergeten hoe donker het op het platteland kan worden. Je zit hier echt afgelegen. En op dit landgoed is het best spookachtig. Heeft Patrick je er iets over verteld?'

'Niet echt,' zei Chrissie. 'Zijn ouders komen uit Cornwall, net als mam en pap. Zijn oudoom heeft het huis aan Patrick nagelaten toen hij vorig jaar overleed. Patrick beweert dat hij niet weet wat hij ermee moet, of hij het moet verkopen of houden en er zelf moet gaan wonen.'

'Er gaan wonen? Wat zei je ook weer dat hij deed voor de kost?'

'Hij heeft met een vriend een internetbedrijf. Is hij al aangekomen? Hij gaat er in het weekend vaak heen, heeft hij gezegd.'

'Nee. Tenminste, ik heb hem nog niet gezien. Hoe ziet hij eruit, trouwens?'

'Hmm, vrij lang, donker rossig haar. Wel aardig, maar ik weet niet... Hij vertelt niet veel over zichzelf. Hij is geen stadstype – meer iemand voor een spijkerbroek en trui, als je begrijpt wat ik bedoel.'

'Zeker zo'n trui met een rendier erop, net als Mark Darcy in *Bridget Jones*? Dat klinkt wel oké.'

'Nou, Mel, haal je maar niks in je hoofd. Hij heeft een vriendin, en volgens mij is dat serieus.'

'Het was maar een grapje.' De ideale man voor Mel vinden was een spelletje van Chrissie waarbij Mel altijd weigerde mee te spelen. Omdat Chrissie knus getrouwd was en kinderen had, wilde ze dat Mel ook op die manier gelukkig zou worden. Tegelijkertijd had Chrissie, interessant genoeg, er blijkbaar helemaal geen hartzeer van gehad dat Mel en Jake uit elkaar waren gegaan.

Mel begon over een ander onderwerp. 'Dus morgen vertrek je naar Portugal?'

'Dinsdag, voor twee weken. Ik kan niet wachten. O, ik heb je onze contactnummers gemaild.'

'Bedankt. Nou, maak er maar iets leuks van. En breng nog eens wat van dat fraaie aardewerk voor me mee.'

Nadat Mel de hoorn op de haak had gelegd, bleef ze even zitten en liet ze haar gedachten gaan over Patrick. Wat zou hij moeten beginnen als hij hier midden op het platteland zou wonen? Ze hoopte maar dat hij als hij zou arriveren niet het soort huisbaas zou blijken te zijn dat om haar heen bleef hangen en zich overal mee bemoeide. Ze mocht zich dan eenzaam voelen, maar ze had haar tijd hard nodig om te werken.

Ze dwong zichzelf ertoe haar laptop aan te sluiten om te controleren of ze verbinding kreeg. Alles werkte zoals het moest werken. Het had geen zin om naar haar webmail van de universiteit te kijken, want het zou haar alleen maar storen om te zien dat het leven zonder haar gewoon verderging. Ze logde dus in op haar persoonlijke e-mail. Ze had alleen de beloofde boodschap van Chrissie en eentje met de titel 'Hoi vanaf Big Smoke' van haar vriendin Aimee, die op het moment dat Mel was vertrokken op schoolexcursie was geweest.

Ik hoop dat je veilig bent aangekomen en dat het huisje in orde is. Hoe is het daar, en vallen er binnen een omtrek van 75 kilometer nog chocoladecroissants te scoren? Sorry dat ik je niet meer heb gezien voor je vertrek, maar we kwamen pas donderdag laat uit Parijs terug. Het is allemaal goed gegaan – geen een van die schattebouten is van de Eiffeltoren gevallen, of in de Seine. Er was maar één echt crisismoment. Een kleine herrieschopper, Callum Mitchell, kreeg het voor elkaar op de laatste avond op zijn slaapzaal een fles wijn open te trekken. Gelukkig wisten we die in beslag te nemen voordat het al te erg uit de hand liep, maar ik moest wel een hartig woordje spreken met zijn vader. Raar toch dat ouders het nooit goed kunnen geloven als je hun vertelt dat hun dierbare kroost zich heeft misdragen. Ik moet zeggen dat het wel gek was om alle bezienswaardigheden te bekijken in gezelschap van een stelletje veertienjarigen, terwijl ik de vorige keer alleen met Mark was. Maar ho, ik mag niet te lang stilstaan bij het verleden. Laat me weten hoe het met je gaat.

Mel schreef terug:

Ha Aimee,
Een helse reis, maar ik heb het weten te vinden. Lamorna is schitterend, maar verschrikkelijk afgelegen, en nog nergens een spoor van de huisbaas te zien. Volgens mij kon het hier wel eens knap eenzaam worden, vooral 's avonds, maar ik hou me wel staande. De eenzaamheid hier is beter te behappen dan in Londen, waar je je alleen al ellendig voelt omdat je ervan uitgaat dat iedereen om je heen het leuker heeft dan jij. Hier is er kilometers in de omtrek niets anders dan jijzelf en wat koeien.
Fijn dat het in Parijs goed is gegaan. Volgens mij was het echt engelachtig van je om je eigen vakantie op te offeren voor de kinderen, en ik mag hopen dat als je er nog een keer heen gaat dat met iemand is die speciaal voor je is – al was ik het zelf maar!
Veel liefs, Mel

Ze klapte de laptop dicht en keek op de klok. Halftien. Wat zou ze nu eens gaan doen? Hoe kon het je zo veel energie kosten om geen deadlines en afspraken te hebben?

Ze slaakte een zucht en stond op met het plan haar laatste spullen te gaan uitpakken, maar zag toen ineens dat een van de aquarellen aan de muur scheef hing. Ze hing hem weer recht. Het was een van de rozenschilderijtjes. Ze staarde ernaar en zag nu wat ze eerst over het hoofd had gezien, namelijk dat een van de bloemen door een kleine honingbij werd bezocht. De kunstenaar had de fijne kleefhaartjes waarmee het diertje stuifmeel verzamelde en de dooraderde gaasachtige vleugeltjes nauwgezet weergegeven.

Met een geeuw liep ze naar de hal, pakte daar haar weekendtas en sleepte die de trap op, en toen ze boven was zette ze haar radio aan om het donker en de doodse stilte te verjagen.

Hij trof me aan in de tuin. Ik schrok me wild, hoewel ik alle recht had om daar te zijn. Ik deed niemand kwaad, en het is mijn vrije tijd, die ik mag invullen zoals ik zelf wil. Ik probeerde het papier voor hem af te schermen, maar hij moest lachen en kwam naast me liggen. 'Laat zien!' gebood hij, en hij is met recht een charmeur, want ik haalde mijn hand weg. Hij pakte het papier vast en bleef een hele poos kijken naar de bloem die ik had getekend. Het was een roos, wit en zwaar, op dat laatste prachtige moment van volle bloei, voordat die omslaat in zijn tegendeel en de bloemblaadjes dof en bruin worden. Hij keek naar de bosjes, zoekend naar de bloem. 'Mooi, hoor,' zei hij na een poosje, 'maar waar is de bij? Je bent de bij vergeten!' Ik lachte en besefte toen dat ik mijn adem moest hebben ingehouden, want het was een hele opluchting om te kunnen lachen. Ik keek, en inderdaad: er klom een honingbij over mijn roos, die zich begroef in het gele hart. 'Maar het is echt goed,' herhaalde hij, en hij gaf de tekening aan me terug en sprong overeind. Dit was de eerste keer dat hij iets tegen me heeft gezegd terwijl ik alleen was, en ik was er zo van onder de indruk dat ik geen woord wist uit te brengen, maar hem alleen kon nakijken toen hij wegliep met zijn welbekende verende tred. Maar ik heb de bij erbij getekend en telkens als ik daarnaar kijk, moet ik aan hem denken.

3

April 1912

'Maak je maar niet druk om kokkie,' zei de plompe Jenna hijgend terwijl ze de achtertrap op klommen. 'Ze is in alle staten omdat er vanavond tien mensen komen eten en mevrouw haar heeft gevraagd om iets bijzonders te doen met de kreeften. Loop haar maar niet voor de voeten. O!' Ze bleef staan en sloeg een mollige hand tegen haar mond, hoewel haar ogen ondeugend twinkelden. 'Neem me niet kwalijk, ik vergat even dat kokkie je tante is, nietwaar?'

Pearl, die haar bagage achter zich aan naar boven sjouwde, keek op en glimlachte naar het quasi geschrokken gezicht boven haar. Dit was zeker een test. Ze werd heen en weer geslingerd tussen de wetenschap dat haar toekomstige welbevinden in dit huishouden wel eens zou kunnen afhangen van de vraag of ze tante Dolly te vriend zou weten te houden en het verlangen om bij deze opgewekte jonge vrouw in de smaak te vallen, die vast en zeker van haar eigen leeftijd moest zijn. Maar tact had altijd een goedgeolied deel uit gemaakt van Pearls wapenrusting. 'Ze is niet echt mijn tante, ik noem haar alleen maar zo.' Ze nam niet de moeite om uit te leggen dat haar relatie met Dolly, de schoonzus van haar stiefmoeder Adeline, zo weinig voorstelde dat ze haar 'tante' in feite maar twee of drie keer had gezien, bij de zeldzame gelegenheden dat ze elkaar op marktdag in Penzance waren tegengekomen. En zelfs op die momenten was al Dolly's aandacht uitgegaan naar Adeline; tot nu toe had ze weinig notitie van Pearl genomen.

Pearl Treglown had al jong geleerd haar gedachten voor zichzelf te houden. Niemand kon meer in haar binnenste kijken en tegen haar zeggen dat ze niet zo brutaal moest zijn. Want zo was het vroeger meestal gegaan als Pearl haar werk onderbrak om zich te verbazen over de glanzende schubben van de makreel die ze stond schoon te maken, of als ze te veel vragen stelde over de een of andere vaste klant van de herberg die haar stiefmoeder niet kon, of beter gezegd, niet wilde beantwoorden.

Maar in de afgelopen maand had Pearl niettemin zo veel antwoorden gekregen dat haar hoofdje ervan tolde, en wel op vragen die ze in al haar achttien levensjaren nog nooit eerder had durven stellen. Zoals wie haar echte ouders waren en waarom Adeline Treglown (wier man, de broer van kokkie, een paar jaar voordat Pearl nog maar geboren was, was overleden) haar had grootgebracht. En of ze de rest van haar leven zou moeten doorbrengen met bier tappen en zich de avances van zweterige zeelui moest laten welgevallen in de rokerige gelagkamer van de Blue Anchor, terwijl ze dromen en ambities had die veel verder reikten dan de naar vis stinkende kades van de haven van Newlyn.

Vandaag had ze door bittere ervaring ontdekt wat het antwoord op deze laatste vraag was, nadat ze zich, na een ruwe omhelzing en een waarschuwend 'Gedraag je een beetje' uit de mond van mevrouw Treglown, wier gezicht nu grauw en uitgeteerd zag door haar ziekte, door meneer Boase, de verweerde hoofdtuinman van Merryn Hall, achter op zijn tweewielige koets had laten helpen. Daar zat ze met een pakje met boeken en een aftands valies met daarin de rest van haar aardse bezittingen tegen zich aan gedrukt, ingeklemd tussen diverse lege manden en een groot krat van latten van de markt in Penzance, waarin diverse kwaaie krabben en twee kreeften rondkrabbelden. Ze zou, had mevrouw Treglown tegen haar gezegd, de reis van een paar kilometer maken van Newlyn naar Lamorna om daar dienstmeisje te worden op Merryn Hall, waar tante Dolly kokkin was. Dat was verder dan Pearl ooit eerder in haar leven had gereisd.

'Dat is je bed daar, en je uniform,' zei Jenna, die weer op adem kwam na de klim. Ze stonden in een spaarzaam gemeubileerde zolderkamer met een schuin plafond en kale gepleisterde muren. De late middagzon scheen warm door het ene schuifraam dat er was. 'En je kleren kun je daar in de laden bergen. Ik kan nu maar beter teruggaan, voordat kokkie me vermoordt.' En ze hompelde de houten trap weer af.

Pearl keek om zich heen in haar nieuwe slaapkamer. Haar kamer in de herberg had uitgekeken op een donker achterstraatje en had winter en zomer naar schimmel geroken. Hier was het tenminste droog en licht. Maar hoewel Jenna een paar van haar eigen spullen op de andere ladekast had uitgestald – een haarborstel, een of andere dierfiguur die grof was uitgesneden uit een stuk hout, een naaidoosje –, was deze kamer onpersoonlijk en overduidelijk alleen een plek om te slapen. Opeens werd het haar allemaal te veel. Ze bevond zich op een plek die ze niet kende, stond op het punt een nieuw leven te beginnen, en nu ze bestormd werd door zo veel zorgen en spijtgevoelens, wilde ze het liefst alleen maar languit op haar wankele ijzeren bed gaan liggen huilen.

In plaats daarvan haalde ze met een onderdrukte snik diep adem en begon ze haar spullen uit te pakken. De weinige kleren die ze had legde ze in de laden die Jenna haar had gewezen. Haar oude handdoek hing ze op een houten rail naast die van Jenna, haar toilettas en haarborstel zette ze op de ladekast. Ze wist niet goed wat ze moest doen met de boeken, dus stapelde ze die maar op op de grond, met haar schilderkist, papier en het schetsboek die ze van meneer Reagan gekregen had ernaast; daar zou ze later wel een plekje voor zoeken.

In de kan op de wasstandaard zat schoon water. Ze schonk er een beetje van in de kom en bespatte daar haar gezicht en hals mee, waarna ze zichzelf droogdepte met haar handdoek. Vervolgens nam ze haar uniform in ogenschouw. Een gesteven wit schort, kraagje, manchetten en kapje lagen in een keurig stapeltje op haar bed. Ze liet haar blik omlaag gaan langs de grove bruine jurk die ze aanhad en veegde er met een puntje van de handdoek wat modderspatten af. Zo moest het maar. Ze had geen tijd om zich om te kleden, en ze had trouwens maar één reservejurk om in te werken.

Terwijl ze stond te hannesen met de nieuwe manchetten, schraapte er iets langs het raam, waardoor ze schrok. Toen ze opkeek zag ze nog net in een warreling van witte veren een vogel wegvliegen. Omdat ze het ineens bloedje heet kreeg, liep ze naar het raam om dat open te schuiven; het plotselinge koele briesje voelde als een verademing op haar verhitte gezicht.

De zolder bood uitzicht op het zuidwesten over de tuinen aan de achterkant van het huis, hoewel ze onder deze hoek alleen de boomkruinen kon zien, de wallen van rododendrons die net in knop stonden, een rij laurieren en een rechthoekige vijver met aan één kant een vreemdsoortig gebouwtje ernaast. De lucht geurde naar aarde en al wat groeide, niet naar het zout en de vis waar ze zo aan gewend was, en op het gekwetter van de vogels na was het stil. Thuis had ze altijd het water tegen de kademuur horen klotsen, of de wind horen jagen, de niet-aflatende kreten van zeemeeuwen en de roep van vissers.

Deze nieuwe plek kwam haar wonderbaarlijk voor: dat mensen in zo'n gigantisch huis woonden midden in een soort park. Ze had de belangrijkste vertrekken van het huis nog niet gezien, maar de keuken was met zijn hoge plafond heel licht en schoon vergeleken bij de hete, vettige halfduistere ruimte in de Blue Anchor. Zelfs op de achtertrap waarover Jenna haar was voorgegaan had geen stof gelegen, terwijl de trap in de pub voordat hij door de recente brand was geblakerd onder de spinnenwebben had gezeten en vol had gelegen met spetters gestold kaarsvet.

Ze draaide zich van het raam af om haar nieuwe thuis nogmaals in zich op te nemen, en op dat moment viel haar oog op het stuk krantenpapier dat op de vloer was gevallen. Ze pakte het op, vouwde het open en ging op het bed zitten om het voor de twintigste keer te lezen…

Ze was zo verdiept in haar gedachten dat het geluid van Jenna's laarzen die de houten trap op klosten amper tot haar doordrong. Ze sprong op, en toen de meid hijgend de kamer binnen kwam vallen, mikte ze het papier in de la en schoof die met een klap dicht.

'Kom op nou, kokkie zit om je te springen. Mevrouw is thuis, en meneer Charles, en ze hebben gasten meegebracht. Je moet kokkie helpen met de thee.' Jenna kneep kippig haar ogen half dicht terwijl ze de kamer rond keek en de veranderingen in zich opnam. Ze liep naar het stapeltje boeken naast het bed. 'Wat mag dit voorstellen?' Ze pakte een boek van de bovenkant van de stapel, een gedichtenbundel van Christina Rosetti, en sloeg het open. Een frons van concentratie kroop over haar gezicht. Haar lippen bewogen in stilte en vervolgens schudde ze haar hoofd.

Ze kan niet lezen, kwam het plotseling in Pearl op, en zachtjes pakte ze het boek uit Jenna's hand. Het gezicht van de andere jonge vrouw verried niets.

'Ach, die heeft een gast voor me achtergelaten.' Pearl legde de bundel terug op de stapel en liep naar de deur. Een kamer delen met Jenna zou niet makkelijk worden. Het zou een hele troost voor Pearl zijn om een vriendin van haar eigen leeftijd te hebben in deze nieuwe wereld waarin ze zich opeens bevond, maar de behoedzame blik die nu in de ogen van het andere meisje verscheen, dreigde hun vriendschap al te verzuren nog voordat die goed en wel begonnen was.

'Waar is je kapje?' vroeg Jenna nu bruusk, en Pearl, van de wijs gebracht, griste het van de wastafel waarop ze het had laten vallen en bukte zich om een glimp van zichzelf op te vangen in de gebarsten lange spiegel aan de wand terwijl ze het op haar hoofd speldde. Zonder verdere plichtplegingen haastten de beide meisjes zich de trap af naar de keuken.

'Maar ik heb het van Robert Kernow gehoord; ze ontslaan nu meer werknemers bij de mijn.' De stem die duidelijk verstaanbaar opklonk door de kier van de deur behoorde toe aan een jonge man en klonk hartstochtelijk.

'O, Charlie, alsjeblieft nu geen politiek meer. Sidonie verveelt zich, hè, Sidonie?' protesteerde een vrouwenstem, terwijl Jago, de livreiknecht-in-opleiding, discreet op de deur klopte en hem wijd openduwde om kokkie met haar volgeladen dienblad door te laten. Pearl, die achter haar aan kwam met de zilveren Georgian theepot en warmwaterkan, dankte de sterren dat ze eraan gewend was zware kruiken cider te torsen.

Hoewel Pearl niet openlijk om zich heen durfde te kijken, drong het toch vol verbazing tot haar door dat ze zich in een blauwwitte kamer bevonden als van een paleis, met hoge ramen die uitkeken op de zonovergoten tuinen aan de andere kant daarvan. Er lag echt tapijt op de vloer. Toen ze de moed kon opbrengen om haar ogen op te slaan, zag ze dat er drie mensen in het vertrek zaten. Een jongeman in een tweedjasje bezette een van de stoelen naast de haard. Een plompe matrone in een goudkleurige middagjapon zat in de andere, dicht bij de witte haard, waar de vlammen likten en knapperden. De derde persoon, een elegante donkerharige vrouw, zat hooghartig op een kleine bank en aaide een kleine whippet die opgekruld naast haar lag.

Pearl was te verlegen om meer te doen dan haar een tersluikse blik toewerpen. In plaats daarvan bleven haar ogen plots hangen bij een enorm schilderij boven de schoorsteenmantel, een portret van een man met een brede hoed op, gezeten op een paard. Slechts met de grootste moeite wist ze te voorkomen dat haar mond openviel. Ze had eerder een schilderij gezien als dit, in een van de boeken van meneer Reagan die bij de brand verloren moesten zijn gegaan. Ondanks wat ze sindsdien allemaal te weten was gekomen, dacht ze nog steeds aan hem terug als aan 'meneer Reagan'.

De vrouw op de bank praatte met een bazige stem die Pearl herkende van daarnet. 'Zet de tafel maar hier, wil je, Jago?' Zij was zeker de vrouw des huizes. Meneer Boase, die haar hiernaartoe had gebracht, had haar mevrouw Carey genoemd, maar omdat hij een bonkig en zwijgzaam type was, had hij verder weinig meer gezegd waar ze iets aan had. De mevrouw was nog steeds mooi, niet jong maar ook niet oud, en ging modieus gekleed in een lichtgroene robe. Haar amandelvormige ogen gleden onderzoekend langs de kokkin, die haar dienblad neerzette, naar Pearl, die achter haar stond te wachten.

'Ah, mooi, jij bent zeker het nieuwe meisje,' zei mevrouw Carey, op niet onvriendelijke, maar niettemin zakelijke toon.

Pearl wist niet goed of ze antwoord moest geven op deze constatering, maar kokkie nam haar de beslissing uit handen. 'Ja, m'vrouw. Maar de handschoenen passen niet, dus die heb ze niet an.'

De matrone met het ronde gezicht die mevrouw Carey Sidonie had genoemd giechelde, maar mevrouw Carey negeerde haar. Ze nam Pearl nauwlettend op en knikte, kennelijk tevredengesteld. 'Dat geeft niet, ze kan zo ook wel aan tafel bedienen. Ze is lang, dat is mooi.'

Pearl voelde haar gezicht gloeien. Hoe durfden ze over haar te praten alsof ze een hond of een paard was? Ze voelde de geïnteresseerde blik van de jongeman, Charlie, op haar rusten en staarde naarstig naar de gouden randen van het tapijt, wensend dat zijzelf en de zilveren schalen daar dwars doorheen konden zinken.

Later die avond, toen ze met de andere bedienden onder de olielampen aan de lange keukentafel zat, was ze te uitgeput om meer te doen dan de vettige stukken lamsvlees die van het dineetje over waren rond te schuiven op haar bord.

'Ze hebben al die zeevruchten opgegeten, hè, mevrouw Roberts? Je had moeten zien hoe mevrouw haar wenkbrauwen optrok toen de dominee om een derde portie vroeg.' Jago – Pearl was er nog niet achter of dat zijn voor- of achternaam was – glimlachte breeduit naar Jenna en schonk Pearl over tafel heen een knipoog. Hij zat in zijn hemdsmouwen

55

en had zijn op maat gemaakte jasje en de das die hij van mevrouw Carey aan tafel moest dragen uitgetrokken. Mevrouw had geprobeerd hem zover te krijgen dat hij zich bij gelegenheden als deze in een echte livrei hees, had Jenna Pearl verteld toen ze eerder de tafel hadden gedekt, maar Jago had dat botweg geweigerd. Hij was een slanke jongeman met smalle schouders en een lichtelijk manke tred, een kwaal die hij mogelijk tijdens zijn werk had opgelopen omdat hij niet sterk genoeg was om boerenwerk te doen, vermoedde Pearl. Hij leek in en om het huis verschillende taken te hebben: hij fietste naar het postkantoor om brieven te posten, verrichtte allerlei losse klusjes, poetste de glimmende Newlynse koperen pannen, zorgde voor de haarden en was de familie in algemene zin van dienst. Omdat er geen butler was, viel hij net als Pearl en Jenna onder de kokkin, wier scherpe opmerkingen zelden zijn opgewektheid wisten te drukken. Dat leek alleen te gebeuren wanneer Jenna zich ongevoelig betoonde voor zijn onhandige avances.

'Ze hebben tenminste wel wat overgelaten van die trifle,' zei Jenna terwijl ze gulzig de jus van haar lepel likte.

'Die is voor de lunch van de familie morgen,' zei de kokkin scherp. 'Wij kunnen de laatste gestoofde pruimen nemen.' Jenna kreunde. 'Daarna kun je de laatste pannen schrobben in de bijkeuken, de vloer vegen en het fornuis vullen. Pearl kan Jago wel helpen met opruimen in de eetkamer, en dan kan ze maar beter naar bed gaan.'

Door haar waas van vermoeidheid heen voelde Pearl zich even dankbaar om deze bescheiden vriendelijke daad. Nadat ze had geholpen de thee te serveren, had de kokkin haar een groot grof schort toegeworpen en haar in de keuken aan het werk gezet, zodat ze geen moment de tijd had gekregen om te gaan zitten. Omdat er tien gasten waren, was het alle hens aan dek geweest, en de kokkin had bevelen gebruld als een sergeant-majoor. Pearl had groenten schoongemaakt, voorraden uit de provisiekast gehaald, afgewassen, vloeren schoongemaakt, in pannen geroerd en het gebraad bedropen met vet. Dolly Roberts had haar voor niets van wat ze deed geprezen, maar ze had haar ook niet berispt. Ze nam aan dat het er zo wel mee door kon. Maar wat eraan had ontbroken, was dat er helemaal geen spoor van medeleven was geweest met Pearl, hoewel de kokkin wel naar haar schoonzus had geïnformeerd en bars haar hoofd had geschud toen Pearl beschreef hoe zwak Adeline Treglown werd.

Toen Jenna Pearl had laten zien hoe ze de couverts moest dekken met hun ingewikkelde arrangement aan bestek, had de keukenmeid honderduit gevraagd. Pearl beschreef de naakte feiten van haar situatie. Dat ze zich geen ander thuis kon heugen dan de Anchor, dat ze in Newlyn naar school was gegaan, maar daar, hoewel haar leraar zeer over haar te spreken was, op haar veertiende af was gehaald, zodat ze twaalf uur per dag of meer in de herberg kon werken, kamermeisje kon spelen voor gasten die bleven overnachten, kon bedienen achter de tap, kon koken, opruimen, schoonmaken, ruzies beslechten – en dat allemaal zonder daarvoor betaling te ontvangen.

Toen was er een ramp gebeurd. Vier weken geleden had een brand, die mogelijk begonnen was in een ongeveegde schoorsteen, het grootste gedeelte van de bovenverdieping van de herberg verwoest, en daarbij was een gast om het leven gekomen – Arthur Reagan. Pearl kon er niet over praten zonder dat haar stem haperde. Vervolgens, toen ze kort daarop bij buren onderdak hadden gevonden, had mevrouw Treglown een attaque gekregen en was duidelijk geworden dat ze aan een steeds erger wordende ziekte leed.

'Ze heeft mevrouw Roberts geschreven,' vertelde Pearl Jenna, 'en haar gevraagd of ze een dienstje voor me wist. En ze heeft de herberg verkocht – of wat ervan over was – en is ingetrokken bij haar zus in Penzance. Maar daar is voor mij geen plek.'

'Wat akelig,' zei Jenna, die duidelijk ontsteld was door Pearls verhaal. 'Arme meid.'

Wat Pearl deed wensen dat ze de moed had om Jenna de rest ook te vertellen. Maar wat Adeline Treglown haar had medegedeeld was nog niet goed bezonken en leek nog niet helemaal werkelijk. Ze had tijd nodig om eraan te wennen en om te treuren om datgene waarvan ze eerder niet geweten had dat het haar toebehoorde en dat ze het kwijt was geraakt.

Het was twee dagen na de brand geweest, nadat Adeline als getuige was gehoord in het onderzoek naar de dood van Arthur Reagan. Meestal was ze een kordate, nuchtere vrouw die zonder morren het werk deed wat ze moest doen, dus was Pearl erg geschrokken toen ze haar stiefmoeder in de verwoeste herberg huilend over de tafel gebogen aantrof.

'Het komt doordat ik dit allemaal kwijtraak,' zei ze door haar snikken heen. 'En door wat die arme man is overkomen.'

Pearl veegde het roet van de bank tegenover haar en ging behoedzaam zitten. Ze keek om zich heen in de bar. Hoewel de brand deze ruimte niet had bereikt, lag elk horizontaal oppervlak vol met roet en as, en in de plassen vuil water op de ongelijke grond dreef allerlei viezigheid rond. Het vertrek stonk naar rook en verschaald bier.

'Jij kunt er ook niks aan doen,' was het enige wat ze wist uit te brengen. Ze wilde tegen Adeline zeggen dat zij hem ook miste, dat er met zijn dood iets speciaals was verdwenen – niet alleen hijzelf, maar ook een glimp van een andere wereld, een uitweg.

Meneer Reagan was al zo lang Pearl zich kon herinneren af en toe te gast geweest in de Anchor. Hij was schilder en kwam telkens voor een paar weken naar Newlyn, één keer zelfs voor een paar maanden. Vanaf dat ze zes of zeven was ging Pearl, als ze aan school en aan de klauwen van Adeline wist te ontsnappen, naar de nieuwe pier of naar de kliffen, of waar hij ook maar zijn ezel had opgezet, om toe te kijken hoe hij schetsen en schilderijen maakte. Soms vertelde hij haar wat hij aan het doen was – dat hij probeerde de sfeer van de zee van die dag precies weer te geven, of dat hij zich afvroeg hoe hij de boten ver weg aan de horizon moest schilderen.

Van tijd tot tijd vertelde hij over zijn reizen. Hij had kunstenaarskolonies in Frankrijk bezocht en had ooit een jaar in Italië doorgebracht. Toen hij merkte dat dat alles haar erg interesseerde, liet hij haar boeken over die plaatsen zien, en catalogi van tentoonstellingen.

'Ze krijgen het niet voor elkaar die heldere kleuren in druk weer te geven,' klaagde hij over de zwart-witte afbeeldingen toen hij de visuele schok probeerde te beschrijven van werken van Vincent van Gogh of Paul Gauguin.

Pearl wist dat Reagan getrouwd was. Zijn vrouw woonde in Kent en ze hadden vijf kinderen, maar hij had het niet vaak over hen. Ze had de indruk dat zijn vrouw niet zo blij was met zijn bezoekjes aan Newlyn; ze kwam in elk geval nooit mee.

Hij had iets melancholieks over zich, bedacht ze toen ze zijn schrale gezicht met de donkere baard bestudeerde. Het leek wel of hij nooit fatsoenlijk at, en zijn sjofele, alhoewel goed gemaakte pakken hingen om zijn lijf alsof ze op maat waren gesneden voor een andere man, die meer doorvoed en gelukkiger was dan hij.

Soms was hij in een opperbest humeur omdat de Academie of het

Aquarelgenootschap een van zijn schilderwerken had geaccepteerd en vervolgens verkocht. 'Het gaat niet zozeer om het geld,' zei hij dan, 'maar dat de Academie mijn werk goedkeurt.' Op grond daarvan nam ze aan dat hij een andere bron van inkomsten had, hoewel ze geen idee had welke dat zou kunnen zijn. Iedereen die ze kende leek altijd geldgebrek te hebben.

Hij was een eenzame figuur. Soms zocht hij het gezelschap op van andere schilders die in Newlyn waren neergestreken, en deelde hij met twee anderen een poosje een oude vissersschuur bij wijze van atelier. Maar hij was voornamelijk op zichzelf. Hij leek het niet erg te vinden om in zijn eentje te zijn, te roken als een ketter en uit te staren over de zee als een oude zeeman die droomde over zijn reizen uit het verleden.

Adeline, constateerde Pearl tot haar verrassing, was dol op hem. Ze maakte altijd veel werk van het eten als hij bij hen logeerde en stuurde Pearl om de dag naar boven om zijn kamer schoon te maken, terwijl ze aan andere gasten stukken minder aandacht besteedde. En dan ineens, even plotseling als hij was gekomen, nam hij weer afscheid van Pearl en stapte hij op de trein terug naar Londen – maar altijd met de belofte terug te komen 'zodra ik het geregeld heb met Lena', zijn vrouw.

Nu, in de verwoeste gelagkamer van de Anchor, was Adelines huilen overgegaan in een lange, uitputtende hoestaanval. Toen ze was uitgehoest, wrong ze een zakdoek tussen haar vingers en staarde met waterige ogen naar de grond. Na een poosje zei ze: 'Arthur Reagan was je vader.'

Een hele poos kon Pearl geen adem krijgen; het bloed stolde haar in de aderen. Toen die vlaag weer voorbij was, zei ze niets, want ze was er immers in getraind haar reacties voor zich te houden.

Adeline vertelde verder, alsof ze wél iets had gezegd. 'Ja, ik weet dat ik tegen je gezegd had dat je ouders waren overleden.' Ze had beweerd dat haar vader een visser was die op een stormachtige nacht niet meer was teruggekeerd van zee, en dat haar moeder, een dienstmeid in de Anchor, was gestorven in het kraambed toen ze van haar was bevallen.

Het verhaal over haar moeder was kennelijk waar. 'Maggie was een mooie meid, maar ze gedroeg zich niet zo mooi. Ze wond die arme man om haar lieftallige vingertje. Ze wist dat hij getrouwd was, maar haar maakte dat niets uit. Ze moest en zou hem hebben. Toen haar buik begon op te bollen wilde ik haar de deur uit zetten, maar ze smeekte me haar te laten blijven. Toen jij geboren werd, werd ze ziek en overleed.'

Pearl kon van ontsteltenis nog steeds geen woord uitbrengen. Adeline begon weer in haar zakdoek te hoesten, met langgerekte, hol klinkende schraapgeluiden, en Pearl zag tot haar schrik dat ze bloed opgaf. Uiteindelijk zei Adeline: 'Hij gaf me altijd geld. Voor jouw levensonderhoud. Niet veel, dat niet, maar het was iets. Nu is daar niets meer van over.' Ze keek om zich heen. 'En van deze herberg ook niet. Ik weet niet wat er van ons moet worden.'

Pearl bleef zwijgend naar haar vingers zitten staren, dankbaar voor het 'wij', maar waar ze het moeilijk mee had was dat haar hele leven nu op z'n kop werd gezet.

Niet alleen had Arthur Reagan haar de ogen geopend voor een wijdere horizon dan de mogelijkheden die een vissersdochter had, door haar boeken te lenen en haar teken- en schilderles te geven, maar hij had ook deel uitgemaakt van haar en zij van hem op een manier die ze nooit voor mogelijk had gehouden.

'Waarom heeft hij het me niet gezegd?' fluisterde ze nu, en ze keek op naar de beklagenswaardige Adeline.

'Dat wilde hij niet. Te veel mensen hier kenden hem. Wat had hij moeten doen als het zijn vrouw ter ore was gekomen? In haar familie zat het geld, zie je, en als zij van jouw bestaan had geweten...'

'Ik ben blij dat je bent gekomen, liefie,' babbelde Jenna, waarmee ze Pearls gepeins onderbrak. 'Sinds Joan vorige maand naar Afrika is vertrokken om met die kerel van haar te trouwen, hebben wij hier onze handen vol gehad aan al het werk.'

'Afrika?' vroeg Pearl.

'Ja, hij is twaalf maanden geleden van Plymouth naar de mijnen gezeild. Toen liet hij haar overkomen, en ze is als een hond achter een konijn achter hem aan gegaan. Ze heeft beloofd dat ze ons bericht zou sturen als ze was aangekomen, maar dat heeft ze nog niet gedaan.'

'Misschien doen brieven er lang over,' zei Pearl, die achteruit stapte om hun werk te overzien. 'Deze bloemen,' zei ze, knikkend naar het arrangement van irissen en narcissen, 'wat zijn die mooi. Wie zorgt daarvoor?'

Ze begon Jenna na te doen, die glazen neerzette van dienbladen die op de zijtafel stonden – voor elk couvert verschillende vormen en maten.

'Mevrouw Carey gaat over de bloemen.'

'Wie woont hier verder nog?'

'Meneer, natuurlijk,' zei Jenna. 'Hij is eigenaar van het land waarop mijn pa en broers boeren. Hij werkt hier op kantoor of heeft bezigheden buitenshuis,' voegde ze er vaag aan toe. 'Soms rijdt hij naar Penzance of moet Jago hem daarheen brengen.'

'Is Charlie hun zoon?'

'Meneer Charles is de neef van meneer Carey. Hij woont hier nu al heel wat jaren, sinds zijn eigen ma en pa zijn doodgegaan. Meneer en mevrouw Carey hebben alleen maar dochters. Juffrouw Elizabeth, die zestien is, en juffrouw Cecily is denk ik veertien.'

'Wat doet meneer Charles dan?'

'Nou, hij wordt geacht te leren hoe het toegaat op het landgoed, maar daar lijkt hij niet bijster druk mee bezig te zijn. Soms gaat hij met meneer Carey mee naar kantoor. Maar hij houdt ook erg van schilderen. En van de tuin. Daar is hij vaak te vinden.'

'Mogen wij in de tuin komen?'

'Als kokkie je een moment rust gunt en de familie er niet is wel, ja.'

Pearl knikte, blij bij de gedachte dat ze over het schitterende terrein zou mogen wandelen, en liep achter Jenna aan naar de hal om nog wat stoelen te halen.

Vlak voordat de gasten zouden arriveren stond Pearl net in de bijkeuken een pan met water te vullen toen Jenna haar riep. 'Mevrouw wil je spreken, liefie. Ik ga wel even met je mee.'

Pearl deed haar schort af en waste haar handen. Ze haastten zich de achtertrap op en draafden door een lange, met tapijt beklede gang, zo schuldbewust als twee ondeugende muisjes, waarna ze uitkwamen voor een deur aan de voorkant van het huis.

'Je hoeft niet zenuwachtig te zijn,' siste Jenna haar toe. 'Ze bijt heus niet.' Waarvan Pearl alleen nog maar meer de kriebels kreeg. Jenna klopte aan en nadat er vanuit de kamer 'Binnen!' had geklonken, deed ze de deur open en duwde Pearl bijna het vertrek in.

In deze slaapkamer lag zacht tapijt. Er hingen blauw-gouden gordijnen voor de ramen, aan de andere kant waarvan schaduwen over de voortuin neerdaalden. De lucht was zwaar van parfum. Mevrouw zat aan een kaptafel tussen de ramen, met een geopend juwelenkistje voor zich. In de gloed van de olielampen had ze oorhangers aangepast, maar nu legde ze de sieraden op een kanten doek neer en draaide zich half om.

'Ah, mooi zo. Ik wil graag dat je mijn haar doet.'

Pearl ging achter haar mevrouw staan en begon aarzelend de spelden uit de dikke lokken van mevrouw Carey te trekken. Eerder, in de zonnige salon, had haar kruin kastanjebruin opgeglansd, maar in het afnemende licht bleek het donkerbruin doorregen met wit. Het haar viel over haar schouders en Pearl begon het met lange, lome streken te borstelen met de haarborstel met zilveren achterkant die mevrouw haar aangaf.

Mevrouw Carey sloot haar ogen en neuriede wat voor zich heen. Ze zag eruit, vond Pearl, die haar in de spiegel gadesloeg, alsof er honderd-en-een gedachten door haar hoofd gingen. Ze had donkere schaduwen onder haar ogen, en haar huid was droog en vermoeid. Ze glimlacht en fronst te veel, besloot Pearl nadat ze de lijntjes die in haar gezicht waren gegroefd eens goed had bekeken. Ze keek op naar haar eigen beeld in de spiegel en nam scherp het ovale gezicht in zich op, de lange rechte neus. Ze was blij met haar grote, ronde en donkere ogen, de boogjes van haar wenkbrauwen, als door een schilder met vaste hand aangebrachte penseelstreken, maar vond haar mond te breed. Onder haar witte kapje ging haar weerbarstige donkere haar, dat ze met moeite weer in een knotje had weten te krijgen, over in de schaduwen.

Haar jonge, rozige gezicht zag er boven het door de jaren verfletste gelaat van haar mevrouw in de spiegel uit als een illustratie bij een les over het verstrijken van de tijd, en toen mevrouw Carey haar ogen weer opendeed, speelde die gedachte haar kennelijk ook door het hoofd. Even staarde ze naar het contrast tussen de vrouw des huizes en de bediende achter haar en zei toen kortaf: 'Zo is het wel genoeg. Ik zal je laten zien hoe ik het graag wil hebben.'

Maar terwijl ze Pearl leerde hoe ze haar lokken omhoog moest doen, moest omrollen en vastzetten in een flatteuze krans, sloeg ze weer een wat vriendelijker toon aan.

'Je gaat voorzichtig te werk, dat is mooi. Joan kon het ook keurig, maar ze trok altijd zo.'

'Ik deed vroeger altijd het haar van mijn stiefmoeder,' merkte Pearl op. 'Daar werd ze rustig van.'

'Ze is ziek, hè, heb ik van kokkie gehoord. Wat akelig. Hoe maakt ze het?'

'De dokter zegt dat het nog een paar maanden, of zelfs maar een paar weken kan duren. Ik... Ik weet het niet.'

Mevrouw Carey knikte meelevend. 'We zullen voor haar bidden. Na het ontbijt bidden we altijd, moet je weten. En op zondagmorgen gaan we in Paul naar de kerk, met z'n allen.' Paul was het dorp een paar kilometer verderop, in de richting van Newlyn. 'Er is hier in het dorp een kapel, en je moet zelf maar bepalen of je daar 's avonds nog naartoe wilt. Sommigen hier doen dat.'

'De mensen die naar de kapel gingen vonden het maar niks dat wij drank verkochten.'

'Aha,' zei mevrouw Carey. 'Ik moet zeggen dat ik zelf zo mijn twijfels had over de herberg, maar kokkie wist zeker dat je een brave meid was. Ik reken erop dat je dat waarmaakt.'

Pearl trok verrast haar wenkbrauwen op toen haar ogen de vaste blik van haar bazin troffen. Tante Dolly had als ze elkaar zagen altijd weinig belangstelling voor Pearl getoond, maar nu had ze blijkbaar toch een lans voor haar gebroken. Toen ze terugdacht aan de afgelopen paar uren, moest ze echter constateren dat de kokkin tegen iedereen kortaf had gedaan. Dat was zeker haar gewone manier van doen.

Mevrouw Carey maakte een blauwfluwelen kistje open en gaf Pearl de zware diamanten choker aan die daarin lag. Toen Pearl het sieraad had vastgemaakt om de hals van haar mevrouw en nog wat aan haar kapsel had verschikt, bracht de oudere dame met een poederdons wat laatste poeder op haar gezicht aan.

'Ik heb gehoord dat een van de kunstenaars bij de brand is omgekomen,' zei mevrouw Carey. Pearl dwong zichzelf ertoe om zonder ook maar even haar adem in te houden met haar werkzaamheden door te gaan. 'Vast niet iemand die Charles kende, lijkt me.'

'Pardon, mevrouw?'

'Mijn neef is schilder, wist je dat?' Maar voordat Pearl antwoord kon geven, roffelde er iemand op de deur. Hij ging open en er kwam een zwaargebouwde man naar binnen, in hemdsmouwen. 'Wil je even die ellendige manchetknopen indoen, lieve?' blafte hij mevrouw Carey toe nadat hij Pearl snel van top tot teen had opgenomen. 'Wie mag dit wezen?'

'Dit is het meisje uit Newlyn over wie ik je heb verteld,' legde mevrouw Carey haar echtgenoot geduldig uit. 'Je kunt nu gaan, Pearl.' En Pearl ging er als een haas vandoor.

Er werd Pearl niet gevraagd die avond aan tafel te bedienen, maar wel om toe te kijken hoe dat in z'n werk ging terwijl ze zich heen en weer haastte voor Jago en Jenna, beladen met voorgerechten en schalen met groenten, stapels vuile borden en vuistenvol lege flessen.

Toen ze haar kaars uitblies en op haar bonkige bed ging liggen wachten tot de slaap haar zou overmannen, doodmoe, maar met een hoofd vol gedachten, buitelden de herinneringen aan wat er die dag allemaal was gebeurd over elkaar heen. Het gerinkel van het paardentuig, het schudden van de koets over de weg vol kuilen, het gerammel van pannen, de rijke etensgeuren, de damp en hitte in de keuken, het licht dat twinkelde in het fijne kristal, de geur van bloemen, klaterende damesachtige lachjes, de naar wijn geurende adem van de mannen toen ze hen in hun jassen had geholpen.

Het stond allemaal mijlenver af van die ochtend, toen ze zich langs het strand had gerept waar de vis op uitgespreid lag, de vangst van de afgelopen nacht, waar mannen en vrouwen steggelden, meeuwen rondpikten naar restjes, en de zee na de wind van de afgelopen nacht als een broedend monster op de kust spoelde.

En toch had ze, ondanks alles wat ze was kwijtgeraakt, goede hoop dat ze hier op Merryn Hall gelukkig zou worden, dat ze hier vriendelijkheid, schoonheid en de toevlucht van dagelijks werk zou vinden om haar te genezen.

Ze voelde onder haar matras en haar vingers sloten zich om de kleine schilderkist die haar vader haar had gegeven. Toen rolde ze zich om, luisterde naar de roep van uilen, en viel in slaap.

4

Pas de vrijdag daarop arriveerde Patrick Winterton, hoewel Mel elke dag goed had geluisterd of ze een onbekende auto op de oprit hoorde en zich had afgevraagd of hij er al aankwam.

Ze had een vruchtbare week gehad en had zich helemaal in haar werk verdiept. Op maandag had ze de kunstgalerie bezocht in het oude vissersplaatsje Newlyn, hoewel ze het fraaie kleine gebouw zelf stukken interessanter had gevonden dan de moderne conceptuele kunstwerken die op dat moment binnen te zien waren. Als je in je eentje op het door de wind gegeselde klif stond uit te kijken in de richting van Mont-St.-Michel, was het niet moeilijk je voor te stellen waarom de kunstenaars van een eeuw geleden zich zo tot deze plek aangetrokken hadden gevoeld. Hoewel de vissers tegenwoordig eerder lichtgevende jacks droegen dan de traditionele Guernsey-truien en wollen mutsen, en vandaag de dag één enkel bedrijf de distributie van de vis op een moderne overdekte markt in handen had, terwijl de vissers en hun vrouwen die vroeger hadden uitgevent op het kiezelstrand, hing er nog steeds dezelfde nuchtere sfeer van doelgerichte arbeid die hier honderd jaar geleden ook moest hebben gehangen, en gedenktekens aan recente tragedies getuigden nog steeds van de niet-aflatende gevaren die het met zich meebracht om de oogst van de zee aan land te brengen.

Op dinsdag en woensdag had ze in Penlee House in Penzance schilderijen bestudeerd en uren zitten lezen in de Morrab-bibliotheek. Ze vond het fascinerend hoe de plaatselijke vissersgemeenschap was omgegaan met de invasie van schilders uit de Midlands, Londen en elders in het laatste kwart van de negentiende eeuw. Velen hadden model gestaan voor de soms tragische taferelen die de kunstenaars hadden geschapen – *Te midden van het leven zijn we te midden van de dood* luidde een titel, en *Dageraad zonder hoop* een andere. Mel nam aan dat het moderne equivalent daarvan was dat je bij je dagelijkse bezigheden werd gefilmd voor reality-tv.

Toen de donderdag aanbrak, besefte ze dat ze al dagen amper iemand gesproken had, tenzij ze de bibliothecaris aan wie ze een boek had gevraagd, of de man van de slagerij in de supermarkt, waar ze worstjes had gekocht, meetelde. Ik moest maar eens een strandwandeling gaan maken, bedacht ze, en kijken of Irina voor een praatje te porren is.

Afgezien van diverse gehaaste bezoekjes aan de winkel om de krant en melk te kopen, was ze niet meer in de buurt van de baai geweest. Het was een heldere en zonnige dag, en Mel merkte dingen op die ze op haar eerste tocht over het hoofd had gezien: late narcissen die in het wild groeiden, een vervallen molenhuis dat niet meer in gebruik was, de molentocht, die ondanks de recente regen weinig meer was dan een plas stilstaand water. Toen ze bij het kleine gemeentehuis aankwam, zag ze een poster voor een schilderijententoonstelling hangen. Na een korte aarzeling liep ze naar binnen.

Daar was het warm en licht; het hoge plafond en de vele ramen zorgden voor een opwindend gevoel van ruimte. De muren waren van onder tot boven overdekt met felgekleurde moderne schilderijen van Cornish taferelen die waren opgebouwd uit effen kleurvlakken. Geen kunst met een grote K, maar ze waren wel levendig en decoratief.

Er was verder niemand in het vertrek aanwezig, hoewel ze door een zijdeur het geruis van een waterketel en gerammel van servies opving, dus liep ze heerlijk in haar eentje dromerig rond te dwalen in het zonlicht en nam ze uitgebreid de tijd om alle werken te bekijken. De laatste paar kunstwerken waren van een afwijkend genre: een stuk of wat foto's van de zee, die bij elkaar in een hoek hingen. Heel bijzonder, dramatisch. Ze vond ze mooi.

'Sorry, ik had u niet horen binnenkomen.' In de deuropening verscheen een jongeman in een verkreukeld Oxford-shirt en een sjofele ribbroek, met een dampende mok in zijn hand. Hij fronste licht zijn wenkbrauwen en kneep zijn donkere ogen tot spleetjes. 'Ken ik u?'

'Dat denk ik niet,' zei Mel onzeker. 'Tenzij… Ja, we hebben elkaar al min of meer ontmoet. U was een van de duikers, toch?'

'Vorige week in de baai – ja, nu weet ik het weer.'

'Hebt u nog iets gevonden?'

'Neuh,' zei hij monter. 'Het leek daar beneden net erwtensoep.' Hij zette zijn mok op de schraagtafel naast de deur, zijn lippen vertrokken in wat een glimlach zou kunnen zijn, of alleen maar een gewone bedenkelijke blik. Hij was van gemiddelde lengte, misschien achter in de twintig, en had een klein, donker gezicht en een compact postuur zonder een grammetje vet. Mel herinnerde zich hem in zijn wetsuit. Ze zag nog voor zich hoe hij het water in ging, zo glad als een zeehond of een zeemeerman. Met een sierlijke beweging nam hij zijn plaats achter de tafel weer in en koos een getypte catalogus uit, die hij haar met theatrale zwier overhandigde.

'Is dit úw werk?' vroeg ze, om zich heen kijkend naar de schilderijen.

'Alleen de foto's. De schilderijen zijn van een vriend van me,' antwoordde hij.

'De foto's zijn mooi,' zei Mel, die nogmaals een blik op de zeetaferelen wierp. 'Vooral die met die rotsblokken.'

'Dank u,' zei hij. 'Het is eigenlijk een hobby, al zou ik er wel meer werk van willen maken.'

'Wat houdt u tegen?'

'O, mijn andere bezigheden. Mijn werk, het duiken, surfen.'

'Wat doet u dan voor werk?'

'Ik werk in een surfshop in Penzance. Ik slaap in het appartement van een vriend boven de winkel. Maar ik ben in Lamorna opgegroeid, dus hier ben ik vaak te vinden. M'n moeder staat er nu alleen voor, ziet u. Ze runt een hotel verderop aan de weg en kan altijd hulp gebruiken. En u, bent u met vakantie?'

'Zo voelt het wel een beetje, maar ik word geacht onderzoek te doen.' Ze legde uit wat ze deed.

'Mensen vragen heel vaak naar de kunstenaars,' zei de jongeman. 'Maar u gaat er ook echt een boek over schrijven. Wauw!'

'Het is minder glamoureus dan het lijkt,' zei ze met een grimas. 'Het zal wel voornamelijk worden gelezen door studenten. U hebt maar geluk dat u hier bent opgegroeid te midden van het landschap dat die kunstenaars hebben geschilderd.'

'Daar wil ik niets aan afdoen,' beaamde hij. 'Mooi is het, hè? Maar West-Cornwall is behoorlijk afgelegen. De meeste mensen met wie ik op school heb gezeten zijn weggetrokken, verder het land in. Hier konden ze geen fatsoenlijk werk vinden.'

'Er zal toch wel werk in het toerisme zijn?'

'Jawel, maar het probleem daarmee is dat het seizoensgebonden is. Er wordt nu ook niet meer zo veel geboerd of gevist, en de mijnen zijn bijna allemaal verdwenen. Hoe dan ook, mijn vrienden willen dat soort banen niet meer. Alles is veranderd. Neem nou deze vallei. Een heleboel huizen zijn eigendom van nieuwkomers. Gepensioneerden of mensen met een tweede huis. Volgens mijn moeder is er van de gemeenschapszin niets meer over.'

Mel wierp een blik op de catalogus die hij haar had gegeven – Tobias Walters, heette de kunstenaar – en liep nog eens naar de schilderijen die ze het mooist had gevonden: rommelige cottages in Newlynse achterafstraatjes en de foto's. Na een poosje keerde ze terug naar de tafel en gaf de catalogus terug.

'Uw vriend heeft een goed kleurgevoel.'

De man moest lachen. 'Daarmee wilt u zeker zeggen dat u niet in de verleiding komt,' zei hij.

'Vandaag niet,' zei ze, en ze concludeerde dat hij iemand was die prijs stelde op eerlijkheid. 'Maar uw foto's vind ik echt heel mooi.'

'Bedankt voor het compliment, zeker uit de mond van een kunsthistorica als u. Nou, als u een tijdje in Lamorna blijft, kom ik u misschien nog wel eens tegen. Waar logeert u?' Toen Mel het hem vertelde, raakte hij geanimeerd. 'Echt waar?' zei hij. 'Mijn moeder raakt maar niet uitgepraat over dat oude huis. Ze heeft er een band mee, ergens ver weg in de familie.'

'Kent u misschien Patrick Winterton, de eigenaar? Ik heb hem nog niet ontmoet, ziet u.' Ze legde uit wie Patrick was.

'Ik heb gehoord dat de oude meneer is overleden. Mijn moeder zal het interessant vinden te horen wie er nu woont. Zeg, ik heet Matt. Matt Price. En u bent…?'

'Mel. Melanie Pentreath.'

'Een Cornish naam.'

'Ja, mijn ouders kwamen uit de buurt van Falmouth. Maar ook zij zijn net als zo veel anderen weggetrokken, vrees ik. Ze zijn in de jaren zestig in Londen gaan wonen. Ikzelf heb hier nooit gewoond.'

'Ah, nou, dan hoop ik maar dat het je hier goed bevalt. Veel succes met het boek. Misschien lopen we elkaar nog wel eens tegen het lijf.'

Ze liep nog steeds na te denken over Matt toen ze bij het postkantoor kwam. Daar kwam Irina net naar buiten, met een rieten boodschappentas aan haar arm en een verlegen uitziend meisje achter haar aan.

'Ik vroeg me al af hoe je het maakte,' zei Irina, die in een hartelijk gebaar even met haar hand over Mels onderarm streek. 'Heb je tijd voor een kop koffie? Dit is mijn dochter, Lana.' Ze duwde het meisje zachtjes naar voren.

'Graag, dat lijkt me lekker. Hallo, Lana. Heb je vakantie van school?' Lana knikte, met grote donkere en vloeibare ogen in haar spitse gezichtje. Ze was een miniatuuruitvoering van haar moeder, maar dan ernstiger.

Aan de buitenkant was het huis van Irina en Lana een vissershuisje als vele andere, maar binnen vormden een frisse, moderne grenenhouten keuken en ontbijtkamer een schril contrast met de woonkamer, die bomvol stond met meubels uit grootmoeders tijd. Irina had de sleetse bekleding gecamoufleerd met kleurige kussens en hier en daar intrigerende verwijzingen naar haar afkomst: een orthodoxe icoon aan de muur, een paar beschilderde houten poppen op de schoorsteenmantel, een foto van een glimlachend echtpaar van middelbare leeftijd, de vrouw met een sjaal om haar hoofd die onder haar kin zat vastgeknoopt, genomen voor een uit natuursteen opgetrokken huis met groene luiken.

Mel liet zich neerzakken in een diepe leren armstoel en klemde een kussen in haar armen. De geur van de grofwollen stof deed haar denken aan haar vaders overjas, en haar vroegste herinnering aan hem kwam haar weer voor de geest. Toen ze drie jaar was had hij haar in zijn armen genomen en hoog de lucht in gezwaaid, tot ze het uitkraaide van zowel angst als vreugde.

Ze kwam weer met beide benen op de grond terecht toen Irina binnenkwam met de koffie. Lana glipte naar binnen en ving haar moeders blik toen ze een glas vruchtensap van het dienblad snaaide en naar boven verdween.

'Je keek net naar die foto. Dat zijn mijn ouders,' zei Irina met een knikje naar het echtpaar. 'Genomen in Dubrovnik, voordat de problemen begonnen. Ze zien er zo… tevreden uit, vind je niet? Mijn vader woont daar nog steeds in ons hotel, maar nu de toeristen terugkomen wordt de drukte hem te veel. Hij schreef me dat mijn broer de nieuwe manager is geworden.'

'En je moeder?'

'Die is vijf jaar terug overleden, nadat ze een hele poos aan suiker-ziekte had geleden.' Irina concentreerde zich op het ritueel van koffie inschenken en bood Mel melk en suiker aan.

'Wat akelig,' zei Mel zachtjes. 'Mijn moeder is vorig jaar overleden.' Ze veegde even over haar ogen, als altijd verbaasd door haar plotselinge tranen. 'Kanker. Die greep snel om zich heen.'

'Verschrikkelijk. Het spijt me dat te horen.' Ze stak nogmaals haar hand uit om Mels arm aan te raken. 'En je vader, leeft die nog?'

'Ja,' zei ze. 'Hij is hartchirurg. Of liever gezegd, dat was hij. Hij is nu met pensioen. Maar toen ik vijf was, zijn mijn ouders gescheiden. Mijn vader woont in de buurt van Birmingham met zijn tweede vrouw. Wij – mijn broer en zus en ik – hebben hem sinds hij daarnaartoe is getrok-ken amper meer gezien. Ik denk dat hij er moeite mee had, dat hij zich schuldig voelde.' Zo had haar moeder het althans verklaard, en dus had Mel in gedachten een muur om zich heen opgetrokken om haar gevoe-lens veilig achter weg te sluiten.

'Ik kon niet terug naar Kroatië voor de begrafenis van mijn moeder.' Irina kneep haar ogen tot spleetjes. 'Ik was toen getrouwd, hier. Het lag ingewikkeld. Een verhaal waar de honden geen brood van lusten, zoals jullie hier zeggen.'

'Hoe ben je dan zo in Lamorna verzeild geraakt?' vroeg Mel.

Irina stond op en liep naar het raam, waar ze uitkeek over de baai. Ze draaide zich om, en Mel kon haar gelaatstrekken in het tegenlicht niet onderscheiden.

'Ik ben hiernaartoe gekomen om aan Londen te ontsnappen. Mijn huwelijk was voorbij, en Lana en ik woonden op een afschuwelijke plek. Dichtgetimmerde deuren, overal rotzooi. In een tijdschrift las ik iets over een baan. De oude meneer, meneer Winterton van Merryn Hall, was op zoek naar een huishoudster, en toen ik hem over Lana vertelde, zei hij dat hij graag zou zien dat er een kind over zijn terrein rondliep. En het lag aan zee. Ik miste de zee, zie je. In Dubrovnik... Nou, het ho-tel van mijn ouders ligt vlak aan de haven.'

'Wanneer ben je hier gekomen?'

'Twee jaar geleden. Met meneer Winterton ging het toen al een hele tijd niet goed. Toen ik er een jaar was, was er sprake van dat hij naar een verzorgingstehuis zou gaan, maar dat wilde hij niet, dus kwam zuster

Wright, en samen zorgden we voor hem. Hij was een forse man, en alleen met z'n tweeën konden we hem tillen. Het was een akelige tijd om hem te zien sterven, voor Lana ook. Hij was ontzettend aardig voor haar geweest. Hij leed enorme pijn. En na zijn overlijden kwamen we erachter dat hij goed voor ons had gezorgd.'

'Hoe bedoel je, goed voor jullie had gezorgd?'

'Hij had ons wat geld nagelaten. Dat was heel mooi van hem, ik was er erg blij mee. Het betekende dat we de borg konden betalen om dit huis te huren en dat Lana op muziekles kon. En jij, Mel? Ben je getrouwd, of…?'

'Nee, ik heb de ware nog niet gevonden,' zei Mel, die zorgvuldig haar lege kopje op het dienblad zette. 'Ik breng mijn familie tot wanhoop.' En ze legde kort uit hoe het zat met Jake.

'Ik dacht dat ik wel de ware had gevonden,' zei Irina peinzend. 'Twee keer zelfs. Maar het heeft niet zo mogen zijn. Dus nu ben ik gelukkig met Lana, alleen Lana en ik – ja toch, lieverd?' zei ze, en ze spreidde haar armen om haar dochter te omhelzen, die stilletjes weer de kamer in was gekomen en twee lange draden gekleurd plastic in elkaar had zitten draaien, zoals Mel die zich nog herinnerde uit haar eigen jeugd.

Er was iets met het kind, vond Mel; ze had iets behoedzaams over zich, een soort kwetsbaarheid. Ze zag er teer uit, gekweld.

'Gaan we Amber opbellen, mama? Ik wil graag dat ze komt spelen.' Ze was zo licht als een vogeltje, die Lana. Mel keek toe hoe ze de plastic draden met haar lange, trefzekere vingers door elkaar weefde.

'Zo meteen, engeltje.'

'Waar ga je naar school, Lana?'

'In Paul,' zei het meisje. 'Amber woont daar ook.'

Ja, bedacht Mel, Lamorna was inderdaad heel mooi, maar zoals Matt al had gezegd was het erg van de buitenwereld afgesneden. Het zou wel niet meevallen voor een kind dat graag met andere kinderen wilde spelen.

'Ik was nog vergeten te vragen,' zei Irina, 'of je het in het huisje wel naar je zin hebt.'

'O, jawel hoor,' zei Mel. 'Ik begin er nu aan gewend te raken. Hoewel het wel geïsoleerd ligt, hè, zeker als er op de Hall niemand aanwezig is.'

Irina knikte. 'Dat vond ik ook. Lana en ik hebben er zelf een paar maanden gewoond, voordat de oude meneer Winterton zo ziek werd.'

'Ik dacht dat er een spook was, hè mama?' zei Lana.

'Dat waren alleen maar de meubels die kraakten, liefje. We hebben nooit iets gezien,' zei Irina resoluut. 'Nadat meneer Winteron was overleden vroeg Patrick of we er wilden blijven wonen, maar ik ging liever hier naar de baai.'

'Hier heb je tenminste buren om je heen.'

'Mama vond de tuin ook niet fijn,' kwam Lana tussenbeide. 'Die was zo...'

'Kom, stil nou maar, Lana. Straks maak je mevrouw Pentreath nog bang.' Ze wierp Mel een blik toe. 'In de tuin hangt een wat... desolate sfeer, dat is alles. Toen meneer Winterton nog leefde, hielpen we hem er graag mee, maar nu zijn we hier beter op onze plek, hè kind?'

'En je hebt hier een schitterend uitzicht,' zei Mel, die opstond om uit het raam te kijken. 'Voelt Lamorna nu aan als je thuis?'

'Meer dan ooit. Ik werk als receptioniste in een van de hotels, en ik maak schoon voor Patrick en zorg voor twee vakantiehuisjes hier. Je weet wel: opruimen als er mensen zijn geweest, aanspreekpunt zijn bij problemen. Maar het valt niet mee om vrienden te maken. Veel huizen hier worden alleen in de vakanties bewoond, en er zijn geen gezinnen. Die wonen vooral in Paul, waar Lana naar school gaat.'

'Heel anders dan in Londen,' mompelde Mel.

'Ik vond Londen de eenzaamste plek ter wereld,' zei Irina. 'Hier voel ik me vrij.'

En hoe voel ik me hier: vrij of eenzaam, vroeg Mel zich af toen ze de heuvel weer op liep naar Merryn. Ze mocht dan nog steeds geplaagd worden door verdriet, maar in Irina had ze misschien toch een vriendin gevonden.

De metallic blauwe sportwagen die schitterend in de zon voor Merryn Hall stond geparkeerd, viel haar niet op.

5

Doordat Mel die middag helemaal verdiept was in haar werk, hoorde ze de vreemdeling niet aankomen.

'Neem me niet kwalijk, maar wat ben je in vredesnaam aan het doen?' De mannenstem klonk eerder geamuseerd dan ontstemd, maar Mel, die gehurkt zat in het bloembed om een klimopwortel uit te trekken, schrok zo dat de wortel uit haar handen schoot en de korrels aarde haar in de ogen vlogen. De wiedvork kletterde neer op de stenen en ze wankelde verblind en met een kreet achterover.

'O god, neem me niet kwalijk,' zei de stem. 'Wacht, ik moet ergens een zakdoek hebben. Hier.' De zakdoek was gemaakt van zachte katoen en rook naar wol en zeep. Toen Mel door haar tranen heen haar blik scherp wist te stellen op de eigenaar ervan, zag ze dat hij naast haar was neergeknield, met zijn voorhoofd in een bezorgde frons. Hij was een lange man met hazelnootbruine ogen en een vrij vierkant, gladgeschoren gezicht, dat heel bleek zag, alsof hij altijd binnen zat. Zijn roodbruine haar was keurig in model geknipt, op een lok na die jongensachtig over zijn voorhoofd viel. Hij was gekleed in een niet al te nieuw Barbour-jasje en had een wollen sjaal in lussen om zijn nek gewonden.

'Ik schrik me wild,' hijgde ze toen hij haar overeind hielp en de zakdoek in zijn zak stak. 'Ik was mijlenver weg met mijn gedachten.'

Ze bukte zich om de vork op te pakken en glimlachte hem toen toe. 'Hieronder gaat een tuin verborgen,' zei ze. 'Laten we zeggen dat ik probeer die te bevrijden.'

De man schonk haar met tegenzin een scheve glimlach en nam met zijn armen voor zijn borst haar werk in ogenschouw. 'Ik bewonder je energie,' zei hij, 'maar ik ben bang dat je net als koning Canute probeert de zee tegen te houden.'

'Misschien wel. Maar dat is nog geen reden om het niet te proberen, toch?'

De glimlach maakte plaats voor een berustende blik toen hij zijn ogen over de wildernis liet dwalen. 'Voor een vrouw alleen is het te veel werk om deze tuin op te schonen, al wil ze dat nog zo graag. Meer iets voor een leger graafmachines en het team van Heligan, lijkt me. Wat een zootje is het, hè?'

Toen hij zich omdraaide, zag ze wat voor trui hij aanhad – een doodgewone effen blauwe – en ze herinnerde zich haar grapje tegen Chrissie over het rendiermotief van Mark Darcy. Het kwartje viel.

'Jij bent toch niet Patrick, hè?' zei Mel, op haar hoede.

'Jazeker wel. Sorry, ik had me even moeten voorstellen', en hij stak zijn hand uit om de hare te schudden. 'Dan moet jij Mel zijn. Je lijkt ontzettend op Chrissie, wist je dat?'

'Ik lijk helemaal niet op haar,' zei ze verontwaardigd, en bijna liet ze zijn hand neervallen. 'We zijn heel anders. Zij is blond en vijf centimeter korter. En... nog heel wat meer.' Ze deed er het zwijgen toe toen tot haar doordrong dat ze verongelijkt klonk.

Patricks lach klonk ongemakkelijk. 'Sorry. Ik mag niet van je verwachten dat je net zo in elkaar zou zitten als Chrissie, alleen maar omdat je haar zusje bent, toch? Maar jullie hebben dezelfde glimlach en... Ik weet niet...' Turend nam hij haar op. 'Een paar dezelfde trekken, denk ik. Maar goed,' veranderde hij van onderwerp toen hij Mel zag fronsen, 'hoe bevalt het je in de cottage?'

'Heel goed, dank je. Ik ben blij dat het vanbinnen niet onherstelbaar is opgeknapt, zoals dat zo vaak met zulke huisjes gaat. Er hangt een... prettige sfeer. Nou ja, behalve dan dat er geen theepot is. En het licht in de keuken zoemt verschrikkelijk en flikkert. Daar word ik hoorndol van.'

'Ik zal de lamp wel even voor je aandraaien. Meestal verhelpt dat het probleem. En sorry van de theepot. Ik zal kijken of ik er nog eentje heb. Verder nog iets?'

'Nee. Alleen zou de tuin wel wat aandacht kunnen gebruiken.'

Patrick keek omlaag naar wat ze had gedaan en zei toen, zijn woorden met zorg kiezend: 'Het is heel aardig van je dat je een poging hebt gewaagd, maar als ik jou was zou ik me er maar niet al te druk om maken. Dat is mijn probleem, vrees ik.'

Hij beende heen en weer, zijn handen in de zakken van zijn ribbroek, en draaide zich toen om om op te kijken naar het grote huis. Mel zag een somberheid over zijn trekken komen. Het was alsof hij was vergeten dat zij naast hem stond. Als ze zijn gezicht zo zag vermoedde ze dat Patrick niet de romantiek van het oude huis zag, maar slechts de financiële verantwoordelijkheid. Een paar van de leistenen dakpannen ontbraken; andere, die waren begroeid met een dikke laag goudkleurig korstmos, waren gebroken. Een groot deel van de kozijnen zag er verrot uit, en hier en daar kon ze tussen de alles overwoekerende klimplanten zien dat de voegen verbrokkeld waren. Het pand zag er vandaag eerder verdrietig uit dan alsof het op iets broedde. Verlaten, vol van echo's.

'Hoe oud is het?' vroeg ze even later. 'Georgian?'

'Hmm, volgens de papieren stamt het uit 1819. Ene Carey heeft het gebouwd. Hij had goed verdiend aan de mijnbouw en zag het wel zitten om grootgrondbezitter te worden. Hij heeft hier heel wat boerenland geconfisqueerd, zeggen ze.'

'Een van je voorvaderen?'

'Nee, helemaal niet. Mijn oudoom heeft het eind jaren zeventig gekocht uit de boedel van ene mevrouw Carey, maar toen was de glorietijd ervan allang voorbij. Het huis had een paar jaar leeggestaan, en oom Val wist het voor een prikkie op de kop te tikken.'

'Wat ga je ermee doen? Er wonen?'

'Je bent in elk geval wel net zo direct als je zus,' zei Patrick.

Mel moest lachen. 'Ik ben dol op haar, maar ze neemt geen blad voor de mond, hè?' zei ze, zelf veelvuldig het slachtoffer van Chrissies gesprekstechniek.

'Nou,' zei Patrick, 'om eerlijk te zijn ben ik daar nog niet uit.' Plots keek hij op zijn horloge. 'Hoor eens, ik moest maar eens door. Er kan hier elk moment een inspecteur op de stoep staan om me van advies te dienen over de bouwkundige staat. Tot gauw.' Hij maakte aanstalten weg te lopen, maar hij hield zijn pas in en draaide zich om. 'Zeg, heb je vanavond iets te doen? Kom als je zin hebt om een uur of zes iets drinken. Oom Val heeft een aardig goede wijnkelder nagelaten.'

Geërgerd en een tikje ontmoedigd keek Mel Patrick na toen hij om de zijkant van Merryn Hall uit het zicht verdween. Hij had haar helemaal niet zien staan, niet de echte Mel, maar had de gemakkelijk gemaakte vergissing begaan iemand verkeerd te beoordelen omdat die hem bekend voorkwam. Toen hij haar had opgenomen, had hij niet Mel, maar Chrissie gezien, daar durfde ze gif op in te nemen. Ze moest denken aan al die keren dat ze als puber bellers aan de telefoon had moeten afkappen omdat die dachten dat ze haar moeder of Chrissie was. Naarmate ze ouder werd had ze geleerd in de familiegelijkenis te berusten, maar toentertijd was ze in verzet gekomen, had ze zich in excentrieke kledij gehuld en vriendschap gesloten met herrieschoppers.

Ze liet haar blik omlaag gaan langs de goed gesneden spijkerbroek en het button-down overhemd die ze nu droeg, en pakte met een zucht de vork weer op. Patrick had geen waardering getoond voor haar pogingen. Van al het plezier dat ze in de tuin had gehad was nu niets meer over. Voordat Patrick haar was komen storen had ze haar situatie – in haar voordeel – vergeleken met die van Irina, en was ze blij geweest dat ze een werkje had gevonden waar ze van opmonterde, dat haar van zichzelf bevrijdde. Ach, nou ja.

Ze moest maar eens beginnen de aantekeningen die ze gisteren had gemaakt uit te werken. Ze stak de vork weer diep in de grond en liep naar binnen. Toen ze haar laptop aanzette, schoot Patricks uitnodiging haar weer te binnen. En ondanks alles keek ze ernaar uit hem weer te zien.

6

'Ik heb nog nooit eerder bloemen gekregen. Zeker niet uit mijn eigen tuin.'

Even maakte Mel zich zorgen dat ze een fout had gemaakt door hem de narcissen te geven, maar op Patricks gezicht brak een aarzelende vreugde door, dus het was in orde. De geur van de bloemen vulde de sombere hal. Jake, een man van grote gebaren, had haar geleerd hoe leuk het was om bijzondere cadeautjes te geven en te ontvangen; hij had haar een keer een paar levende krabben gegeven, die ze te griezelig had gevonden om zelf klaar te maken.

'En hier is een vaas,' zei Mel, en ze reikte Patrick een glazen karaf aan die ze achter in een kast had opgeduikeld.

'Mooi, want ik zou niet weten waar ik er hier een zou kunnen vinden,' zei hij terwijl hij hem van haar aanpakte. 'Maar die dingen zijn er natuurlijk ook nog.' Hij knikte naar een paar grote messing urnen aan weerskanten van een consoletafel, waarvan er eentje dienstdeed als paraplubak.

'Ik vraag me af hoe lang het geleden is dat de tuin bloemen heeft voortgebracht die weelderig genoeg waren om daarin te passen,' zei Mel, en ze kreeg een beeld voor ogen van de rijke arrangementen die de kamers in de hoogtijdagen van het huis en de tuin moesten hebben gesierd. Ze keek om zich heen in de hoge, kille hal, die zwak verlicht werd door een enkele elektrische kroonluchter, en het viel haar op dat de vergeelde verf van de muren bladderde. Aan één kant voerde een sierlijke trap met een hekje van gedraaide spijlen naar een kleine vide.

'Wat elegant,' mompelde ze, zich ervan bewust dat hij naar haar keek. 'En wat heeft die inspecteur van je voor gruwelen boven tafel gehaald?'

'Tot mijn genoegen kan ik zeggen dat het hier niet morgen zal instorten. Er zijn wat boomwortels die voor problemen zorgen, en er moet een nieuw dak op, maar dat trek ik wel. Het is een hele opluchting, dat kan ik je wel vertellen.' Hij glimlachte, en ze realiseerde zich dat hij nu ontspannener en vriendelijker was dan die ochtend.

'Daar kan ik me wel iets bij voorstellen,' zei ze.

'Kom even mee naar de keuken; dan haal ik iets te drinken voor ons. Hou je van rode wijn?'

Terwijl Patrick de krachtig geurende inhoud van een stoffige fles in een decanteerkaraf schonk en twee wijnglazen opsnorde, pakte Mel de bloemen uit en schikte ze in de karaf op de keukentafel. Vervolgens liep ze achter hem aan naar de salon, die uitkeek op de achtertuin. Een houtvuur knapperde onder een marmeren schoorsteenmantel, maar de geur van de rook kon de onheilspellende muffe lucht niet maskeren. Ze keek om zich heen. De kamer was een onzalige mengeling van interieurstijlen. Het beschadigde reliëfbehang had in het vroege avondlicht een lelijke lichtgroene gloed. Om de haard stonden een moderne leunstoel en een paar uitgezakte banken met een dessin van rozen gegroepeerd.

Patrick zag haar geïnteresseerd kijken.

'Ik geef je later wel een rondleiding, als je wilt,' zei hij terwijl hij de fles en de glazen op een spuuglelijke betegelde salontafel neerzette. 'Maar hier is het het warmst. Probeer de troon van oom Val maar eens,' zei hij met een gebaar naar de armstoel. 'Die zit echt heel lekker.' Hij zette een glas wijn naast haar neer op iets wat waarschijnlijk een plantentafeltje was.

'Op Val,' zei hij, zijn eigen glas naar haar opheffend, 'en op jou, natuurlijk. Ik ben blij dat je gekomen bent. Zo vaak krijg ik geen bezoek.' Hij nam een slok van zijn wijn – te snel.

Hij ziet er moe uit, merkte Mel op, en hij heeft iets verdrietigs over zich.

'En, vind je dit een fijne plek om te werken?' vroeg hij.

'O, jazeker,' zei ze. 'Heb ik je al verteld over het boek dat ik aan het schrijven ben?'

'Alleen dat het over de plaatselijke kunstenaars moest gaan.'

'Het gaat over de Newlynse en Lamornese School.'

Ze vertelde hem dat ze een paar van de locaties die de schilders hadden vastgelegd had bezocht en wat documenten had ontdekt in de Morrab-bibliotheek. 'Een dagboek en een gedenkschrift. Een kenner van de lokale geschiedenis in Newlyn heeft me op weg geholpen. Wat me nu te doen staat is een bezoek brengen aan St. Ives en een praatje maken met een kunsthistoricus die veel over die periode weet. Ene Jonathan Smithfield.'

'Waar bevinden zich de belangrijkste archieven?' vroeg Patrick, die zijn glas ophief om het effect te bewonderen van het haardvuur dat door de donkerrode wijn heen scheen.

'O, overal – Cornwall, Birmingham, Londen, Amerika. Die zijn tegenwoordig via internet allemaal een stuk makkelijker te raadplegen, natuurlijk.'

'Er is veel over de Newlynse groep geschreven, toch? Ik herinner me vagelijk dat ik jaren geleden eens hier in de buurt naar een tentoonstelling ben geweest.'

'Ja, maar ze zijn nu helemaal niet meer in trek. Ze hielden zich bezig met sociaalrealisme – je weet wel, victoriaanse schilderijen van gewoon werkvolk, dat er de moraal op na hield dat je tragische gebeurtenissen lijdzaam moest ondergaan, hard moest werken en je lot moest dragen.'

'Ah, ja, vissersvrouwen die bij dageraad staan te snikken omdat hun mannen de storm in zijn gevaren.'

'Precies.' Ze was blij dat hij althans dééd of hij enige belangstelling voor haar onderzoeksobject had. 'In het laatste kwart van de negentiende eeuw zijn er tientallen kunstenaars naar Newlyn getrokken,' ging ze verder. 'En een heleboel van hen bleven er een paar jaar hangen en settelden zich hier.'

'Wat voor relatie is er dan met degenen die naar Lamorna gingen?'

'Dat was ietsje later, in feite. Ene Samuel Birch, een man met een heel bescheiden achtergrond, kwam aan het begin van de edwardiaanse tijd hiernaartoe. Hij raakte bekend als "Lamorna Birch", om hem te onderscheiden van een andere Samuel Birch.'

'Ik weet zeker dat oom Val het over hem heeft gehad. Was hij niet met een meisje uit deze buurt getrouwd?'

'Ja. En verder had je de Knights: Harold en zijn vrouw Laura. Laura is als schilder het bekendst. En op een gegeven moment voegde Alfred Munnings zich bij hen.'

'O ja, die man die paarden schilderde.'

'Dat klopt. Nogal een excentriek type, als je de verhalen moet geloven. De plaatselijke bewoners waren gechoqueerd door zijn onbehouwen gedrag. Maar er waren ook anderen. Velen van hen begonnen in Newlyn, maar kwamen ook naar Lamorna. Zelfs Augustus John bracht later een bezoek.'

'Maar geen melodramatische moralistische taferelen meer?'

'Nee. Die nieuwe generatie werd meer beïnvloed door de Franse impressionisten. Ze wilden de schoonheid van de omgeving hier vastleggen. Zij maakten lichthartige schilderijen, vaak in een vakantiesfeer.'

Patrick reikte naar de fles om hun nog eens bij te schenken. 'Ik geloof dat ik wel weet wat je bedoelt,' zei hij. 'En in welke invalshoek ben jij voornamelijk geïnteresseerd?'

'De vrouwen, denk ik. De hindernissen die zij moesten overwinnen om succesvolle schilders te worden. Ik ben nog steeds bezig mijn opzet bij te stellen,' zei Mel. 'Weet je zeker dat ik je niet verveel?'

'Helemaal niet. Het is heel boeiend.'

Mel begon uit te leggen wat voor theorieën ze over de vrouwelijke schilders had, de onderwerpen die zij verkozen vast te leggen, hun relatie met de mannen, en de andersoortige obstakels waar ze in hun loopbaan op stuitten.

'Sommigen hadden een heel geprivilegieerde achtergrond,' zei ze. 'Rond 1900 was het nog steeds erg moeilijk voor een vrouw zonder middelen of sociaal aanzien om haar artistieke talenten te ontplooien, wat voor sommige van de mannen heel anders lag – Lamorna Birch is een goed voorbeeld van een man die zich op eigen kracht wist op te werken. Laura Knight bleef toen haar moeder was gestorven vrijwel zonder een cent achter, maar ze was een meisje uit de middenklasse, met een goede opleiding en met connecties. Toch vergde het nog enorme vastberadenheid van haar om schilderes te worden.'

'Soms wordt een meisje uit de arbeidersklasse model en trouwt dan met de schilder,' bracht Patrick in het midden.

'Ja,' zei ze. 'Dat gebeurde inderdaad wel eens. Maar daarmee is nog niet gezegd,' voegde ze eraan toe, 'dat de man haar talent ook stimuleerde, en er kwamen dan natuurlijk kinderen. Zo'n meisje zou wel heel erg graag moeten willen om in dat geval voor haar kunst te kiezen. Daar moest ze immers veel voor opofferen.'

'En jij?' zei Patrick, die zich naar voren boog en behoedzaam zijn wijnglas op tafel zette. Hij leunde weer achterover, zijn handen achter zijn hoofd gevouwen, en nam haar ernstig op. 'Offer jij ook dingen op? Chrissie vertelde me dat je veel te hard werkt.'

'Ik geniet van mijn werk,' antwoordde Mel, die zich afvroeg wat Chrissie hem verder nog voor informatie zou hebben gegeven. 'Dat vormt een uitdaging en het is creatief. Wat heeft die ellendige zus van me je wel niet allemaal verteld?'

'Geen al te erge dingen, hoor,' plaagde hij.

'En jij, wat doe jij?' zei ze. Op de een of andere manier was hij tot nu toe steeds degene geweest die vragen had gesteld.

'Ik breng uitvindingen aan de man.'

'Ben je uitvinder?' Ze keek hem nieuwsgierig aan.

'Niet echt. Mijn partner en ik runnen een website voor uitvinders. We helpen hen daar patent op aan te vragen, wat nog knap ingewikkeld is, en op zoek te gaan naar bedrijven die hun ideeën willen ontwikkelen en in productie nemen. Als dat goed uitpakt, krijgen wij commissie.'

'Wat voor uitvindingen heb je zoal verkocht?'

'Best wel veel al. Een nieuw type draaibaar droogrek, ergonomische stoelen, tuingereedschap. Een paar jaar geleden hadden we kinderspeelgoed dat met Kerstmis aardig wat geld in het laatje bracht: een kat met afstandsbediening die in de gordijnen kon klimmen.'

'Dat weet ik nog, dat was een leuk ding. De kinderen van mijn vriend hadden er een. Ex-vriend, bedoel ik.' Om haar verwarring te verbergen staarde ze naar de lelijke krullen op het tapijt. Drie Kerstmissen geleden hadden ze gevieren in Jakes flat gezeten en had de kleine Freya opgetogen door de kamer gedanst toen ze het felgekleurde papier van het ene cadeautje na het andere afscheurde, en de grappige kleine robotkat had haar het meest in verrukking gebracht.

'… ook heel wat minder interessante dingen,' hoorde ze Patrick zeggen. 'Borgringen die voor minder frictie in machines zorgen, nieuwe soorten verpakkingen. En een heleboel ideeën die zonde zijn van de tijd en die het nooit halen.'

'Hoe lang doe je dit al?'

'Een jaartje of vijf, zes. Het is begonnen toen Geoff en ik nog studeerden. We hadden een keer in de zomer een oersaai baantje: zwarte bessen plukken, en we bedachten een apparaatje waarmee dat sneller ging. Uiteindelijk, zo'n acht jaar geleden, wisten we er een fabrikant voor te interesseren, maar die pikte ons idee, maakte er een eigen versie van en had daar veel succes mee. Ons gaf hij geen cent. We wilden niet dat andere mensen hetzelfde zou overkomen, dus zetten we de zaak op, als bijverdienste. Maar die groeide als kool. Al met al vind ik het leuk werk. Vroeger zat ik in de wereld van het grote geld, en eerlijk gezegd had ik dat wel gezien. Dit is flexibel werk; je moet er wat voor reizen, en je weet nooit wat je nu weer te wachten staat. Het is spannend om van tevoren te proberen te bedenken welk idee een succes wordt. Maar Geoff wil zich nu terugtrekken en zijn aandeel aan mij verkopen. Dan ben ik vrij om ermee te doen wat ik wil.'

Mel knikte. 'Moet je er vaak voor in Londen zijn?'

'Dat is een van de dingen waar ik over nadenk. Ik hou mijn flat in Islington aan; dan kan ik daar als het nodig is altijd naartoe. Maar ik wil deze tijd van veranderingen ook benutten om hier orde op zaken te stellen.'

'Chrissie zei dat je hier familie hebt.'

'Ja, mijn ouders wonen buiten Truro. Mijn broer en ik zijn grootgebracht op de boerderij van de familie, maar we voelden er geen van tweeën voor om op het land te gaan werken – Joe is leraar –, dus heeft onze vader de grond verkocht toen hij met pensioen ging.'

'En oom Val?'

'Ah, ja, die goeie ouwe oom Val. Moet je kijken…' Patrick pakte een ingelijste zwart-witfoto op van een tafeltje bij het raam. 'Deze vond ik na zijn overlijden in zijn slaapkamer. Waarschijnlijk is hij ergens aan het begin van de jaren zestig genomen. Toen was hij een jaar of zeven-, achtendertig.'

Mel pakte de foto aan en hield hem schuin naar het licht. Het was een portret van een vlezige, jong uitziende man die zich half naar de camera toe had gewend, geschoten midden in een gesprek op een feestje. Zijn donkere haar viel als een vleugel tot op zijn kaak; hij had bakkebaarden, en bracht net een glas wijn naar zijn volle, glimlachende lippen. De foto was gesigneerd met 'Valentine Winter', in een kriebelig handschrift dat veel op dat van Patrick zelf leek.

'Winter was zijn artiestennaam. Hij was de oom van mijn vader,' zei Patrick, die weer ging zitten. 'Hoewel ze maar tien jaar scheelden. Hij was een onverwacht cadeautje voor mijn overgrootmoeder, zie je – het nakomertje dat tot op het bot werd verwend.'

'Hij ziet er in elk geval niet uit als een boer.'

'Laten we zeggen dat hij het zwarte schaap van de familie was,' grijnsde Patrick.

Mel lachte gorgelend. 'En Valentine is ook niet bepaald een naam voor een boerenzoon.'

'Het verhaal gaat dat hij overgrootvaders laatste kans was op een dochter. En hij werd geboren op 14 februari. Die combinatie was onweerstaanbaar. Het is niet zo gek dat hij geworden is wie hij was.'

'Hij ziet eruit als een levensgenieter.'

'O, in zijn jonge jaren was hij dat ook. Een playboy bij uitstek, met alles erop en eraan. De familie was gechoqueerd. Hij begon als tv-acteur en maakte later een aantal heel succesvolle comedyseries. Daar verdiende hij goud geld mee. Maar aan het eind van de jaren zeventig kreeg hij multiple sclerose, hing zijn carrière aan de wilgen en keerde terug naar Cornwall. De rest van zijn leven heeft hij hier in zijn eentje doorgebracht. Hij kreeg bijna nooit bezoek van de familie. Heel triest.' Patrick legde nog een houtblok op het vuur, pakte vervolgens de pook op en hurkte neer om in de as te porren. Mel keek toe hoe hij de vlammen nieuw leven inblies.

'Maar hij heeft ervoor gekozen het huis aan jou na te laten,' merkte ze op. 'Hij moet wel dol op je zijn geweest.'

Patrick stond op en draaide zich om om haar aan te kijken, nog steeds met de pook in zijn hand, terwijl hij zijn andere arm bezitterig op de schoorsteenmantel liet rusten: het toonbeeld van een man die lekker in zijn vel zit en zich op zijn gemak voelt in zijn omgeving.

'Ik ben altijd een lievelingetje van hem geweest. Op de een of andere manier begrepen wij elkaar en hadden we hetzelfde gevoel voor humor. Hij kon verrekte lastig zijn, maar voor mij was hij altijd goed gezelschap. Hij mocht graag roddelen en ik luisterde gretig naar zijn verhalen. Pas de laatste paar jaar raakte hij door zijn MS gehandicapt. Als ik thuis was, reed ik naar hem toe; dan bekeken we zijn plakboeken en vertelde hij over vroeger. Ik kan je knipsels laten zien over zijn contacten met beroemde mensen: Barbara Windsor, Joe Orton, zelfs de Beatles. Hij miste die wereld en hij vond het vreselijk om ziek te zijn, om niet meer knap te zijn, om oud te worden. Volgens mij geneerde hij zich daarvoor.'

'De arme man. Irina klonk alsof ze hem graag mocht. Hij heeft haar wat geld nagelaten, vertelde ze me.'

'Ja, en ook aan de verpleegster,' zei Patrick, die weer ging zitten. 'Zij waren hem zeer toegewijd, ook al was hij nog zo lastig. Zelfs op zijn sterfbed kon hij nog charmant en amusant zijn. Ik was de enige van de familie die iets erfde, hoewel er niet veel geld meer over was nadat de fiscus langs was geweest – eigenlijk alleen dit pand.'

Mel wilde vragen of de rest van de familie het bezwaarlijk vond dat Patrick Merryn had geërfd, maar die vraag leek haar te impertinent.

'Kom,' zei Patrick, en hij zette zijn lege glas neer. 'Als je wilt dat ik je rondleid, kunnen we dat maar beter nu meteen doen, voordat het te donker wordt.'

Hij ging haar voor de salon uit en de hal door, waar hij de dubbele deuren van een eetkamer openwierp. De enorme notenhouten tafel was verweerd en beschadigd. Een heel assortiment aan stoelen stond met de rug tegen de wanden geschoven. De muren zagen eruit als die van een klaslokaal aan het einde van het schooljaar, als alle werkstukken ervan af zijn gehaald, want ze waren bezaaid met punaises, met afgescheurde hoekjes van posters er nog onder.

'In de oorlog hebben hier soldaten ingekwartierd gezeten. Zo te zien hebben ze hier hun troepenbewegingen besproken,' legde Patrick uit. Het leek wel of de soldaten pas gisteren waren vertrokken. 'Wel gek dat de laatste mevrouw Carey er niets aan heeft gedaan. Val kwam hier nauwelijks. Soms zaten hij en ik allebei aan een hoofd van de tafel te eten als we zin kregen om chic te doen. Dan schoven we de peper- en zoutvaatjes heen en weer als drankglazen over de toog van een saloon en blaften elkaar allerlei onzin toe, alsof we dolgedraaide graven uit de regencytijd waren.'

Mel moest lachen.

Patrick liet haar een groot kantoor zien aan het eind van een gang, waar een paar gedeukte archiefkasten uit hun voegen barstten naast twee gigantische bureaus en een muur met lege planken.

'Wat denk je dat dit vroeger was?' wilde Mel weten, en ze keek om zich heen. Op een van de bureaus had Patrick een computer geïnstalleerd. Op het andere stonden een paar dozen met paperassen.

'Waarschijnlijk de administratiekamer van het landgoed. In de papieren van de notaris heb ik gelezen dat de Careys hier in de buurt honderden hectaren bouwland bezaten. Het grootste deel daarvan werd verpacht aan boeren, dus ik kan me zo voorstellen dat ze vooral administratie te doen hadden, maar tot de Eerste Wereldoorlog hadden ze zelf een paar hectaren gehouden om te bebouwen.'

Nadat hij de deur van het kantoor gesloten had, ging Patrick Mel voor de gang door en vervolgens een kleine zitkamer binnen aan de voorkant van het huis.

'’s Ochtends is het hier heel aangenaam en zonnig,' zei hij. 'Val gebruikte dit als zijn hobbykamer, tot hij bedlegerig werd en niet meer de trap af kon.'

De kamer zag eruit alsof de inrichting al dertig jaar oud was. In het oranjebruine behang met geometrisch dessin zaten blazen van ouderdom of vocht. Er stond een lage bank met houten armleuningen, een rieten stoel met een schelpvormige rug, met een vlekkerig kussen erop, en, bij de haard, nog een leunstoel, die zo te zien hoorde bij die in de salon. De haard werd in beslag genomen door een ouderwets elektrisch kacheltje met dubbele gloei-elementen. De planken aan de wand stonden vol met boeken, foto's en een oude stereo-installatie, en een uitgebreide verzameling langspeelplaten en banden vulde de twee nissen.

'Net of je terug bent in de tijd, hè?' zei Patrick, en hij drukte een knop op de stereo in. De naargeestige klanken van Leonard Cohen vulden de lucht, en hij drukte snel op de stopknop.

'Ja, gek,' beaamde Mel. Ze keek uit het raam naar Patricks blauwe sportwagen, waarvan de aanblik haar weer helemaal in het hier en nu bracht.

'Weet je, ik beschouw dit huis,' zei hij, terwijl hij haar naar de keuken leidde om haar de provisieruimte, het was- en kookgedeelte en de bijkeuken te laten zien, die allemaal modderig olijfgroen waren geschilderd, 'als een douairière die ervan droomt hoe mooi het vroeger allemaal was, terwijl ze de fut niet heeft om al het lelijks van het naoorlogse interieur te laten vervangen.'

Mel bekeek de kastjes van beige formica, dezelfde als in Gardener's Cottage, en knikte. 'En dat allemaal in naam van de vooruitgang,' zei ze met een zucht.

'Wacht maar tot je de gifgroene badkamer boven ziet,' grijnsde hij plotseling.

Mel lachte. 'Gek, hè, zoals mensen in een bepaalde periode van hun leven kunnen blijven hangen. Je oom heeft toen hij hier kwam wonen alles ingericht volgens de laatste mode en is die altijd trouw gebleven.'

'Het enige wat hij regelmatig verving was de televisie. Wil je het boven nog zien, of heb je er al genoeg van?'

Boven waren ze snel klaar. Op de eerste verdieping waren zes slaapkamers, die spaarzaam waren gemeubileerd, en daar weer boven twee zolderkamers.

'Ik heb een deel van de meubels aan Irina gegeven,' zei Patrick. 'En ik heb wat spulletjes naar Gardener's Cottage overgebracht toen ik besloot die te verhuren.'

'Heeft daar al eerder iemand gewoond?'

'Val verhuurde hem aan een echtpaar hier uit de buurt, tot een paar jaar voor zijn overlijden. Maar ze kregen ruzie over geld en die mensen trokken eruit. Daarna heeft Irina er een tijdje gewoond met haar dochtertje.'

'En de schilderijtjes,' zei Mel, die moest denken aan de bloemenaquarellen. 'Waar komen die schilderijtjes in mijn woonkamer vandaan?'

'Die heb ik bij toeval gevonden,' zei Patrick terwijl ze terugliepen door de gang. 'Die lagen in een dikke laag kranten verpakt op zolder verstopt. Er was er nog een, dat ik in mijn slaapkamer heb gehangen. Wacht even, dan pak ik het.'

Mel bleef voor de deur staan wachten, zich erover verbazend dat Patrick voor zichzelf een benauwd klein kamertje aan de zijkant van het huis had gekozen, in plaats van, bijvoorbeeld, de grotere kamer van oom Val. De gordijnen zaten nog dicht en door de kier van de deur kon Mel zien dat het bed niet was opgemaakt. Hij knipte het licht aan. Over de vloer lagen wat boeken verspreid, en omdat Mel mensen altijd graag beter wilde leren kennen door te zien wat ze lazen, wierp ze een blik op de titels. Een literaire thriller, de autobiografie van een politicus en een paar populairwetenschappelijke boeken.

'Dit vind ik een prettige kamer,' beantwoordde Patrick haar onuitgesproken vraag terwijl hij met een schilderij van een meter in het vierkant weer naar buiten kwam. 'Hij doet me denken aan mijn oude jongenskamer.' Mel liep met hem mee naar Vals kamer, waar hij het doek op de schoorsteenmantel zette. Zwijgend stapten ze achteruit om ernaar te kijken.

P.T.'s zevende schilderij was heel anders dan de andere: een olieverfportret van een jonge man die in een zomerse ommuurde tuin stond. De bloembedden waren een zee van kleuren en de planten waren zo zorgvuldig geschilderd dat Mel ridderspoor en lupine kon onderscheiden. Een witte roos groeide over een boog boven een houten poort. De jongeman, met een lichte glimlach op zijn gezicht, was fraai gekleed in een luchtig jasje, een vest en broek, maar zijn witte hemd stond open bij de boord en hij had – dat was bijzonder – geen hoofddeksel op zijn hoofd. In zijn ene hand hield hij iets wat een pen of een penseel zou kunnen zijn. Ze stapte er iets dichter naartoe om het beter te kunnen zien. Nee, in het afnemende licht was het niet goed te onderscheiden. Ze vond het een mooi schilderij. De zomerse warmte spatte ervanaf – ze kon de bijen bijna horen gonzen – en het hele tafereel was overgoten met vlekjes zonlicht dat door de bladeren viel.

'Wat vind je ervan?' vroeg Patrick, bijna gespannen. 'Ik vind… dat je je er helemaal in kunt verliezen.'

'Het is prachtig,' antwoordde Mel. 'Het licht heeft iets heel speciaals. Je wordt er helemaal vrolijk van, extatisch bijna.'

Patrick knikte langzaam. 'Zo zie ik het ook.' Ze bleven zwijgend het schilderij staan bestuderen.

'Zijn kleding doet edwardiaans aan. Het is denk ik rond 1900 geschilderd,' zei Mel na een poosje. 'Het heeft wel iets weg van de beroemdere Lamorna-schilderijen.'

'O? Hoe dat zo?'

'De losse penseelvoering, de idyllische interpretatie van het onderwerp. Maar ik zou dit bij beter licht moeten zien. Het is echt van P.T., hè? Ja, kijk maar, daar staan de initialen. Weet je wie P.T. was?'

'Ik heb geen flauw idee.'

'Was er in de familie Carey iemand met die voorletters?'

Patrick schudde zijn hoofd. 'Nee, ik ben niemand tegengekomen. Misschien was hij een van de kunstenaars die hier hebben verbleven, of een plaatselijke tekenleraar.'

'Het kan ook een zij zijn geweest,' merkte Mel afwezig op. 'Het is deze tuin, toch? Kijk maar eens naar de vorm van die boog. Dat moet wel de oude bloementuin zijn.'

'Ja,' beaamde Patrick. 'In zijn gloriedagen.'

Mel liep naar het raam en keek naar buiten. De zon ging onder achter de vallei, zodat de tuin in schaduwen werd gehuld. Na een korte aarzeling voegde Patrick zich bij haar. Er hing nu een nieuwe, ontspannen sfeer tussen hen. Samen overzagen ze de woestenij.

'Hou jij van tuinieren?' vroeg hij met een zijdelingse blik. 'Ik weet vrees ik meer over granen en groenten dan van bloemen. Hoewel we vroeger op de boerderij wel bollen kweekten.'

'Mijn moeder was bij ons degene die zich met de tuin bezighield. Ze was eigenlijk botanicus, dus je kon veel van haar leren. Ik ben de enige die haar groene vingers heeft geërfd.'

'Ik vond het heel naar om te horen dat je moeder is overleden,' zei Patrick. 'Ik heb haar maar één keer ontmoet, toen ze naar Exeter kwam om Chrissie op te zoeken. Chrissie ging in die tijd met Nick, en je moeder nodigde mij uit om mee te gaan lunchen, zodat Nick niet de enige man zou zijn.' Hij glimlachte. 'Ik was destijds heel verlegen en onhandig; ik zei niet veel, maar ik weet nog goed dat ik onder de indruk was omdat ze supporter was van Watford F.C.; die deden het toen goed. Ze wist alle uitslagen van dat seizoen in die divisie uit haar hoofd!'

Mel lachte. 'Dat geloof ik graag.' Haar stem klonk niet helemaal vast. 'Ze is haar hele leven fan van ze geweest, weet je. Een van de laatste uitstapjes die ze maakte was toen mijn broer haar afgelopen lente meenam naar een thuiswedstrijd.'

Ze deed er even het zwijgen toe, omdat haar gedachten teruggingen naar de grote tuin in Hertfordshire. Die grensde aan een spoordijk, en het geluid van de treinen werd een beetje gedempt door een wal van bomen. Achter in de tuin hadden ze het welbewust laten verwilderen; haar broer en zus en zij speelden daar verstoppertje of kibbelden over wie met z'n vriendjes en vriendinnetjes in de boomhut mocht spelen die ze in een grote oude appelboom hadden gebouwd. Het grasveld was een modderboel waar balspelen werden gespeeld – pas toen haar kinderen het huis uit waren, was Maureen erin geslaagd er een glad groen gazon van te maken – en de rest van de duizend vierkante meter grote tuin behoorde toe aan hun moeder. Een rotstuin, een heestertuin met daarachter de moestuin, waarin hun moeder urenlang bezig kon zijn.

'We hadden vroeger toen we klein waren allemaal onze eigen border,' herinnerde Mel zich. 'Maar ik was de enige wie het echt iets interesseerde. Nu heb ik alleen maar een lange smalle strook tuin in Clapham, maar die ligt tenminste wel op het zuiden en er komt veel zon.'

'Om eerlijk te zijn weet ik niet goed waar ik in deze jungle zou moeten beginnen,' zei Patrick.

'Waarom neem je geen deskundige in de arm?' stelde Mel voor. 'Of haal er een landschapsarchitect bij.'

'Daar heb ik ook aan gedacht, ja. Misschien doe ik dat wel.'

Toen ze weer beneden waren, pakte ze met enige tegenzin haar tas op. Het vooruitzicht om in haar eentje in haar cottage een kant-en-klaar-maaltijd naar binnen te moeten werken lokte haar opeens helemaal niet aan.

Patrick keek haar aan en zei, met enige moeite: 'Weet je, ik heb zo'n idee dat ik vanochtend een valse start heb gemaakt. Je lijkt niet echt op Chrissie, wel? Je bent jezelf.'

Is dat iets goeds of iets slechts, wilde Mel bijna vragen, maar Patrick zei: 'Wacht even', en verdween de keuken in. 'Dit zul jij wel nodig hebben, stadsdame.' Hij overhandigde haar een zaklantaarn. 'Als je wilt, loop ik wel even met je mee.'

'Hoe galant.' Ze glimlachte. 'Maar nee, laat maar. Het is nog niet eens echt donker. Ik let wel op dat ik onderweg niet in een konijnenhol val. Vergeet niet dat ik in de stad gewend ben aan gevaar op straat.'

Hij lachte, maar toen hij afscheid nam, leek hij een beetje afwezig, verdrietig. Hij hield de voordeur voor haar open, maar ergens diep in het huis begon een telefoon te rinkelen en hij sloot met een verontschuldiging de deur al voordat ze bij de onderste tree van het bordesje was.

Terwijl ze zich rond de grote, broeierige massa van Merryn Hall een weg terug zocht, kwam ze langs de restanten van de ommuurde tuin, waarvan de gekartelde contouren zich aftekenden in de mistige schemering. De halve boog van bakstenen rees er als een reusachtig vraagteken bovenuit. Er stak een briesje op, zodat de bekleding van groen even rilde als de vacht van een slapend dier en de bladeren zuchtten aan de bomen.

Ze was blij dat ze het licht in haar keuken aan had gelaten, dat haar de weg wees naar huis.

In zijn atelier bij de stallen mag ik zijn olieverf gebruiken, en hij laat me zien wat ik ermee moet doen. De verf voelt lekker boterachtig aan en ruikt naar lijnolie. Eerst schilderde ik vruchten en bloemen en potten en tuingereedschap, maar nu waag ik een poging met gezichten en tuintaferelen. Het bevalt me allemaal niet, en als de doeken droog zijn schilder ik eroverheen. Hij zegt dat ik te kritisch op mezelf ben, maar ik weet zeker dat hij alleen maar aardig probeert te doen.

Alleen Jenna weet hoe ik mijn zondagmiddagen doorbreng, als ze allemaal op familiebezoek zijn of naar de kapel zijn gegaan. Zij heeft mijn schetsboek gezien, maar ze heeft beloofd er tegen niemand iets over te zeggen. Ze stelt geen vragen over meneer Charles. Zou ze het weten?

'Is dat het enige wat je doet – tekenen? Wat een eenzame bezigheid,' zei ze. 'Je moet eens met me mee naar huis gaan. Mijn moeder zou het leuk vinden je te zien.'

Dus ben ik een keer meegegaan, naar hun kale cottage, en ben ik bij hen blijven eten. Ze waren aardig, maar ze zijn met zo veel en ze kibbelen steeds en zitten elkaar ongenadig op de kop, zodat ik mezelf niet eens kan horen nadenken. Ik kan niet zomaar wat voor de vuist weg babbelen, zoals Jenna, en haar oudste broer zag volgens mij mijn stilzwijgen aan voor hooghartigheid. Ik ga er niet meer heen. Ik vind het leuker om te schilderen en Charles te zien.

7

De volgende ochtend regende het de hele tijd en er hing een gordijn van mist over de tuin.

Mel zat aan haar computer en probeerde de inleiding van haar boek op poten te zetten, maar de zinnen die ze schreef leken onhandig, de ideeën afgezaagd. Na een uur ploeteren slaakte ze een ongeduldige zucht en besloot ze maar even haar e-mail te bekijken. Ze had een automatisch bericht gekregen van de kunsthistoricus van St. Ives, waarin te lezen stond dat hij een paar weken met vakantie was. Wat vervelend nou. Een mail van Aimee, die verzuchtte dat de school volgende week weer zou beginnen en haar beklag deed over het dineetje van de vorige avond, waar ze naast de enige man had gezeten die alleen was gekomen, die haar de hele avond geen enkele keer een persoonlijke vraag had gesteld.

Mel bleef een poosje naar het beeldscherm zitten staren. Londen leek nu al een heel andere wereld. Maar in plaats van weer met haar schrijverij door te gaan, opende ze haar webmail van de universiteit, waarbij ze haar hart vasthield voor de waslijst met standaardverzoeken waar ze doorheen zou moeten scrollen, al wilde ze geen echt belangrijke boodschappen over het hoofd zien.

Zoals altijd wiste ze de ene boodschap na de andere over lezingen van gastdocenten, computernetwerkproblemen en squash-uitslagen. Ze haalde informatie op van de bibliotheek van een Amerikaanse universiteit waar ze op had zitten wachten en een e-mail over Davids pensionering, die hij in juni had gepland, totdat de naam 'Jake Friedland' in haar IN-box verscheen. Het bericht droeg de titel 'Uitnodiging'. Met bonzend hart klikte ze erop, terwijl ze nog voor het bericht zich opende besefte dat het haar alleen maar kon teleurstellen. En dat was ook zo. Het was niet eens een boodschap voor haar persoonlijk, maar een groepsmail waarin faculteitsmedewerkers werden uitgenodigd voor een praatje van een bezoekende schrijver. Nijdig drukte ze de delete-knop in en sloot de webmailsite.

Met haar hoofd in haar handen bleef ze zitten. Waarom had Jakes naam zelfs nu nog zo'n ontregelende uitwerking op haar?

Na een poosje glipte ze naar buiten de regen in en reageerde ze zich af door een halfuurtje als een dolle aan het wieden te slaan en aan klimop en winde te rukken alsof het haar ex-minnaar was die ze te lijf ging.

Ze stond net een boterham klaar te maken voor de lunch toen ze voor de keukendeur een klaaglijk gemiauw hoorde. Toen ze opendeed, zag ze de rode kat heen en weer drentelen in de miezerregen. Een dode muis lag bij wijze van cadeautje op de mat.

'Dank je wel, poes.' Ze pakte het lijkje op aan de staart, terwijl de kat haar nieuwsgierig opnam. Wat moest ze ermee doen: het in de vuilnisbak gooien of onder de struiken? Nee, ze zou de muis een fatsoenlijke begrafenis geven. Lichtelijk ontstemd ging ze op zoek naar een schepje, en met het foliedekseltje van de maaltijd van de vorige dag, dat als draagbaar dienst moest doen, liep ze een pad op waar ze nog niet eerder was geweest, op zoek naar een stukje kale aarde.

Verder dan een wirwar van hoge bomen, die best eens de grens van de tuin zouden kunnen aangeven, kon ze niet komen. Daaronder begon een wal van breed uitgroeiende rododendrons. Ze hurkte neer onder een enorme struik, veegde de dode bladeren weg en groef in de vochtige aarde een ondiep gat. En terwijl ze nog steeds gebukt zat, ontwaarde ze ineens een heel nieuwe wereld van knoestige stronken en wortels die zich overal om haar heen bevonden. Het was net een kinderspeelplek – of een plek voor Cornish elfjes – bedacht ze: lage takken om op te zitten of te schommelen, geheime valleitjes om te schuilen en verstoppertje te spelen, waar de regen niet kon doordringen – allemaal gehuld in een betoverend groen waas.

Ze wankelde plotseling en greep met één hand naar achteren om zich in evenwicht te houden, waarbij ze iets scherps raakte. Ze trok schielijk haar hand terug en onderzocht de snee in haar handpalm, waar al bloed uit opwelde. Met haar andere hand veegde ze de dode bladeren weg, totdat ze zag waaraan ze zich had bezeerd: een dun stuk metaal dat uit de aarde omhoogstak. Ze trok het eruit en bekeek het eens goed, zuigend aan haar verwonding. Het metaal had een T-vorm en zag zwart, met hier en daar wat groen. Toen ze het omdraaide zag ze dat het plat was, met een gepunt uiteinde. Een naambordje voor planten, nam ze aan. Waarschijnlijk van koper, te oordelen naar de groene aanslag, met een grof motief erop dat het grove kruis van de T vormde.

Terug in de cottage verbond ze de wond en maakte ze het bordje zo goed mogelijk schoon onder de keukenkraan. De kat, die haar slechte humeur leek aan te voelen, wilde nog steeds niet binnenkomen en bleef op de drempel met lange, raspende halen zijn achterpoten zitten likken.

'Kijk eens, poes,' zei ze, terwijl ze het plantenbordje ophield. 'Het is een zeemeermin.' Er was geen twijfel mogelijk: de greep van het naambordje, die het kruis van de T vormde, bestond uit een vrouw met lang golvend haar en een vissenstaart.

De kat onderbrak zijn wasbeurt en bleef met één poot midden in de lucht zitten. Hij staarde zonder belangstelling naar het bordje, met ogen die ditmaal net zo mysterieus blauwgroen waren als de zee.

Het is de eerste keer dat hij me een cadeautje heeft gegeven. Afgezien dan van verf en schilderdoek, natuurlijk. Ik zal het altijd blijven koesteren.

'Een vriend in Newlyn heeft het voor me gemaakt,' zei hij. 'Ik denk dat hij het als grapje bedoelde, omdat ik zo graag tuinier. Maar in de tuin heb je er niet veel aan, want dan wordt het lelijk. Het is voor jou, ik wil het graag aan jou geven.'

Ze is heel mooi, de kleine koperen zeemeermin. Haar haar golft als zeewier om haar serene gezichtje, haar blote borsten worden keurig afgedekt door de spiegel die ze in haar handen houdt. Maar ik moet haar verstoppen. Niemand hoeft hier iets van te weten. En ik mag niet langer stilstaan bij die golf van warmte die door me heen sloeg toen onze vingers elkaar raakten, en me niet meer afvragen of hij dat in de gaten had.

Vroeg in de middag was Patrick langsgekomen.

Mel, die genoeg had van haar eigen gezelschap, zag hem vanuit het zijraam van de keuken en sprong op om de deur open te doen.

'Nou, als je zelf ook neemt,' zei hij in antwoord op haar aanbod van een kop thee, 'dan graag, hoewel ik nog geen theepot voor je heb gevonden. Mijn eigen exemplaar is ook gebroken. Ik kwam even die keukenlamp repareren als het je nu uitkomt.' Hij trok zijn kaplaarzen uit en zette ze naast haar enkellaarsjes bij de achterdeur. Hij had grotere voeten dan Jake, merkte Mel op, en vergeleken bij zijn laarzen leken de hare maar klein – ze kon niet uitmaken of ze nu dreigend of beschermend leken.

Terwijl ze kokend water op een paar theezakjes schonk, gooide hij zijn dikke tuinhandschoenen op tafel en ging op een stoel staan. Ze keek toe hoe hij de tl-buis een slag draaide en drukte gehoorzaam op het lichtknopje toen hij haar dat vroeg.

'Volgens mij is het zo in orde,' zei hij, omlaag stappend.

'Bedankt,' zei ze terwijl hij de stoel omdraaide om te gaan zitten.

Ze gaf hem het naambordje met de zeemeermin aan. 'Dit heb ik onder de rododendrons gevonden.' Ze vertelde het verhaal van de muis.

'Van wie is die kat, trouwens?' vroeg ze. Het beest leek geen bezwaar te hebben tegen Patricks aanwezigheid en lag lui op de mat voor de open deur.

'Geen idee,' zei hij. 'Misschien wel van een heks.' Hij schonk melk in de thee die ze hem aanreikte.

'Wil dat zeggen dat ik een heks ben? Ha ha, je wordt bedankt.' Met gespeelde verontwaardiging zette ze het pak suiker op tafel. 'Misschien weet hij dat ik geen weerstand kan bieden aan katten.'

'Hij ziet eruit of hij goed te eten krijgt, vind je niet? Hij zal wel van iemand hier in de buurt zijn.' Hij nam een slokje thee. 'Heb je het druk? Het leek me leuk om op zoek te gaan naar de bloementuin. Om te proberen te achterhalen wat het decor is geweest voor dat schilderij.' Hij klopte op zijn jaszak. 'Ik heb een snoeischaar gevonden in een la, en we kunnen wat van het tuingereedschap gebruiken dat jij al had opgesnord.'

De regen was overgegaan in een lichte miezer toen ze, gewapend met een kapmes, een grote tuinvork en de snoeischaar, het pad op liepen. Terwijl ze zich al rukkend en trappend een weg moesten banen door braamstruiken en adelaarsvarens, klauterden ze over stapels neergevallen bakstenen tot aan de plek waar de halve boog in de lucht stak – die vandaag, bedacht Mel, schitterde van de regendruppels als een afgebroken regenboog.

'Als dit echt de boog is van het schilderij, moeten we bij de ingang van de bloementuin staan,' zei Patrick, die met vaardige hand aan een roestig scharnier morrelde dat aan het metselwerk hing. 'En daar' – hij wees naar een ingestorte muur verderop in de tuin – 'zou wel eens de moestuin geweest kunnen zijn. Dat zou ook logisch zijn – lekker dicht bij de keuken.' Hij bukte zich om wat in de ondergroei te rommelen, tot hij daar een deel van een verrotte deur onderuit haalde, waaroverheen pissebedden naar alle kanten wegschoten. Hij gooide de deur aan de kant en wreef over zijn onderarm. 'Au, dit zijn brandnetels.'

Een paar minuten later had hij zich een weg gekapt onder de boog door en stonden ze aan de rand van een overwoekerd pad uit te kijken over de restanten van een grote omsloten tuin. Hier en daar stonden nog steeds delen van de muur overeind, die door de bomen en klimplanten heen piepten. Op een paar plekken, vooral in de lange muren die haaks op de boog stonden, waren hele stukken afgebrokkeld en omgevallen als de legotoren van een kind, waarna ze waren opgeslokt door het woekerende groen. In de regen zag alles er haveloos uit, zwemmend in een zee van donkergroen.

'Het is moeilijk voor te stellen dat het hier ooit vol bloemen heeft gestaan,' merkte Mel somber op. Ze liep verder het pad op en draaide zich toen om, in gedachten metend hoe ver ze nu van de boog verwijderd was. 'Volgens mij moet die jongeman van P.T. hier ongeveer gestaan hebben, wat betekent dat daar een bloembed moet zijn geweest, en hier moeten dan fruitbomen tegen die muur zijn geleid. Ik neem aan dat er ergens onder al die rommel een kas schuilgaat.' Ze knikte naar de muur aan de ene kant van de boog, waar een bloeiende plant als een gigantische pluizige deken omlaag hing. Als een slecht passende huid onttrok hij het staketsel van een laag bouwseltje aan het zicht. Er stak een wirwar van jonge boompjes doorheen.

'Moeilijk te zeggen, hè?' Patrick duwde wat van de begroeiing opzij. Daaronder waren de restanten van een houten skelet te zien. Gebukt gingen ze de deuropening door om te kijken. Een van de raamkozijnen, waarvan het glas allang verdwenen was, hing trillend omlaag in het briesje. Aan de zijkant tegen de muur waren hele bossen verdroogde zwarte kraaltjes gebalsemd in dikke spinnenwebben.

'Een druif, denk ik,' zei Patrick. Hij knipte een klein zakmes open en stak het lemmet in het houten frame. Het sneed erdoorheen als door boter. 'Helemaal verrot. We mogen wel oppassen dat we de hele tent niet op ons dak krijgen.' Hij zette een zorgelijk gezicht.

'Hoe lang denk je dat de tuin er al zo bij ligt?' vroeg ze.

'Tientallen jaren,' zei hij. 'Ik weet het niet. Toen Val het kocht, moet het er in elk geval al zo hebben uitgezien. Hij had niks met tuinieren. Het echtpaar dat jouw cottage had gehuurd heeft daaromheen wel wat grond vrijgemaakt om bloemen en groenten te kweken, maar Val deed praktisch niets.'

'Wie maait het gras daar nu?' Het schoot haar weer te binnen dat ze dat al eerder had willen vragen.

'O, een oud mannetje, Jim, die een keer aanbelde om te vragen of er werk voor hem was. Ik had met hem te doen. Hij zat op zwart zaad, denk ik. Hij beweerde dat hij hier vroeger gewerkt had, maar hij praatte erg plat en binnensmonds. Ik kon niet alles verstaan wat hij zei.'

Mel knikte. 'Het zou anders best de moeite waard kunnen zijn om hem wat vragen te stellen.' Ze draaide zich om en keek om zich heen naar de wildernis die zich naar alle kanten leek uit te strekken. 'Het is ontzettend jammer; het moet hier ooit heel mooi zijn geweest. Heb je niet ergens foto's of plattegronden van het terrein gevonden?'

'Ik heb alles bekeken toen we Vals zaken afhandelden.' Hij legde uit dat de notaris van mevrouw Carey heel behulpzaam was geweest. Toen het huis in de oorlog gevorderd was, was het grootste deel van de administratie van het landgoed veilig weggeborgen op een van de zolders. Nadat mevrouw Carey was overleden, had de notaris het meeste uitgezocht met de achternicht van mevrouw Carey, die het huis in de verkoop had gedaan, en had hij het merendeel naar het Cornwall Records Office, het Regionaal Archief, in Truro gestuurd. 'Dus ik denk dat ik daar moet gaan kijken. Dat wil zeggen, als ik daar tijd voor heb.' Hij slaakte een ongeduldige zucht.

Gefascineerd keek Mel om zich heen naar de in verval geraakte bloementuin.

'Kom,' riep Patrick, die wegliep naar de overkant. 'Ik ga daar eens kijken.'

'Het is overduidelijk een of andere schuur,' zei Patrick een halfuur later. Ze lieten hun blik gaan over een L-vormige bakstenen muur tegen een van de lange hoofdmuren. 'Het tuinschuurtje, denk ik. Moet je zien.' In een hoek was een groot rek met aardewerken bloempotten in elkaar gezakt op de grond; de potten waren naar voren gevallen en waren her en der blijven liggen op de plek waar ze waren neergekomen.

Mel trapte op iets wat een rinkelend geluid maakte. Graaiend in de ondergroei viste ze een roestig halvemaanvormig voorwerp op: het blad van een instrument om turf te snijden misschien. Hier lagen ook nog meer naambordjes voor planten, verwrongen en onleesbaar, maar geen van alle waren ze zo mooi versierd als haar zeemeermin.

Het afgelopen halfuur was als een droom voorbijgegaan. Het kwam Mel voor alsof ze onder een toversluier door waren gedoken, regelrecht het verleden in. Jake, Chrissie en haar leven in Londen leken wel iets uit een andere wereld. Deels kwam dat, besloot ze, doordat ze zich binnen muren bevond die het gedruis van het moderne leven buitensloten. Hier waren Patrick en zij verborgen, hier maakten ze deel uit van de plannen en visioenen uit andere tijden. Wat hadden deze muren allemaal moeten aanhoren? De geluiden van noeste arbeid, metaal op steen, geheime gesprekken, tranen en gelach. Als je wist waar je moest kijken, trof je hier onder de doornstruiken mysterieuze tekenen in de aarde aan: de vorm van bloembedden, de contouren van een druk huishouden.

Ooit hadden twee elkaar kruisende paden de tuin in vieren gedeeld; toen Mel een paar minuten geleden naar het midden was gelopen, had ze bijna haar enkel verzwikt op het moment dat de vegetatie onder haar meegaf.

'Volgens mij heb je het waterbekken gevonden,' zei Patrick, die haar weer overeind hielp. 'Water voor de tuin. Kijk, daar loopt de leiding. Ik vraag me af waar het water vandaan kwam.' Maar de pijp ging de grond in, zodat ze niets wijzer werden.

'Vlak achter de tuin loopt een watertje, dat door de vallei naar zee stroomt. Misschien dat ze dat water hiernaartoe pompten?' opperde Mel, nog steeds wrijvend over haar enkel.

'Er was een wetering,' zei hij opeens. 'Ik weet nog dat een van de buren erover klaagde tegen Val.'

'Een wetering bij een húís?'

'Ja, een kunstmatige waterloop of een kanaaltje. Het water moet uit een bekken hoger op de vallei zijn gekomen, langs die bomen daar hebben gelopen en zijn uitgekomen in een van de molenvijvers beneden.'

Kennelijk hadden de eigenaren van Merryn de plicht gehad om de wetering te onderhouden, zodat de molen kon draaien, maar Val had zich daar niet druk om gemaakt. De molen was toen niet meer in gebruik, maar een van de buren verderop had een tuin die afhankelijk was van een goede doorstroming en had gedreigd Val voor de rechter te slepen. Morrend had Val een bedrijf ingehuurd om het kanaaltje te laten schoonmaken.

'Dus dan zou die wetering ook de tuin van Merryn van water hebben voorzien.'

'In combinatie met het stroompje, neem ik aan, ja.'

Kort daarop stuitten ze op de restanten van nog een kas tegen de zuidmuur; de als vleugels uitgespreide takken van fruitbomen die allang dood waren, waren overdekt met netels die tot aan Mels kin reikten. Hier en daar zaten er nog stukken glas in, op hun plaats gehouden door oeroude stopverf.

'Het mag een wonder heten dat dit een eeuw aan stormen heeft doorstaan,' zei Patrick. 'Vijf, zes jaar geleden kreeg ik een keer een noodtelefoontje van Val nadat het gestormd had. Er waren een stuk of twintig grote bomen omgewaaid en een paar waren dwars over de oprijlaan gevallen. Ik wist een boomchirurg op te sporen – Val wist toen hij nog niet ziek was al nooit wat hij met dat soort problemen aan moest, en hij was toen al vrij ziek. We stoken daar nog steeds de laatste houtblokken van, weet je.'

Patrick baande zich een weg naar de andere kant van de vervallen tuinschuur, waar een opening in de tuinmuur zat. 'Ik had geen idee dat dit hier allemaal was,' riep hij achterom naar haar. 'Hier is de moestuin. En nog een huisje.' En hij verdween door de opening. Mel ging achter hem aan.

Het huisje was beter bewaard gebleven dan de tuinschuur; het dak zat er nog grotendeels op. Het rook er naar vochtige aarde en natte as.

Patrick was halverwege onder een verbrokkelde bakstenen doorgang gedoken en ze hoorde hem een enthousiaste kreet slaken.

'Mel, kom hier eens kijken!' Ze tuurde het halfduister van het huisje in om te kijken waar hij gebleven was. Toen ze bij hem kwam, stond hij te worstelen met de deuren van een muurkast, aan de rechterkant waarvan ze een kleine haard zag die vol rommel lag. Verbazingwekkend genoeg stond er nog steeds een roestige ketel op de zijplaat van het fornuis.

'Dit moet het huisje zijn geweest van de hoofdtuinman,' zei hij terwijl hij de kastdeuren openrukte. Ze staarden allebei naar wat erin zat: rijen glazen potten met zaadjes, en een groot pakket dat in oliedoek was gewikkeld. Patrick pakte het uit de kast en legde het op een bureautje in de hoek van de kamer. Heel voorzichtig maakte hij het open, om er twee grootboeken uit tevoorschijn te halen. Het bovenste exemplaar scheurde meteen op de rug toen hij het openklapte, dus sloeg hij het weer dicht.

'Logboeken, denk ik. Laten we ze meenemen naar het huis.'

Terwijl ze zich een weg terug zochten door de tuin, viel het Mel op dat het was gestopt met regenen. Er ruiste een windvlaag door de bladeren. 'Net alsof de tuin een zucht slaakt,' zei ze. 'Hij begint ons zijn geheimen prijs te geven.'

Patrick rolde met zijn ogen. 'Straks ga je me nog vertellen dat hij een ziel heeft.'

Ze trok haar neus op. 'Doe niet zo mal.'

Maar toen ze achter hem aan liep onder de boog door, draaide ze zich nog één keer om om een blik te werpen op de hartverscheurende verlatenheid, en ze kreeg het gevoel dat de tuin haar terugriep.

In de keuken van Merryn Hall ging Mel aan tafel zitten en veegde ze de grootboeken voorzichtig schoon met een stofdoek, terwijl Patrick twee theezakjes in een gebarsten Brown Betty-theepot liet zakken, met een schoteltje erop bij wijze van deksel.

'Het begint in 1911,' zei ze toen ze het eerste boek opensloeg. 'Kijk, het is een soort dagboek.'

Patrick trok zijn jasje uit en kwam naast haar zitten. Toen hij de thee inschonk, werd ze zich plotseling scherp bewust van zijn nabijheid, van de olieachtige geur van ruwe wol. 'Hier is je thee.' Zijn lichaam boog zich naar haar toe toen hij haar de mok aangaf, waarna hij zich vooroverboog om het grootboek te bekijken, zijn eigen theekop in een hand. Hij had grote, sterke handen, viel Mel op, met keurig recht afgeknipte nagels. Werkhanden, maar dan glad en niet vereelt en met een gebarsten huid, zoals de handen van zijn boerse voorvaderen eruit moesten hebben gezien. Ze richtte haar aandacht weer op de logboeken.

De man die in 1911 hoofdtuinman was geweest was ene John Boase, die zijn naam en functie op het voorblad van het eerste grootboek had geschreven. Hij bleek de leiding te hebben gehad over een groepje van vier vaste krachten, die af en toe werden geassisteerd door anderen, hoewel hun namen in de loop der jaren wisselden. Het dagboek was een nauwgezet verslag van welke mannen elke dag op het werk waren gekomen en welke taken hun waren opgedragen, plus daarbij alle gebeurtenissen van enig belang die in de tuin waren voorgevallen.

18 oktober 1911
John Martyn (aardappels poten, koolrapen, rapen), John Tonkin (voorbereiding bloemenborders), Peter Hawke (geholpen zieke eik bij zuidoostmuur rooien), William Simpson (30 minuten te laat voor bladruimen).

6 mei 1912
John Tonkin (laurieren snoeien), Zachary Hawke (vijver schoonmaken bij zomerhuis), John Martyn (voorbereiding bloembedden), James Tresco (rotstuin). Twee weken geen vorst. Rabarber klaar.

8 juli 1912
John Tonkin (rozen bespuiten tegen groene vlieg), Zachary Hawke ziek, John Martyn (snoei bessenstruiken), James Tresco (maaien), Martin Tresco (algemene hulp). Goede perziken dit jaar. Mevrouw brengt complimenten over voor Hamburgs.

27 december 1912
Gistermiddag verschrikkelijke storm. Ergste die ik me kan heugen. Veel bomen omgewaaid, ook de zakdoekboom die meneer Charles zo dierbaar is. Vroege bollen gepeld, veel struiken verwoest. Beeld in vijver bij zomerhuis kapotgevallen. Mevrouw in alle staten. Hele dag besteed aan opruimen. Godzijdank hebben we een wal van goeie bomen staan, want het had allemaal nog erger gekund.

'Wat is in vredesnaam een zakdoekboom?' vroeg Patrick.

'Een zeldzame Chinese boomsoort die werd ontdekt door de missionaris vader David,' antwoordde Mel, die een rimpel in haar voorhoofd trok toen ze probeerde het handschrift op een door vocht aangetaste bladzijde te ontcijferen. 'De bloesem doet denken aan witte zakdoeken. Er zijn plantenjagers om het leven gekomen toen ze ernaar op zoek waren, en die bomen zijn hier moeilijk te houden. Meneer Charles, wie dat ook geweest moge zijn, zal het wel heel erg hebben gevonden.'

Na de opwinding van de storm verwachtte ze bij het omslaan van de vellen nog meer drama, maar tot eind 1914 ging alles zijn gangetje. Toen stonden er plotseling naast de naam van Zachary Hawke in oktober van dat jaar de woorden 'onder de wapenen' geschreven, onderstreept met de verbleekte zwarte inkt. Aan het begin van 1915 en het begin van het tweede grootboek was het de beurt aan John Tonkin: 'onder de wapenen'. Amper een week later was bij de naam van James Tresco geschreven: 'Martin Tresco is onder de wapenen. Was vorige week zeventien geworden.'

Daarna, toen hij nog maar één vaste kracht overhad om hem te helpen, sloop er iets vermoeids in de toon van de verder zo zakelijke opmerkingen van John Boase:

Buryan-festival, mei 1915
James Tresco (moestuin). Meneer zegt dat we van de bloementuin een moestuin moeten maken. De druiven en perziken moeten zichzelf maar zien te redden, er zijn te veel andere dingen te doen. Volgende winter telen we aardappelen op de grasvelden, tenzij we gras willen eten. Toen ik gisteravond over de velden liep, zag ik een witte haas, waardoor ik onrustig sliep. Van het front komt slecht nieuws, heel slecht. Ik vrees voor mijn jongens. Wat verschrikkelijk om in een tijd te leven dat mannen blij zijn als ze oud zijn en geen zoons hebben.

1 juni 1915
Slecht nieuws. Jem Hawke heeft laten weten dat Zachary is gesneuveld in de strijd. Moge de Heer Jem en Susan bijstaan, want hij is hun enige zoon.

5 september 1915
Martin Tresco wordt vermist, en ze nemen aan dat hij dood is. James is vandaag niet komen opdagen, dus heeft Jago me gehol-

pen met appels plukken. Hij is erg van slag door Martin en schaamt zich voor zijn eigen zwakte op de borst, waardoor hij niet in dienst hoefde. Ik zei dat hij niet zo dwaas moet doen. Mannen zoals hij kunnen we immers na de oorlog goed gebruiken om het land weer op te bouwen.

Toen, in juli 1917, kwam er onverwacht nieuws:

Meneer Charles wordt vermist en is vermoedelijk omgekomen. 'Alle glorie van de mens zal ten onder gaan als een bloem des velds.' Zal hier ooit een einde aan komen?

Mel keek vluchtig de overige aantekeningen door. Het grootboek eindigde in augustus 1917.

In het tweede boek waren de notities nog beknopter en leken de mannen zich met minder taken bezig te houden. Boase kreeg zo te zien weinig hulp. Er werden maar weinig bloemen gekweekt, en geen exotisch fruit. Hij maakte aantekening van de dood van zijn werkgever, meneer Carey, in 1920.

'Het is niet moeilijk te begrijpen wat er is gebeurd, niet?' zei Mel toen ze het tweede boek had dichtgeklapt en achteroverleunde in haar stoel. 'De oorlog heeft niet alleen al die jonge levens verwoest, maar ook de tuin. Zonder een team van helpers moet de hoofdtuinman er wel zijn handen vol aan hebben gehad om al het werk gedaan te krijgen.'

'En alle andere klussen bleven liggen,' stemde Patrick in, en hij stond op om naar het raam te lopen. Bij het aanrecht bleef hij staan uitkijken over de slapende vervallen tuin die voor hem lag. 'Het is intrigerend,' zei hij, 'om te bedenken wat daar allemaal niet schuil zou kunnen gaan onder die wildernis.'

Mel kwam naar hem toe, tot vlakbij, maar zonder hem aan te raken; ze hield haar ene arm tegen zich aan gevouwen en draaide met haar andere hand aan een lok haar.

'We weten nu dat er een zomerhuis en een vijver moeten zijn,' zei ze dromerig.

'Misschien dat dat gebroken beeld er nog ligt,' voegde Patrick eraan toe.

'En laurierstruiken en een grasveld. Hoe kunnen we erachter komen wat er verder nog is?'

'Het Regionaal Archief,' zei hij, bijna tegen zichzelf. 'Daar moet ik echt eens heen als ik er de tijd voor kan vinden.'

'Zo te merken vind je het allemaal heel spannend.'

'De tuin, bedoel je?' Hij draaide zich om om haar aan te kijken, en ze had zijn gezicht nog niet eerder zo levendig en enthousiast gezien. 'Weet je, ik geloof dat je gelijk hebt. Ik zou het geweldig vinden om het allemaal weer in oude staat te brengen, zeker weten.'

'Dat klinkt als een schitterend plan,' zei Mel. 'Maar het kost wel veel werk.'

'En geld, ongetwijfeld. Niet dat ik geen geld zou hebben, maar als je niet oppast kun je hier tienduizenden in steken zonder dat het veel uithaalt.'

'Ik wil best meehelpen zolang ik hier ben,' zei Mel. 'Met de plannen en zo. Maar ik moet zeggen dat vooral die mysterieuze schilder me interesseert. Het zou kunnen dat er een link is met de Lamorna-groep, en dan zou ik graag willen weten welke precies.'

'Ik heb geen idee hoe je dat zou moeten aanpakken,' zei Patrick met een frons.

'Ik heb voor volgende week een afspraak om naar het Regionaal Archief te gaan,' zei Mel. 'Dan kijk ik wel even in de catalogus of ik daar iets kan vinden waar ik iets aan heb. Ik zal ook een blik werpen op wat er over Merryn te vinden is.'

'Dat zou fijn zijn,' zei Patrick, die hun lege mokken tegen elkaar liet rammelen toen hij ze in de gootsteen zette. 'Dan zoek ik het later wel grondiger uit. Wat dacht je, vind je vijf uur te vroeg voor een glas wijn?'

'Ik niet.' Mel keek toe hoe Patrick nog een stoffige fles uitzocht op het rek in de provisieruimte.

'Laten we deze Château Neuf eens proberen. Zeg,' zei hij toen, 'heb je zin om te blijven eten? Onderweg uit Londen ben ik bij mijn ouders langsgegaan, en mijn moeder heeft me een lamsbout meegegeven. Voor mij alleen is het te veel.'

'Klinkt goed. Graag,' zei Mel toen het rijke aroma van de wijn de keuken vulde. 'Dan ga ik even deze natte kleren uittrekken en kom ik zo terug om je te helpen. Goede jus kan ik niet maken, maar als het moet kan ik groente schoonmaken voor heel Engeland.'

Hij lachte toen hij haar haar glas aanreikte. 'Vanavond mag je je tot Cornwall beperken, wijfie,' zei hij met een vet plaatselijk accent.

8

Toen Mel na haar bad met een handdoek de trap van Gardener's Cottage op was gelopen, kwam ze oog in oog te staan met een andere vrouw. De deur van de garderobekast in de logeerkamer was opengezwaaid, en heel even bleef ze verschrikt staan toen ze haar spiegelbeeld zag in de lange spiegel.

Sinds Jake de benen had genomen, had ze het vermeden zichzelf al te aandachtig te bekijken. Als hij niet genoeg van haar had gehouden om te blijven, als hij haar zo gemakkelijk aan de kant had gezet, misschien ontbrak het haar dan wel ergens aan. Misschien had ze haar aantrekkingskracht verloren, was ze een grijze muis geworden.

Nu constateerde ze met frisse blik dat dat zeer zeker niet het geval was. Onder de korte handdoek waren haar benen lang en welgevormd, haar schouders waren blank en smetteloos. Haar bleke ovale gezicht onder de slierten nat haar gloeide in het halflicht als dat van een madonna uit de renaissance. Heel even was ze een vrouwelijke Narcissus, die onschuldig geboeid werd door haar eigen spiegelbeeld.

Gefascineerd stapte ze de deuropening door. De handdoek gleed op de vloer.

Als iemand Mel zou hebben gevraagd welk deel van haar lichaam ze het mooist vond en welk deel het minst, zou ze hebben gezegd dat ze tevreden was over haar haar en haar benen, maar dat ze haar borsten te klein vond en dat haar opbollende buikje het haar helaas onmogelijk maakte strakke rokjes en jurken te dragen. Maar vanavond, in het zwakke licht van het peertje boven haar hoofd, in de dromerige verlatenheid van dit huis, zag zij ook wel dat de vrouw in de spiegel mooi was. Haar borsten zaten hoog en waren stevig, de tepels iets gezwollen door haar bad, als roze kersjes. De peervorm van haar lichaam, die sterk op die van haar moeder leek, was vol en weelderig; haar bos donkerrood haar een sieraad tegen haar blanke huid.

Haar ogen ontmoetten die van de jonge vrouw in de spiegel. Vanavond waren de blauwe irissen indigokleurig; de sterke lijn van de neus vormde een mooi contrast met de zachte rode mond, waarvan de lippen iets vaneen weken, door de damp van het bad bijna zo gezwollen als door een bijensteek. In een flits stelde ze zich voor dat Patrick naar haar keek. Misschien ben ik wel begeerlijk, zei ze verrast tegen zichzelf.

Ze wist dat ze in het harde daglicht het begin van kraaienpootjes bij haar ooghoeken zou zien, de diepe lijnen die omhoogliepen tussen haar ogen en van haar neus naar haar mondhoeken, lijnen die de tekenstift van de tijd er dieper in zou groeven naarmate de jaren zouden verstrijken. Maar vanavond had ze niets op zichzelf aan te merken. Dat besef was een cadeautje.

Terwijl ze zo naar zichzelf stond te staren, was het alsof er een zwaar gewicht verschoof in haar borstkas, op de plek waar haar keel begon. Tot haar ergernis welden er tranen in haar ogen op. Ze knipperde ze weg.

Opeens huiverde ze in de koele lucht. Ze bukte zich, pakte de handdoek op en sloeg hem om zich heen, rillend omdat hij zo vochtig was. Nogmaals keek ze in de spiegel, en ditmaal zag ze in een flits iets bewegen. In verwarring gebracht draaide ze zich om. Niets te zien. Het kwam zeker door de lichtval. Of misschien had de spiegel voor vertekening gezorgd. En er was nog iets anders: weer had ze het gevoel dat ze werd gadegeslagen. Maar door wie? Ze zou het niet weten, al kwam er een beeld in haar op van een lange vrouw met een krans van donker haar om haar hoofd. Toen was het weer weg.

Mel duwde de deur van de kleerkast dicht en haastte zich terug naar haar eigen kamer, in gedachten al bezig met de vraag wat ze vanavond aan zou trekken. Het was een lekker gevoel om zich weer mooi voor iemand aan te kleden, bedacht ze terwijl ze een flatteuze broek en een lichtblauw kasjmieren truitje aantrok. Een ketting van stenen met dezelfde blauwe kleur als haar ogen completeerde haar outfit.

Ze had Patrick pas gisteren leren kennen, maar ze moest toegeven, toen ze de stekker van haar föhn in het stopcontact stak en haar lange natte lokken met haar vingers begon te drogen, dat hij iets intrigerends had. Hij was niet echt knap, maar zag er wel leuk uit, besloot ze. Het beviel haar wel zoals zijn haar over zijn voorhoofd viel. Ze kreeg de neiging haar hand naar hem uit te steken en het achterover te strijken. En zijn gereserveerdheid, de dingen die hij verborgen hield, gaven hem iets boeiends en mysterieus.

Met een kwastje bracht ze wat blusher aan op haar jukbeenderen, en voor de kleine muurspiegel deed ze haar ogen half dicht om oogschaduw en mascara op te doen. Ze had geen idee of hij haar aantrekkelijk vond, maar ze voelde wel dat hij steeds meer belangstelling kreeg voor haar als mens, en dat was na al die maanden van alleen-zijn vleiend. Ze vroeg zich af hoe het zat met die vriendin van hem over wie Chrissie het had gehad. Patrick had nog met bijna geen woord over haar gerept.

Ze ging naar beneden, trok haar leren jasje aan en liep naar buiten, waarbij ze expres het licht in de hal aan liet om makkelijk de weg terug te kunnen vinden. Het was een droge avond, met een warm windje dat de bitterzoete geur van vroege meibloesem met zich meevoerde. Op het pad zag ze in het halfdonker een paar ogen glinsteren. Ze bleef stokstijf staan. Was het de kat? De ogen gloeiden even op en toen draaide het dier zich om en sprong in een flits van donkerbruin weg in de ondergroei. Een vos dus, die zich uit de voeten maakte naar de geheime wereld van de tuin. Ze sloot de deur af en toog op weg naar het huis.

Geritsel van bladeren – er komt iemand aan… Nee, het is alleen maar een dier dat wegglipt door de varens. Het is de eerste keer dat we na donker met elkaar hebben afgesproken. Tante Dolly denkt dat ik boven ben om het beddengoed te keren. Ik blijf maar heel even, want langer durf ik niet. Voor me uit zie ik de gloed van zijn sigaret oplichten in de schaduwen, waar de deur van het atelier op een kier staat. 'Ah, daar ben je,' zegt hij schor, en hij pakt me vast en trekt me naar binnen.

'Ik was nog vergeten te vragen hoe het vanochtend met je schrijverij is gegaan,' zei Patrick terwijl hij rode wijn in de rijke donkere jus schonk die pruttelde rondom het vlees dat in de oven stond.

Mel, die bezig was messen en vorken neer te leggen op de houten tafel, keek op, geamuseerd hoe goed hij overweg leek te kunnen met het ouderwetse fornuis, waar hij nu onder de pannendeksels stond te turen om te zien of de aardappels al gaar waren, een theedoek over één schouder geslagen, terwijl hij meehumde met een jazzriedel die uit de geluidsinstallatie opklonk die hij had neergezet.

Ze trok een stoel onder de tafel vandaan en ging met een zucht zitten. 'Het wil niet zo vlotten,' zei ze. 'Ik weet in grote lijnen wel wat ik wil zeggen, maar ik zit om een frisse invalshoek verlegen, een manier om naar het materiaal te kijken die ik als kapstok kan gebruiken voor het boek.'

'Er valt vast een heleboel over die schilders te zeggen,' merkte Patrick bemoedigend op terwijl hij de jus in een blauwwit gestreept kommetje schonk dat hij achter op het fornuis had voorverwarmd.

'Jawel, maar zou het niet fantastisch zijn om iets nieuws te ontdekken, in plaats van al bekende feiten opnieuw te interpreteren?'

'Een onstuimige lesbische verhouding, bedoel je?'

'Als dat zou kunnen…' Mel lachte. 'Nee, het wordt waarschijnlijk iets veel saaiers. Ik bedoel meer iets als een verloren gegaan schilderij ontdekken, of tot het inzicht komen dat een bekend kunstwerk altijd aan de verkeerde toegeschreven is geweest, of een bijzondere bron van inspiratie ontdekken…'

'Hmm, die lesbische verhouding klinkt mij spannender in de oren.'

Terwijl ze Patrick hielp de prei, wortelen en aardappelen over te hevelen naar de verbleekte dienschalen van Vals oude eetservies, probeerde Mel zich het schilderij van de jongeman in de tuin weer voor de geest te halen. 'Dat is deels de reden dat ik zo geïnteresseerd ben in het werk van P.T.,' liet ze Patrick weten. 'Het schilderij dat boven hangt stamt precies uit die periode, of iets later, te oordelen naar de kleren die die man aanheeft. Maar ik kan geen plaatselijke kunstenaar bedenken met die initialen. Toch intrigeert het me.'

Toen ze aan tafel zat te kijken hoe hij het vlees aansneed, kreeg ze een idee. 'Denk je dat de nakomelingen van Carey nog meer werk van P.T. hebben? Of misschien weten wie hij of zij was? Ik neem aan dat de schilderijen van hen waren, of zou je oom ze hebben gekocht?'

'Ze zijn niks voor Val, dat kan ik je wel vertellen, hoewel hij Lamorna Birch wel kende. Ja, het zou kunnen dat zij iets weten,' zei hij, en toen hij haar haar bord aangaf fronste hij licht zijn wenkbrauwen. 'Ik moet wel ergens een adres hebben van de notarissen van de familie. Ik zal het voor je opzoeken en contact met ze opnemen, als je wilt. Alsjeblieft,' zei hij, haar nog eens bijschenkend. Hij hief zijn eigen glas. 'Op de tuin, en

P.T. – dat beide projecten maar mogen slagen.' Ze keken elkaar glimlachend aan en namen een slok.

Later zocht Patrick in de koelkast een fles dessertwijn die ze konden drinken bij de vroege aardbeien en slagroom.

'Doe maar een half glaasje,' mompelde Mel, die zich na de uitgebreide eerste gang en de zware wijn wat doezelig voelde.

Met één arm over de rug van een lege stoel schonk Patrick vaardig als een sommelier de wijn in. Loom sloeg ze hem gade, vol bewondering voor de ontspannen manier waarop hij van dit moment genoot. Ondanks zijn gereserveerdheid was hij prettig in de omgang; hij was helemaal aanwezig in het hier en nu.

Hij keek op, en er verschenen lachrimpeltjes om zijn ogen. 'Alsjeblieft.' Heel even raakten hun vingers elkaar. Er sprong niet echt een vonk over, maar ze keken elkaar waarderend aan, en er lag iets van kwetsbaarheid in zijn ogen. Ze voelde een golf van warme gevoelens voor hem door zich heen slaan en glimlachte schuchter terug, waarna ze haar ogen neersloeg en maar al te graag haar aandacht op de aardbeien richtte. Die waren klein en een beetje zuur, ondanks de laag suiker.

'Ik heb zitten denken,' zei ze na een korte stilte. 'Je moet het maar zeggen als ik te gretig ben.' Hij trok zijn wenkbrauwen op, en ze voelde dat de vlammen haar uitsloegen.

'Vertel maar,' zei hij.

'Als ik volgende week bij het Regionaal Archief ben, kan ik misschien, als ik iets bruikbaars voor je vind over de familie Carey en de tuin hier – oude plattegronden of foto's – kopieën laten maken; dan zouden we een soort masterplan voor de tuin kunnen opstellen.'

'Dat zou fantastisch zijn, Mel. Maar heb je daar wel tijd voor?'

'Dat hangt ervan af hoeveel er te vinden is, toch? Maar ik zal mijn best doen.'

'Weet je,' zei Patrick, die zijn rug rechtte op zijn stoel en het haar inmiddels bekende plagerige gezicht trok, 'volgens mij begin jij net zo enthousiast over Merryn te worden als ik.'

'De belangstelling van een historicus,' zei ze, bang dat hij haar opdringerig zou vinden, 'opgewekt door de bloementuin en door die logboeken die we vanmiddag bekeken hebben. Deze plek weet je op een merkwaardige manier te betoveren, vind je niet? Het is net een verloren wereld die in slaap is getoverd en erop wacht om gewekt te worden.' Er schoot haar iets te binnen. 'Weet je dat Lana beweert dat het hier zou spoken?'

'Ik weet wel dat ze zich in de cottage niet op hun gemak voelden, maar ik dacht dat dat kwam doordat die zo afgelegen ligt.'

'Er hangt een bepaald sfeertje. Ik weet niet zeker of dat iets met spoken te maken heeft, maar je vóélt daar het verleden.'

'Ja, ik snap wat je bedoelt. Maar toch verbaast dat me, want de Careys zeggen mij persoonlijk helemaal niets. Ze waren geen familie.'

'Nee, maar dat maakt niet uit. Het is gek, weet je. Mensen kunnen heel verschillend zijn – in wat ze zien. Neem nou Chrissie en mij. In de tijd dat zij me hielp een appartement te zoeken, keek ze als ze rondliep door die schitterende oude victoriaanse panden steeds hoe je ze zou kunnen verbouwen. Zo van: "Als je die tussenmuur wegbreekt, zou je een enorme woonkamer krijgen", of: "De tuin kun je laten bestraten, en dan een serre nemen." Terwijl ik huizen altijd goed vond zoals ze waren, ook al waren ze wat onhandig ingedeeld. Chrissie beweert dat ik geen fantasie heb, maar ik vind juist dat het háár daar soms aan ontbreekt.'

'Je bedoelt dat jij naar een huis kunt kijken en de lagen van het verleden kunt zien, en dat zij alleen maar oog heeft voor moderne behoeften en mogelijkheden in de toekomst?'

'Zoiets, ja.'

Op schappelijke toon merkte Patrick op: 'Ja, ze is heel praktisch ingesteld, hè? Misschien zou je in het ideale geval allebei moeten hebben. Onze voorvaderen waren tenslotte niet bijster sentimenteel. Die maakten rustig gebouwen met de grond gelijk om er nieuwe wonderen neer te kunnen zetten. Kijk maar naar Castle Howard.'

'Denk je dat je ooit zult besluiten om hier voor vast te gaan wonen?' vroeg Mel opeens.

Patrick keek even verward, maar zei toen: 'Tot voor kort had ik besloten er mijn thuis van te maken. Een gezinshuis.'

Een gezinshuis. Zijn gezin. Zijn kinderen. 'O,' zei Mel.

'Maar nu ligt dat anders.' Hij pakte de fles dessertwijn op. 'Neem nog wat.'

In een plotseling defensief gebaar legde Mel haar hand op haar glas.

Hij zette de fles weer neer en draaide hem om om aandachtig het etiket te bestuderen, alsof dat hem ineens bovenmatig interesseerde. Hij zei niets meer, dus vroeg Mel voorzichtig: 'Wat is er gebeurd?'

'Een maar al te bekend verhaal over een liefde waar het niet goed mee afliep.' Na een kort zwijgen voegde hij eraan toe: 'Ik heb niet zo'n zin om er nu over te praten.'

'Sorry.'

'Nee, ík zou sorry moeten zeggen,' zei Patrick, en hij nam nog een flinke slok wijn. 'Het is egoïstisch van me. Ik hoorde van Chrissie dat jou onlangs iets soortgelijks is overkomen.'

'O, zei ze dat?' zei Mel. Dus Chrissie was inderdaad zo indiscreet geweest als ze al had gevreesd. Maar opeens zag ze het helemaal niet zitten dat de avond zou eindigen in een door alcohol veroorzaakt moeras van zelfmedelijden en somberheid. 'Dat is waar, maar ik probeer er niet over na te denken. Laten we koffiedrinken. Als je me laat zien welk keukenkastje ik moet hebben, wil ik die wel zetten.'

Daarna ging het gesprek weer over veiliger onderwerpen: Patricks jeugd op een boerderij in het midden van het land, discussies over boeken die ze hadden gelezen en films die ze hadden gezien.

Toen het tijd werd om op te stappen, sloeg Patrick Mels aanbod om te helpen met de afwas af en pakte hij zijn jas terwijl hij met haar meeliep naar de deur. Hij zag er moe uit, en het was hem aan te zien dat hij een slok ophad.

'Ik loop wel even met je mee,' zei hij.

'Nee, ik red me wel. Kijk, ik heb de zaklamp meegenomen.' Mel haalde de lantaarn uit haar jaszak.

'Morgen moet ik terug naar Londen,' zei Patrick toen hij de voordeur opendeed.

'O.'

'Maar vrijdagavond kom ik als het lukt weer hiernaartoe.'

'Dan is de helft van mijn verblijf hier al voorbij,' zei Mel zachtjes.

'Hmm,' zei Patrick, waarna hij er het zwijgen toe deed. 'Na jou heb ik het nog aan niemand verhuurd, weet je. Ik vergeet steeds een advertentie te zetten.'

'O,' zei Mel.

'Dus als je wilt kun je blijven.'

'Dat is heel vriendelijk van je,' zei ze op formele toon. 'Ik zal erover nadenken of ik hier nog langer moet zijn.'

'Nou, als je maar weet dat je welkom bent.'

'Bedankt, en dank je voor het lekkere eten,' zei ze met een stem die een tikje te monter klonk. 'Misschien kan ik er ooit iets voor terugdoen.'

'Vast wel. Misschien volgend weekend.' Hij maakte speels een zwierige buiging voor haar en keek haar na toen ze wegliep. 'O, en succes bij het Regionaal Archief.'

'Dank je.'

Bij de hoek van het huis keek ze achterom. Hij stond op het bordes, met zijn armen over elkaar geslagen, over de oprijlaan uit te kijken, en hij zag er zo verslagen uit dat ze bijna was omgekeerd en teruggelopen.

9

Op zondag, bedacht Mel terwijl ze de volgende ochtend in haar nacht-pon naar beneden drentelde, met een hoofd dat bonsde van alle wijn, voelde ze zich heel anders dan op de andere ochtenden van de week. Misschien kwam het door de rust. Zelfs de vogels hadden haar vanoch-tend niet gewekt. Natuurlijk zou het verschil in Londen veel meer zijn opgevallen. Op zondag kwamen er pas later op de dag meer auto's op straat; je hoorde geen boren van werklieden, geen deuren die werden dichtgeslagen, waarna haastige voetstappen om zeven uur 's ochtends door de straat weergalmden.

Dus betekende het starten van een automotor, die ze hoorde door het open raam van de badkamer, een wrede verstoring van de stilte. Ze luis-terde hoe het geluid zich verwijderde; Patrick was alweer onderweg te-rug naar Londen. Ze was weer alleen. Ze spetterde koud water op haar huid en drukte haar gezicht in haar handdoek om zichzelf te troosten.

Terwijl ze zich aankleedde, probeerde ze haar gevoelens te rationali-seren. Je stelt je kwetsbaar op, hield ze zichzelf streng voor. Alleen maar dat je met Patrick een moment hebt gedeeld van – wat was het: vriend-schap, nabijheid? – wil nog niet zeggen dat hij je iets verplicht zou zijn of dat dit uitgroeit tot iets wat meer is dan oppervlakkige vriendschap. Hij is er overduidelijk niet aan toe een nieuwe relatie te beginnen, en jij ook niet. Je bent in het verleden al vaak genoeg alleen geweest en hebt dat altijd overleefd, en nu moet je daar alleen maar weer aan wennen. Helemaal van voren af aan.

Want vóór Jake waren er andere mannen geweest; natuurlijk waren die er. De langste verhouding had ze gehad met Steve, met wie ze toen ze in de twintig was vijf jaar had samengewoond. Hun passie van eerst was overgegaan in iets wat comfortabeler aanvoelde, en nadien waren ze elkaar als vanzelfsprekend gaan beschouwen. Mel hield van hem; hij was aardig en het was makkelijk om van hem te houden, maar diep in haar hart wist ze dat dat niet genoeg was, en nadat ze er vele slapeloze nachten over had liggen piekeren, had ze hem te verstaan gegeven dat het uit was. Vervolgens had ze zich afgevraagd of ze wel de juiste beslissing had genomen, of het wel realistisch was om op meer te hopen dan een prettige relatie met gewoon een leuke man. Zou ze misschien net zo worden als haar vader? Iemand die de benen nam als de romantiek voorbij was...

Het was niet meegevallen om weer helemaal opnieuw te beginnen. Dat was in het jaar geweest dat ze dertig was geworden, en de ene zaterdag na de andere, zo leek het wel, had ze in haar eentje haar opwachting moeten maken op de bruiloften van haar vrienden, hun veel geluk moeten wensen en met een vrolijke glimlach op haar gezicht confetti over hen heen moeten strooien, waarna ze terugkeerde naar haar sjofele huurflat. Na een paar maanden kocht ze zelf een appartement en probeerde ze haar eenzaamheid te verjagen door zich helemaal op haar werk en sociale leven te storten; al haar vrije tijd besteedde ze aan de inrichting, aan gordijnen en kussens maken, meubels uitkiezen, eindeloos mensen te eten vragen.

Achteraf gezien was het geen onprettige tijd geweest, maar een periode van aanpassing, van leren op zichzelf te vertrouwen en haar eigen ruimte te hebben, van aandacht voor haar werk, vrij om te gaan en te staan waar ze wilde. Een poosje was ze bang geweest dat ze psychologisch op een slap koord balanceerde en maar beter niet naar beneden kon kijken, maar toen was haar zelfvertrouwen teruggekeerd.

Ze zou er nu zo langzamerhand van moeten kunnen genieten om na Jake alleen te zijn. Maar terwijl ze voor de spiegel haar haar stond te borstelen en probeerde een paar zilveren haren uit te trekken die meedogenloos opglansden in het onbarmhartige daglicht, kreeg ze er opeens genoeg van. Het kon juist leuk zijn om nieuwe mannen te leren kennen, zoals Aimee haar veelvuldig voorhield; volgens haar pakte zij de hele kwestie veel te serieus aan, verwachtte ze te snel dat relaties zich zouden verdiepen, of – de tegenovergestelde fout – was ze niet bereid moeite te doen om iemand beter te leren kennen als die haar niet meteen heel erg aansprak.

In welke categorie viel Patrick? Klampte ze zich alleen maar vast aan de eerste de beste aantrekkelijke man die haar voor de voeten kwam uit angst om alleen te zijn? Zou ze zich tot hem aangetrokken hebben gevoeld als ze elkaar in Londen waren tegengekomen? Ze probeerde zich voor te stellen dat ze hem op een feestje tegen het lijf liep en dacht dat ze hem dan wel aantrekkelijk en best charmant zou hebben gevonden, maar niet iemand voor wie ze meteen in vuur en vlam zou staan, zoals voor Jake. Was ze dus oppervlakkig? Ze hoopte maar van niet.

Patrick had iets wat een snaar bij haar raakte. Ze herinnerde zich de lichte welving van zijn lippen, hoe zijn sterke handen het zakmes hanteerden, of een fles opentrokken en met een gestage beweging wijn inschonken; ze dacht aan zijn stilzwijgen als hij luisterde naar wat zij te vertellen had. Ja, ze keek er nu al naar uit dat hij terugkwam. Ze legde haar haarborstel neer en ging naar beneden.

Toen ze de ketel vulde, klonk er buiten voor de deur een bekend gemiauw. Ze draaide de sleutel om in het slot en duwde de deur open.

'We zijn weer met z'n tweetjes, poes,' zei ze. Toen ze het dier zag aarzelen, stapte ze achteruit in de deuropening. Voetje voor voetje kwam de kat de drempel over, en in de keuken keek hij behoedzaam om zich heen. Toen verloor hij ineens de moed en trok hij zich nogmaals kieskeurig terug. 'Je weet niet wat je wilt, hè?' zei Mel vriendelijk, en ze ging terug naar het aanrecht. Maar ze liet de deur open, want het was een zonnige dag.

Op tafel lag een stapel boeken van de vorige dag, en terwijl ze wachtte tot de toast uit het rooster omhoog floepte, pakte ze er eentje af en bladerde het door. Het was een catalogus van het werk van Laura Knight. Ze sloeg de bladzijden om, en niet voor het eerst kwam de gedachte in haar op dat wel heel veel schilderijen uit deze vruchtbare episode van Laura's lange carrière betrekking hadden op de vakantiesfeer van Cornwall. Jonge edwardiaanse vrouwen in soepel vloeiende japonnen zaten boven op een klif uit te kijken over de glorieuze zee die aan hun voeten lag te glinsteren; welgedane kindertjes speelden op een strand, overdekt door een maaswerk van zon en schaduw; zonaanbidders, driest half uitgekleed, koesterden zich op de rotsen in de warmte. Een gouden tijdperk, voordat de vleugels van de oorlog hun donkere schaduw hadden geworpen. Wederom trof haar het bevrijdende contrast met het sobere, deugdzame realisme van de Newlynse schilders.

Terwijl ze naar het schilderij van de kliftop staarde, trok Mel een frons. De keus van het palet, de textuur van de verf, de impressionistische manier waarop de warmte en het licht waren weergegeven spatten van het tafereel af op een manier die haar deed denken aan P.T.'s schilderij van de man in de tuin. Wie van de vele kunstenaars die Lamorna in die tijd hadden aangedaan zou P.T. geweest kunnen zijn? Hoe zou ze daarachter kunnen komen? Het zou betekenen dat ze de memoires van andere kunstenaars opnieuw zou moeten lezen, dat ze de papieren die verband hielden met het huis minutieus zou moeten doornemen, dat ze zou moeten gaan graven in documenten over de plaatselijke geschiedenis.

Na het ontbijt ging ze in de tuin werken. Haar bloembed werd snel groter, maar vandaag trok ze op een halfhartige manier de ondergroei weg, want ze voelde zich moe en onhandig. Met een zucht pakte ze de zware wiedvork op en haalde die door het gedeelte dat ze zojuist had vrijgemaakt. Met een klap stuitte die terug op iets hards. Ze hurkte neer om te kijken wat het was en baande zich met haar gehandschoende vingers grabbelend een weg door de bovenste laag van dode klimplanten en meeldauw. Tot haar verrassing kwam de hele laag los, alsof het een kleed was, en daaronder kwam een pad van stevig aangestampte aarde met grind en wit zand eroverheen tevoorschijn. Waar leidde dat pad naartoe?

Dat zou ze graag willen weten, maar meteen sloeg de frustratie toe. Er kon wel een heel netwerk van paden onder deze wildernis begraven liggen, een geheim patroon dat erop wachtte te worden ontdekt. Maar om die bloot te leggen zouden haar armzalige pogingen niet genoeg zijn. Als Patrick deze tuin in ere wilde herstellen, zou hij een heel team van mensen te hulp moeten roepen, gewapend met het juiste gereedschap. Eén vrouw met een wiedvork en een antieke snoeischaar zou niet echt veel kunnen uitrichten.

Ze stond op om weg te lopen en duwde de vork in de aarde, waar hij trillend in bleef staan.

Later op de dag wandelde ze omlaag naar de baai en toen westwaarts omhoog over een droog, smal konijnenpaadje dat langs de rand van het klif liep. De kokosgeur van de bloeiende gaspeldoorn vermengde zich met het aroma van gras en de ziltheid die in de lucht hing. De zon stond nu hoog aan de hemel en algauw hijgde ze van de inspanning die de klim haar kostte, terwijl ze bij elke stap goed moest kijken waar ze haar voeten neerzette op de stenige grond.

Weldra kwam ze bij een grote *cairn*, een stapel stenen die hoog oprees boven de rotspunt die uitstak in de oceaan eronder. Verward bedacht ze dat ze dit beeld al eerder had gezien. En dat was natuurlijk ook zo: ze kende het van schilderijen. Ze tuurde ernaar. Aan een kant zigzagde een flauw zichtbaar pad omlaag naar de rotsen, die nu half onder water stonden vanwege het tij.

Ze ging even zitten in de beschutting van de keien om uit te kijken over de zee. Als vanzelf zochten haar ogen naar een detail, een vast voorwerp op het rusteloze, glanzende oppervlak. Wat moesten hier in de loop der eeuwen veel vrouwen bezorgd hebben staan uitkijken naar de vissersboot of het koopvaardijschip dat hun geliefde terug naar huis zou brengen, met steeds minder hoop naarmate de tijd verstreek. Ze sloot haar ogen. En hoe zou het hier niet zijn als het stormde, als je moest toekijken hoe een schip hulpeloos naar de rotsen in de diepte werd gezogen, zonder dat je in staat was om de schreeuwende, worstelende zeelieden de helpende hand te reiken? Ze huiverde en deed haar ogen weer open, blij met de warmte van de zon op de rotsen en omdat het glinsterende water beneden haar nu rustig was.

Ze schrok op toen ze gekef hoorde. Iemand riep: 'Hallo!'

Ze draaide zich om en zag Matt lager op het rotspad staan. Een terriër op leeftijd, met wit uitstaand haar, kwam hijgend naar boven om aan haar voeten te snuffelen.

'Ha, Mel. Sorry voor hem. Stinker, af!' zei hij streng, terwijl hij de helling op kwam en de hond bij zijn halsband greep.

'O, maak je maar geen zorgen, ik vind honden niet erg,' zei ze. 'Heet hij echt Stinker?'

'Eigenlijk Tinker, maar als hij buiten heeft lopen rollebollen, wil je echt niet lang met hem in één kamer zitten. Hij is van mijn moeder, maar zij heeft geen tijd om hem uit te laten. Je begint een beetje dik te worden op je ouwe dag, hè, Stinker?'

'Mooi is het hier, hè?' Ze draaide zich weer om naar de zee.

'Wacht maar tot je het een keer ziet bliksemen. Dan weet je niet wat je ziet.'

Mel huiverde en moest weer denken aan vissersvrouwen die bij storm over zee uit stonden te kijken.

'Welke kant ga je op?' vroeg Matt langs zijn neus weg.

'O, ik weet niet, gewoon terug naar de baai, denk ik. Naar huis.'

'Waarom probeer je niet eens een andere route en loop je met mij mee?' Hij gebaarde achter zich over de begroeide rots. 'Door het veld loopt een pad langs het hotel van mijn moeder en als je een echte wandeling wilt maken, gaat het daarna weer omhoog naar de Merry Maidens.'

'De Merry Maidens?'

'Heb je de Maidens nog niet gezien? Die mag je niet missen. Maar kom, laten we eerst een kop koffie drinken in het hotel. Mijn moeder zou je graag even gedag zeggen. Ze vindt het altijd leuk om te horen wat er op Merryn allemaal gebeurt.'

'We kennen elkaar nog maar net, jij en ik,' zei Mel met een schittering in haar ogen, 'en je wilt me nu al voorstellen aan je moeder? Misschien zou ik zo mijn vraagtekens moeten zetten bij je motieven, jongeman!'

Matt glimlachte onzeker, en ze vroeg zich af of ze de verkeerde toon had aangeslagen. Ze liep achter hem aan het klifpad op, en door de adelaarsvarens baanden ze zich een weg landinwaarts. De dikke Tinker waggelde voor hen uit en bleef af en toe even staan om naar de gaspeldoornbosjes te blaffen.

'Waarom wil je moeder mij zien?' vroeg ze Matt, die was blijven staan om te wachten tot ze hem had ingehaald.

'Dat zei ik toch? Vanwege het huis, Merryn Hall. Dat heeft haar altijd gefascineerd.'

'Is daar een speciale reden voor? Hoewel ik moet toegeven dat het inderdaad fascinerend ís.'

'Het heeft iets te maken met de familie. Er heeft geloof ik ooit een oud-oudtante van haar gewoond.' Hij haalde zijn schouders op. 'Mijn moeders oma kwam uit een gezin van acht kinderen, dus die haal ik altijd door elkaar. Je moet haar er zelf maar naar vragen.'

'Matt haalt wel even wat koffie voor ons, als je het niet erg vindt, schat. Dan kom ik zo bij jullie zitten, maar ik moet eerst even met de kok praten over de vis van vanavond.'

Matts moeder was in de vijftig en even welgedaan als haar hond. Ze had serene donkere ogen en hetzelfde zwarte haar als haar zoon, met amper een spoortje grijs erin, hoewel zij krullen had en Matts haar steil was. Matts delicate botstructuur en kwikzilverige bewegingen kwamen zeker van iemand anders in de familie, besloot Mel. Carrie Price stond, op en top de eigenaresse, met haar handen in haar zij in de lounge van het hotel, en door de manier waarop ze elk woord dat ze zei leek af te meten, kwam ze even solide over als een brok Cornish graniet.

'Ben zo terug.' Matt draaide zich weg van zijn moeder, die even door zijn haar woelde. Hij verdween door een deuropening achter de bar. Carrie zwalkte terug naar de hal als een zeeman op een deinend dek.

Mel nam plaats in een comfortabele fauteuil bij de haard en keek om zich heen. Het hotel was ontworpen als een edwardiaans plattelandshuis, en de betimmerde wanden waren behangen met olieverfschilderijen van engelachtige kindertjes en elegante dames met hoeden op en rozen in hun armen. De verlichting bestond uit lantaarns in Marokkaanse stijl, en twee Knole-banken waren bezaaid met geborduurde kussens. Ouderwets comfort van de gegoede klasse.

'Matt heeft me verteld dat je op Merryn logeert,' zei Carrie toen ze terugkwam en zich met een 'oef' had neergelaten in de fauteuil tegenover Mel. Ze had een licht accent, met een brouwende r – heel anders dan haar zoon, die kennelijk op een gegeven moment was overgestapt op de manier van spreken die onmiskenbaar afkomstig was van de monding van de Theems.

'Ja. Ik ben er nu een week. Nog drie te gaan.' En ze vertelde Carrie het een en ander over haar onderzoek.

'In mijn jonge jaren heb ik de dochter van Lamorna Birch vaak gezien,' zei Carrie. 'En Cecily Carey. Haar herinner ik me ook nog goed.'

'Matt zei dat je een connectie had met de familie, of althans met het huis.'

'Ja. De moeder van mijn moeder had een oudere zus die daar als dienstmeisje heeft gewerkt. Maar dat was wel heel lang geleden, voor de Eerste Wereldoorlog. Voordat ze trouwde. Oudtante Jenna leeft nu natuurlijk allang niet meer, maar ik weet nog goed dat ze vertelde over de feesten die daar werden gegeven. Prachtig waren die volgens haar, met een heleboel lichtjes, muziek en vuurwerk. In die schitterende tuinen.'

'De tuinen moeten vroeger heel mooi zijn geweest. Wat heeft ze daarover verteld?'

'O, dat weet ik niet meer precies, alleen dat er een grot was – een spelonk noemde ze die. Die stond vol met kaarsen, honderden kaarsen, net als met kerst.'

'Geweldig. Heb je hier altijd gewoond, Carrie?'

Hun gesprek werd even onderbroken toen Matt uit de bar tevoorschijn kwam met een dienblad in zijn handen en hun allemaal koffie met warme opgeschuimde melk inschonk.

Carrie verschikte haar kussen en installeerde zich comfortabeler in haar stoel. 'Poeh! Het was me je ochtendje wel, zeg. Het is voor de verandering wel eens prettig om door een ander te worden bediend. Maar om terug te komen op je vraag, lieve kind: ja, ik ben verderop in de vallei geboren, in het dorp Paul. Matts vader had dit hotel van zijn eigen ouders geërfd, en sinds ons trouwen hebben we hier altijd gewoond, alleen is Matts vader vijf jaar geleden overleden.'

'Ik ben geboren in de bruidssuite, zoals mam me altijd graag mag vertellen,' merkte Matt rollend met zijn ogen op.

'Het was stil in die tijd van het jaar en ik had dat altijd al een mooie kamer gevonden,' legde Carrie uit. 'Maar goed, ik hoorde dat Merryn is overgegaan in handen van meneer Winterton, maar ik heb hem nog nooit gezien. Weet je wat hij ermee van plan is? Het is verschrikkelijk verwaarloosd, al is het een schitterend huis.'

'Ik ken hem nog maar net, eigenlijk. Maar ik geloof dat hij er zelf wil gaan wonen.' Er kwam een gedachte bij Mel op. 'Heeft je oudtante het ooit gehad over een kunstenaar die in de tijd voor de oorlogen iets met het pand te maken had? Iemand met de initialen P.T.?'

'P.T.? Nee, dat zegt me niks. Tante Jenna had het altijd over de familie. Die bestond uit meneer en mevrouw Carey en hun twee dochters. Verder heeft er ook nog een poosje een familielid gewoond, een jonge man – een neef van de meisjes, denk ik. Maar op de een of andere manier raakte die in ongenade. Ze stuurden hem weg.'

'Wat intrigerend, mam,' zei Matt. 'Wat had hij dan gedaan? Tante Jenna te grazen genomen achter de rozenstruiken, of de theelepeltjes gestolen?' Hij gaf Mel een schalkse knipoog, en ze glimlachte terug.

'Nee, nee, ik weet zeker dat het zoiets niet was.'

'We zullen het wel nooit te weten komen,' zei Matt. 'Het is te lang geleden, en iedereen is dood.'

'Norah leeft nog – Jenna's dochter. Niet dat ik haar veel zie. Ze woont in de buurt van Truro. Ah, dat was lekker,' zei Carrie terwijl ze haar lege kopje neerzette. 'Leuk om je te zien, kind, en ik hoop dat je nog eens langskomt, maar ik moet nu weer aan het werk. We zitten vol dit weekend. Matt, kun jij blijven en vanavond aan tafel bedienen?'

'Goed hoor, maar ik blijf niet slapen. Ik heb morgenochtend vroege dienst in de winkel.'

'Ik zeg steeds tegen hem,' vertrouwde Carrie Mel toe, 'dat hij hier zou moeten komen wonen. Ik heb zijn hulp echt nodig, en dan kan hij het hier overnemen als ik met pensioen ga.'

Achter de rug van zijn moeder, zodat zij het niet zag, trok Matt een grimas. Als je voor Carrie werkte, zou je altijd tweede viool moeten spelen, stelde Mel zich zo voor.

'Ik moest ook maar eens gaan,' zei ze, terwijl ze haar best deed haar lachen in te houden. 'Heel erg bedankt, Carrie.'

Met Matt liep ze naar de ingang, waar ze verrast bleef staan. Achter de receptiebalie stond een bekende gestalte.

'Irina! Ik wist niet dat je in dít hotel werkte.' De vrouw zag er vermoeid uit en haar ogen leken roodomrand.

Irina liet haar blik van Mel naar Matt gaan, die achter haar was blijven staan om afscheid te kunnen nemen. 'En ík wist niet dat jij Matt kende,' zei ze. 'Ik werk hier nu al een paar maanden. Carrie is heel aardig, en ik mag van haar komen wanneer ik kan.'

'Ik had je nog willen bellen,' zei Mel, 'om te vragen of je een keer met me wilde lunchen.'

'Dat zou ik erg leuk vinden, maar deze week kan ik niet; ik heb beloofd om hier te zijn. Maar wat vind je van 's avonds? Heb je geen zin om bij mij te komen eten? Donderdag of vrijdag?'

'Donderdag is prima,' zei Mel. 'Graag.'

Terwijl ze zich het steile pad naar de weg af haastte, dacht ze aan Irina en het dienstmeisje, Jenna, en de geheimen die weggesloten bleven in het verleden. Toen herinnerde ze zich dat ze van plan was geweest naar de Merry Maidens te lopen, wat dat ook mochten zijn. Maar dat moest nu maar wachten tot een andere dag.

Dinsdag was de dag waarop Mel een afspraak had gemaakt bij het Regionaal Archief van Cornwall, vlak bij Truro. Toen ze de deur van de cottage op slot draaide, hoorde ze een voertuig met een knarsende versnellingsbak over het pad hotsen. Er kwam een kleine open truck de hoek om, die amechtig tot stilstand kwam. De man die uit de cabine stapte, zag er even oud en verweerd uit als zijn roestige transportmiddel, en zijn vierkante gezicht was zo bruin en gerimpeld dat hij voor hetzelfde geld de geest van een oude knoestige boom had kunnen zijn.

'Mooie ochtend,' zei hij met een knikje naar haar. Stram liep hij naar de achterkant van de wagen, waar hij de klep neerklapte en vervolgens een grote, aftandse grasmaaier die op benzine liep uit de laadbak tilde. Opeens herkende Mel hem: hij was op de eerste ochtend dat ze hier was aan het werk geweest in de voortuin van een van de huizen aan het begin van het dorp.

'Bent u Jim?' vroeg ze, terwijl haar weer voor de geest kwam wat Patrick had gezegd.

De man knikte en tikte even tegen zijn pet, maar hij keek langs Mel heen naar het bloembed dat ze had vrijgemaakt. Er verscheen een zorgelijke uitdrukking op zijn gezicht.

'Heb jij dat gedaan?' zei hij, en hij keek haar met zijn waterige blauwe ogen plotseling strak aan.

'Ja,' zei ze. 'Is het niet goed?'

'Jawel, hoor,' zei hij aarzelend, 'maar je hebt je wel heel wat werk op de hals gehaald.' Hij sprak behoorlijk plat, en Mel moest hem vragen of hij zijn woorden wilde herhalen.

Ze herinnerde zich dat Patrick had gezegd dat Jim hier vroeger ook had gewerkt. 'Kent u het hier nog uit de tijd dat er een echte tuin was?'

De man bleef even zwijgen. 'Voordat de soldaten kwamen,' zei hij. 'Die zetten d'r lui tenten op de gazons en trapten alles aan gort. M'n pa was hier een poosje tuinman. Soms ging ik mee om hem te helpen.'

'Was dat de laatste oorlog? Hoe zag de tuin er toen uit?' vroeg Mel gretig. 'Wat herinnert u zich er nog van?'

'Eh, tja…' zei de oude man, die zijn rug rechtte. In gedachten verzonken liet hij even zijn blik over de tuin dwalen. Toen draaide hij zich om en gebaarde naar het huis. 'Daar aan die kant, zie je, was gras, met een zonnewijzer erop. Hier waar je hebt zitten spitten, nou, dat waren bloembedden, maar om de cottage stond een hoge heg heen zodat je 'm niet zag. Die hebben de soldaten gerooid om 'r met hun trucks en wat niet al langs te kunnen.'

'Het is nu een en al rododendron daar, hè?' Mel wees naar de overkant van de tuin, waar ze de muis begraven had.

'Ja, en verderop laurieren.' Mistroostig schudde Jim zijn hoofd. 'Er was ook een rotstuin, en een soort grot. Maar die was helemaal overwoekerd. De tuinman was toen een ouwe kerel en in die tijd woonden hier alleen de ouwe mevrouw, mevrouw Carey, en haar dochter. Toen de soldaten kwamen, trokken ze bij de andere dochter in, in Fowey.'

'Was er niet een vijver, met een beeld?'

'Jazekers, de kop was d'r af gevallen – daaro, zie je, bij al die bomen. Daar was ook wat de ouwe mevrouw het ravijn noemde. Eén grote wildernis. Maar een goeie plek om je te verstoppen, als je een jonge gast was zoals ik toen. En de tuinen aan de voorkant ook: een en al woestenij.'

Hij slaakte een zucht en boog zich weer over zijn grasmaaier, alsof de herinneringen te zwaar op hem drukten. Toen, met één hand aan het trekkoord van de motor, keek hij op en zei: 'As je een goeie raad van me wil aannemen, kun je maar beter niet gaan graven en de boel verstoren. Ze zwerft hier nog steeds ergens rond, snap je. Ze houdt je in de gaten.'

Hij schudde zijn hoofd en mompelde iets. Nadat hij een hendel had omgezet en aan het trekkoord had getrokken, kwam de motor lawaaiig tot leven. 'Ik mot nou aan 't werk, wijfie,' riep hij.

'Wat zei u nou?' riep Mel. 'Wie ziet me? Wát?'

Maar hij was al verdiept in zijn werk. Mel wierp nog een blik op de tuin en probeerde die voor zich te zien zoals de oude man hem had beschreven. Het was frustrerend. Ze zou nog een keer met hem moeten praten. Dan konden Patrick en zij misschien een plan maken om de oude tuin in ere te herstellen. Maar wat had hij bedoeld met 'Ze zwerft hier nog steeds ergens rond'? Nog een raadsel erbij.

'De Careys,' zei de jonge vrouw bij het Regionaal Archief toen ze de papieren waarmee Mel zich aanmeldde had verwerkt. 'Ja, we hebben een dossier van Merryn Hall. Als u de catalogus hier even zou willen bekijken…'

Daar waren meer dan honderd documenten in opgenomen die te maken hadden met de geschiedenis van de Hall sinds die aan het begin van de negentiende eeuw was gebouwd. Een groot deel daarvan, zo leek het, bestond uit eigendomsakten en administratie die verband hielden met de boerenbedrijven. Van groter belang leek een stel foto's van het huis, de tuinen en de bewoners. Daar maakte Mel een aantekening van, en ook van het overzicht van tienden uit 1891 en een Ordnance Survey-kaart van het landgoed uit 1909. Er stonden ook diverse grootboeken met huishoudelijke gegevens uit eind negentiende en begin twintigste eeuw vermeld. Na een korte aarzeling voegde ze die van de jaren 1900 tot en met 1910 toe aan haar materiaalaanvraag voor haar eigen onderzoek, te weten de dagboeken van een Newlynse kunstenares uit die periode.

Terwijl ze wachtte tot de eerste pluk van het materiaal gebracht werd, kreeg ze plotseling een idee. Misschien zou ze de informatie over P.T. die ze zocht kunnen vinden in de gegevens van de volkstelling uit 1901. Ze ging op zoek naar een vrij computerstation en riep de betreffende site op.

Bij Merryn Hall stonden elf namen: de familie bestond uit Stephen Carey, het hoofd van het huishouden, negenendertig jaar oud; zijn vrouw Emily van eenendertig; en hun twee dochters: Elizabeth van vijf en Cecily van drie. Het personeel bestond uit een kokkin, Dorothy Roberts; een ongetrouwde gouvernante die Susanna James heette; een dienstmeisje, een keukenmeisje, een butler, de hoofdtuinman John Boase; en een koetsier annex livreiknecht. Niemand had de initialen P.T., de naam Jenna kwam niet voor en er was geen spoor te vinden van de meneer Charles die de hoofdtuinman in zijn logboek had genoemd, en van Jago ook niet trouwens, wie dat ook mocht wezen. Mel slaakte een zucht van frustratie. De eerstvolgende volkstellingsdatum was 1911, en ze wist dat de gegevens daarvan niet eerder dan in 2011 zouden worden vrijgegeven, een regeling die in het leven was geroepen om de privacy van de respondenten te beschermen.

Haar papieren werden gebracht, en ze nam ze mee naar haar tafeltje. Een klein uurtje later moest ze met tegenzin concluderen dat de dagboeken van de kunstenares niets bijzonders te melden hadden; ze had vaak alleen maar doodgewone dagelijkse dingen opgeschreven. Mel sloot de aantekenboeken en bleef even peinzend zitten. Vervolgens richtte ze haar aandacht op de stapel foto's van Merryn.

In het pakket zaten er ongeveer dertig, stuk voor stuk in zuurvrij papier verpakt en voorzien van een etiket. Op een familieportret dat op het gazon was genomen stond als datum 'ca. 1880', evenals op de foto van het huis uit grofweg dezelfde periode. Het verbaasde Mel hoe kaal het eruitzag: nergens was nog iets te zien van de klimplanten waardoor het nu verstikt werd. De voorhof zag er keurig uit, zonder één sprietje onkruid.

Even later kwam een foto die zonder aarzeling was gedateerd op 'juni 1900', en haar hart maakte een sprongetje. Hij was genomen vanaf de achterkant van het huis en er stond een deel van de tuin op, het middendeel. Een kleine terriër, wazig afgebeeld, lag met al zijn poten wijd naast een zonnewijzer op het grasveld, een gazon dat omlaag liep langs een rozenperk naar een langgerekte, smalle vijver met een zomerhuis aan het eind. In de vijver stond het beeld van een jongen of een heel jonge man. Aan weerskanten van de vijver groeide een hoge heg die de tuin daarachter aan het zicht onttrok. Vaag meende Mel in de linkerhoek de contouren van haar cottage te zien, maar de foto was onscherp, dus het viel moeilijk te zeggen.

Het grootste deel van de rest van de foto's was van recentere datum. Studioportretten van de diverse Careys, een groep legerofficieren die rokend rondliepen, een jeep op de voorhof, het huis erachter rood en groen gekleurd door wilde wingerd.

Ze stopte even toen ze bij een kiekje kwam van een jonge man en twee meisjes die zich verpoosden op het gras. De meisjes waren al bijna vrouwen; eentje had haar haar opgestoken. Ze waren allebei in het wit gekleed. Het jongste meisje speelde met een hond, ditmaal een kleine hazewind of een whippet. Ze draaide de foto om. 'Meneer Charles Carey, juffrouw Carey en juffrouw Cecily Carey, 1912,' stond er in een verbleekt schuin handschrift. Dus dit waren meneer Charles en zijn nichtjes. Ze bestudeerde hen om de beurt, maar voornamelijk Charles. Diens hoed stond iets schuin naar achteren op zijn hoofd, zodat zijn lange, knappe gezicht te zien was; hij keek zorgeloos en glimlachte onder zijn snor. Ja, concludeerde ze, hij zou het kunnen zijn: de man op het schilderij dat Patrick haar had laten zien. Charles Carey.

Mel legde deze foto opzij, samen met die waarop een groot deel van de tuin te zien was, plus de Ordnance Survey-kaart waarop de begrenzingen van het huis en de tuinen stonden aangegeven. Hier zou ze kopieën van bestellen. Vervolgens richtte ze haar aandacht op de grootboeken.

Waar zoek ik nou eigenlijk naar, vroeg ze zich af. Langzaam sloeg ze de bladzijden om, waarbij haar blik af en toe bij iets opmerkelijks bleef hangen – een satijnen jurk of een waaier van pauwenveren, of een nieuw fornuis –, maar voornamelijk was het een nauwgezette en oersaaie opsomming van alle uitgaven ten bate van het huishouden, van kaarsen tot stijfsel, allemaal neergepend in mevrouw Careys keurige duidelijke handschrift, dat nu tot sepia was verbleekt. Op elke betaaldag was aangegeven wat het personeel aan loon had ontvangen, met zorgvuldig daarvan afgetrokken de eventuele kosten voor uniformen. Na een poosje nam Mels belangstelling af. Ze wist niet goed wat ze zocht en haar maag knorde. Ze zat zich net af te vragen wat voor broodje ze voor de lunch zou kunnen kopen in de supermarkt vlakbij, toen haar oog op een naam viel: Pearl Treglown.

P.T. Hij kwam voor op een lijst van namen van bedienden die in juni 1912 hun loon hadden ontvangen. En daar zag ze ook andere namen die ze herkende: Jago uit het logboek van de hoofdtuinman – John Jago luidde zijn naam hier – en Jenna Penhale, die het dienstmeisje moest zijn geweest waar Carrie Price het over had gehad.

Maar Pearl kon toch niet het spoor zijn dat naar een kunstenares leidde? Zij was tenslotte maar een dienstmeisje. Mel bladerde het boek door en zag meer aantekeningen over betalingen aan Pearl. Die gingen door tot begin 1914, waarna ze stopten. Haar naam verdween uit de boeken.

10

'Pearl? Ga snel naar buiten, meid. De wind steekt op.' Tante Dolly stond voor het raam, met haar met deeg bedekte armen als in schrik geheven.

Pearl, die de laatste zilveren messen poetste, keek naar buiten en zag een witte nachtpon zich om een boom heen wikkelen als een spook in doodsnood. Ze liet haar poetsdoek vallen, trok haar besmeurde schort af, spoelde haar vingers af en rende door de bijkeuken naar buiten, onderweg de wasmand meegrissend. Een vlaag wind benam haar de adem en de achterdeur sloeg achter haar dicht.

De zonnige augustusdag, die die ochtend even kalm was geweest als de molenvijver, had de meisjes ertoe verleid de witte was van de vorige dag over de struiken en bosjes achter de keuken te draperen om te luchten en te bleken in de zon. Maar nu hadden wervelende derwisjen die Joost mocht weten waarvandaan kwamen de kussenslopen, hemden, onderrokken en boorden opgepakt en ze onder de donker wordende lucht door de hele tuin neergesmeten.

Pearl rende van hot naar her, maakte een kanten zakdoekje los uit een rozenstruik, plukte voorzichtig een geborduurde theedoek uit een bloembed om hem niet weer vies te maken, en stouwde alles in de wasmand die ze met zich meedroeg.

Een van Cecily's haarlinten was in een boom terechtgekomen en zat net buiten Pearls bereik verstrikt in een tak. Ze sprong er een paar keer naar op, maar haar uitgestoken vingers schampten er net langs. Vervolgens, terwijl ze haar rokken opgordde, zette ze een laars op een knoestig uitsteeksel van de stam en zwaaide zichzelf omhoog.

De lach van een man. Ze haalde haar voet weg.

'Nou, pak jij het dan maar als je denkt dat je zo slim bent,' snauwde ze, en ze draaide zich om in de verwachting Jago te zien, maar de jonge man die naar haar stond te kijken, met zijn armen over elkaar geslagen en een waarderende blik in zijn ogen, was meneer Charles. Haar mond vormde een woordeloze 'O'.

'Ja, mevrouw,' zei hij, met een gespeeld saluut, en hij stapte naar voren, stak zonder moeite zijn arm omhoog en wikkelde het lint met een handige beweging los. 'Alsjeblieft,' zei hij, waarna hij lachte toen ze haar hand uitstak en het lint weer wegtrok.

'Leuk, hoor,' mompelde ze met een boze blik, en ze kreeg een rood hoofd toen ze bedacht wat voor figuur ze had geslagen, om met opwaaiende rokken als een hert te gaan staan springen. Ze keerde hem stampvoetend de rug toe en pakte haar wasmand op.

'Neem me niet kwalijk,' zei hij vlak achter haar terwijl hij het lint tussen de stapel kleren stopte. 'Kom, ik help je wel.'

Zijn scherpe hazelnootbruine ogen speurden nog een paar weggewaaide kledingstukken op, en ze sloeg hem gade terwijl hij zich een weg zocht door doornige struiken en takken die in zijn ogen prikten om ze te verzamelen. Hij zwaaide suggestief naar haar met een lange damesonderbroek en met één arm in haar zij rolde ze gegeneerd met haar ogen. Dikke regendruppels vielen neer toen ze met een amper verstaanbaar 'Dank u wel, meneer' de directoire uit zijn handen griste en zich zonder om te kijken naar binnen haastte. Hoorde ze hem nou lachen toen ze de keukendeur achter zich dichtsloeg, of was het de wind?

'Je kunt dit maar beter afmaken en dan de strijkijzers verhitten,' zei tante Dolly met een knikje naar het in de steek gelaten zilverwerk, terwijl ze nog steeds haar deeg kneedde. Pearl zette een paar strijkijzers op de zijplaat van het fornuis en begon het zilver weg te bergen. Ze moesten het een paar uur met z'n tweetjes zien te redden, want Jenna was naar de boerderij gestuurd om nog wat eieren te gaan halen.

'Praatte je nou net met meneer Charles?' Pearl gaf even geen antwoord. Ze wist dat tante Dolly niets ontging, dus knikte ze maar en haalde de strijkplank tevoorschijn. Dolly hield in de regel niet van roddelen, maar de stilte in huis nu Jenna en mevrouw er niet waren, die met de meisjes naar vrienden in Fowey was, brak haar zeker op.

127

'Volgens mij duurt het niet lang meer of er komt een bruiloft in de familie,' zei Dolly.

Verrast keek Pearl op.

'Hou die juffrouw Elizabeth maar goed in de gaten,' zei Dolly, in haar schik met de reactie die ze teweegbracht. 'En die jongeman is gisteravond alweer komen eten, die knul van sir Francis, hoe heet hij ook weer.'

'O, maar ik dacht...' begon Pearl, maar toen deed ze er het zwijgen toe, want ze wist dat haar tante niet graag werd tegengesproken. Pearl had de vorige avond aan tafel bediend en had de jongeman in kwestie opgemerkt. Julian Styles was nog amper meer dan een jongen, met zijn lange, slungelige lijf, zijn snorretje nog niet meer dan een schuchtere blonde schaduw op zijn korte bovenlip, waardoor hij wel iets weg had van een konijn. Hij had zonder meer onder de indruk geleken van de zestienjarige Elizabeth, die sprankelde van enthousiasme omdat ze als volwassene behandeld werd en na het eten verlegen met hem door de tuin had gewandeld toen de anderen een potje gingen kaarten. Maar Pearl had het idee gehad dat Elizabeth onder het eten vaker naar Charles had gekeken dan naar de onhandige Julian Styles.

Wat Charles betrof, die was een groot deel van de avond diep in gesprek geweest met de gedrongen donkere vreemdeling die Jago aan het gezelschap had voorgesteld als meneer Robert Kernow. Terwijl ze de borden had afgeruimd, had ze opgevangen waar ze het over hadden. Kernow sprak zinnen in een vreemde taal, die haar gek genoeg toch bekend voorkwam – Oudcornisch, had hij tegen meneer Carey gezegd.

'Hoe weet je nou hoe je dat moet uitspreken?' gromde Carey, die Jago wenkte dat hij nog wat wijn moest inschenken. 'Het is een dode taal, die niet meer bestaat. We zijn nu allemaal Engels.'

Dat was duidelijk een verkeerde opmerking geweest. Kernow antwoordde ontstemd: 'Als een volk zijn taal verliest, is het dood. We moeten die nieuw leven inblazen. Er zijn genoeg mensen die nog wat woorden spreken om de uitspraak uit af te kunnen leiden. En als we onze belangen goed willen behartigen, zullen we onze identiteit als Cornishmen moeten herontdekken.'

Charles boog zich aandachtig luisterend naar voren terwijl hij met een vinger over zijn snor streek, zoals, had Pearl al eerder opgemerkt, zijn gewoonte was. Hij had een dromerige blik in zijn ogen. 'We mogen de oude verhalen, onze geschiedenis, niet verloren laten gaan,' zei hij. 'Zo veel is zeker. Dit is een van de mooiste plekken op de hele wereld, en we moeten ons er sterk voor maken en zorgen dat die van ons blijft.'

'Het zijn zware tijden hier,' betoogde meneer Carey, 'voor boeren zoals wij. Met de mijnen gaat het ook niet best, evenmin als met de visserij. We moeten zorgen dat we in Londen goed vertegenwoordigd worden en ons niet druk maken om oude woorden.'

'Alleen als we als volk, als natie, één front vormen, zal ons lot zich ten goede keren,' merkte Kernow op, die zat te spelen met het bestek dat hij niet had gebruikt. Toen Pearl zijn bord afnam, zag ze dat hij de stukken zilverwerk in de vorm van een kruis had neergelegd – of was het een dolk?

Op haar ronde langs de tafel wierp ze een blik op Kernows gezicht. Die uitdrukking had ze eerder gezien: op het gezicht van een rondtrekkende methodistenpredikant in Newlyn. Dit was een man met een missie, een type dat zich door niets of niemand zou laten tegenhouden.

'Het zou goed zijn voor de boerderij om met de Styles te trouwen,' vervolgde Dolly nu, en ze sneed haar deeg in kleine broden. 'De jonge meneer erft straks de boerderij van zijn vader en kan hem dan samenvoegen met deze. Dat zou voor meneer Carey wel een pak van zijn hart zijn.'

'Maar meneer Charles dan? Híj zou toch deze boerderij erven?' Hoewel... Charles had de keren dat ze hem naar zijn oom had horen luisteren als die vertelde over de terugloop van de melkopbrengst of de kelderende prijs van de groenten, weliswaar altijd een beleefd gezicht gezet, maar toch ook enigszins glazig gekeken.

'Dat zeggen ze, ja. Maar wat ze gaan doen is andere koek,' merkte Dolly raadselachtig op. 'Die meneer Charles zou zich eens moeten verdiepen in waar zijn brood en boter vandaan komen.'

In de bijkeuken, waarin het roet niet kon doordringen, haalde Pearl een blouse uit de mand, controleerde op een hoekje of het strijkijzer warm genoeg was en begon te strijken. Iedereen leek iets op Charles aan te merken te hebben, peinsde ze al werkend, en toch was hij heel charmant, heel interessant, heel... hartstochtelijk over zijn Cornish wortels.

Het incident van vandaag was niet de eerste keer dat ze in haar eentje met hem van doen had gehad. Een paar weken geleden had mevrouw Carey midden op de dag, terwijl Jenna en Pearl tot aan hun ellebogen in de wastobbes stonden, medegedeeld dat Bijou, de nerveuze kleine whippet, vlooien had en onmiddellijk in bad moest en met poeder moest worden bestoven.

Na enig gemor van Jenna, die het warme water nodig had voor de koperen pannen, goot Pearl een paar emmers vol en sjouwde die een voor een naar boven, naar de badkamer, waar mevrouw wilde dat de behandeling zou plaatsvinden. Ze had pas in de gaten dat Charles boven langs de trap van de bedienden liep toen ze de emmer opzij moest zwaaien om niet tegen hem op te botsen, waarbij ze water over zijn schoenen had gespetterd.

'Neem me niet kwalijk,' had ze hijgend uitgebracht, en ze had opgekeken naar zijn verraste gezicht. Ze zette de emmer neer en groef in de zak van haar schort naar een doekje.

'Nee.' Hij hield haar met een handgebaar tegen en haalde een zakdoek uit zijn jasje, waarmee hij nadat hij zich had gebukt de schade in een ommezien had hersteld. 'Niks aan het handje,' had hij met een glimlach gezegd. 'Ziezo, en waar moet je dit heen brengen?' Toen, nadat ze had verteld over Bijou, had hij lachend gezegd: 'Dat moet ik zien!'

Hij pakte de emmer op en bracht die naar de badkamer, waar mevrouw Carey, die zich van top tot teen in een huishoudschort had gehuld, met het mormel stond te wachten.

Uiteindelijk had iedereen die van Bijous bad getuige was geweest het niet echt amusant gevonden, maar eerder met hem te doen gehad: de aanblik van het schriele beest dat met gekromde rug stond te rillen in het afkoelende, naar rozen geurende water had Pearl doen denken aan de half verhongerde katten in Newlyn die een beroep op haar deden met ogen als poelen van kommer en kwel, voordat ze zich omdraaiden en in de schaduwen verdwenen.

De keer daarna, afgelopen zondag, was de familie gaan lunchen bij een van de buren. Pearl had die middag in de bloementuin doorgebracht en schetsen gemaakt van de rozen, en hij was haar ongezien genaderd en had haar overgehaald om hem haar werk te laten zien. Was het toeval dat hij haar vandaag alleen had getroffen?

'Mevrouw wil volgende maand een feest geven voor de verjaardag van meneer Charles,' riep Dolly door de deur van de bijkeuken terwijl ze haar broden in de oven schoof.

'Een feest?' herhaalde Pearl, wier dagdromen ruw werden verstoord.

'Hij wordt vijfentwintig,' ging Dolly verder, en ze bracht haar vuile keukengerei naar binnen en zette het in een van de gootstenen. 'Dat wordt aanpoten voor ons, dat kan ik je wel vertellen. Zeventig gasten of nog meer, zegt ze. Met dansen en een souper. Dan hebben we extra hulp nodig, heb ik gezegd, en zij zei dat we die konden krijgen.'

'Ik heb hier nog nooit een feest meegemaakt,' zei Pearl, die met glanzende ogen opkeek van haar strijkwerk. Ze kreeg een beeld voor ogen van dames in mooie kleren, de heren piekfijn gekleed in een smoking met witte manchetten eronder, geluiden van muziek, de geuren uit de tuin en het parfum van de vrouwen. En het dansen. Toen Dolly was teruggelopen naar de keuken, zwaaide ze lichtjes heen en weer achter de strijkplank, neuriënd met halfgesloten ogen. Ze stelde zich al voor dat ze zou dansen met Charles, dat een warme hand met die lange kunstenaarsvingers om haar taille zou rusten, haar dicht tegen zich aan zou trekken, terwijl de andere de hare gevangenhield.

Ze was zich ervan bewust dat ze op hem lette – zou hij dat doorhebben? Ze hoopte maar van niet. Soms zag ze hem in de tuin, als tante Dolly zei dat ze kruiden moest gaan plukken, of meneer Boase moest gaan vragen om meer sla voor een picknick.

Eén keer was ze langs hem heen gelopen toen hij op een laag muurtje zat en met een frons een schets maakte van een groep meisjes, onder wie Elizabeth en Cecily, die in mooie zomerjurken bij elkaar op het gras zaten, terwijl Elizabeth een parasol ronddraaide in haar handen. Pearl had in de schaduw van een paar bomen gestaan en toegekeken hoe hij met zijn krachtige, snelle bewegingen zat te tekenen, met een sigaret tussen de wijs- en middelvinger van zijn linkerhand, die tegelijk dienstdeed als meetlat als hij met toegeknepen ogen langs het witte staafje tuurde om de lijnen van de tuin te meten. Totdat ze iemand zijn keel had horen schrapen en meneer Boase had ontwaard die naar háár had staan kijken, waarna ze struikelend was weggelopen naar de rozemarijn die ze had moeten afsnijden.

Boven haar hoofd, tegen de zon in, zag ze even de donkere vorm van een roofvogel die meezweefde op de wind en toen een aanvalshouding aannam, op het punt om neer te duiken. Iederéén in deze tuin hield iemand of iets anders in de gaten. Pearl keerde met het kruid terug naar de keuken. Neem nou Cecily. Een mooi meisje van veertien, maar onhandig vergeleken bij haar brutalere oudere zus. Soms, als ze niet met haar privélerares bij de Askews thuis op de heuvel zat, liep ze Pearl en Jenna overal in huis achterna; ze besloop hen, altijd op een afstandje en zonder ooit een woord te zeggen. Pearl kreeg er de kriebels van als ze een kamer aan het schoonmaken was en ineens buiten op de gang iets hoorde kraken, of de deur zag bewegen terwijl er helemaal geen tocht was.

'Pearl.' Ze stak haar hand in de wasmand om het laatste strijkgoed te pakken toen Dolly's stem nogmaals haar gedachtegang onderbrak. 'Als je klaar bent, moet je meneer Boase maar even om nog wat tomaten gaan vragen. Deze zijn nog niet allemaal rijp.'

Meneer Boase – nog zo'n spieder. Pearl zette het strijkijzer naast het andere op de plaat van het fornuis, pakte een sjaal van een haak in de bijkeuken om die tegen de regen om te slaan, en stapte de tuin in.

'Hij heeft vroeger in het leger gezeten.' Jago had een bewonderende blik in zijn ogen gekregen toen hij die opmerking over de hoofdtuinman had gemaakt. Pearl had het magere lichaam van de livreiknecht van top tot teen opgenomen, zijn onderontwikkelde borstkas: het zou volkomen begrijpelijk zijn als Jago jaloers was op lichamelijke kracht. 'Hij heeft tegen de Boeren gevochten in de Afrikaanse oorlog. Ze zeggen dat hij in zijn buik is geschoten, en toen ze hem weer hadden opgelapt en naar huis stuurden, was zijn haar helemaal wit geworden.'

'Hoe oud denk je dat hij is?' had Pearl hem gevraagd.

'Een jaartje of vijftig, misschien,' had Jago gegist. 'Net zo oud als mijn pa, denk ik.'

Terwijl Pearl zich over het pad haastte, viel de regen gestaag neer. Ze zwaaide naar de postbode, die op zijn fiets over de keitjes kwam aangehobbeld, en dook onder de met rozen overdekte boog de moestuin in. Ze trof Boase in zijn schuurtje, waar hij zorgvuldig aantekeningen zat te maken in een groot boek met een leren omslag. Toen hij haar zag, stond hij langzaam op – een bonkige man met pezige armen en benen en blauwe ogen die niet knipperden – en toen ze haar verzoek overbracht, voerde hij haar zonder een woord te zeggen naar een kas, waar hij een schone emaillen kom vulde met donkerrode tomaten.

Aan zijn forse gestalte en afgemeten bewegingen kon je zien dat hij een man van het platteland was, en terwijl ze toekeek hoe hij zachtjes op de vruchten drukte om te controleren of ze wel rijp waren voordat hij ze plukte, kon ze zich hem bijna niet voorstellen als soldaat. Hij hield ervan dingen op te kweken, niet om ze te vernietigen.

Toch had hij ook wel iets gestaalds. Het was haar evenmin ontgaan dat hij zijn kleine team 'jongens' met strakke hand leidde. Zelfs die vlegel van een Martin haalde het niet in zijn hoofd om 'de ouwe Boase' niet te gehoorzamen, ook al trok hij achter diens rug gekke bekken. Want het was al straf genoeg om het op je geweten te hebben dat meneer Boases gestage blauwogige blik betrok van ongenoegen. Hij liet zich nooit gelden, maar bij Boase voelden ze hoe waar het gezegde 'Stille wateren hebben diepe gronden' was, en ze lieten het wel uit hun hoofd hem uit te lokken en het risico te lopen het beest in zijn binnenste kwaad te maken.

De vingers van meneer Boase streken langs de hare toen ze de kom van hem aanpakte, en hij trok ze snel terug, alsof hij een grens had overschreden. Misschien was de hoofdtuinman wel verlegen tegenover vrouwen, bedacht ze, hoewel ze vermoedde dat genoeg vrouwen hem een knappe man zouden vinden. Jago, die iedereen die maar luisteren wilde de oren van het hoofd kletste over zijn onbeantwoorde passie voor Jenna, had een bekentenis die Boase hem op zijn beurt had gedaan doorverteld, namelijk dat hij nooit was getrouwd omdat hij nog nooit een vrouw was tegengekomen die hij voldoende had begeerd.

De welwillende hoffelijkheid waarmee hij haar bejegende had iets waardoor Pearl zich speciaal en vereerd voelde. Als ze in zijn nabijheid was, was het net alsof ze een schotel vasthield die tot de rand met rillend water was gevuld en die ze niet mocht laten overstromen.

In de bijkeuken spoelde ze de tomaten af; ze depte ze droog en bracht ze naar de keuken. Daar zat tante Dolly met een brief in haar hand aan tafel. Achter haar, frummelend met zijn pet in zijn handen, stond Jago. Ze keken op toen Pearl binnenkwam. Dolly keek ontzet, en op het gezicht van Jago lag een zorgelijke frons.

'Wat is er gebeurd?' vroeg Pearl, maar ze had het al geraden.

'Adeline,' bracht Dolly met een kraakstem uit, en ze schraapte haar keel. Ze bette haar ogen met een theedoek. 'Gisteren is ze overleden.'

Pearl zette de tomaten neer en concentreerde zich op hun felrode gloed. Ze pakte het briefpapier dat haar werd voorgehouden aan, een brief die door Adelines zus aan een buur was gedicteerd, en las hem:

Ze wist zich kranig te houden nadat het tij was gekeerd, toen verliet haar ziel haar lichaam, zoet als een vogel. Ik zweer dat ik hem door het open raam heb zien wegvliegen naar zee...

Pearl voelde het bloed wegtrekken uit haar gezicht en gaf zonder een woord te zeggen het papier terug aan Dolly. Toen draaide ze zich om en zette langzaam de ene voet voor de andere, totdat ze de privacy van de bijkeuken had bereikt. Daar staarde ze zonder iets te zien uit het raam en wachtte tot het nieuws goed tot haar doordrong.

Toen de eerste schrik was bedaard, stak er een wervelwind van gedachten in haar binnenste op, die steeds sneller rondtolden, totdat ze bang werd dat haar hoofd zou barsten. Met een ruk draaide ze zich om, om vervolgens naar buiten de regen in te rennen, huiverend toen de zware druppels door haar kleren heen drongen.

Ruwe mannenstemmen. De hulpjes van meneer Boase stonden te schuilen in een open stal. Ze rende weg van hun gejoel en gefluit, glipte de bloementuin in en verstopte zich in een van de kassen. Terwijl ze tegen de witgekalkte wand leunde, maakten zich diepe snikken uit haar keel los.

Adeline mocht dan afstandelijk, scherp en weinig teder zijn geweest, ze was wel de enige moeder die Pearl ooit had gekend – en nu was ze dood. Het meisje had zich nog nooit zo alleen gevoeld. Van tante Dolly kon ze niet op aan. De herinneringen die ze aan haar vader had vervluchtigden snel. Haar hele leven in de herberg in Newlyn, de kinderen van haar school, vissers die hun vangst verkochten op het strand, de geur van olie, verf en teer – al die ervaringen werden opeens opgeslokt door het verleden, alsof ze nooit hadden bestaan. Ze had niets om naar terug te keren, alleen dit leven in het hier en nu.

Uiteindelijk, toen alle kracht haar verlaten had, liet ze zich omlaagglijden langs de wand, zonder zich druk te maken om het witte stof op haar uniform, en bleef daar in elkaar gezakt op de grond van de kas liggen, met haar mouw langs haar ogen en neus vegend, en met bonzend hoofd. Toen ze haar ogen weer opendeed, ving ze alleen maar een glimp op van de doordrenkte tuin voor zover het netwerk van bladeren dat toeliet.

Voetstappen. Er viel een schaduw over de vloer, waarna de deur openging… Daar, gehuld in oliedoek en met een waterkan in de hand, stond John Boase.

Ze krabbelde verward overeind, zich er plotseling van bewust dat ze er vast heel verschrikkelijk uit moest zien, met haar waar de spelden uit waren gevallen en dat in slierten over haar door tranen bevlekte gezicht viel. 'Neem me niet kwalijk, het was niet mijn bedoeling…'

Op zijn gezicht zag ze verrastheid en tederheid. Hij hurkte voor haar neer, en de regen droop van zijn cape. Op vriendelijke toon zei hij: 'Ze zijn naar je op zoek, weet je…'

'Ik… heb slecht nieuws te horen gekregen. Mijn stiefmoeder.'

'Aye,' zei hij hoofdschuddend. 'Ze is er niet meer. Jago heeft het me net verteld. Hier.' Hij bukte zich, pakte een haarspeld op en overhandigde die aan haar. 'Dat is wel even schrikken,' zei hij, 'maar je hebt je leven nog voor je. Je moet goed voor jezelf zorgen. Het geluk wenkt je.'

Pearl wist niet wat ze hoorde. In al die maanden dat ze nu hier was had ze Boase nog nooit zo veel woorden achter elkaar horen zeggen.

'Wacht even,' zei hij, en hij liep de kas uit en haastte zich door de regen terug naar zijn kantoortje. Snel streek ze haar uniform glad, veegde nogmaals haar neus af met de achterkant van haar mouw, stopte haar losse lokken weer zo goed en zo kwaad als het ging terug in haar knot en zette haar mutsje op.

Toen Boase terugkwam, hield hij haar een paraplu voor met een ivoren handvat met snijwerk. Ze staarde ernaar en wierp vervolgens een blik op de regen. Hij wilde aardig voor haar zijn, begreep ze, maar iets in haar wilde niets aan hem verplicht zijn. Ze schudde haar hoofd. 'De regen wordt al minder. Ik red me wel.'

Ze sloeg haar ogen neer, en hij stapte opzij om haar langs te laten. Voordat ze onder de boog door liep, keek ze nog even achterom. Hij stond nog steeds bij de ingang van de kas en keek haar na, de paraplu in zijn geopende handpalmen, een toonbeeld van nobelheid, als het plaatje in een van haar vaders boeken van een ouderwetse ridder die zijn zwaard offreerde.

11

'Patrick! Ik dacht dat je pas morgen terug zou komen.'
Het was donderdag na de lunch. Mel had zojuist de hoorn op de haak gelegd na een telefoongesprek met Irina, die had gebeld om de eetafspraak van die avond te bevestigen, toen ze iemand had horen aankloppen.
In de deuropening stonden ze verdwaasd naar elkaar te grijnzen. De afgelopen dagen waren de details van zijn gelaatstrekken in haar herinnering vervaagd, maar nu zag ze zijn hazelnootbruine ogen, de manier waarop zijn haar over zijn voorhoofd viel en de krachtige lijnen van zijn vierkante gezicht weer scherp voor zich.
Bijna verlegen had hij zijn ene hand in de zak van zijn spijkerbroek gestoken, terwijl hij met de andere een volumineus, in bruin papier verpakt pakket vasthield.
'Ik had alles eerder op orde dan ik had gedacht,' zei hij ter verklaring, en hij stak haar het pakket toe. 'Een cadeautje. Voorzichtig aan, want het is breekbaar.'
'Dank je wel,' antwoordde ze, terwijl ze het verrast aanpakte. 'Kom je niet even binnen?'
Ze liepen de keuken door. Toen ze de zak had opengemaakt, moest ze lachen. Er zat een kleine theepot in, gedecoreerd met bloemen en tuingereedschap.
'Toen ik hem zag, moest ik meteen aan jou denken, of hoe ze dat ook altijd zeggen.'
'Je had niet iets bijzonders hoeven kopen, dat was niet mijn bedoeling,' zei ze, terwijl ze het beschermende plastic van de tuit af pelde. 'Maar toch ontzettend bedankt. Hij is heel mooi.'

Patrick leunde vlak naast haar tegen het aanrecht terwijl ze wachtten tot het water kookte, en pakte toen het zeemeerminvormige plantennaambordje op dat ze rechtop op de vensterbank had gezet. Ze zag dat hij het omdraaide in zijn grote handen alsof het iets breekbaars en oneindig kostbaars was.

'Er bestaat een plaatselijke legende over een zeemeermin, weet je,' zei hij. 'Ten westen van Lamorna ligt een Meerminnenrots. Het oorspronkelijke verhaal is na al die jaren niet helemaal duidelijk meer, maar ze zeggen dat als daar een zeemeermin met een kam en een spiegel wordt gesignaleerd, dat een waarschuwingssignaal is voor storm. Als er een schip dreigt te vergaan, zou ze heel klaaglijk zingen.'

'Dan is het een zeemeermin met een nuttige functie.'

'Niet helemaal. Haar verleidelijke stem lokt jonge mannen hun ondergang tegemoet.'

'Ah, zoals gewoonlijk krijgt de vrouw weer de schuld.'

'Tegen de betovering van vrouwelijke schoonheid is geen man bestand.' Hij keek haar met een lome glimlach aan en ze moest lachen. Hij zette de meermin terug op de vensterbank.

'Ah, mooi, er gaan precies twee kopjes in,' zei ze terwijl ze de thee inschonk. 'En, hoe was je week?'

'Goed wel,' zei hij, de mok aanpakkend die ze hem aanreikte. 'Ik ben nu de enige eigenaar van de zaak. Geoff heeft zijn geld gekregen en de deal is gesloten. Het enige vervelende was dat ik het personeel moest vertellen dat we hun diensten niet langer nodig hadden.'

'Je wilde de zaak toch voortzetten?'

'Jawel, maar ik heb eindelijk een beslissing genomen. Ik verhuis hem hiernaartoe.'

'O? Is dat niet erg plotseling?'

'Niet echt. Al vanaf het moment dat Geoff over zijn plannen begon heb ik met dat idee gespeeld.'

'Hoeveel mensen had je in dienst?'

'Twee maar. De ene vindt het niet zo heel erg. Ze wil het geld van haar afvloeiingsregeling gebruiken om een reis te maken. De andere was best nijdig, maar ik denk dat hij zonder al te veel problemen wel iets anders kan vinden. Dat neemt niet weg dat het niet leuk is om zo'n boodschap te moeten overbrengen.'

'Nee, natuurlijk niet. En wat nu?'

'Nou, er is net een kleine kantoorunit in Penzance te huur gekomen. Daarom ben ik ook eerder terug: ik moet er vanmiddag heen om te gaan kijken. Als het iets is, kan ik mijn notaris opdracht geven om de boel in gang te zetten. Ik moet ook iemand zien te vinden voor de administratie van het bedrijf.'

'Zou je de zaak niet van hieruit kunnen leiden – vanuit de Hall, bedoel ik? Je zou een van de bijgebouwen kunnen ombouwen. Die stal met de hooizolder ziet er…'

'Hé, hou eens even op! Nu lijk je weer precies op je zus,' waarschuwde hij met een zwaaiende vinger. Ditmaal moest ze erom lachen.

'Ik ben het met je eens,' vervolgde hij, 'dat dat in zekere zin makkelijker zou zijn, maar het lijkt me wel prettig om in de stad te zitten. Voor bezoekers is het station vlakbij, en het is voor mij trouwens beter om althans te proberen werk en privé gescheiden te houden. Anders doe ik niets anders meer dan werken. Plus dat ik prijs stel op de privacy die ik hier heb.'

Mel knikte en haar blik bleef rusten op de stapels papieren op de keukentafel, met daartussen een gebruikte ontbijtkom.

'Ik weet precies wat je bedoelt met werk dat de rest van je leven opslokt.'

'Heb jij een vruchtbare week gehad?' vroeg hij.

'Ik ben dinsdag naar het Regionaal Archief geweest,' zei ze. 'En daaronder moet ergens' – ze rommelde wat tussen de papieren – 'mijn blocnote liggen.' Ze vertelde hem over de foto's en de plattegronden, en wat ze had ontdekt in de grootboeken.

'Het klinkt alsof de foto's en de plattegrond goed van pas zullen komen voor de tuin. Zijn de kopieën al gearriveerd?'

'Ik verwacht ze morgen.'

'Mooi.'

'O, en ik heb die tuinman van je gesproken. Jim,' zei ze. 'Hij heeft me verteld hoe de tuin eruitzag voor de laatste oorlog. Als je wilt kunnen we naar buiten gaan en zal ik proberen aan te duiden wat hij heeft gezegd.'

De zon was doorgebroken en Mel bleef even staan genieten van de warmte terwijl ze uitkeek over de wildernis. Ze was zich er scherp van bewust dat Patrick vlak bij haar stond terwijl ze hem wees waar volgens de oude man de rozentuin, de vijver en het ravijn hadden gelegen.

'En daar was een laurierbosje,' zei hij. Even later liepen ze de tuin door naar de plek waar de rododendrons in een grote groene golf overgingen in de bomen; ze stonden nu mooi in knop – wit, roze en rood.

Patrick, die haar verhaal had aangehoord, draaide zich plotseling geanimeerd naar haar om. 'Weet je, ik begin het idee te krijgen dat we met deze tuin op de goede weg zijn,' zei hij. 'Aan de hand van de plattegrond, de foto's en Jims verhaal zouden we een poging tot reconstructie kunnen wagen.'

Mel knikte. 'Laten we zelf even een kijkje gaan nemen.' Ze trok haar hoofd in en ging nogmaals de rododendrontunnel binnen, met zijn bizarre, geheime wereld van ondergroei. De grillige oude boomstronken en wortels die overal te zien waren deden haar denken aan een elfenbos uit vroeger tijden. 'Pas op voor je hoofd. O, het is net een illustratie van Arthur Rackham, vind je niet?'

'Of iets sinisterders, zoals het Demsterwold van Tolkien,' opperde Patrick terwijl ze zich al klauterend en kruipend een weg zochten door de koele groene bovenaardse wereld.

'Laten we hopen dat hier geen reuzenspinnen zitten.'

'Heb je het niet zo op spinnen?'

'Helemaal niet, nee.'

'Ook geen kleintjes?'

'Ik heb me een keer onder hypnose laten brengen, zodat ik het nu niet meer op een krijsen zet. Ik weet me tegenwoordig te beheersen – maar nee, ook kleintjes zie ik niet zitten. O!' Opeens struikelde Mel, en bijna was ze voorovergeklapt als Patrick haar niet bij haar arm had gegrepen. Ze draaide zich om om hem aan te kijken, allebei half gebukt onder het lage bladerdak.

'Gaat het wel?' vroeg hij zacht.

'Mijn voet,' zei ze, en haar gezicht vertrok van pijn. 'Rustig maar, je hebt hem denk ik alleen licht verstuikt.' Toen hij zijn hand weghaalde, miste ze de warmte daarvan.

Weldra groeiden er lauriertakken door de rododendrons heen, en na een poosje konden ze door de dichte donkergroene struiken niet verder vooruitkomen.

'Laten we die kant eens proberen,' stelde Patrick voor, en hij drong dieper de wal van rododendrons binnen. Ze hinkte naar de plek waar hij zich een weg door de struiken had gebaand. Nu stond ze verloren tussen de dikke groenglanzende bladeren die haar in het gezicht krasten.

'Patrick,' riep ze, 'waar zit je?'

'Hier,' riep hij terug, en ze schuifelde door het groen in de richting van zijn stem. Droge takken schraapten langs haar gezicht en de bladeren ritselden. Ze zag niets meer. 'Patrick, zeg eens waar je zit!' Toen hij antwoord gaf, leek zijn stem van verder weg te komen. De struiken leken zich aan haar op te dringen als een boosaardig wezen. Ze struikelde alweer en viel bijna. Ze dreigde in paniek te raken. 'Patrick!' riep ze nogmaals.

'Mel? Kom eens,' zei hij ergens voor haar uit. 'Ik heb iets gevonden.'

'Wat dan? Oef. Waar ben je?'

'Deze kant op.' En opeens kwam ze uit op een kleine open plek. Daar was hij; hij zat op een bankje, en alles was weer goed. Om hen heen rezen de laurierstruiken op als de muren van een groen kasteel, maar dan zonder dak erop. Het bankje was gemaakt van steen, met rondlopende armsteunen en een lage rugleuning.

'Kan ik er nog bij?' vroeg ze, en dankbaar wurmde ze zich op het vrije plekje naast hem.

'Hoe is het met je voet?' Met een aarzelend gebaar sloeg hij zijn arm om haar heen.

'Het gaat wel.' Nu ze zo naast hem zat, voelde ze dat ze zich ontspande.

'Mooi zo.'

'Waar zijn we in vredesnaam?' zei ze. 'Ik ben alle gevoel voor richting kwijt.'

'In een geheime wereld in het midden van een doolhof. Niemand ter wereld weet dat wij hier zitten. Is dat niet leuk?'

Ze bleven in een weldadige stilte zitten luisteren naar de zingende vogels en hoorden verderop het gekraak van twijgjes en het ruisen van de wind in de bladeren.

'Geen reuzenspinnen, godzijdank,' merkte Mel op.

'Die je te grazen nemen en je strak inwikkelen,' grapte Patrick, en snel drukte hij haar even tegen zich aan. Ze slaakte een kreetje, waarop er meteen een paar merels verwoed tsjik-tsjikkend opschrokken. Toen daalde er weer een spookachtige stilte neer.

Mel en Patrick bleven doodstil zitten, met al hun zintuigen op scherp. De schaduw van een wolk viel over het bosje, en het werd fris. Patrick haalde zijn arm weg. Mel huiverde, en toen schoot haar ineens iets te binnen.

'Patrick, je tuinman zei nog iets heel geks. Ik vroeg me af of hij er soms op zinspeelde dat er iemand in de tuin begraven zou zijn. Ik weet niet precies waar hij op doelde; hij wilde zich niet nader verklaren.' Verbaasd keek hij haar aan. 'Wat gek. Wat zei hij dan?' 'Nou, zo veel zei hij niet. Alleen dat "ze hier nog steeds zou rondzwerven", en hij zei dat ik niet moest gaan graven.' 'Wie zou hij daarmee hebben bedoeld?' 'Een oude mevrouw Carey, denk ik, maar ik weet het niet zeker. Zoals ik al zei, wilde hij zich niet nader verklaren. Misschien dat hij tegenover jou meer wil loslaten.' Patrick stond op, met een gekwelde uitdrukking op zijn gezicht. 'Ik krijg ineens de kriebels hier,' zei hij. Hij wierp een blik op zijn horloge. 'Verdorie, ik moet al over drie kwartier in Penzance zijn. Kom.' Hij stak haar zijn hand toe en hielp haar overeind. Heel even bleven ze elkaar staan aankijken. Toen drukte hij zacht haar hand en zei: 'Zal ik maar weer vooropgaan?'

Hij zei dat ik op hem moest wachten op het bankje in de laurierdoolhof, maar ik heb daar zitten wachten tot ik een ons woog, en hij kwam maar niet. Nu lengen de schaduwen en begint het koud te worden. Ik heb genoeg van het geijsbeer, en tante Dolly is vast naar me op zoek. Maar wat moet ik doen? De avond valt, en op deze geheime plek loeren overal ogen. Waarom is hij niet gekomen? Geschraap van laarzen op grind. Bladeren ritselen langs elkaar. Daar is hij dan eindelijk…

Toen ze uit de rododendrons tevoorschijn kwamen, zagen ze dat het weer was veranderd. De hemel was nu staalgrijs en de wind was aangewakkerd. Er hing onweer in de lucht.

'Mag ik…' Mel reikte omhoog om een takje van Patricks fleecetrui te plukken.

'Dank je,' zei hij. Maar hij leek er met zijn gedachten niet bij.

'Is er iets?' vroeg ze.

Hij haalde zijn schouders op. 'Niet echt. Ik moet alleen denken aan wat die oude kerel zei. Er hing daar in de bosjes maar een raar sfeertje, net alsof je ineens in een andere tijd was beland. Ik ben blij dat we er weg zijn.'

'Ik ook,' zei ze, en ze stak haar handen in de zakken van haar jasje. 'Deze plek straalt iets heel krachtigs uit. Net alsof er iemand is…'

'Een echo,' merkte Patrick op, en hij draaide zich om om op te kijken naar het huis. 'Dat zei Val altijd. Over spoken hield hij er een favoriete theorie op na: dat we zelf misschien een soort voetafdruk kunnen nalaten. Maar wie weet had hij gewoon te veel in zijn eentje gezeten.'

Wij misschien ook wel, dacht Mel mistroostig, want het zou best eens zo kunnen zijn dat Patrick en zij werden achtervolgd door hun ex-partners.

'Wat heb je vandaag verder nog voor plannen?' vroeg Patrick aarzelend.

'Ik ga vanavond eten bij Irina,' antwoordde Mel. 'En jij?'

'Ik had vaag het plan om bij mijn ouders langs te gaan. En om bij hen te blijven slapen. Ja, misschien doe ik dat wel.'

Ze knikte alleen maar, teleurgesteld. Als zij geen afspraak had gehad, zou hij mogelijk van een logeerpartij hebben afgezien.

'Nou, dan zie ik je binnenkort wel weer,' zei hij.

'Ja. Ik hoop dat het wat wordt in Penzance.'

'Dank je,' zei hij, en toen hij langzaam een hand ophief, leek het even alsof hij haar wang wilde strelen – maar het gebaar ging over in een afscheidszwaai. 'Dag!' zei hij eenvoudigweg.

Ze keek hem na toen hij naar het huis liep alsof hij haar bestaan al volkomen was vergeten.

12

Toen Mel die avond naar de baai liep om bij Irina te gaan eten, had ze amper oog voor de schoonheid van de in zilveren mistflarden gehulde vallei, omdat ze aan niets anders kon denken dan aan Patrick en de verontrustende sfeer die in de tuin had gehangen.

Nadat Patrick was vertrokken, had ze zich binnen teruggetrokken en was ze aan haar laptop gaan zitten om de inleiding van haar boek bij te schaven, maar ze had haar hoofd er niet bij gehad. Ze was verzonken in mijmerijen over zijn arm om haar heen. Had hij alleen een aardig gebaar willen maken? En was de plotselinge omslag van de sfeer in de tuin alleen aan een weersomslag te wijten geweest?

Toen ze bij Irina's cottage kwam, werd er op haar kloppen zo snel opengedaan dat ze onwillekeurig schrok.

'Alles goed met je?' vroeg Irina. 'Je ziet er... een beetje verdwaasd uit.'

'Echt waar? Sorry, ik verkeerde even in hoger sferen.'

'Hè?' zei Irina niet-begrijpend. Ze zag er nog steeds moe en gespannen uit, zag Mel.

'Dagdromen,' legde Mel uit. 'Ik zit te veel alleen met mijn gedachten. Ik begin aardig ongeschikt te worden voor menselijk gezelschap.'

'Ach, dat zal wel meevallen. Kom binnen, alsjeblieft.'

Mel overhandigde haar de fles wijn die ze had meegebracht.

'Dank je wel. Kom even mee naar de keuken. Lana heeft haar vriendin Amber op bezoek. Ze helpen me met het eten.'

De twee meisjes zaten samen aan tafel met theelepels een beslagkom schoon te schrapen. Lana keek op en glimlachte Mel met haar spaniëlogen toe. Lana was donker, maar Amber was noords blond, met een huid zo licht dat je door de tere oogleden van haar lichtblauwe ogen de aderen kon zien. Een ijskoningin, misschien. Maar nee, Ambers 'hoi' klonk heel hartelijk. Dan dus een fragiele prinses op de erwt.

'We hebben *torta* gemaakt,' zei Lana, haar lepel aflikkend.

'Ik hoop dat jullie nog wat voor mij hebben overgelaten,' zei Mel. Lana lachte. Ze leek vandaag minder kat-uit-de-boom-kijkerig, meer als een gewoon kind. 'Hier zit hij in,' zei ze, en toen ze het deurtje van de oven opendeed, waarin een cake stond te rijzen, wolkte er warme lucht het kleine vertrek in.

'Doe snel dicht, Lana, liefje,' riep Irina, die bezig was wijn in te schenken, 'anders rijst hij niet goed. Ziezo, als jij nou met Mel naar de zitkamer gaat, maak ik het hier af.'

In de zitkamer liep Mel meteen naar het raam om uit te kijken over de baai, waarover het donker neerdaalde. Wat een prachtig uitzicht, zelfs op zo'n mistige avond. Vanavond stond er geen maan. Een lichtje van een langsvarende boot twinkelde door de mist. Ze schoof een stukje op om de kade en het klif beter te kunnen zien en stootte daarbij een metalen voorwerp om, waarna er een warreling van papieren op de grond viel.

'Sorry,' zei ze, en ze zette de muziekstandaard weer recht en bukte zich om de bladmuziek op te rapen. 'Speel jij viool?' vroeg ze aan Lana. Ze herinnerde zich dat Irina het over muzieklessen had gehad. Lana, die opgekruld op de bank zat, knikte.

'Ze is echt goed,' mengde Amber zich in het gesprek. 'Toch, Lana?'

Lana wierp haar vriendinnetje een gegeneerde blik toe, maar zei tegen Mel: 'Binnenkort moet ik examen doen, dus ik moet wel goed zijn. Ik heb uren en uren geoefend.' Theatraal rolde ze met haar ogen.

'Ik zou wel eens een stukje willen horen. Wil je iets voor me spelen?'

'Goed,' zei ze luid en duidelijk, zonder de aanstellerij of tegenzin die de meeste kinderen tentoonspreiden als hun wordt gevraagd iets voor grote mensen ten gehore te brengen. Ze pakte een vioolkist uit een kastje onder de schoorsteenmantel. Nadat ze het instrument eruit had gehaald, stemde ze het met snelle vingers.

Het *ploink-ploink*-geluid deed Mel denken aan haar schooltijd, aan haar broer die achter de gesloten deur van de eetkamer op zijn instrument stond te zagen, maar toen Lana de viool aanlegde onder haar kin, haar ogen sloot en begon te spelen, was Mel aangenaam verrast. In plaats van het kattengejank dat ze had verwacht en waaruit Williams spel in de regel had bestaan, bracht Lana's instrument een fraaie klank voort, in een onstuimige volksdans die eerst vrolijkheid en vervolgens verlangen, tragiek en, op het laatst, vervoering uitdrukte. Het was een verbijsterend optreden.

Toen de muziek uiteindelijk stilviel, klapten Amber en zij in hun handen tot Irina's stem uit de deuropening klonk. 'Goed zo, Lana.' Haar vermoeide gezicht straalde van trots op haar dochter. 'Zo mooi heb je het nog niet eerder gespeeld.'

'Als er andere mensen bij zijn, is ze heel goed,' vertrouwde Amber Mel toe. 'Ik breng er niks van terecht op mijn blokfluit als alle mama's en papa's komen luisteren.'

'Als ik eenmaal bezig ben, heb ik daar geen erg meer in,' zei Lana schouderophalend, en iets van haar eerdere terughoudendheid kwam weer terug. 'Dan denk ik alleen aan de muziek.'

Later, na hun maal van met vlees en rijst gevulde paprika's en de verrukkelijke chocoladecake, stelde Irina de meisjes voor iets te snoepen 'voor de late avond' uit de voorraadkast te pakken en naar bed te gaan. Toen ze hun welterusten hadden gewenst en naar boven waren vertrokken, sloeg Mel Irina gade terwijl ze koffiezette in een bruine aardewerken kan voordat ze bij haar aan tafel kwam zitten.

'Ik weet niet wat ik met Lana aan moet,' zei ze, een sigaret opstekend. 'Sorry, heb je er bezwaar tegen? Ik probeer het te laten, maar vanavond heb ik er echt zin in...' Ze slaakte een zucht.

Mel schudde haar hoofd. Hoewel ze zelf niet meer gerookt had sinds ze voor in de twintig was, kreeg zij opeens ook trek in een sigaret. Maar aan die neiging bood ze weerstand. Irina schonk stroperige zwarte koffie in twee kleine kopjes.

'Hoe bedoel je, wat je met Lana aan moet?' informeerde Mel.

'Je hebt haar toch voor het eten horen spelen?'

'Ze is geweldig goed,' zei Mel.

'Ja. Ik wil haar stimuleren, maar het haar niet opdringen, weet je. Ze wil zelf spelen, dat wil ze echt. Maar ze moet wel de juiste kansen krijgen, en ik geloof niet dat ze die hier in Lamorna zal krijgen. Dat is mijn grootste bedenking tegen hier wonen.'

Mel, nippend van haar koffie, knikte langzaam.

'Ze heeft momenteel een goede lerares,' vervolgde Irina. 'Meneer

Winterton – ik bedoel de oude man die is gestorven, niet Patrick – heeft de viool voor haar gekocht en, zoals ik je al vertelde, me geld nagelaten om de lessen te betalen. Binnenkort moet ik zelf het geld ergens vandaan zien te halen, maar dat valt nog niet mee, en er komt een tijd dat ze behoefte heeft aan een betere leraar.'

'Hmm. Er bestaan toch zeker beurzen voor veelbelovende pupillen? Wat vindt haar lerares ervan?'

'Hetzelfde als jij. Maar ook al zou ze het geluk hebben een beurs te krijgen voor een school of instituut waar ze een speciale opleiding krijgt, dan nog zijn er andere kosten. En het zou kunnen zijn dat we moeten verhuizen. Negen jaar is nog erg jong, maar misschien volgend jaar of het jaar daarna.' Haar stem had hartstochtelijk geklonken, maar nu was hij mat. 'Misschien dat haar vader over de brug komt.'

'Haar vader?' Het lukte Mel bijna niet om de nieuwsgierigheid uit haar stem te weren. 'Ziet Lana hem dan?'

Heftig schudde Irina haar hoofd. 'Nee,' zei ze, en ze drukte haar half opgerookte sigaret uit in de asbak, waarna ze meteen een nieuwe opstak.

Mel wachtte. Van Irina's levendigheid was weinig meer over. Haar huid zag vaal en dof. Ze pulkte aan haar nagelriemen, die, was Mel al eerder opgevallen, tot op het leven waren afgekloven. Ten slotte keek ze op.

'Ik heb hem in Dubrovnik leren kennen, toen daar de strijd losbarstte. Er waren… redenen waarom ik niet kon blijven. Hij is een Engelsman en heet Gregory. Hij was rijk, had invloedrijke relaties. Hij hielp me ontsnappen en nam me mee naar Londen. Hij was verliefd op me, zei hij. Ik dacht dat ik veilig bij hem was en was hem dankbaar. En ik hield ook wel een beetje van hem.' Ze lachte. 'Hij ziet er goed uit, heel goed… Hij heeft charisma. Het was meer dan een gelegenheidshuwelijk. Ik wilde in Engeland blijven, zeker, maar ik wilde ook bij hem blijven.' Ze nam een diepe trek van haar sigaret.

'Dus we trouwden en woonden in Londen in een leuk huis, in Chelsea. Hij had me gered en zorgde voor me, en ik was dankbaar, ook al miste ik Dubrovnik en mijn ouders. Toen kwam Lana. Alles leek prima in orde – een happy end. Maar ik geloof dat ik al die tijd aan verstandsverbijstering moet hebben geleden, want toen ik op een dag wakker werd, besefte ik dat ik helemaal niet van Greg hield. Ik was erachter gekomen wat voor soort man hij was. Hij was best goed voor ons, maar hij kon ook meedogenloos zijn. Het was net of hij twee verschillende kanten had. Hij werd heel dominant, ontzettend jaloers. Als ik de deur uit ging, wilde hij weten waar ik heen ging en met wie. Ik weet niet wat hij dacht – dat ik er een andere man op na hield? We kregen steeds ruzie en ik zei tegen hem dat ik niet van hem hield, en daarna wist hij dat hij me kwijt zou raken. Hij probeerde alles wat ik deed te sturen. Soms sloot hij me op in huis. Hij heeft me nooit geslagen en heeft Lana godzijdank nooit met een vinger aangeraakt, maar ik was steeds maar bang dat dat wel zou gebeuren. Hij dacht kennelijk dat ik zijn bezit was, dat hij met me kon doen wat hij wilde omdat hij me had gered. Het was een verschrikkelijke tijd, maar ik was te bang om bij hem weg te gaan. Ik sprak maar een klein beetje Engels. Ik dacht dat Lana van me af zou worden genomen en dat ik zonder haar teruggestuurd zou worden naar Kroatië. Daar dreigde hij mee.

De maanden verstreken, en ik – zeg je dat zo? – kwam bij zinnen. We gingen een keer met Lana naar de dokter voor haar inentingen en toen ik daar naar de wc ging, zag ik een poster hangen over vrouwen zoals ik, vrouwen die bang zijn voor hun man. Toen Greg op een avond een afspraak had voor zijn werk, belde ik het nummer. En zo vond ik mensen die me konden helpen om bij Greg weg te komen en aan een leven zonder hem te beginnen.'

'Wat een afschuwelijk verhaal, Irina.' Mel legde haar hand op die van de andere vrouw, zodat ze ophield met haar nerveuze gefriemel met de plastic aansteker die op de tafel lag.

Hoe moest dat niet geweest zijn: in je eentje met een klein kind in een vreemd land, terwijl je alle mogelijke moeite moest doen om je hoofd boven water te houden? Even vroeg Mel zich af waarom Irina niet was teruggegaan naar Kroatië, maar net toen ze die vraag wilde stellen, vervolgde Irina haar verhaal.

'Eerst bleven we in Londen. Mijn advocaat slaagde er niet in Greg zover te krijgen dat hij ons geld stuurde, en ik was sowieso doodsbang dat hij erachter zou komen waar we zaten. Een maand lang woonden we in een hostel in Wandsworth, en toen kregen we van de gemeente een flat toegewezen. Daar was het afgrijselijk, echt afgrijselijk. Mensen moesten tralies voor hun voordeur aanbrengen omdat er zo vaak ingebroken werd. Ik voelde me heel erg eenzaam. Ik kon niet veel werken omdat

Lana nog zo klein was, en ik durfde haar niet goed bij de buren achter te laten. Ze was alles wat ik had. Als Lana op school zat, volgde ik een cursus om beter Engels te leren. Ik maakte schoon bij mensen thuis – bij iedereen die er geen bezwaar tegen had dat ik Lana soms meenam. Toen, na een jaar ongeveer, liet een heel aardige mevrouw voor wie ik werkte en die me wilde helpen, me een tijdschrift zien met advertenties voor banen. Daar las ik de advertentie van meneer Winterton.'

'Maar die woonde een heel eind weg. Dat was dapper van je.'

'Ik besefte niet goed hoe ver Cornwall was. Hoewel het na Kroatië eigenlijk helemaal niet zo ver is. Maar in de advertentie stond dat het huis aan zee lag, en toen ik meneer Winterton aan de telefoon had, klonk hij heel vriendelijk en bood hij aan onze treinkaartjes te betalen om bij hem op bezoek te komen.'

'En hij gaf je de baan en je verhuisde hiernaartoe. Dat zal wel een hele opluchting zijn geweest?'

'Dat was het zeker. Om op zo'n mooie plek als Lamorna te wonen en je veilig te voelen.' Ze zweeg even en zei toen zachtjes, alsof er iemand mee zou kunnen luisteren: 'Greg weet niet dat we hier zijn.'

'Draagt hij bij aan Lana's levensonderhoud?'

'Nee.' Irina glimlachte, maar het was een vermoeide glimlach. 'Soms maak ik me grote zorgen,' zei ze, weinig specifiek. 'Het verleden. Het is nooit makkelijk om daaraan te ontsnappen; het drukt een stempel op je.'

Mels blik ging naar de hand, die nu weer met de aansteker speelde. Over de handpalm, via de onderkant van haar pols en tot aan haar onderarm, zag Mel een lang wit litteken, dat verdween onder haar mouw.

'Hoe…?' begon Mel, maar opeens trok Irina ongemakkelijk de mouw naar beneden.

'Ik heb het mezelf aangedaan,' fluisterde ze. 'Dat was toen het heel, heel slecht met me ging,' zei ze. 'Maar die tijd is voorbij.'

Mel wist niet wat ze moest zeggen. Ondanks alle narigheid die ze zelf had meegemaakt, had ze zichzelf nooit iets aan willen doen of zelfmoord willen plegen. Op de een of andere manier had ze zich staande gehouden, en dat besef stemde haar nederig. Ze nam nog een kop koffie aan, en de twee vrouwen bleven een poosje zwijgend bij elkaar zitten, allebei in gepeins verzonken.

Toen schoot Mel weer te binnen hoe het gesprek begonnen was.

'En hoe ontdekte je dat Lana zo muzikaal is?' vroeg ze.

'Het viel haar klassenlerares, mevrouw Thorson, op dat ze heel snel blokfluit leerde spelen, en toen liet ze haar de piano van de school proberen. Ze ontdekte dat Lana goed wijs kan houden, en als ze haar eenvoudige stukken voorspeelde, kon Lana ze zó naspelen. Meneer Winterton betaalde een paar pianolessen voor haar, maar toen vroeg Lana of ze in plaats daarvan viool mocht studeren, dus kocht hij er eentje voor haar verjaardag. Hij was een heilige, die man. Patrick is ook ontzettend aardig geweest.'

'Zit muzikaal talent in de familie?' vroeg Mel, terwijl ze haar best deed om de onwaardige steek van bezitterigheid die ze voelde toen Patricks naam ter sprake kwam, te negeren. Hij had er niets over gezegd dat hij Irina probeerde te helpen, maar er was ook geen aanleiding geweest om daarover te beginnen.

'Mijn broer kon ook heel goed vioolspelen. En mijn opa, die speelde als beroepsmusicus in een orkest.' Irina drukte haar sigaret uit en zei: 'Maar ik ben dom geweest.' En ze begon te huilen.

'Irina, wat is er in vredesnaam aan de hand?'

'Twee weken geleden heb ik Lana's vader een brief geschreven om hem om geld te vragen. Ik legde hem uit hoe het zat met haar muziek en dat ze geld nodig heeft voor een muziekopleiding, een groter instrument. We hadden sinds de scheiding helemaal geen contact meer gehad. Niemand is er ooit in geslaagd hem zover te krijgen dat hij ons geld gaf – zo uitgekookt is hij wel. Hij wilde dat Lana in de weekends naar hem toe zou komen, zie je, en ik vond dat nooit goed, dus gaf hij ook geen geld meer.'

'Is dat niet allemaal door de rechter geregeld? Was er dan geen regeling getroffen toen jullie gingen scheiden?' Mel raakte het spoor bijster in Irina's ingewikkelde verklaringen.

'Jawel.' Irina liet haar hoofd hangen. 'Hij mocht haar zien. Omdat hij haar nooit iets had aangedaan, snap je, had ik geen reden om dat te weigeren. Misschien was het verkeerd van me dat ik haar van haar vader weghield, ik weet het niet. Hij heeft haar nooit een haar gekrenkt. Het lag aan mij, hij gaf mij overal de schuld van. En misschien was ik ook wel egoïstisch. Nou, ik had zo gedacht dat ik daar maar eens mee moest ophouden, zodat hij Lana hier zou kunnen komen opzoeken en haar zou kunnen helpen – voor haar lessen betalen, misschien zorgen dat ze op een goede school komt.'

149

Ze keek op en haar blik trof die van Mel.

'Wat doet hij voor de kost?' vroeg Mel langs haar neus weg. Wat had Greg als zakenman in buitenlands oorlogsgebied te zoeken gehad? Wapens verkopen, was het eerste wat in haar opkwam. Het idee dat Lana's opleiding zou worden gefinancierd met de narigheid van andere kinderen was te afschuwelijk om over na te denken.

'Hij koopt en verkoopt het een en ander,' zei Irina, toen ze ineens Mels gezicht zag. 'O, nee, geen akelige dingen. Handel. Geldzaken.' Afwerend wapperde ze met een hand.

Opgelucht fluisterde Mel haar bemoedigend toe: 'Ik weet zeker dat je altijd alleen maar hebt gedacht aan wat voor Lana het beste zou zijn.'

Irina moest even glimlachen, maar toen vervloog die glimlach weer. 'Maandag is er een brief gekomen. Ik had een postbusnummer opgegeven, dus hij weet niet waar ik ben. Hij schrijft dat hij alleen geld voor haar wil geven als hij haar regelmatig kan zien. Als ze zo af en toe bij hem komt logeren. Ik weet niet wat ik moet doen, wat het beste is!' Het laatste klonk bijna als een jammerkreet.

'Wat vindt Lana er zelf van?' vroeg Mel, die geen idee had wat ze zou moeten adviseren, als ze al een oplossing zou kunnen bedenken.

'Dat is het 'm nou net. Ik heb het haar nog niet durven vertellen. Ik ben bang voor haar reactie.'

Er daalde een stilte over de keuken neer. Vanuit het trapgat klonk geklets en gegiechel. Amber en Lana waren overduidelijk niet bezig met naar bed gaan, maar ze klonken ontspannen, gelukkig. Twee kleine meisjes die met volle teugen genieten van een logeerpartijtje, zich niet bewust van de samenpakkende donkere wolken waar de grote mensen zich druk over maken. En zo hoorde het ook te zijn, bedacht Mel met een zucht.

'Irina,' zei ze zacht, 'als het echt moet, komt er vast wel een oplossing voor Lana, dat weet ik zeker – zonder dat haar vader daar een rol bij speelt. Kun je geen contact opnemen met je familie in Kroatië?'

Heftig schudde Irina haar hoofd. 'Dat kan ik niet doen. Mijn vader is niet in orde, en met mijn broer heb ik ruzie gehad en hij wil niets meer met me te maken hebben,' zei ze half snikkend.

'Maar er bestaan ook beurzen. Toelages en dergelijke,' opperde Mel hoopvol. Van muziekopleidingen wist ze niet veel af. 'En het is nog in een pril stadium. Ze moet eerst maar eens zorgen dat ze het goed doet op school, in alle andere vakken.'

'Ja,' zei Irina, 'dat weet ik natuurlijk ook wel. Maar ik heb van zo veel andere dingen in mijn leven een zootje gemaakt. Ze is alles wat ik heb. Ik wil alleen het beste voor haar.'

'Je dóét ook wat het beste voor haar is, dat weet ik zeker,' zei Mel. 'Je geeft haar een stabiel thuis, een gelukkige jeugd. Dat is meer dan veel andere kinderen hebben.'

In Irina's ogen schitterden nu tranen. Ze reikte naar voren en nam Mels handen in de hare. 'Je hebt gelijk,' zei ze. 'Dank je wel dat je dat hebt gezegd.'

Mel wierp een blik op de keukenklok, en het verbaasde haar dat het al over elven was. Boven waren de kinderen nu stil. Opeens moest ze geeuwen.

'Ik moet zo meteen echt gaan. Maar ik wilde je nog iets vragen. Het gaat over iets wat Patricks tuinman – Jim, die het gras rond de cottage maait – heeft gezegd. Ik weet niet, misschien is hij alleen maar een oude, verwarde man. Maar heeft Val zich ooit iets laten ontvallen over dat er iemand... nou ja, ergens in de tuin begraven zou zijn?'

'O, nee! Nee, daar heb ik hem nooit over gehoord. Hoewel ik, zoals ik je al zei, wel vind dat er een apart sfeertje op het landgoed hangt. Wie weet wat zich daar allemaal heeft afgespeeld.'

'Dan heeft hij vast maar wat lopen bazelen. Het geeft verder niet.'

Toen ze terugliep over de weg naar Merryn, was het op het licht dat uit de huizen scheen na pikkedonker, en Mel was blij dat ze eraan had gedacht haar zaklantaarn mee te nemen.

Maar na de wederwaardigheden van die middag voelde ze toch dat haar nekhaartjes overeind gingen staan en dat haar lichaam trilde toen ze door de fluwelen duisternis het pad naar Gardener's Cottage op glipte. Alleen het verwelkomende licht in haar keuken brandde, precies zoals ze het had achtergelaten. Merryn Hall was echter, voelde ze, verlaten en torende hoog boven alles uit in het donker. Patrick was dus toch naar zijn ouders gegaan. Toen ze zichzelf binnenliet, voelde ze zich verschrikkelijk alleen.

13

Twee dagen later, op zaterdagochtend, de dag waarop de eerste twee weken van haar verblijf ten einde kwamen, zat Mel aan de keukentafel de
post door te nemen. De fotokopieën van het Regionaal Archief zaten erbij, en een groot pakket brieven die Cara, haar buurvrouw in Londen, had
doorgestuurd. Dat bevatte voornamelijk bruine enveloppen en circulai-
res, maar er zat ook een ansicht tussen van haar vader uit Zuid-Frankrijk.
'Schitterende golvende velden vol zonnebloemen in knop', stond er in zijn
stakerige schuine handschrift, 'en een paar fantastische restaurants. Stella
kan slecht tegen de hitte, dus speelt ze voor zeemeermin in het zwembad
van Derek en Viv. Hoop dat met jou alles goed is wanneer je dit leest.
Liefs, pap'. Mel zat net te denken hoe typerend deze boodschap voor haar
vader was: twee maanden lang geen enkel telefoontje, en dan ineens een
ansicht waar niet echt iets op stond; wie waren in vredesnaam Derek en
Viv? – toen er op de achterdeur werd geklopt en ze aan de andere kant van
het raam Patrick zag staan. Ze liet hem binnen.

'Sorry, ben je druk bezig?' zei hij. Hij leek een tikje zenuwachtig. 'Misschien had ik je even vanuit het huis moeten bellen. Wat zijn je plannen
voor vandaag? Ik vroeg me af of je zin hebt om met me naar het strand
te gaan. Ik heb spullen voor een picknick in huis.'

'Wat een goed idee,' zei Mel, die haar plannen om te gaan schrijven
meteen liet varen. 'Heb je een halfuurtje?'

Later liepen ze over de voorhof naar zijn sportwagen. 'O, wat goed!'
riep ze uit toen ze zag dat hij het dak had neergeklapt.

'Ben je wel warm genoeg gekleed?'

'Ja, dat denk ik wel.' Op dat moment was er tussen de bomen even
een witte flits te zien. 'Zag je dat?' vroeg ze.

'Wat?' vroeg Patrick, die de kofferbak dichtklapte nadat hij de pick-nickspullen erin had gezet.

'Een of andere vogel. Sneeuwwit. Wat zou dat voor beest kunnen zijn?'

'Geen idee. Een duif?' Hij hield het portier voor haar open en liep om de auto heen om achter het stuur te stappen.

'Nee, hij was kleiner.'

'Ik zou het niet weten. Ik heb hem helaas niet gezien.' Met één misselijkmakende plotselinge beweging keerde hij de auto. Onwillekeurig greep Mel zich vast aan haar stoel. 'Sorry,' zei hij schalks. 'Ik zal voorzichtig rijden.'

'Graag,' antwoordde ze, naar adem happend. 'Ik ben meer gewend aan auto's die je met beleid tot leven moet wekken.' Hij lachte.

'Ben je gisteravond teruggekomen?' vroeg ze op onschuldige toon. Ze had eerlijk gezegd urenlang, leek het wel, wakker gelegen, met haar oren gespitst of ze hem thuis hoorde komen.

'Nee, een uurtje geleden nog maar. Ik had gisteren terug zullen gaan, maar mijn vader had hulp nodig met de nieuwe badkamer, en we waren pas laat klaar.'

'Dus geen avocadogroen meer?' vroeg ze.

'O, uit dat huis zijn ze al jaren weg. Nee, mam wilde graag een bad hebben waar ze makkelijker in en uit kan komen. Met haar artritis, snap je. Dus hebben ze meteen maar al het sanitair vernieuwd.'

'Aha,' zei Mel.

Hij reed – te snel, maar vaardig – over de smalle kronkelende weg westwaarts naar Porthcurno, waar ze om het Minack Theatre heen liepen dat in het klif was gebouwd en hun picknick hielden. Later rustten ze uit naast de rotsen van een besloten baai. Mel liet het lichtgouden zand, vol gebroken schelpjes, door haar vingers glijden terwijl ze lachte om Patricks verhalen over wat hij, Chrissies vroegere vriendje Nick en hun andere vrienden in hun studententijd allemaal hadden uitgehaald, en kwam zelf ook met een paar anekdotes.

Als je uit de wind zat, was het echt warm, en het duurde niet lang of ze deden er het zwijgen toe, loom door het ritme van de golven en met hun blik doelloos gericht op een groepje surfers in de verte.

Patrick liet voor de grap een straaltje zand over haar blote voeten lopen. 'Hou eens op,' giechelde ze, en ze gaf hem zogenaamd een klap. Hij lachte, liet zich op zijn rug rollen en deed alsof hij sliep, dus liet zij zand op zijn buik stromen, totdat hij zogenaamd verstoord gromde, op zijn knieën overeind kwam, haar tegen het zand duwde en schrijlings op haar ging zitten, zodat ze haar armen niet meer kon bewegen. Mel protesteerde. Ze moesten allebei lachen, en vielen toen weer stil. Ze keken elkaar aan – een hele poos leek het wel, hoewel het in werkelijkheid misschien maar een paar tellen waren. Diep in haar binnenste smolt iets.

Bij de schrille kreet van een meeuw keken ze allebei op. De vogel stapte weg over de rots achter hen, en op dat moment werd Mel zich bewust van een kleine jongen met gouden krullen en een schepje in zijn ene hand, die heel dicht bij hen naar de vogel stond te staren. De betovering was verbroken. Ze lachten allebei en Mel zei de kleuter gedag, maar het jongetje vond de meeuw interessanter.

'Kom mee, Archie, lieverd,' zei een glasheldere vrouwenstem, en het kind werd meegevoerd.

Patrick liet haar los, trok haar tot zithouding overeind en begon haar onhandig te helpen het zand uit haar haar te schudden.

Het tij was nu afgenomen, zodat er een doorgang was ontstaan naar de volgende baai.

'Kom,' zei Patrick, die haar bij de hand nam. Ze liepen om de rots heen die de baaien scheidde; het water spoelde pijnlijk koud om Mels blote enkels. Surfers probeerden zich staande te houden op de reuzengolven, en ze bleven naar hun pogingen staan kijken, zonder ook maar te proberen om het geluid van de op de kust brekende golven te overstemmen.

Hier zou ik voor altijd gelukkig kunnen zijn, ging het door Mel heen. In de warmte van de zon voelde ze zich opengaan, zoals een bloem zijn blaadjes ontvouwt. Door het niet-aflatende gedreun van de golven verdween elk gevoel voor tijd. Ze voelde zich schoongespoeld van alle zorgen.

Door de stroming kwamen de surfers steeds dichter bij de plek waar zij stonden te kijken. Eentje van hen, drong geleidelijk tot Mel door, kwam haar bekend voor. Ze wist het niet zeker, totdat Matt na een paar minuten zwaaide naar zijn vriend en naar de kust gewaad kwam, zijn surfplank voor zich uit duwend, tot vlak voor hun voeten.

'Hé, hallo,' riep hij verrast uit.

'Hoi,' beantwoordde Mel zijn groet, terwijl ze opmerkte hoe mooi, slank en soepel hij eruitzag in zijn wetsuit. 'We hebben staan kijken. Je bent goed, zeg. Is het daar op zee niet steenkoud?'

'Het is te gek!' zei Matt. 'Als je maar in beweging blijft.'

'Matt, ken je Patrick?' vroeg Mel.

Patrick was verderop tegen een rots gaan zitten. Nu kwam hij naar hen toe, en de mannen namen elkaar met een waakzame blik van top tot teen op.

'Hallo. Patrick Winterton.'

Matt schudde de hem toegestoken hand en verontschuldigde zich dat de zijne nat was. 'Matt Price. Mijn moeder runt het Valley Hotel. Jij bent van Merryn, hè? Leuk je te zien.' Hij tilde zijn plank op zijn schouder en zei: 'Ik moet me nu gaan verkleden. Hebben jullie zin om zo meteen een warme chocolademelk in het café te komen drinken?'

Mel wierp een blik op Patrick, die zijn schouders ophaalde alsof het hem niet veel uitmaakte. Ze kon niet nagaan wat er door hem heen ging, en dat irriteerde haar. Het was helemaal nergens voor nodig om zo onaardig te doen. Ze zei: 'Goed idee, waarom niet?'

Ze keken Matt na toen hij over het strand wegbeende naar de parkeerplaats.

'Hoe ken je hem?' vroeg Patrick een tikje koel toen ze over het strand de richting van het café insloegen.

'Ik kom hem hier gewoon overal tegen,' zei Mel. 'En ik ben bij het hotel geweest om met zijn moeder kennis te maken.'

'Aha.' Op weg naar het café zei Patrick bijna geen woord meer. Zou hij jaloers zijn op Matt, vroeg ze zich af, of is hij alleen maar gereserveerd?

'Bestaat er eigenlijk wel een sport waar jij je níét mee bezighoudt, Matt?' vroeg Mel loom terwijl haar opviel hoe goed het blauw van zijn overhemd met lange mouwen bij de tint van zijn huid paste. Ze zaten aan een tafeltje op de veranda van het café uit te kijken over de baai en opgeschuimde warme chocolademelk te drinken.

'Hmm, aqua-aerobics? Synchroonzwemmen?' grapte Matt. 'De meeste dingen heb ik wel geprobeerd, maar surfen vind ik het allerleukst. Alleen ik, de plank en de zee. Dichter bij vliegen kun je niet komen.'

'Skiën is net zoiets,' zei Patrick met een instemmend knikje. Hij deed nog steeds koeltjes.

'Nou, in Cornwall krijg je daar niet veel kans voor,' zei Matt. Hij keek steeds van Mel naar Patrick, alsof hij zich iets afvroeg.

'Nee, helaas niet,' zei Patrick, roerend in zijn beker. 'Het ziet ernaar uit dat mijn grootste hobby hier tuinieren gaat worden.'

'Je zult wel je handen vol hebben aan Merryn.'

'Heb je het daar dan nog nooit gezien?' Patricks toon was scherper dan de opmerking rechtvaardigde en aarzelend antwoordde Matt: 'Neuh... Nou ja, alleen vanaf de weg.'

Mel zocht haar toevlucht bij haar warme chocola, met een ongemakkelijk gevoel door Patricks jaloezie. Maar hij leek zich enigszins te ontspannen toen hij zei: 'Ik ben er nog steeds niet uit of het nou een geschenk of een vloek is. Maar weet je, Mel, ik wil nu echt verdergaan met het opruimen van de tuin.'

'Prima,' zei Mel. 'Wanneer zullen we beginnen?' Ze bedoelde het als grapje, en het verraste haar dat Patrick haar vraag serieus opnam.

'Ik heb van een van mijn vaders buren een elektrische zaag geleend. Ik kan in elk geval een begin maken,' zei hij. 'Wat dacht je van morgen? Er wordt goed weer voorspeld. Meen je dat "wij", Mel? Wil je me echt helpen?'

'Reken maar. Zeg maar wat ik moet doen.'

'Ik wil ook wel komen, als je het goedvindt,' kwam Matt tussenbeide. 'Weer eens wat anders dan afwassen.'

'Bedankt voor het aanbod, maar we kunnen het alleen wel af.' Weer dat op-zijn-hoede-zijn.

'Nee, ik meen het serieus,' zei Matt.

'Nou, goed dan – top.' Patrick klonk nog steeds alsof hij niet helemaal zeker van zijn zaak was.

'Waar gaan we mee beginnen?' vroeg Mel, die het gesprek niet wilde laten stokken.

'Wat dacht je van de bloementuin?' zei Patrick. 'Daar staan niet zo veel grote bomen. Voor de bomen heb ik de juiste apparatuur nodig. En afvalcontainers. En trucks om die te verplaatsen. En gravers... Professionele boomchirurgen, eigenlijk. Jee, waar begin ik aan?' Maar in zijn ogen schitterde enthousiasme.

'Dus morgen wordt het kappen en fikkie stoken? Prima,' zei Matt, in zijn handen wrijvend. 'Ik hou wel van slopen.'

'Het wordt anders een creatieve bezigheid,' zei Mel plagerig, en toen bedacht ze ineens iets. 'Patrick, zou het niet beter zijn om eerst een plan op te stellen? Ik bedoel, je wilt toch niet dat we dingen kapotmaken die ons op het spoor zouden kunnen zetten van hoe de tuin eruit heeft gezien, of planten uitrukken die de moeite waard zijn om te laten staan?'

'Daar kunnen jij en ik ons mee bezighouden als we weer thuis zijn,' zei Patrick met een blik op zijn horloge. 'Trouwens, die twee dingen gaan toch gelijk op? Ik bedoel, we weten niet wat er allemaal is voordat we met opruimen begonnen zijn. Maar de fotokopieën van het Regionaal Archief komen vast goed van pas.'

Dat deed haar ergens aan denken. 'Matt, ik wil je moeder nog iets vragen. Weet je of haar tante – je weet wel, de dochter van het dienstmeisje Jenna – bereid zou zijn bezoek te ontvangen? Ik zou het leuk vinden om haar te zien en na te gaan wat zij nog weet over het leven dat Jenna in het huis heeft geleid.'

'Tante Norah? Ik kan het vragen,' zei Matt, en met een schrapend geluid schoof hij zijn stoel achteruit. Hij pakte zijn zonnebril uit zijn zak. 'Ik geloof niet dat ze al malende is, maar ik heb haar in geen jaren gezien. Mam weet het wel. Zeg, ik moet nu terug. Hoe laat wil je dat ik me morgen meld?'

'Tien uur?' opperde Patrick op goed geluk.

Matt knikte, pakte zijn sleutels van tafel en nam afscheid. Verbeeldde Mel het zich, of had zijn talmende blik iets te betekenen?

Patrick dronk zijn beker leeg. 'Wil je even gaan kijken bij Land's End?' vroeg hij aan Mel. 'Dat is hier vlakbij.' Hij stak haar zijn hand toe.

'Reken maar,' antwoordde ze, en ze pakte hem aan.

Laat in de middag reden ze terug, en hoewel Mel haar best deed om Irina's vertrouwen niet te beschamen, vertelde ze Patrick over haar zorgen om Lana.

'We moeten haar toch op de een of andere manier praktisch advies kunnen geven,' zei ze. 'Zij kent het onderwijssysteem hier niet.'

'Over mezelf kan ik dat ook niet zeggen. Ze heeft me een paar maanden geleden een paar brochures gegeven over muziekscholen en gevraagd wat ik daarvan vond. Maar Lana is daar op dit moment nog te jong voor. Hoe oud is ze – acht, negen?'

Mel slaakte een zucht. 'Ja, negen. Maar ik snap wel waarom Irina zich zorgen maakt. Als je een getalenteerd kind hebt, wil je daar een toekomst voor uitstippelen. Ervoor zorgen dat je in elke fase de juiste richting aangeeft.'

'Ze krijgt les van een lerares die heel goed bekendstaat, en ze zou naar haar advies moeten luisteren. Ik weet niet, het is onze zaak niet, maar volgens mij maakt Irina zich onnodig zorgen. Ze zégt wel dat ze zich als ouder niet wil opdringen, maar dat vraag ik me af.'

'Jouw oom Val heeft hen geholpen. Denk je dat ze daarom naar jou toe gekomen is?'

'Ja, dat denk ik wel. Na Vals dood voelde ik me enigszins verantwoordelijk voor hen. Ik kon het me niet permitteren haar als huishoudster aan te houden – ik heb geen huishoudster nodig en wil er ook geen – en zij wilde de cottage niet huren, dus regelde ik het zo dat ze regelmatig kon komen schoonmaken en de sleutels in beheer had. Daar verdient ze iets mee en het lijkt goed te combineren met haar werk in het hotel. En ik ben er natuurlijk ook mee geholpen.'

'Ze is erg aardig, vind je niet? Maar een beetje de weg kwijt. Echt iemand voor wie je wilt zorgen.'

'Ja, dat zal wel.'

Mel wierp Patrick een blik toe. Zijn stem had een scherpe ondertoon. Was er iets voorgevallen tussen hem en Irina? Zijn gezicht stond ondoorgrondelijk.

'Je klinkt aarzelend.'

'Nee, hoor. Alleen kun je niet andermans leven leiden.'

'Natuurlijk niet. Maar iemand in een vreemd land, een alleenstaande moeder, die het alleen moet zien te redden zonder steun van haar familie…'

'Hmm, ik weet het niet, hoor, Mel. Ik ben graag bereid ze tot op zekere hoogte te helpen, maar ik wil me er niet te veel mee bemoeien. We weten niet alles – over Lana's vader, om maar iets te noemen. Of zelfs maar hoe goed Lana nou eigenlijk is. We moeten het aan de deskundigen overlaten om hulp te bieden: de vioollerares en de school. Ik wil best helpen om formulieren in te vullen, maar het is niet goed om te proberen raad te geven.'

'Nee…' zei Mel langzaam. En toen ze langs een bord kwamen vlak bij de top van een heuvel riep ze uit: 'Hé, moet je zien, de Merry Maidens!' Ze herinnerde zich dat Matt het daarover had gehad.

Patrick minderde vaart. 'We kunnen wel even stoppen als je wilt,' zei hij. Bij de eerstvolgende gelegenheid keerde hij snel de auto, waarna hij terugreed naar de parkeerhaven naast het bord.

Ze beklommen een steile helling en kwamen uit op een klein gemaaid grasveld dat werd omsloten door een haag. In het midden stond een grote cirkel van stenen, die allemaal tot taillehoogte reikten.

'Hoeveel zijn het er wel niet?' zei Mel terwijl ze de cirkel in stapten. Toen ze zich omdraaide om ze te tellen, werd ze verblind door de ondergaande zon.

'Negentien,' concludeerde Patrick. 'Volgens de oude Jim is het verhaal dat het jonge vrouwen zijn geweest die zo vermetel waren op de sabbat te gaan dansen. Dit was hun straf: dat ze in steen werden veranderd. En zelfs nu nog dansen ze af en toe om middernacht.'

'Sommige zien er wel een beetje uit als danseressen,' zei ze met een blik op de gebogen en gedraaide lijnen van de stenen, alsof ze bukten en bogen op een onhoorbare melodie. 'Maar het moeten dan wel heel kleine meisjes geweest zijn.'

Patrick lachte. 'De Fluitspelers zijn er ook nog,' zei hij. 'Dat zijn ook een paar stenen, maar dan groter. In het veld daar aan de overkant van de weg.' Hij wees.

Mel huiverde. 'Het komt wel als iets oerouds over, vind je niet? Denk je dat we op oude leylijnen staan? Je wordt hier meteen het verre verleden in gezogen.'

'De Cornish zijn Kelten, vergeet dat niet,' beaamde Patrick. 'En soms krijg je het gevoel dat die oude heidense wereld ons nog steeds omringt. De Romeinen hebben hier nooit veel succes gehad en de staatskerk had hier niet veel in te brengen. Soms lijkt het wel of de tussenliggende eeuwen deze plek amper hebben beroerd.' Hij liep naar een van de stenen toe en legde er een hand op alsof hij heilig was en gonsde van de energie.

Mel sloot haar ogen. Aan de binnenkant van haar oogleden zag ze lichte vlekjes. Heel even stelde ze zich voor dat er een kracht om haar heen wervelde, zwakjes maar niettemin verontrustend. Of deze stenen nu echt gelukkige maagden waren geweest die het nieuwe christelijke gezag tartten en daarvoor waren gestraft, of dat ze – wat waarschijnlijker was – hier, op deze hoge plek in het zicht van de ondergaande zon, waren neergezet door oude volkeren in dezelfde tijd als Stonehenge, deze plek had in elk geval een heel krachtige uitstraling. Hoe zou het voelen om hier te zijn in het zachte licht van de dageraad, of tijdens een onweersbui in de middag? In het holst van de nacht? Hier hing vast onder alle omstandigheden een bijzondere sfeer.

Ze deed haar ogen weer open.

'Moet je kijken,' zei Patrick. Ze kwam naar de steen toe waar hij naast stond. 'Wat zijn dat?' Over de bovenkant van de steen renden een heleboel rode torretjes heen en weer.

'Geen idee,' zei ze. Ze liep naar de volgende steen. 'Hier zitten ze ook, en hier. Ze zitten op alle stenen.'

Een beweging aan de rand van haar blikveld. Vanonder de haag om het veld was een konijn tevoorschijn gekomen. Insecten, konijnen… Die dieren trokken zich niets aan van oeroude geesten. Het nieuwe leven tierde welig. Het verleden was geweest.

'Alles goed?' vroeg Patrick, terwijl hij even haar arm aanraakte.

Ze draaide zich om en keek naar hem op, zo dichtbij dat ze de groene en donkerbruine vlekjes in zijn hazelnootbruine ogen kon ontwaren en zag hoe lang zijn zachte wimpers waren. Hij speurde haar gezicht af; er streek even iets van tederheid overheen en hij glimlachte vriendelijk. Vervolgens sloeg hij zijn arm om haar heen en drukte haar even tegen zich aan. 'Kom op,' zei hij. 'Ik moet straks nog weg, dus kunnen we maar beter teruggaan. Maar voor bij de thee hebben we gembercake.'

14

De volgende ochtend werd Mel vroeg wakker met een gevoel van blijde verwachting. Zo had ze zich als kind altijd gevoeld op de dag dat ze met vakantie ging, bijvoorbeeld, of op een speciale verjaardag. Het was een heel ander gevoel dan de angst die haar om het hart sloeg op dagen dat ze examen moest doen of een moeilijk sollicitatiegesprek moest voeren. Ze voelde ook geen spoortje meer van de somberheid die de afgelopen anderhalf jaar op de meeste dagen in wisselende gradaties over haar was neergedaald. Ze keek er zelf van op dat ze niet anders kon concluderen dan dat ze zich gelukkig voelde.

Nadat ze het bed uit was geglipt, trok ze de oudste kleren aan die ze kon vinden: een spijkerbroek, een fleece jasje en een vlekkerig T-shirt die ze uit de stapel vuil wasgoed trok. Hoe lang was ze hier nu al? Twee weken en twee dagen. Ze had bijna geen schone kleren meer. Ze pakte de bundel bij elkaar en nam hem mee naar beneden om bij de wasmachine te sorteren.

Haar geluksgevoel had deels te maken met het vooruitzicht vandaag eens goed te beginnen met de tuin. Ze was weliswaar met haar bloembed verdergegaan en had Patrick geholpen zich een weg te kappen door het oerwoud om enkele geheimen van de oude ommuurde tuinen bloot te leggen, maar daarmee was de slapende wildernis alleen maar licht in zijn sluimering gestoord, waarna hij een zucht had geslaakt en gewoon was doorgeslapen. Vandaag zouden ze ernst maken met de taak om hem echt wakker te maken.

De andere reden dat ze zo blij was, was Patrick. Ze dacht terug aan hun dagje uit gisteren en hoe ze het begin van de avond hadden doorgebracht, waarna hij weg had gemoeten naar zijn afspraak met een vriend.

'Jij lijkt wel net zo enthousiast over dit project als ik,' had hij vrolijk gezegd toen ze samen aan de lange eetkamertafel aan het werk waren getogen en een groot stuk ruitjespapier hadden uitgerold, vastgezet met boeken, en een zo goed mogelijke schematekening hadden gemaakt van de tuinen van Merryn Hall. Dat was niet gemakkelijk geweest, maar de plattegrond gaf hun tenminste enig idee van de afmetingen van de tuin, en sommige elementen konden ze op grond van de beschrijving die de oude Jim had gegeven zelf invullen.

'Het is geweldig om te doen, een tuin restaureren. Levensbevestigend, op de een of andere manier, vind je niet? En verder is het ook een mysterie: wat zullen we aantreffen onder al dat onkruid?'

'Geen graf, mag ik hopen,' zei Patrick nuchter.

'Nee.' Maar Mel was er niet gerust op.

'Daar moet ik nog steeds de oude Jim naar vragen.'

Tot dusver kon het plan Mels goedkeuring wegdragen. Aan de ene kant van de centrale vorm van het huis waren ruwweg de contouren aangegeven van de bloementuin, de hekken, schuurtjes, kassen en bomen. Plus de moestuin, waarvan ze de nog onbekende omtrekken met stippellijnen hadden gemarkeerd. Vervolgens waren de rododendronwallen aan de beurt, gevolgd door het laurierbos. Mel had het bankje dat ze hadden gevonden ingetekend en tevens, uit meligheid, een reusachtige spin. Patrick had haar over zijn leesbril heen doordringend aangekeken en een streng gezicht getrokken. 'Dit is een serieuze zaak, mevrouw Pentreath, en ik duld niet dat er de draak mee wordt gestoken.' Terwijl ze zo heel dicht bij hem aan de tafel zat, zich scherp bewust van alle keren dat zijn lichaam even het hare raakte, had ze hem aanwijzingen gegeven over waar hij de lange vijver moest plaatsen, de zonnewijzer op het nu niet meer bestaande gazon, de rotstuin en het ravijn.

'Jammer dat ik vanavond weg moet,' zei Patrick; hij zette zijn bril af, en even leek zijn gezicht naakt en kwetsbaar, totdat ze er weer aan gewend raakte. 'Bij mijn ouders thuis kwam ik Tom tegen, een oude schoolvriend, en morgen gaat hij terug naar Bristol. Ik zou je wel mee willen vragen, maar...'

'Laat maar. Dat wordt natuurlijk zo'n avondje in de trant van "Weet je nog toen die gekke Henkie die stinkbom gooide?"'

'Precies. Waarom heb ik in vredesnaam gezegd dat ik zou komen?' merkte hij mismoedig op.

'Vind je het dan niet leuk om een avondje over vroeger te praten?'

'Niet echt. Het lijkt wel alsof ik nooit dezelfde herinneringen heb als andere mensen. Ik dacht altijd dat iedereen in die tijd meer lol had dan ik. Ik begon het leven pas leuk te vinden toen ik ging studeren. En het leukst werd het vanaf het moment dat ik ging werken en steeds meer mijn eigen dingen kon doen, in mijn eigen tijd, in plaats van me door een ander te laten rond commanderen.'

Het kwam Mel nu voor alsof dat een van de meest onthullende opmerkingen was die Patrick ooit had gemaakt.

Om kwart voor tien hing ze net de laatste was aan de lijn achter de cottage, toen ze de deurbel hoorde. Ze pakte de lege wasmand op en haastte zich naar de voorkant, waar Matt op de stoep stond in een T-shirt met lange mouwen en een verbleekte spijkerbroek. Onder zijn ene arm had hij een mottig oud jasje dat eruitzag alsof het jarenlang ergens vergeten in een schuurtje had gelegen.

'Je bent mooi op tijd,' zei ze. 'Kom even binnen, dan ruim ik dit op.'

Zijn energie leek te groot voor het kleine huisje. Toen Mel hem voorging de woonkamer in, plofte hij neer op de bank en stond telkens weer op om dingen te bekijken: de afstandsbediening van de tv, de schilderijtjes aan de muur, een tijdschrift. Mel ging naar de keuken, en hij kwam achter haar aan om toe te kijken hoe ze opruimde. Hij werd onmiddellijk aangetrokken door de stapel boeken en papieren die ze op tafel had laten liggen.

'Laura Knight,' merkte hij op, de afbeeldingen doorbladerend. 'Iedereen hier heeft het nog steeds over haar. Trouwens, ik heb mijn moeder gesproken, en ze zal tante Norah voor je bellen.'

'Mooi, dat is fijn,' zei Mel. Ze voelde zich merkwaardig ongemakkelijk met Matt om haar heen, die net een onstuimige hond was die haar niet met rust wilde laten. Ze deed de achterdeur open. 'Kom, laten we Patrick maar eens gaan opzoeken.'

Patrick leek lichtelijk uit het veld geslagen toen hij Mel en Matt samen voor de voordeur zag staan, en Mel had het gevoel dat ze hem een verklaring schuldig was dat Matt onderweg eerst bij haar langs was gekomen.

In de bedompte eetkamer liet Patrick Matt de plattegrond van de tuin zien. Mel luisterde toe, stiekem geamuseerd, terwijl Patrick en Matt bespraken hoe ze met de kassen te werk zouden moeten gaan alsof ze een militaire campagne planden.

'Grote kans dat bij deze kas de plantengroei de boel bij elkaar houdt. We kunnen maar beter voorzichtig zijn,' zei Patrick.

'Zullen we dat dan maar het laatst doen?' opperde Matt. 'We zouden vandaag met de bloembedden kunnen beginnen.'

Alweer schoot er een pijnscheut van haar bovenarm naar haar schouder. Mel rechtte haar rug en rekte zich uit, nadat ze haar bijl op een stapel afgemaaide brandnetels had laten vallen. Van de rook die omhoogkringelde van Matts brandstapel kreeg ze tranen in haar ogen. Ze tuurde op haar horloge: even na twaalven. Ze waren nu ruim twee uur bezig met het vrijmaken van de bloementuin en de zon beukte hoog aan de hemel genadeloos op hen neer. Tijd voor een pauze.

Toen ze om zich heen keek, was ze verrast hoe ver ze in zo'n korte tijd al tot de wildernis waren doorgedrongen.

Om het systematisch aan te pakken waren ze begonnen bij het waterbekken, en Patrick en zij hadden zij aan zij gewerkt – zij met haar bijl en hij met zijn nieuwe Strimmer, terwijl Matt kruiwagens vol afval afvoerde om dat verderop in de tuin te verbranden. De enorme rookontwikkeling – want het groen was erg vochtig – had hun voortgang belemmerd totdat de wind was gaan liggen. Ze hadden zonder veel te praten doorgewerkt, alle drie opgaand in het ritme van hun bezigheden.

Nu keek Mel toe hoe Patrick de Strimmer aanzette om met de elektrische zaag een jong boompje te vellen. Hij draaide zich met een grijns naar haar om.

'Dat vind je lekker om te doen, hè?' constateerde Mel.

'Yep. De wortels zijn het vervelende gedeelte,' mompelde hij terwijl hij een grote tuinvork oppakte en daarmee zonder veel succes aan de onderkant van de smalle stronk begon te wrikken. Ze glimlachte bij de aanblik van zijn verwarde haar, de veeg modder op een van zijn wangen.

'Hier,' zei ze, en ze pakte een snoeischaar en knipte de wortels door die hij had blootgelegd. 'De rest komt wel als we de tuin omspitten. Moet je zien, we doen het niet slecht, toch?'

Allebei keken ze om zich heen, verrast dat ze al een stuk ter grootte van een half tennisveld grondig hadden gerooid.

'Ik ben bang dat we niet goed hebben opgelet of er iets behouden moest blijven,' zei Patrick, met de achterkant van zijn mouw over zijn gezicht vegend. 'We zouden het toch niet te rigoureus hebben aangepakt?'

'Een heleboel bloemen waren vast eenjarigen,' zei Mel. 'En veel van de vaste planten zouden het onder al dat onkruid toch niet hebben gered. Het kan helaas niet anders dan dat we alles leegtrekken en helemaal opnieuw beginnen.'

'Wat zullen we planten?' vroeg hij, leunend op de vork. 'Wat zou het hier goed doen?'

'Hmm, nou, mijn moeder had altijd lupine staan, korenbloemen, clarkia, juffertje in 't groen, duizendschoon en ridderspoor.'

'Dat klinkt als een goed begin.' Glimlachend keek hij haar aan. 'Maar je zult me nog wel moeten vertellen wanneer en hoe ik dat allemaal moet doen.'

'Uiteraard,' zei ze luchtig. 'Zolang ik hier ben. Nog maar een paar weken te gaan,' voegde ze er meedogenloos aan toe, en ze zag dat hij op een meelijwekkende manier zijn lippen op elkaar kneep.

'Hoe was het gisteravond trouwens?' vroeg ze.

'O, met Tom? Wel geslaagd, eigenlijk.' Patrick grijnsde. 'Om eerlijk te zijn ga ik misschien met kerst met hem en zijn vrouw skiën.' Hij begon weer aan de boomstronk te wrikken.

Kerstmis. Wat ga ik met Kerstmis doen? Opeens voelde Mel zich buitengesloten. Patrick ging skiën met zijn vrienden en zij had tegen die tijd misschien wel helemaal geen contact meer met hem. Alle energie die ze die ochtend had gevoeld, sijpelde uit haar weg. Nadat ze haar bijl uit de brandnetels had gepakt, legde ze hem veilig bij de andere gereedschappen, waarna ze wegliep naar de cottage. 'Ik ga even iets te drinken maken voor ons allemaal,' riep ze bij wijze van verklaring achterom.

Toen ze terugkwam, zaten Patrick en Matt uit te rusten, diep in gesprek over cricket, waarin ze eindelijk een gedeelde interesse gevonden leken te hebben. Ze ging zitten op een gedeelte van de ingestorte stenen muur en nam kleine slokjes van haar vruchtensap. Ze had nog steeds last van haar schouder en op een arm had ze een diepe schram van een klimroos, maar ze was blij dat haar goede humeur was teruggekeerd.

'Ik kom pas echt tot leven als ik in de tuin bezig ben,' had haar moeder altijd gezegd als mensen haar plaagden omdat ze zo veel tijd op haar knieën doorbracht, wroetend in de aarde. Mel begreep precies wat ze daarmee bedoeld had. Ze liet haar blik omhoogdwalen langs de stammen van de hoge bomen die de tuin omzoomden; waarschijnlijk waren die er welbewust ter beschutting omheen gezet. Ze kon er helemaal in komen dat bomen een bron van troost konden zijn, iets wat je beschermde tegen de buitenwereld. Als je ze hoorde zuchten en kraken, was het net of ze over even diepe en eeuwige geheimen fluisterden als de golven die ruisend braken op het strand.

Hoeveel generaties zouden hier niet gezeten hebben, op de plek waar zij nu zat, in deze ooit zo lieflijke tuin, en de wind door de bomen hebben gehoord, en de roep van roeken, en een toevlucht hebben gevonden in deze zoete ommuurde veilige haven, gevuld met bloemengeuren… Ze keek omlaag en schuifelde met haar voeten tussen de winde.

Toen gebeurden er twee dingen tegelijk.

Haar voet raakte verstrikt in een stuk draad.

En iemand riep: 'Ah, daar ben je.' Het was Irina.

'Hallo,' riep Mel, die zich bukte en het draad losmaakte van haar voet. Het was een metalen frame van het een of ander. Een paraplu misschien. Het gebogen handvat was overdekt met blubber, en toen ze het schoonwreef met haar tuinhandschoen, gaf het een gelige gloed af. Mogelijk ivoor.

Toen ze haar hoofd ophief, schrok ze van Irina's gezicht. Er was iets niet in de haak. Irina keek… gespannen, gekwetst. De vrouw liet haar blik van Patrick naar Matt en toen naar Mel gaan.

'Ik heb net Amber weggebracht,' zei Irina met een klein stemmetje tegen Mel. 'Ik kwam even kijken of je thuis was.'

'Patrick vond dat we maar eens een begin moesten maken met de tuin.' Mel hield haar het parapluframe voor. 'Kijk eens, een schat,' zei ze lachend. Irina trok een gezicht alsof ze niet wist hoe ze moest reageren.

Ze voelt zich buitengesloten, ging het plotseling door Mel heen. Of is het omdat ik met Patrick samen ben? Ze wierp een blik op Patrick, die gelukkig begreep wat ze daarmee bedoelde.

'Heb je zin om mee te helpen?' vroeg hij vriendelijk. 'Er is genoeg te doen.'

Irina glimlachte verheugd.

'Maar het is bijna tijd om te lunchen,' vervolgde Patrick. 'Ik heb wat brood en koud vlees…'

'Dan kan ik voor ons allemaal boterhammen maken,' zei Irina opgetogen.

'Prima plan,' zei Matt. 'Ik heb namelijk niet ontbeten.'

'Foei, het ontbijt mag je niet overslaan!' zei Irina met gespeelde afschuw, haar handen op haar heupen. 'Dat weet je toch wel?'

'Wat is dat toch met vrouwen?' kreunde Matt tegen Mel. 'Ze kunnen het maar niet laten om over me te moederen.'

'Je bent dan ook net een klein jongetje,' zei Mel lachend.

Later, toen de zon begon te dalen aan de hemel, gingen Matt en Irina op hetzelfde moment weg – Matt om de heuvel af te lopen naar het hotel, om te helpen met serveren bij het diner, en Irina om naar Paul te rijden, waar ze haar dochter bij Amber zou ophalen.

'Als je me nodig hebt, denk ik dat ik volgend weekend ook wel kan komen,' had Matt gezegd. 'Ik vond het leuk.'

'En ik ook,' zei Irina. 'Ik zal proberen ook te komen.'

'Jullie zijn niet wijs,' zei Patrick. 'Helemaal niet goed bij je hoofd – ik ben jullie diep dankbaar.' Hij keek hen na toen ze wegliepen en draaide zich toen om naar Mel. 'En jij. Jij bent echt als een beest tekeergegaan,' zei hij. 'Ik kan bijna niet geloven dat we in zo'n korte tijd zo veel gedaan hebben gekregen.'

'Ik ook niet.' Mel was uitgeput. 'Tegen een warm bad zou ik geen nee zeggen.'

'Ik ook niet, als ik al dit gereedschap heb opgeruimd. 'Nee, nee, jij hebt genoeg gedaan voor vandaag.'

Aarzelend stonden ze elkaar aan te kijken. Ik kan hem niet vragen wat hij later op de avond gaat doen, dacht ze. Ik heb de laatste dagen al te veel beslag gelegd op zijn tijd. Dan denkt hij vast dat ik achter hem aan zit.

Aarzelend zei Patrick: 'Ik was van plan om vanavond voor de verandering eens naar Penzance te rijden. Een pub opzoeken, of iets anders om een hapje te eten. Heb je zin om mee te gaan? Maar als je het te druk hebt, is dat ook niet erg, hoor.'

Mel deed haar best eruit te zien alsof ze diep nadacht of ze in haar niet-bestaande drukke schema tijd vrij zou kunnen maken om met Patrick uit te gaan. Na een korte aarzeling zei ze met een glimlach: 'Ja, dat zou ik leuk vinden.'

Als antwoord schonk Patrick haar een brede glimlach. 'Goed,' zei hij. 'Kom je dan om een uur of zeven naar het huis?'

'Oké,' zei Mel, dolblij.

Patrick borg het tuingereedschap op en verdween naar binnen. Mel was bijna bij de cottage toen ze ineens bedacht dat ze haar jasje aan een boom had laten hangen, dus keerde ze terug naar de bloementuin.

Ze keek om zich heen naar de wonden die ze die dag in de oude tuin hadden geslagen. Ze hadden het littekenweefsel van jarenlange verwaarlozing verwijderd en de verse aarde die daaronder lag blootgelegd. Maar wat wekten ze op deze speciale plek tot leven? Ze pakte het verroeste parapluframe op, dat wijd uitgespreid als een dode vogel op een stapel rommel lag waar Irina het had neergegooid, en bestudeerde de ivoren handgreep. Het snijwerk met bloemmotieven deed een vrouwelijke eigenaar vermoeden. Dan moest het dus een parasol zijn geweest. Moeilijk te zeggen, want er zaten helemaal geen restjes stof meer aan de baleinen.

Ze slenterde naar een van de kassen en zette het metalen frame weg in een hoekje tussen de brandnetels, waar het niet in de weg stond. Wat kwamen er hier veel verschillende tekenen uit het verleden naar boven. Het plantennaambordje in de vorm van een zeemeermin, de grootboeken, het olieverfschilderij van de bloementuin, en nu weer een parasol. Wat een verhalen moesten daar niet aan vastzitten. Wisten ze maar hoe ze ze moesten interpreteren, die herinneringen aan vervlogen tijden. Een tuin vol herinneringen, bedacht ze ineens, dát was het. Alsof deze aanwijzingen er expres waren neergelegd door iemand die een geheim wilde mededelen. Een belachelijke fantasie, dat besefte ze zelf ook wel.

Was ze hier echt nog maar ruim twee weken? Het voelde aan alsof ze al haar hele leven op Merryn was, alsof ze hier op de een of andere manier thuishoorde. De laatste tijd had ze zelfs bijna nooit meer aan Jake gedacht, toch? Het idee alleen al dat Jake hier zou zijn om lichamelijk werk te doen. Hij zou het afschuwelijk vinden als iemand hem een spa in zijn handen drukte en van hem verwachtte dat hij zich in het zweet zou werken door in een bloembed te gaan wroeten. Zelfs van sportscholen wilde hij niets weten; af en toe wat joggen door de straten van Londen vond hij mooi zat. Hij pakte liever de auto.

In plaats van Jake stelde ze zich Patrick weer voor, zoals hij verwoed op een boomwortel stond in te hakken: sterk, vastberaden, geconcentreerd. Jake en Patrick waren een verschil van dag en nacht.

15

Om halfacht stonden ze omhoog te kijken naar het standbeeld van sir Humphry Davy, uitvinder van de lamp die zo veel mijnwerkers het leven had gered, dat over Penzance High Street uitkeek naar de promenade en de zee daarachter. Boven zijn hoofd cirkelden een paar meeuwen in het afnemende licht.

'Jij had zeker wel graag sir Humphry's dossier in beheer gehad,' zei Mel. 'Waar is je kantoor? Is het hier ergens in de buurt?'

'Nee,' zei Patrick. 'Een paar straten verderop, achter het park. Er is daar een klein industrieterrein met werkplaatsen en kantoren; daar is het er een van.'

Ze wandelden langzaam een zijstraatje in met aan weerskanten restaurantjes, dat naar de grote massa van de St. Mary-kerk voerde met uitzicht op de baai, en uiteindelijk kozen ze, nadat ze overal naar binnen hadden gekeken en de menu's hadden bestudeerd, een Italiaans restaurantje.

'Na al dat zwoegen kunnen we wel iets gebruiken wat goed vult,' zei Patrick terwijl hij de deur openduwde. Zelfs op een zondagavond zat het er maar half vol. De serveerster bracht hen naar een hoektafeltje bij het raam.

Toen Mel haar korte jasje en sjaal had uit- en afgedaan en ze aan de serveerster had overhandigd, merkte ze onwillekeurig op dat Patrick een waarderende blik wierp op haar tuleachtige blouse die met een riem met een zware zilveren gesp was aangehaald boven een zigeunerrok. Hij koos ervoor zijn zwarte moleskin jasje aan te houden, en ze vond het kek staan op zijn witte grootvaderhemd.

Ze bestelden wijn en pasta, en Mel vroeg: 'Zou je hier echt in je eentje zijn gaan eten – ik bedoel, als ik niet mee was gegaan?'

'Jawel hoor, waarom niet?' Hij haalde zijn schouders op. 'Het is leuker om met iemand samen te zijn, maar ik vind het niet erg om in mijn eentje te gaan. Dan zou ik een boek mee hebben gebracht.'

'Ik zou er niks aan vinden. Natuurlijk heb ik ook wel in mijn eentje gegeten, als ik op reis was om onderzoek te doen, maar dan voelde ik me altijd lichtelijk opgelaten, alsof iedereen naar me keek en me een beetje sneu vond.'

'Dat je iemand zou zijn van wie niemand houdt, bedoel je? Vinden mensen dat ook van mannen die alleen zijn, denk je?'

'Ik niet,' zei Mel, terwijl ze een slok nam van de wijn die de serveerster had ingeschonken. 'Van een man zou ik denken dat hij op zakenreis is of dat hij een afspraak heeft en eerst ergens wat gaat eten. Gek, hè?'

'Nou, laten we er maar geen doekjes om winden: sommige mannen gedragen zich als onbeschaamde roofdieren. Als ze een aantrekkelijke vrouw in haar eentje zien zitten, beschouwen ze dat als een kans.'

'Dat zal het zijn. Daar moeten vrouwen niets van hebben.'

'Hoe vind je het om hier te zijn, weggestopt op het platteland, terwijl je zo aan de stad gewend bent?'

Mel zette haar tanden in een soepstengel en dacht over die vraag na. 'Het is eenzaam,' zei ze uiteindelijk. 'Dat komt deels door de stilte en het donker – het kan hier heel donker zijn als er geen maan is, hè?'

'Ik ben er dol op,' zei Patrick vol vuur. 'Het is zo ruig, zo elementair. Soms maak ik 's nachts een wandeling. Alleen naar plekken waar ik de weg weet, maar je staat er nog van te kijken wat je dan allemaal ziet. Dassen en vossen natuurlijk, allerlei soorten dieren, maar ook de contouren van het land in het maanlicht. En geluiden dragen ver. Helaas niet alleen natuurlijke geluiden; een auto hoor je al van kilometers afstand.'

'Mis je geen andere mensen om je heen?'

'Of ik me eenzaam voel? Soms, ja – jawel, ik voel me soms eenzaam. Zeker sinds… Nou ja, je kunt ook te véél tijd hebben om na te denken. Maar ik ben eraan gewend om alleen te zijn. Ik heb met tussenpozen jarenlang alleen gewoond in Londen. En omdat ik ben opgegroeid op het platteland, ben ik er ook aan gewend dat alles ver weg is. Londen dringt zich aan je op, het dwingt je te kijken naar alle andere mensen die plezier maken, die met z'n tweeën zijn, die ergens heen gaan waar het lawaaiig is "om lol te maken". En toch lopen er ook een heleboel mensen rond die ontzettend eenzaam zijn, die niet graag naar huis gaan omdat er daar niets op hen wacht, die bang zijn dat ze in elkaar geslagen worden als ze alleen bij de bushalte moeten uitstappen. Niet dat er op het platteland geen criminaliteit voorkomt of dat de mensen hier niet eenzaam zouden zijn; ik zeg alleen hoe ik het zelf ervaar. Ik voel me hier… dicht bij mezelf, om die afschuwelijke uitdrukking maar eens van stal te halen.'

'Dan moet je wel een rijk innerlijk leven hebben,' lachte Mel. 'Over afschuwelijke uitdrukkingen gesproken!'

'Ik denk veel na, en ik lees. En verder is er de tuin, zeker in de zomer. Bovendien ken ik hier mensen. Ik heb mijn familie dicht bij me: mijn vader en moeder, en mijn broer Joe, in de buurt van Truro. Verder zijn er nog wat vrienden van school die verspreid over het land wonen. Als ik wat meer op orde ben, moest ik er maar eens een paar uitnodigen.'

Hun eten werd gebracht, en terwijl ze erop aanvielen zeiden ze een poosje niets. Na een paar happen keek Patrick haar glimlachend aan. 'Ik moet zeggen dat ik me de laatste tijd helemaal niet meer eenzaam heb gevoeld, met jou zo in de cottage,' zei hij schuchter.

'Zoals jij het zegt klinkt het net of ik een elfje ben!'

'Je zou je gevleid horen te voelen.' Aarzelend raakte hij haar hand aan.

'O, dat ben ik ook,' zei ze haastig.

'We hebben heel wat gemeen, vind je niet?' zei hij. 'De tuin, belangstelling voor het verleden, dat soort dingen.'

En ons beider eigen verleden, dacht ze, getroffen doordat hij er plotseling zo treurig uitzag. Ze vroeg zich af wat er bij hem was misgelopen, of hij zich alleen maar had teruggetrokken om de wonden te likken die hij had opgelopen door zijn verbroken relatie.

'Wat ben je van plan hier te gaan doen?' vroeg ze opeens.

'Doen?' zei hij, en defensief kneep hij zijn ogen tot spleetjes. 'Nou, werken. Een rustig leven leiden, het huis en de tuin opknappen. Genieten van de rust en maar zien wat er gebeurt. Hoezo, wat wil jij "doen" waar je zelf woont?' Hij schonk hun allebei nog een glas wijn in.

'Zou het leven dan niet meer… een doel moeten hebben?'

'Dat we ons nuttig moeten maken, bedoel je?'

'Nou, ja, misschien. Of creatief zijn.'

Hij dacht na en knikte toen. 'Daar bestaan een heleboel verschillende manieren voor. En niet voor allemaal hoef je deel uit te maken van een gemeenschap, toch? Ik ben niet zo'n groepsmens.'

'Misschien heb je wel gelijk. Vind jij dat je een bevredigend leven leidt?'

Hij legde zijn vork neer en dacht erover na. 'Nee,' zei hij eenvoudigweg. 'Op dit moment niet. Ik geloof dat ik me in een soort niemandsland bevind, of voor een grote verandering sta. Ik wacht op het eerstvolgende tij dat me meevoert.'

'Ja,' stemde ze in, en ineens drukte het gewicht van haar verdriet zwaar op haar. 'Dat geldt voor mij ook wel zo ongeveer.'

De serveerster kwam hun borden afruimen. Mel likte het ijs van een langstelige lepel terwijl Patrick het ene na het andere kopje stroperige espresso dronk en haar gadesloeg. Naast hen nam een lawaaiig groepje plaats, en ze deden geen moeite meer om verder te praten. Uiteindelijk vroeg Patrick om de rekening, en toen die werd gebracht, zette de serveerster een klein schaaltje *amaretti* neer: amandelkoekjes in vloeipapier.

Toen ze de straat op stapten, kauwend op hun amaretti, was de avond donker en stil. Patrick pakte zachtjes haar hand vast, en ze liepen de heuvel af langs de kerk, in de richting van de zee. Op de promenade bleven ze staan uitkijken over de baai naar de vuurtoren die in de verte knipoogde en naar de lichtjes van de bootjes die door het verre donker voeren. Op de fluistering van de golven beneden hen na was er niets te horen.

Patrick boog zich over de balustrade, diep in gepeins verzonken neerstarend in het zwarte water. 'Heb jij ooit het gevoel dat het water je omlaag zuigt, je meesleurt?' vroeg hij zachtjes. 'Ze zijn verraderlijk, die zeeën.'

'En soms ook opwindend en mooi,' antwoordde ze, terugdenkend aan hoe opgetogen ze zich nog maar een paar dagen tevoren in Porthcurno had gevoeld. Vanavond was de zee stukken kalmer.

'En bij storm zijn ze net een hel,' zei hij. 'Maar vandaag ligt de zee rustig op de loer en beidt zijn tijd.' Zijn stem had een bittere ondertoon.

Het begon heel licht te regenen. In een vlaag van woeste energie pakte Patrick haar hand en trok haar mee weer de heuvel op. Ze kon hem amper bijhouden. 'Patrick, ho eens even. Wacht nou!' bracht ze hijgend uit. 'Mijn schoen…'

'Sorry.' Onder een straatlantaarn op het marktplein bleef hij, scherp ademend, staan wachten tot ze het bandje weer om haar hiel had gedaan. Ze keek op en zag gefascineerd dat de aderen in zijn hals hevig klopten.

'Neem me niet kwalijk. Wat ben ik toch een botte hond,' fluisterde hij, en ditmaal pakte hij haar hand zachtaardiger vast en voerde hij haar over de weg mee naar de auto.

Op de terugweg, waarbij hij zoals gewoonlijk te hard reed op de smalle weggetjes naar Merryn Hall, zei hij niets, en Mel zag het niet zitten om zijn gedachtestroom te doorbreken, uit angst dat ze zijn concentratie zou verstoren. Waarom deed hij zo, een man die zo vredig kon zijn en dan ineens zo gekweld werd? Ze werd er een beetje bang van, maar voelde zich er tegelijkertijd door tot hem aangetrokken.

Toen ze de oprijlaan van Merryn Hall insloegen, regende het gestaag. 'Kom mee naar binnen,' drong Patrick aan toen ze zich over de voorhof haastten. Ze zocht beschutting in de portiek terwijl hij zijn sleutel zocht. Ergens diep binnen in het huis kon ze de telefoon horen overgaan. De deur zwaaide open – *ring ring*, harder en harder – en hij beende de hal door om in de keuken op te nemen.

Mel, die in de hal achterbleef, probeerde niet te luisteren, maar haar gehoor flikte haar het kunstje dat honden ook beheersen: ze pikken geluiden op die hun interesseren, ook al zijn er nog zo veel andere geluiden om hen heen. Ze realiseerde zich dat ze zou moeten weglopen, naar de salon, maar als versteend bleef ze staan, haar gezicht spookachtig wit weerspiegeld in de gevlekte ovale spiegel.

'Nee, ik kan nu niet goed praten,' klonk Patricks stem. De keukendeur ging langzaam dicht, alsof er iemand tegenaan duwde, maar toen zwaaide hij weer op eigen kracht open. 'Ik heb iemand op bezoek... De huurder van de cottage.'

Iemand? Huurder? Tranen prikten in haar ogen.

'Hoor eens, je redt het wel. Haal een paar keer diep adem... Ja, goed zo. Je moet hem bellen, dat moet je echt doen. Nu meteen. Zodra je hebt neergelegd. Ik bel je morgenochtend. Gaat het weer een beetje? Hé, hou daar eens mee op.' Het laatste op milde toon. 'Nee, dat is niet eerlijk. Ik bel je echt terug, dat beloof ik. Bel hem nou maar en ga dan naar bed. Ik spreek je morgen weer... Welterusten.'

Mel merkte dat ze zich ineens weer kon bewegen en glipte net de salon in op het moment dat Patrick de keuken uit kwam. IJlings ging ze op een van de banken zitten. De kamer was donker en vreugdeloos, en het rook er naar as. De haard was uit.

De deur ging open en Patrick kwam langzaam binnenwandelen. Mel nam hem op en zag meteen dat hij geagiteerd was. Hij streek met één hand langs zijn mond en leek zichzelf toen weer beter in bedwang te krijgen.

'Sorry, dat moest even. Ziezo, heb je trek in koffie, of in iets sterkers?'

'Patrick, is alles goed met je?'

'Ja… Ja, natuurlijk. Hoe dat?'

'Zo zie je er niet uit.'

'Het is prima met me. Echt waar. Ik had zo gedacht om voor mezelf een fles wijn open te trekken.'

'Ik heb geloof ik liever een kop thee.'

Even later liep ze achter hem aan de keuken in, haar vest strakker om zich heen trekkend tegen de kilte die in de lucht hing. Patrick stond bij het fornuis. In zijn ene hand hield hij een fles, maar hij was er nog niet aan toegekomen om op zoek te gaan naar de kurkentrekker. Hij staarde in het luchtledige. Toen zijn blik op haar viel, kreeg hij zichzelf weer onder controle en rukte hij een la open. 'Zou je even water willen opzetten?' vroeg hij met toonloze stem.

'Patrick,' zei Mel, die al haar moed bij elkaar raapte. Ze liep naar hem toe en raakte zijn arm aan. 'Wat is er gebeurd?'

Langzaam sloot hij de la en hij zette de fles op tafel.

'Echt…' begon hij te zeggen, waarna hij wegkeek en er geforceerd aan toevoegde: 'Ik had Bella daarnet aan de lijn.'

'Bella? Je bedoelt…'

'Mijn verloofde. Ex-verloofde, moet ik zeggen. Chrissie heeft je toch wel over haar verteld?'

'Ik geloof niet dat Chrissie haar ooit heeft ontmoet, Patrick, dus nee, ze heeft me helemaal niets verteld.'

Zijn ogen vonden uiteindelijk de hare, en ze zag dat hij bijna in tranen was; zijn gezicht was bleek en vertrokken. Ongeduldig streek hij het haar weg dat over zijn voorhoofd viel, als een kleine jongen, dus sloeg ze zachtjes haar arm om hem heen, zoals ze zou doen als ze een kind moest troosten. Zo bleven ze even staan; toen ze hem met zachte hand over zijn schouders wreef, voelde ze hem huiveren van narigheid.

'O, Mel,' zei hij, en hij hief zijn hoofd op. 'Neem me niet kwalijk, wat een pathetisch gedoe.'

'Het geeft niet,' zei ze troostend. 'Het is oké.' Maar haar woorden leken weinig effect te hebben. 'Wat wilde ze van je?'

'Ze had een paniekaanval. Die krijgt ze af en toe, vooral als ze alleen is.'

'Waar alleen – in de Sahara?'

'Ze is in haar flat. In Clerkenwell.'

'O,' zei Mel mat.

'Ik weet het, het klinkt mal, maar ik heb het zo vaak meegemaakt.'

'Hoor eens, ga zitten en laten we deze fles openmaken.' Mel viste de kurkentrekker uit de la, reikte hem Patrick aan en ging toen een glas – nee, twee glazen, laat die thee maar zitten – uit de kast halen. Ze schonk ze allebei vol met wijn en schoof er eentje naar hem toe. 'Opdrinken,' gebood ze terwijl ze tegenover hem plaatsnam. 'En vertel me nu maar eens wat dit allemaal te betekenen heeft.'

Het was een bekend verhaal: een man van tegen de veertig, die er klaar voor is om zich te settelen, leert een tien jaar jongere vrouw kennen die zich gevleid voelt door zijn attenties.

'Bella werkt bij Connyngham and Hall – je weet wel, die makelaars. We hebben elkaar leren kennen door een wederzijdse vriend. Ik vond haar heel bijzonder; dat vind ik nog steeds. Ze is heel hartelijk en vitaal, heeft altijd belangstelling voor mensen. We hadden een vergelijkbare achtergrond: haar vader was ook boer, maar dan in Devon. Het ging goed tussen ons; dat dacht ik althans. En ze ziet er ook nog eens fantastisch uit.'

Op dat moment aarzelde hij, waarna hij zijn portefeuille uit de binnenzak van zijn jasje haalde, de bonnetjes en pasjes doorbladerde en er uiteindelijk een fotootje tussenuit haalde, dat hij Mel aangaf.

Ze zag een knap gebruind gezicht, het fijne, natuurlijk blonde haar achterovergehouden door een donkere bril die als een diadeem in haar haar stak. Bella lachte ontspannen, een zachte trui losjes om haar schouders geknoopt. Misschien dat ze op een jacht zat, of na een partijtje tennis ijsthee zat te drinken. Een Grace Kelly-type. Het type waar mannen als een blok voor vielen. Zonder iets te zeggen legde Mel de foto tussen hen in op tafel.

'Ik wist gewoon zeker dat ik eindelijk de ware was tegengekomen. Gek, hè, dat je je daar zo in kunt vergissen.'

'Wat is er gebeurd?' Ze was helemaal van haar à propos gebracht door het beeld van de stralende Bella.

'Het antwoord daarop is, waarschijnlijk, dat zij uiteindelijk niet dezelfde zekerheid voelde als ik. Weet je, we hadden alles goed doorgepraat. Het leven dat we samen wilden leiden. We wilden allebei graag kinderen – ze zei althans dat zij die wilde –, maar ze wilde niet eeuwig en altijd aan het werk zijn, wat zou moeten als ze haar baan wilde combineren met kinderen, dus hadden we het erover om minder te gaan werken. We zouden uit Londen weggaan en een minder veeleisende baan voor haar zoeken. Maar acht maanden geleden kwam Val te overlijden, en opeens kwam dit huis in beeld.' Hij slaakte een huiverende zucht.

'Ik ging hier met Bella naartoe. Van het begin af aan was het al foute boel. Ze vond het verschrikkelijk afgelegen en dat er veel te veel aan moest gebeuren. Ik zei dat we een huis in Londen konden aanhouden – waarom niet? Geleidelijk aan Merryn opknappen als tweede huis, tot we er helemaal zeker van waren.'

'Het zou ook wel een enorme cultuurschok zijn om hier te gaan wonen als je er niet aan gewend bent om buiten te zijn,' moest Mel toegeven. 'Voor mij zou dat in elk geval wel gelden.'

'Ja, dat snapte ik ook wel. Maar ze was opgegroeid op het platteland van Devon. En welbeschouwd, ze zou hier dichter bij haar familie zitten dan in Londen. Maar goed, van mij hoefden we niet per se hier te gaan wonen. Als zij maar een kik had gegeven, zou ik Merryn hebben verkocht, maar ze kon geen knopen doorhakken. Dit huis werd een katalysator: het dwong bepaalde beslissingen over onze relatie af.' Hij zweeg even en nam nog een grote slok wijn, alsof hij zijn gevoelens wilde verdoven.

'En toen kwam het hoge woord eruit: ze had iemand anders leren kennen. Om precies te zijn had ze hem opnieuw leren kennen: een oude vlam uit de tijd dat ze nog rechten studeerde.'

Mel werd geroerd door de lijnen van verdriet en vermoeidheid die op zijn gezicht gegrift stonden. Het licht flikkerde en ze keek op. Een nachtvlindertje vloog zich te pletter tegen de kale gloeilamp.

Patrick had het niet in de gaten. Nietsziend staarde hij naar de donkere schaduwen van de bijkeuken. 'Het ergste was nog dat ze niet tussen ons kon kiezen. Ik kon er niet tegen, ik was... al mijn gevoel van eigenwaarde kwijt. Op het laatst maakte ik er een eind aan. Dat was de enige manier om geestelijk gezond te blijven.' Zijn gezicht stond nu bijna verdwaasd, desolaat, hopeloos. Mel deed haar uiterste best om een woord van troost te bedenken. In een vlaag van plotselinge helderheid schoot het telefoongesprek haar weer te binnen.

'Kon ze zich in je beslissing vinden?' fluisterde ze. 'Is dat ook de hare?'

'Op dat moment was ze het ermee eens dat het het beste was wat we konden doen,' zei Patrick dof. 'Die andere gast is toen bij haar ingetrokken. Maar hij moet soms nog tot laat werken, en ze vindt het vreselijk om in haar eentje te zitten…'

Dus eet ze maar van twee walletjes, dacht Mel schamper, maar ze zei niets. Patrick zou dit zelf moeten inzien. Zij was anders niet bepaald de aangewezen persoon om aanmerkingen te hebben, of wel soms? Ze vroeg zich af wat zíj zou doen als Jake zomaar ineens contact met haar zou zoeken en zou voorstellen om het samen opnieuw te proberen. Verdorie, kwam het nou door de wijn of door Patricks ellende dat zij ook moest huilen?

Met een schril gekras schoot haar stoel achteruit toen ze opstond om naar het aanrecht te lopen en een stuk keukenpapier af te scheuren van de rol die in de vensterbank stond. Tegen het zwarte gegolfde glas kon ze de lelijke onderbuiken zien van een handjevol kruipende insecten; nachtvlindertjes, vliegen en torren die werden aangetrokken door het licht. Ze rilde.

'Je hebt het steenkoud,' zei Patrick, die half opstond uit zijn stoel.

'Nee, nee, alles is in orde,' zei ze, maar hij pakte hun glazen op en raakte haar elleboog aan.

'Laten we de elektrische kachel aandoen in de zitkamer van Val,' zei hij. 'Het is wat laat om de haard in de salon nog aan te steken.'

Ze liepen het huis in, en Mel bleef naar hem staan kijken toen hij wat rommelde aan de knoppen van het elektrische kacheltje, totdat het rood opgloeide. Waar moest ze gaan zitten: op de stoel of op de bank? Door de sombere stemming van de avond had ze een beklemd gevoel op haar borst, dat haar dreigde te verstikken.

Hij loste het vraagstuk voor haar op. 'Kom hier bij me zitten,' zei hij terwijl hij op de bank plofte, dus ging ze zo dichtbij zitten als ze kon zonder hem aan te raken, en pakte haar glas.

'Wil je een deken?' vroeg hij bezorgd toen hij haar ondanks het lustig brandende kacheltje nog steeds zag huiveren. Hij boog zich naar haar toe, sloeg een arm om haar schouder en drukte haar tegen zich aan, verwoed over haar arm wrijvend om haar warm te krijgen.

'Nee, het is goed zo,' zei ze zachtjes. Na een poosje hield hij op met wrijven, en bijna zonder erover na te denken legde ze haar hoofd tegen zijn schouder. Enige tijd zeiden ze niets, totdat Patrick met een lage stem opmerkte: 'Dank je wel dat je me hebt aangehoord. Het was wel even schrikken dat ze me zomaar opbelde.'

En je moet haar morgen nog terugbellen ook, dacht Mel, maar ze had geen zin om hem daaraan te herinneren.

'Ik… Ik vind dat ik jou nu zou moeten vragen hoe het met jou staat, wat jou is overkomen. Chrissie zei dat er een einde aan je relatie gekomen was.'

'Het is niet meer dan eerlijk om het je te vertellen,' zei ze met strakke stem. 'We zijn vier jaar samen geweest. Jake is docent aan het college waar ik ook lesgeef. We… We belandden op een punt waar we moesten kiezen. Over trouwen, bedoel ik, kinderen – het hele circus. En daar ging het mis. Hij had dat allemaal al eens meegemaakt, zie je, en hij was niet bereid om het nog een keer te proberen. Kort samengevat komt het daarop neer.'

'Arme ziel.' Patrick drukte even zachtjes haar arm. Met gesloten ogen lag ze tegen zijn schouder te genieten van de warmte en de rust, wachtend tot haar ellendige gevoel zou wegebben. Maar dat gebeurde niet. Als ze over Jake begon, wilde ze weer naar hem toe, werd ze met haar neus op het feit gedrukt dat de fascinerende nabijheid van Patrick heel anders aanvoelde dan Jake. Patrick leek groter, vleziger, geruststellender, terwijl Jakes opgekropte energie uitdagend en opwindend was. Zelfs Patricks jasje rook anders – niet onaangenaam, maar wel alsof het achter in een ongeventileerde kast had gehangen. Je raakte eraan gewend, aan die verschillen. Ze zuchtte, en toen hij haar warme adem in zijn nek voelde, draaide hij zijn hoofd naar haar toe, waarna hij met zijn hele lichaam ging verzitten. Hij keek haar aan, kalm nu, en schonk haar een slaperige glimlach. Het was vreemd om iemands gezicht van zo dichtbij te zien. Wat leek hij naakt en kwetsbaar, wat waren zijn gelaatstrekken roerend onaf.

Het zou heel gemakkelijk zijn… om ervoor te zorgen dat hij zich naar voren boog en haar kuste, om hem toe te staan zijn handen over haar lichaam te laten gaan. Dat zou ze ontzettend graag willen, maar diep vanbinnen riep een stemmetje: 'Nee, het is niet goed, niet op die manier.'

Met uiterste wilsinspanning glimlachte ze hem toe en veranderde van houding om enige afstand tussen hen te scheppen.

'Je bent mooi, weet je dat wel?' Ze keek naar de zachte bewegingen van zijn lippen toen hij onduidelijk het woord 'mooi' uitsprak. *Mooi. Belle. Bella.*

'Dank je,' zei ze, en haar glimlach voelde aan alsof hij op haar gezicht gebeiteld zat. 'En nu moet ik echt niet meer drinken.' Ze boog zich voorover om haar glas op tafel te zetten.

'Ik ook niet,' zei hij mismoedig terwijl hij zich met een zucht weer achterover liet vallen op de bank. Toen lachte hij. 'We zijn me wel een stelletje ouwe mafkezen!'

'Tja,' zei ze. 'Weet je, ik geloof dat deze ouwe mafkees maar eens thuis in bed moest kruipen.'

Hij reikte naar haar en drukte haar hand. 'Dank je wel,' zei hij eenvoudig, 'dat je me hebt verdragen.'

'O, jij bent onmogelijk te verdragen.' Als ze er geen grapje van zou maken, zou ze verloren zijn. Toen ze opstond, merkte ze dat ze aangeschotener was dan ze had gedacht, maar ze wuifde zijn ondersteunende hand weg en zwalkte de gang op.

'Zal ik even met je meelopen?' bood hij aan.

'Nee, dat hoeft niet,' zei ze, rommelend in haar tas. 'Ik heb mijn zaklantaarn bij me, zie je wel? Ik kan zelf de weg wel vinden.'

Via de zijkant van het huis wankelde ze naar Gardener's Cottage; de lichtbundel van de zaklantaarn danste wild op en neer. Eerst poerde ze met de verkeerde sleutel in het slot, waarna ze de goede vond en de deur openging. Ze glipte naar binnen en deed hem stevig achter zich dicht.

Klappertandend van alle drank en emoties hing ze haar jasje over de rugleuning van een stoel in de eetkamer en keek de kamer door. Vanavond hing daar een verdrietige, verlaten sfeer. Zelfs de bloemenschilderijtjes leken achter hun spiegelende glas geen enkel leven uit te stralen. De diepe stilte had iets sinisters.

In de keuken dronk ze een heleboel water, waarna ze haar vermoeide lijf naar boven sleepte. Toen ze zich op het bed had laten vallen, trok ze het dekbed over haar hoofd en gaf ze zich over aan haar ellende.

'*Elk moment,*' zei het kleine stemmetje in haar binnenste hoopvol, '*elk*

moment kan hij nu achter je aan komen en aankloppen om je in zijn ar-
men te nemen en je te troosten. Je wilde de hele tijd niets liever, toch? Jullie
hadden elkaar mooi kunnen troosten.'

Maar zou dat wel oké zijn geweest? Hoe zouden ze zich dan de volgende ochtend wel niet moeten voelen? Als twee ongelukkige vreemden
met een kater, waarschijnlijk. Het risico was te groot. Dit was geen man
om maar wat mee te rommelen, geen onenightstand. Hij was speciaal.
En dat was zij, bracht ze zichzelf in herinnering, ook. Dat weerhield
haar er echter niet van te blijven wensen dat hij zou komen.

Maar hij kwam niet. En uiteindelijk viel ze in slaap.

Toen ze die nacht wakker werd, zag ze donkere vormen heen en weer
bewegen aan de andere kant van het raam. Alleen maar de wind die
door de bomen waait, besefte ze nadat ze er toch even van geschrokken
was, en ze stond op om de gordijnen dicht te doen. Toen ze weer wegdoezelde, droomde ze dat ze verdwaald was in een dichte mist. Haar
moeder riep haar, maar toen ze probeerde terug te roepen, kon ze geen
woord uitbrengen. Ze vocht zich een weg naar de oppervlakte, en toen
ze wakker werd zat haar keel helemaal dichtgesnoerd van verdriet. Ze
knipte het licht aan en liet zich uit bed rollen om naar de wc te gaan.

Vanuit het zijraam van de keuken kon ze nog net een deel van Merryn Hall zien. Terwijl ze wat water dronk en de strenge, logge contouren
in zich opnam, ging er ineens licht aan op de eerste verdieping, waar
Vals slaapkamer moest zijn. Patricks bovenlichaam was even in silhouet
afgetekend in het raam.

Ze was niet echt alleen. Hij was ook wakker.

16

Op een maandagmorgen, acht dagen later, wekte een gerammel en geknars Mel uit haar onrustige slaap. Toen ze haar ogen opendeed, stroomde het heldere daglicht door de kier in de gordijnen naar binnen. Nadat
ze zich op haar rug had gerold, die pijn deed van al het tuinieren, bleef
ze een poosje naar de dansende schaduwen op het plafond liggen kijken.

Nog maar vijf dagen op Merryn – nou ja, zes als ze zaterdag meetelde, maar dan zou ze voor negenen moeten vertrekken als ze niet in het
verkeer vast wilde komen te zitten, dus eigenlijk waren het er vijf. En
daarna zou het best kunnen dat ze Patrick nooit meer zag. Die gedachte riep flarden bij haar op van de droom van die nacht, iets met rennen
en niet vooruit kunnen komen… Maar nee, ze herinnerde het zich niet
echt meer.

Er klonk weer een klap, een gesis van remmen en het schrapende geluid van metaal dat over steen wordt gesleept. Ze ging rechtop zitten en
wist weer wat het was: de containers die Patrick had besteld werden zeker afgeleverd.

Als ze niet te laat wilde komen voor haar afspraak in St. Ives van tien
uur, zou ze nu moeten opstaan.

Sinds die ellendige zondagavond had Patrick zich verwoed op allerlei
activiteiten gestort. Mel keek toe vanaf de zijlijn, waar ze voor haar gevoel naartoe gedrongen was, zich er scherp van bewust dat hij zich niet
prettig voelde, maar niet in staat een bres te slaan in de muur van beleefde vriendelijkheid die hij om zich heen had opgetrokken.

Eerst had hij de landschapsarchitect laten komen, vervolgens had hij diverse boomchirurgen gebeld. Hij vertelde Mel dat hij had besloten dat de voortuin van het huis het eerstvolgende gedeelte zou worden dat voor ruimen in aanmerking kwam, waar diverse zware machines aan te pas zouden moeten komen, en had uiteindelijk gekozen voor een dakdekker die, afhankelijk van het weer, in augustus zou kunnen beginnen.

Mel troostte zichzelf met de gedachte dat het echt het beste zou zijn om te vertrekken. Merryn zou niet lang meer een rustige plek zijn waar ze kon logeren en werken. Aan de andere kant zou de cottage dan leegstaan. Patrick zei haar dat hij geen moeite zou doen om die aan iemand anders te verhuren, aangezien het terrein toch in een bouwput zou veranderen. Het huisje zou leeg blijven staan, en dat vond ze een naar idee.

Maar er was nóg een reden waarom vertrekken niet onverstandig was.

Sinds hun intieme moment van ruim een week geleden was hun relatie drastisch veranderd. Die was ongemakkelijk geworden, geforceerd, hoewel ze hun best hadden gedaan gewoon tegen elkaar te doen. Ze had Patrick een paar middagen geholpen in de tuin, en ze hadden zwijgend gewerkt of het alleen over veilige onderwerpen gehad, zoals hoe Patrick te werk zou moeten gaan bij de restauratie van de kassen, of op wat voor soort school zijn broer Joe lesgaf. Er hing tussen hen een onuitgesproken besef in de lucht, als een grote zware klomp die je niet kon aanraken of, zo leek het althans, zelfs maar beter niet kon proberen te benoemen. En alle lichamelijke vanzelfsprekendheid die er was geweest was ook helemaal weg. Hij stapte beleefd achteruit als Mel in de keuken langs hem heen liep en ging welbewust in een stoel zitten als zij op de bank plaatsnam. Ofwel hij wilde afstand scheppen, ofwel er was iets anders aan de hand. Misschien deed hij het wel om haar of zichzelf te beschermen.

Een deel van haar maakte zich op om nu te vertrekken, om te ontsnappen aan deze dromerige stagnatie en weer terug te duiken in de woelige stromen van het normale leven, maar een ander deel besefte heel goed dat ze daarmee iets waardevols zou achterlaten.

Op dit moment probeerde ze daar maar niet bij stil te staan en zich een zakelijke houding aan te meten. De afgelopen week had ze hard gewerkt aan de eerste hoofdstukken van haar boek. Ze was teruggegaan naar het Regionaal Archief en had vanochtend een afspraak met de kunsthistoricus in St. Ives, wilde de laatste losse eindjes van haar onderzoek afronden in Lamorna en zou dan opstappen. Het uitgewerkte concept voor haar boek was klaar. Ze had zelfs een titel bedacht: *Stralend licht: de kunstenaars van Newlyn en Lamorna.* De komende maanden zou ze het in Londen gaan schrijven.

'Ik heb gisteravond een e-mail gekregen van Jonathan Smithfield,' had ze de vorige middag tegen Patrick gezegd nadat ze er in de tuin weer flink tegenaan waren gegaan. Matt had ook meegeholpen, maar was weggegaan toen zijn moeder hem had gevraagd te komen helpen met een grote groep Duitse toeristen. Mel en Patrick lagen nu uit te rusten in een stel wankele oude dekstoelen die Patrick in een stal had gevonden en dronken een biertje. 'Je weet wel, die kunsthistoricus die in St. Ives woont. Ik ga morgen naar hem toe. Zal ik hem je schilderijen laten zien – de P.T.'s, bedoel ik?'

'Dat is een goed idee,' zei Patrick. 'Welke zouden daar het meest voor in aanmerking komen?'

'Ik had zo gedacht jouw olieverfschilderij en twee of drie van de bloemen. Ik hoop dat hij nog meer werk van deze kunstenaar kent. Of dat hij althans enig licht kan werpen op wie P.T. was, of suggesties heeft hoe ik daarachter zou kunnen komen.'

'Ik wou dat ik met je mee kon,' zei hij terloops, terwijl hij in één enkele, abrupte beweging zijn bierblikje fijnkneep. 'Maar ik heb geen tijd. Morgen komt de computerman.' Mel keek hoe hij het blikje met een trefzekere bovenhandse beweging op een stapel afval uit de tuin gooide en vroeg zich af waarom ze het gevoel had dat zij dat blikje was.

Patrick maakte niet alleen vorderingen met de tuin, maar ook met zijn nieuwe kantoor; hij liet er apparatuur installeren en had sollicitatiegesprekken gevoerd met twee kandidaten van het plaatselijke arbeidsbureau die waren afgekomen op de vacature voor administratief medewerker.

Als je naging hoeveel tijd hij op kantoor had doorgebracht, kon je amper geloven dat ze in de tuin nog zo goed waren opgeschoten.

Het was een warme dag voor eind april. Mel dronk haar laatste restje bier op en keek om zich heen. Het grootste deel van de bloementuin was nu vrijgemaakt, en Patrick had zijn best gedaan met spitten ter voorbereiding op de beplanting. Ze hadden bij een tuincentrum in de buurt tientallen trays met perkplantjes gekocht, potten met kruiden en zaailingen. Mel had al een paar rijen geplant, waar ze met voldoening haar blik over liet gaan. Ze leunde achterover in haar stoel en sloot haar ogen, genietend van de zon op haar gezicht.

Toen ze ze weer opendeed, zag ze dat Patrick rechtop, met zijn armen om zijn opgetrokken knieën geslagen, naar haar zat te kijken, met zo'n ongelukkig gezicht dat ze ineens met hem te doen had. Ze glimlachte hem toe en hij glimlachte terug en keek toen weg, opeens weer afstandelijk.

Aan dat moment moest ze nu terugdenken terwijl ze ontbeet; ze vroeg zich af of het iets te betekenen had gehad. Wat voor gevoelens had hij nou echt voor haar, diep vanbinnen? Hij was onmogelijk te doorgronden.

Hij had niets meer over Bella gezegd. Had hij haar de volgende dag teruggebeld, zoals hij had beloofd? Mel durfde het niet te vragen, maar één keer in de afgelopen week had ze zich afgevraagd of ze hem in een gesprek met haar had gestoord. Toen ze zijn auto op de oprijlaan had gehoord – ze nam aan dat hij de hele dag op kantoor was geweest – was ze naar het huis gelopen om hem een pakje aan te reiken dat de postbode bij haar had afgegeven. Toen Patrick de deur had opengedaan, hield hij de draadloze telefoon tegen zijn oor gedrukt en was hij duidelijk midden in een serieus gesprek. Hij rondde dat snel af, maar toen hij het pakje van haar aannam en haar plichtmatig bedankte, had hij afwezig geleken. Ze was niet gebleven.

Jonathan Smithfield woonde in een rijtjeshuis vlak bij de nieuwe Tate Gallery in St. Ives, aan een weg met uitzicht op een van de stranden. Vanuit het achterraam van zijn huis kon Mel een paar van zijn beeldhouwwerken zien: stenen figuren die achteroverlagen als slapende boeddha's, overdekt met dezelfde gele korstmossen die je ook zag op de daken van talloze gebouwen in het stadje.

Jonathan zelf was een lange, slungelige man van halverwege de vijftig, die enthousiast gebaarde met zijn lange armen toen hij begon te vertellen over zijn levenslange studie van de kunstenaars uit Cornwall, zijn eigen creatieve werk en zijn betrokkenheid bij de kunstenaarsgemeenschap in zijn geboortestad.

Ze spraken een tijdje over de schilders uit Lamorna, en Mel was blij dat hij bepaalde delen kon bevestigen van haar theorie over de invloeden waaraan een bepaalde schilder had blootgestaan, voor een andere theorie nieuwe lijnen van onderzoek kon aandragen, en een paar van Laura Knights minder bekende schilderijen onder haar aandacht bracht.

Daarna haalde ze de P.T.-schilderijen tevoorschijn, eerst de twee bloemenstudies die ze uit de cottage had meegenomen en vervolgens het olieverfschilderij van de jonge man.

Smithfield deed de bloemenschilderijtjes af met de opmerking: 'Leuk.' Maar het olieverfschilderij interesseerde hem zeer. 'Dit is een heel bijzonder werk,' zei hij. 'Het is niet door iemand gemaakt die een klassieke opleiding heeft gevolgd, zou ik zeggen. Maar er spreekt iets heel natuurlijks uit, een *joie de vivre*. En de impasto – de penseelvoering... Ik snap wel waarom je denkt dat het iets met Dame Laura van doen zou kunnen hebben. Hoewel het natuurlijk zeer zeker niet door haar is geschilderd,' voegde hij eraan toe. 'Daarvoor schiet de tekenkunst tekort.'

Toen Mel hem wees op de initialen van de schilder en over Charles Carey begon, trommelde Smithfield peinzend met zijn vingers op tafel. 'Ja, de naam Carey herken ik wel,' zei hij, 'hoewel ik nooit iets van hem heb gezien. Maar dit...' Hij zette het schilderij rechtop tegen de muur en stapte achteruit om er van een afstandje naar te kijken. 'Ik vind het wel wat. Het heeft iets, nietwaar?'

Hij luisterde aandachtig toe toen Mel vertelde over haar vondst in het archief, de vermelding van Pearl Treglown.

'Het lijkt niet erg waarschijnlijk, vind je wel: een dienstmeisje dat schilderde? Maar onmogelijk is het niet. Ik heb een idee: bestaan er geen andere documenten van de familie uit die periode? Ik weet wel dat je het archief hebt bekeken, maar misschien is niet alles daarin opgenomen.'

'Ik weet vrij zeker dat er in het archief niets meer is.' Mel dacht terug aan haar bezoek van de afgelopen week, toen ze het dossier opnieuw had doorgevlooid en nog wat meer fotokopieën had laten maken van papieren die voor de tuin van belang waren. 'Ik geloof dat Patrick per brief heeft geïnformeerd bij de notarissen van de familie, maar volgens mij heeft hij daar nog niks op gehoord.'

'Dat is de juiste richting om in te zoeken. Je zou er nog van staan te kijken wat er soms allemaal op zolders ligt tussen de kapotte vogelkooien en de liefdesbrieven van oudtante zus en zo. Nou, ik kan je alleen maar succes met alles wensen, beste kind. Ik zal mettertijd graag mijn oog laten gaan over de drukproeven van je boek.'

'Daar zou ik heel blij mee zijn,' zei Mel. 'Als het niet te veel moeite is.'

'Ik zou het leuk vinden. En mocht je vriend Winterton een kunsthandelaar zoeken om zijn mening over dit schilderij te geven, zeg dan maar tegen hem dat hij contact met mij moet opnemen; dan kan ik hem een paar namen doorgeven. Niet dat ik denk dat het nou zo ontzettend veel waard is, maar er zal toch wel een markt voor zijn.'

'Bedankt,' zei Mel. 'Dat zal ik doen.'

Patrick was nog steeds niet thuis toen ze rond de middag terugkwam bij Merryn, dus bracht ze de schilderijen vanuit de auto naar binnen en maakte een grote kaassandwich voor zichzelf, die ze mee de tuin in nam naar haar bloembed. Het gras was gemaaid, zag ze opeens, en ze snoof de heerlijke geur op. In de tijd dat zij weg was geweest, was de oude man zeker weer langsgekomen.

Na haar sandwich en een kop koffie moest ze zijn weggedoezeld in haar stoel, want toen ze haar ogen weer opsloeg, besefte ze met een schokje dat er iets verderop iemand naar haar stond te kijken. Het was een hele opluchting dat het Matt maar bleek te zijn.

'O, hallo,' zei ze, terwijl ze rechtop ging zitten en een hand door haar verwarde haren haalde. 'Hoe lang sta je daar al?'

'Nog maar net,' zei hij zacht, en hij hurkte naast haar neer. 'Ik wilde je niet wakker maken.' Hij plukte een grasspriet af en stak die tussen zijn tanden. Witte, regelmatige tanden, viel haar nu voor het eerst op. 'Ik heb bericht van mijn moeder. Ze is deze hele week druk met het hotel, maar als ze vrij is kan tante Norah je elk moment ontvangen, behalve donderdag.'

'O, bedankt.'

Hij vervolgde: 'Ik was trouwens weer onderweg naar het strand van Porthcurno. Ik vroeg me af of je zin had om mee te gaan.'

Hun blikken kruisten elkaar. Hij was nu zo dichtbij dat ze kon zien dat zijn gladde, gebruinde huid bezaaid was met verbleekte sproetjes. Hij glimlachte verstolen, maar er was ook spanning op zijn gezicht te zien. Als ze zou willen, kon ze haar hand uitsteken en zelf nagaan hoe zijn korte stekeltjeshaar aanvoelde, het kuiltje naast zijn mond verkennen. Hij was heerlijk, deze jonge man die bruiste van levenslust, maar tegelijkertijd was hij ontwapenend kwetsbaar; zijn donkere ogen onder zijn lange wimpers stonden verlegen. Een jongen nog. Heel anders dan Patrick. Of Jake.

Er verstreek een lange seconde, en ze moest weer heel sterk aan Patrick denken. Wat hadden Matt en zij nou eigenlijk gemeen? Hun leefwerelden lagen mijlenver uit elkaar.

Voorzichtig zei ze, in de wetenschap dat een gedachteloos antwoord hard bij hem zou kunnen aankomen: 'Anders was ik graag met je meegegaan, Matt, maar ik heb Patrick beloofd hem vanmiddag te helpen. Ik weet eerlijk gezegd niet waar hij is. Hij is laat.'

'O.' Langzaam stond Matt op. 'Nou ja, een andere keer dan maar.'

'Ja, een andere keer. Maar luister eens, Matt, ik blijf hier niet meer zo lang. Zaterdag ga ik terug naar Londen. Ik denk dat je maar tegen Carrie moet zeggen dat het ernaar uitziet dat ik geen tijd meer heb om bij je oudtante op bezoek te gaan.'

'Aha. Wat jammer. Het heeft veel voor me betekend, om hier te kunnen zijn.'

'Je kunt nog steeds hiernaartoe komen. Patrick kan wel wat hulp gebruiken.'

'Dat bedoelde ik niet…'

'Matt…' Hij keek naar haar op, en langzaam schudde ze haar hoofd. Hij kwam overeind, en verbeeldde ze het zich nou of lag er echt een schittering in zijn ogen?

'Oké,' zei hij. 'Dan moest ik maar weer eens gaan.' Maar hij bleef nog even dralen en keek om zich heen naar de tuin.

Mel sloeg hem gade en zei: 'Matt, wat is er? Je bent helemaal jezelf niet.'

'Ach, niets,' mompelde hij. En toen, omdat ze bleef wachten, draaide hij zich om en voegde eraan toe: 'Ik ben momenteel alleen maar een beetje in de war.'

'Hoe dat zo?'

'Ik weet niet goed welke kant ik op moet met mijn leven. Mijn moeder heeft hier een heleboel hulp nodig, en in de winkel verveel ik me maar. Ik heb niet het idee dat het zoden aan de dijk zet op deze manier. Grappig wel, tot nog toe vond ik dat helemaal niet erg, maar de laatste tijd… En gisteravond heeft Toby – je weet wel, mijn vriend de kunstenaar?'

'Jawel.'

'Hij vertelde me gisteravond dat hij gaat trouwen. Toby! Ik kan het gewoon niet geloven.'

'Dat moment komt voor jou vast en zeker ook.'

Hij schudde zijn hoofd. 'Weet je, ik heb nog nooit een serieuze relatie met iemand gehad. Ik ging er altijd van uit dat het leven een lolletje was, maar nu lijkt het ineens vol verantwoordelijkheden. En toen kwam jij, en...'

Toen ze een auto op de oprijlaan bij het huis hoorden, keken ze op.

'Patrick,' zei Mel, die snel opstond. Ze vergat plotsklaps waar Matt het over had gehad, want ze zocht druk naar haar schoenen. Verdorie, ze zou haar haar wel eens mogen borstelen. 'Ik hoop dat ik je nog zie voordat ik naar huis ga, Matt.'

'Vast wel.' Als een golf ijswater spoelde de klank van Matts stem over haar heen. Ze keek op, maar hij had zich al omgedraaid om weg te lopen. Wat had dat nou allemaal te betekenen, dacht ze. Maar diep vanbinnen wist ze dat heel goed.

'Mel...' Patrick kwam haastig aanlopen door de tuin. Hij zag nog net Matt de laan af lopen en vertraagde zijn pas. Zijn gezichtsuitdrukking verhardde zich.

'Matt kwam me even een berichtje brengen,' zei Mel – te snel.

'Hij komt hier wel vaak langs, hè?'

Ze haalde haar schouders op. 'Ik dacht dat je hem wel mocht.'

'Hij is geen verkeerde knul.'

'Wat heb je dan op hem aan te merken?'

'Niets.'

'O nee?'

Patrick reageerde niet. In plaats daarvan slaakte hij een ongeduldige zucht en zei: 'Sorry dat het zo lang duurde. Er waren complicaties met die verrekte website, zoals altijd.'

Mel pakte een blikje bier voor hem uit de koelkast en ging toen zitten, op haar hoede. Maar in de tijd dat zij binnen was geweest, leek Patrick zijn boze bui van zich af te hebben gezet, want hij vroeg: 'Hoe ging het vanochtend?' en ze vertelde kort over haar afspraak met Smithfield, waarbij ze geen moeite deed de kilte uit haar stem te weren. Hij had het recht niet om jaloers te zijn op Matt; ze was vrij om te doen en laten wat ze wilde. Maar Patrick leek haar koelte niet op te merken, dus liet ze die maar weer varen.

'Dus over de schilderijen had hij niet veel te melden,' zei hij. 'Jammer, maar dat had ik ook niet echt verwacht.'

'Nee,' zei ze. 'De hele kwestie is nog steeds een raadsel.'

'Heb je de afvalcontainers al bewonderd?' zei hij.

'Nog niet,' zei ze met een geeuw, en ze kwam met moeite haar stoel uit, want haar armen en benen voelden opeens zwaar aan. 'Ik was het wel van plan, maar ik ben het vergeten. Kom, volgens mij moeten we aan de slag.'

'Weet je zeker dat je daar vanmiddag wel zin in hebt?' zei hij. Hij stak zijn hand uit om even snel haar schouder aan te raken, en het was net alsof hij welbewust iets deed wat niet mocht.

'Ja, waarom niet?' Haar stem klonk dik doordat hij haar aanraakte en ze kon er niets aan doen dat ze zich naar hem toe draaide. 'Je kunt nog maar een paar dagen over me beschikken, dus kun je er maar beter uit halen wat erin zit.'

'Wat je zegt.' Hij nam haar peinzend op. 'Denk maar niet dat ik daar niet over nagedacht heb. Mel. Alsjeblieft. Je weet dat je nog langer kunt blijven, als mijn gast.'

'Dat zei je al, ja. Aardig van je,' zei ze luchtig.

Hun ogen ontmoetten elkaar, en op zijn gezicht streden allerlei ondoorgrondelijke emoties om de voorrang. 'Mel, om eerlijk te zijn kan ik aan niets anders denken. Ik... Ik zou graag willen dat je bleef. Moet je echt al terug? Ik bedoel...'

'Patrick, de plicht roept. Ik moet naar een paar bibliotheken, mijn vrienden en familie zien.'

'Maar er is niemand...'

'Die speciaal is?'

'Inderdaad, ja.'

'Je weet hoe het daarmee gesteld is,' zei ze met vlakke stem. Ze stapte van hem weg, net zo nerveus als de rode kat.

'Het was maar een idee,' zei hij met een quasi spijtige glimlach. 'Ik... vind het heerlijk om je hier te hebben. Het voelt goed om te weten dat je hier bent. Mel, het spijt me dat ik mezelf laatst zo heb laten gaan...'

'Om mij hier te hebben?' beet Mel hem toe, niet in staat zich in te houden. 'Als de buurvrouw van hiernaast?'

'Nee, nee – veel meer. Je weet heus wel dat ik daar meer mee bedoel. Ik kan me niet zo goed uitdrukken, wel?'

'Patrick, wat wil je nou precies zeggen?' Hoe zit het met Bella, wilde ze eigenlijk vragen, maar die woorden kreeg ze niet over haar lippen. Hij haalde zijn schouders op.

'Ik zal erover nadenken,' zei ze ongemakkelijk. 'Kom op, laten we nou maar naar die containers gaan kijken.'

'Vind jij brekend glas ook niet een lekker geluid?' Na twee uur zware lichamelijke arbeid voelde Mel zich een stuk vrolijker.

Patrick had net een groot stuk van een breed uitgegroeide klimplant van de grootste kas losgetrokken, en zoals ze al hadden gevreesd was het halve bouwwerk daardoor in elkaar gezakt.

'Volkomen verrot,' gromde hij terwijl hij met de snoeischaar in het skelet prikte. Hij pakte een schoffel op en begon de verbindingen los te slaan. Mel, die blij was dat ze dikke handschoenen aanhad, sjouwde heen en weer om de losse balken in de gigantische container te gooien die naast de ingestorte muur stond.

Ze hadden de afgelopen uren amper iets tegen elkaar gezegd, maar dat was ook niet nodig geweest. De stilte had niet ongemakkelijk aangevoeld; ze waren gewoon ieder in hun eigen gedachten verzonken. Maar vaak genoeg zag Mel als ze een blik op Patrick wierp dat hij haar op een dusdanige manier aankeek dat ze zin kreeg om alles uit haar handen te laten vallen, naar hem toe te vliegen en haar armen om zijn hals te slaan.

Waarom had ze zich er zo gemakkelijk toe laten overhalen haar aanstaande vertrek te heroverwegen?

Nu ze hier weer met Patrick aan het werk was in de beschutting van de ommuurde tuin, was ze weer onder de bekoring ervan geraakt. Haar leven in Londen verdween naar de achtergrond. Een stemmetje in haar binnenste vroeg maar steeds wat ze nou eigenlijk zou mislopen als ze hier nog wat langer bleef. Een week, een paar weken – wat maakte het ook uit?

Praktisch gezien kreeg ze haar geld gewoon op haar bankrekening gestort. De universiteit betaalde tijdens haar sabbatical haar salaris door. Haar bovenbuurvrouw Cara hield een oogje op haar flat. De tuin zou wel een wildernis zijn, maar een paar weken zouden niet zo gek veel uitmaken. En haar vrienden en familie dan? Ach, die zouden er later ook nog wel voor haar zijn. Verder was er de kwestie van haar boek. Ze moest toegeven dat ze dat net zo makkelijk hier kon schrijven. Als ze bleef, zou ze misschien juist nog meer informatie over P.T. kunnen achterhalen, zodat ze er nieuw materiaal in zou kunnen verwerken. Het kon natuurlijk allemaal best nergens op uitlopen, maar toch zou het fascinerend zijn om te zien hoever ze kwam.

Veel zorgwekkender was de vraag hoe het zat met de eigenaar van het schilderij. Ze rechtte haar rug, nadat ze een kruiwagen had volgeladen met rommel. Dit moest de belangrijkste overweging zijn. Ook met Patrick zou het wel eens nergens op uit kunnen lopen – wéér een man die haar op een dwaalspoor bracht… Maar van welk pad dwaalde ze dan precies af, klonk het stemmetje. In Londen had ze het gevoel gehad dat ze maar wat ronddobberde, losgeslagen van haar ankers: haar moeder en Jake. Merryn was een toevluchtsoord, dus waarom zou ze er niet blijven? Of zat zijn taak er nu op? Toevluchtsoorden waren immers voor de korte termijn bedoeld. Op een goed moment zou ze weer uit moeten varen, haar leven weer moeten oppakken. Moest ze blijven en haar gemoedsrust op het spel zetten, of werd het tijd om terug te gaan?

Ze wierp een blik op Patrick, die nu aan de slag was gegaan met de bouwval van de tuinmansschuur en aanstalten maakte het ingestorte dak los te trekken. Hij keek op van zijn werk en glimlachte haar met zo veel warmte toe dat ze er opeens duizelig van werd. Vanmiddag had ze zich bij hem weer ontzettend op haar gemak gevoeld. Maar er speelde ook iets geheims, iets onkenbaars. Voor hem was Merryn ook een toevluchtsoord. Hij was net een dier dat een veilige plek had opgezocht om zijn wonden te likken – een diepe wond, wist ze nu. Maar terwijl zij uiteindelijk haar gewone leven weer zou moeten oppakken, had hij besloten om hier te blijven, om zich hier voor de boze buitenwereld te verstoppen.

Het zou gevaarlijk kunnen zijn om te blijven, om zich op te laten slokken…

Een alarmkreet van een vogel.

Ze zag nog net iets door de tuin vliegen, het verblindende licht van de middagzon in. 'Moet je kijken!' riep ze uit.

Ditmaal had Patrick het ook gezien. 'Wat apart. Een witte vogel. En het is geen meeuw.'

'Of een of andere soort duif?'

'Nee, hij was kleiner. Daar heb je hem weer!' Hij wees door de poort naar de moestuin, waar de vogel op een struik was neergestreken.

Mel kroop ernaartoe om te kijken. De vogel was iets groter dan een parkiet, maar dan met een rechte oranje snavel.

'Vast een merel,' fluisterde ze.

'Maar hij is helemaal wit!'

De vogel liet nogmaals een staccato kreet horen en vloog toen weg in de richting van de rododendrons.

Er viel een schaduw over de tuin. Mel schermde haar ogen af tegen de zon. Hoog boven hen cirkelde het silhouet van een roofvogel.

Patrick ging achter de witte vogel aan en baande zich een weg door de moestuin, vloekend toen zijn shirt achter de bramen bleef haken. Mel zag hem achter de ruïnes van de muur aan de overkant uit het zicht verdwijnen, waarna ze haar schoffel tegen de muur zette en besloot op haar gemak naar de rododendrons toe te lopen. Daar trof ze Patrick neergehurkt aan tussen de dode bladeren onder een boom met spectaculaire roze bloesem, terwijl hij ingespannen het schemerige groen in tuurde.

Ze liet zich op haar hurken naast hem zakken.

'Daar zit hij,' fluisterde hij, en door de bosjes zag ze een witte flits wegschieten. 'Ik heb hem heel even van dichtbij gezien. Het is een merel, maar dan een witte, en met roze oogjes.'

Patrick stak zijn hand uit om Mel door de steeds dichtere ondergroei achter zich aan te loodsen. Langs het stenen bankje en door de heg aan de andere kant heen, terwijl de alarmkreet van de vogel nog steeds voor hen uit klonk. Mel, die even verblind was door alle bladeren die haar in het gezicht sloegen, was blij dat Patricks sterke warme hand haar in evenwicht hield. Opeens liet de haag haar los en deed ze haar ogen open. Ze liep over een verende ondergrond van dode bladeren en stro, waarna er een knappend geluid klonk van scherven van het een of ander. Aan de rechterkant liep het terrein ineens omhoog tot een wal van ongeveer schouderhoogte.

Patrick hield halt en liet haar hand los. Vervolgens liep hij langzaam naar voren, voor zich uit turend in de dichte ondergroei, en met zijn oren gespitst. 'Ik heb geen idee waar hij nu naartoe is,' zei hij, met zijn armen over elkaar geslagen tegen het walletje leunend.

'Wat was het volgens jou?'

'Ik denk een albinomerel.'

'O.'

'Niet veel albinovogels blijven in leven tot ze volgroeid zijn.'

'Je bedoelt omdat ze een makkelijke prooi zijn, omdat ze zo opvallen?'

'Precies. Je hebt die havik gezien.'

'Was het een havik?'

'Ja. Dat zie je aan het vleugelsilhouet.'

'Een van je hobby's uit je jonge jaren?'

'Inderdaad, ja. Vogels boeiden me vroeger mateloos.'

'Vogels met veren?' vroeg ze quasi onschuldig.

'Beide soorten,' zei hij, en ze moest lachen. Toen trok iets haar aandacht op de plek waar zijn schoen een stukje grond had blootgewoeld. 'Blijf even zo staan,' zei ze, en ze bukte zich om het blauwwitte voorwerp op te pakken. 'Moet je zien, een scherf. Porselein, zelfs. En daar ligt nog een stukje. Van een bord of schoteltje; kijk.' Ze rommelde wat rond tussen de bladeren, maar vond nog maar twee of drie stukjes: niet genoeg om ze aan elkaar te passen tot een vorm die herkenbaar was.

'Ik vraag me af welk deel van de tuin dit geweest is,' zei Patrick, die met zijn hand over het mos en de oude klimop streek waarmee de wal begroeid was. Hij pakte een handvol klimop beet en trok eraan. Daaronder werd steen zichtbaar. Torretjes zochten her en der een goed heenkomen. Hij rukte nog wat aan de klimplanten.

'Het ziet ernaar uit dat we de rotstuin hebben gevonden,' zei hij. 'Die is niet gering.' Hij duidde aan hoe die omhoog moest hebben gelopen naar de rand van de tuin.

'Je zou denken dat de rotstuin daar in het ravijn moet zijn geweest, aan de andere kant van de tuin,' zei Mel. 'Volgens mij zei die oude tuinman van je dat ook.'

Patrick rukte weer aan de klimop. 'Ik vergis me. Het is alleen maar een heel groot rotsblok,' zei hij. 'Waarschijnlijk te groot om uit te graven en te verplaatsen. Dus hebben ze het hier maar laten liggen, ter decoratie.' Met zijn rechterhand steunend op het steen probeerde hij eromheen te lopen, steeds de braamtakken plattrappend. Na een poosje zei hij: 'Hier is een stuk dat een beetje uitsteekt, als een cairn. Wacht.' Hij was nu bijna uit het zicht verdwenen, aan het oog onttrokken door de rots. Toen: 'Hé, Mel, kom hier eens kijken!'

Voorzichtig volgde Mel het spoor dat hij had platgetrapt naar de andere kant van de rots. Heel even kon ze hem niet zien, tot ze hem ineens ontwaarde. Hij zat gehurkt in een holte onder het grote uitstekende gedeelte. Om hem heen, op diverse richels die de binnenkant van de grot omgaven, waren diverse potjes gerangschikt, enkele tientallen misschien, en hij onderzocht er een in zijn hand. Ze knielde naast hem neer. Er was genoeg ruimte voor hen om naast elkaar op de zanderige bodem te zitten, waar hier en daar kleine rotsplantjes groeiden. Het potje dat zij oppakte bevatte een kaarsstompje en toen ze aan het bedauwde oppervlak krabde zag ze dat het een potje van glas was.

'Dit is de grot,' zei ze, omhoogstarend langs het gewelfde dak. 'Hier had Carrie het over. Wat zei ze ook weer? Iets wat haar tante had gezegd.'

'Een holte in een rots, vol met kaarsen?' Patrick klonk niet onder de indruk. 'Het doet meer denken aan een schrijn.'

'Inderdaad, ja,' zei ze, om zich heen kijkend. 'Maar stel je dit eens voor op de avond van een zomerfeest.' Op haar hurken leunde ze achterover, terwijl ze zich het tafereel voor de geest probeerde te halen. 'Het moet wel iets magisch zijn geweest voor een generatie die niet bekend was met films of hologrammen. Kaarslicht heeft nog altijd iets heel speciaals, vind je niet? Het is iets ontzagwekkends. Vuur dat het oerduister doorboort. En de intimiteit... De ware vormen van dingen komen er mooi in uit en worden erdoor verzacht. Bij kaarslicht is alles mooi.'

Behoedzaam zette Patrick het kaarsenpotje op de richel, en ging met zijn rug tegen de rots zitten. 'Al die tientallen kaarsen moeten wel voor heel wat warmte hebben gezorgd.'

'We zouden het kunnen doen, Patrick. We zouden een pad hiernaartoe vrij kunnen maken en de grot weer vullen met licht.'

Patrick keek haar geamuseerd met halfgesloten ogen aan. 'Dat kost wel wat meer tijd dan de rest van de week.'

Ze lachte, ietwat onzeker.

'Blijf alsjeblieft,' zei hij, en hij reikte naar haar en pakte haar hand. Wat zag hij er nu serieus uit, met die intense uitdrukking op zijn gezicht. 'Alsjeblieft. Ik zou je missen als je weg zou gaan.'

Ze slaakte een zucht. 'Ik weet het niet,' zei ze. 'Er kleeft een risico aan. Ik zou te erg gehecht kunnen raken aan deze plek, aan de gedachte om me hier te verstoppen.' Het bloed steeg haar naar het gezicht. 'En ik heb dingen te doen, in Londen wacht er een heel leven op me.' Ze wrong haar hand los en kwam wankelend overeind.

Maar hij stond meteen naast haar, greep weer haar hand vast en draaide haar rond. Tranen van verwarring prikten in haar ogen en ze probeerde zich af te wenden, maar hij nam haar andere hand ook gevangen.

'Kijk me eens aan,' gebood hij, maar op een vriendelijke manier. Ze sloeg haar ogen op naar zijn gezicht. Wat zag hij er gekweld uit, wat stonden zijn ogen donker en ongelukkig. 'Het gaat niet alleen om deze plek, hè? Zeg dat het niet zo is. Ben ík het risico?'

Ze knikte, en hij liet haar handen los, maar daarop trok hij haar naar zich toe, drukte haar dicht tegen zich aan en begroef zijn gezicht in haar haar.

'Het spijt me, het spijt me,' fluisterde hij, en zijn hete adem snikte bijna in haar oor.

Ze worstelde zich los en duwde hem van zich af, zodat ze hem aan kon kijken.

'Wát spijt je?' Nu was ze kwaad. Was hij haar aan het manipuleren? Waarom kon hij niet duidelijk zijn? Ze had er genoeg van om zich alle kanten op te laten dirigeren.

De energie stroomde uit hem weg. 'Dat het een risico is. Dat ik een risico ben.'

'Je zit nog steeds met Bella, hè?'

'Het valt niet mee om over haar heen te komen, snap je dat dan niet?' Nu werd hij op zijn beurt kwaad. 'Het is moeilijk om weer iemand anders te vertrouwen. Om me kwetsbaar op te stellen. Ik zou een risico nemen met jóú. Waarom denk je dat ik hiernaartoe gekomen ben? Dat was om een nieuwe start te maken, om kracht op te doen. En nu ben jij hier. Het enige wat ik weet is dat ik wil dat je blijft. Misschien is dat egoïstisch van me, ik heb geen idee. En ja, het houdt een risico in. Er is altijd een risico…'

'Maar je kunt jezelf niet voor het leven afsluiten, Patrick. Je kunt geen eiland zijn.' *A rock, an island, feeling no pain,* herinnerde ze zich de songtekst. Eén hand had de grot beroerd waar de tijd, veranderingen en stormen geen vat op hadden gehad, voor… hoe lang – honderd jaar? En zij? Over twee weken, herinnerde ze zich, zou het een jaar geleden zijn dat haar moeder was overleden. Het voelde als een onzichtbare grens waar Chrissie en zij, en ja, ook de stoïcijnse William, op de een of andere manier overheen zouden moeten. Het zou betekenen dat ze een heel jaar zouden hebben volgemaakt, alle vier de seizoenen, met al hun gedenk- en verjaardagen, zonder Maureen. Ze zou die dag bij Chrissie moeten zijn, wist ze nu heel zeker. Terug moeten gaan naar Londen.

En Jakes zelfzuchtigheid – want ze kon het niet anders noemen – was nog steeds niet om te harden. Hij had haar niet graag genoeg gewild om een kind met haar te maken. Kon ze zich een ergere vorm van afwijzing voorstellen? En toch moest ze, wist ze, vooruitkijken. Chrissie had Rob en haar kinderen. Zijzelf had een heleboel in het leven om van te genieten. Ze hield van haar werk, ze hield ervan in Londen te zijn, en misschien, wie weet, zou er mettertijd iemand komen die met haar samen verder wilde.

Ze draaide zich om. En daar stond hij dan: Patrick. Ze verlangde ontzettend naar hem, besefte ze nu, maar misschien waren dit de verkeerde plek en het verkeerde moment. Hij was een risico, maar was hij een risico dat ze bereid was te nemen?

Opeens kreeg ze iets roekeloos over zich. 'Goed, ik blijf. Maar ik weet niet voor hoe lang.' Opluchting overspoelde haar. 'Ik moet wel een paar dagen naar Londen. Ik heb dingen te doen… Maar ik kom terug.'

'Ja? Dat is fantastisch!' Patrick keek haar met een blij gezicht aan.

'Meneer Winterton! Meneer Winterton! Meneer, bent u daar?' Van verderop in de tuin klonk de stem van een man van het platteland.

'Verrek, daar zul je Pascoe hebben,' zei Patrick, wie het ineens weer te binnen schoot. 'De man met de shovel. Ik was vergeten dat hij vandaag misschien zou komen.' Hij baande zich een weg door de ondergroei via de route waarlangs ze waren gekomen. Mel bleef even staan waar ze stond, bestormd door duizend gedachten, maar liep toen achter hem aan.

Ze kwamen uit de rododendrons tevoorschijn. 'Zie ik je later nog?' zei Patrick met zachte stem.

'Vanavond?' zei ze.

'Ja.'

'Hoor eens, zal ik niet eens eten koken voor de verandering? Is half-acht goed?'

'Prima, als het niet te veel moeite is.'

Toen ze terugkwam in de cottage, trof ze daar een voicemailbericht aan van Rowena, van de universiteit. Zou Mel dat semester de tweede corrector willen zijn van het schriftelijk werk van de studenten?

'Welja, waarom niet?' zei Mel hardop terwijl ze met een klap de hoorn op de haak legde. Het echte leven was wel het laatste waar ze op dit moment over na wilde denken.

17

September 1912

'Hier nog eentje, kind,' gebood de dikke vriend van meneer Carey, de advocaat, zwaaiend met zijn lege wijnglas. Pearl liep in de zilverige schemering tussen de feestgangers door met een dienblad met drankjes, terwijl ze erin slaagde nog steeds een oogje te houden op Charles en de fascinerende groep onconventioneel geklede bezoekers die een stukje verderop bij de fontein stonden. Zijn verjaardagsfeest had uiteindelijk moeten wachten tot na de oogst, en nu, ver in september, hing er duidelijk al wat kilte in de avondlucht, die sommige gasten naar binnen dreef. Maar het clubje artistiekelingen leek zich niets aan te trekken van het weer.

De levendige vrouw in de felgroene jurk was Laura Knight, wist ze. Mevrouw Knight maakte een praatje met een lange man met brede schouders en smalle heupen die een opzichtig geruit pak droeg, en ze wierp uitbundig schaterend haar hoofd achterover. Dat moest dus meneer Munnings zijn – A.J., zoals Charles hem noemde – die bij meneer Jorey in huis woonde in het dorp en die paarden schilderde en iedereen vermaakte door jachtliederen te zingen. Pearl perste haar lippen op elkaar toen ze terugdacht aan haar tekenles van afgelopen zondagmiddag; Charles had haar de mensen beschreven die ze op het feest kon verwachten en had haar aan het lachen gemaakt door Munnings' flamboyante gebaren na te bootsen. Hij had die, zag ze nu, heel goed getroffen.

'Wie is diegene die achter hen staat?' fluisterde ze Jenna toe toen ze samen aan de rand van het gezelschap gingen staan, met een knikje naar een indrukwekkend uitziende man met grijzend haar die zwaarmoedig op de betonnen vijverrand zat en zijn lege glas door het water liet gaan. Jenna kneep haar ogen samen. 'Meneer Knight, geloof ik. En degene die nu met hem gaat praten' – een forse, knappe man met een gemakkelijke, vriendelijke manier van doen was naar Harold Knight toe geslenterd, die zijn rug rechtte en onmiddellijk vrolijker werd – 'is meneer Birch; hem noemen ze Lamorna.'

Pearl zag mevrouw wenken vanuit de menigte en stootte Jenna aan, die met haar dienblad haar richting uit liep. Toen ze alleen was, liet Pearl haar blik naar Charles dwalen, en er vlamde iets in haar op toen ze zijn lange, elegante gestalte bewonderde die zich langoureus tegen een pilaar van het zomerhuis aan had gevlijd, waar hij stond te flirten met een jonge vrouw met een hele wolk blond haar. Ze keek weer naar meneer Birch. Hem had ze eerder gezien, herinnerde ze zich nu. Op de kliffen bij Mousehole, waar ze op een middag met haar schetsboek naartoe was gewandeld. Hij had naar haar geknikt toen hij opzij stapte om haar langs te laten en even later, toen ze zich had omgedraaid, was hij met zijn lange, rechte lijf teruggebeend naar Lamorna Cove.

'Kom op, kind, sta daar zo niet te lummelen. Ga de andere taarten halen, en schiet een beetje op.' De kokkin, met een enorm dienblad vol taart – appeltaart, zwarte bessen, rode bessen – liep over het grasveld langs haar heen naar de schragentafels op het terras die waren gedekt met witte kleden, en Pearl zette haar resterende volle glazen over op Jenna's dienblad en haastte zich terug naar de keuken met de lege, terwijl vlinders van emotie in haar keel fladderden.

Het was allemaal precies zo opwindend als ze had gedacht, dit feest. Tientallen prachtig geklede gasten, waarbij Elizabeth er zo fris als een sneeuwvlokje uitzag in de witte japon met blote schouders waar Pearl haar tevoren in had ingeregen, voordat ze mevrouw Carey in haar flatterende donkerblauwe gewaad met empirehals had geholpen, dat ze speciaal uit Londen had laten komen. Haar echtgenoot had met alle geweld zijn buikje in zijn oude smoking willen persen, en hoewel hij het jasje niet meer dichtgeknoopt kreeg, zag hij er toch zeer gedistingeerd uit terwijl hij rondliep door het huis en de tuin.

Maar Charles' kunstenaarsvrienden boeiden Pearl het meest. Zij waren een geval apart; ze gedroegen zich niet helemaal als echte chique dames en heren, maar ook niet als werkvolk. Het leek wel of ze zich aan al dat soort dingen niets gelegen lieten liggen. Wat hen bond, was hun passie voor hun werk, hun ambitie. Charles moedigde haar aan om die ambitie ook de ruimte te geven.

Hij gaf haar nu al een paar weken tekenoefeningen op, vanaf het moment dat hij haar die zondag in de bloementuin had aangetroffen, voortbouwend op wat haar vader haar had geleerd over perspectiefregels, schaduw, de kunst van het waarnemen. Charles was van nature een leraar. Haar tekeningen van bloemen, gezichten en de panorama's vanuit de baai, zagen er nu al anders uit. Maar ze wist dat hij er nog meer uit wilde halen.

Toen ze de deur van de bijkeuken openduwde, zag ze nog net dat Milly, het magere jonge nichtje van Jenna dat was gecharterd om te helpen met de afwas, de restjes van een vleespastei in haar mond stond te proppen. Milly schrok, en er klonken gerinkel en een gedempte kreet toen het serviesgoed over de flagstones kletterde.

'Hier, vlug,' zei Pearl, die het snotterende kind door elkaar schudde om haar weer bij haar positieven te brengen en haar een bezem in de hand drukte. 'Ik zeg niks. Zorg alleen dat de rommel is opgeruimd voordat kokkie je ziet, want anders vilt ze je.'

Op haar tenen trippelde ze tussen de brokstukken door de keuken in, waar ze het dienblad met taart en slagroom oppakte. 'Gooi de scherven maar achter de stal; dan begraaf ik ze later wel,' riep ze door de deuropening. Het meisje knikte met haar groezelige betraande gezicht. Pearl sloeg haar meelevend gade, en om te vermijden dat ze met haar dienblad zou uitglijden op de glibberige scherven, besloot ze binnendoor terug te gaan.

De hal was leeg, maar de deur naar de ontbijtkamer stond halfopen. Ze hoorde een mannenstem – de stem van een jonge man – op gepassioneerde fluistertoon iets zeggen. 'Ik weet dat je hem wilt, je neef, maar mij zul je krijgen, jazeker!' Geschuifel en een kreet. 'Nee, Julian!'

Pearl verstijfde. Elizabeth. Met haar blad duwde ze tegen de deur, die knarsend openzwaaide. Twee hoofden keerden zich om, als van levende standbeelden. De jonge man had Elizabeth tegen de muur aan de overkant van de kamer gedrukt; hij had een van zijn handen in het lijfje van haar japon gestoken. Nu werd de ban verbroken; hij liet haar los, en ze wankelde huilend weg. Pearl trok het dienblad ijlings opzij toen Julian langs haar heen de salon in stormde. Pearl riep vanuit de deuropening de ontbijtkamer in: 'Is alles goed met u, juffrouw?'

'Jawel. Laat me met rust. Ga weg!' siste Elizabeth, en ze herpakte zich, graaide de repen stof van haar gescheurde jurk bij elkaar en haastte zich op haar beurt ook langs Pearl heen, maar dan in de richting van de trap.

Pearl keek het struikelende meisje na en vroeg zich af of ze achter haar aan moest gaan, maar draaide zich toen nogmaals om op het moment dat nóg een gestalte zich wegrepte uit een schuilplaats in de schaduwen van een gang en achter Elizabeth aan naar boven schoot. Het was Cecily.

Met hamerend hart en een hoofd dat duizelde bleef Pearl even staan om bij te komen. Toen haalde ze haar schouders op, vervolgde haar weg de salon door – haar armen deden pijn van haar zware last – en stapte de tuin in.

In één enkel moment van verrassing was ze alles wat er zojuist was gebeurd vergeten, want in de korte tijd dat ze binnen was geweest, was alle daglicht uit de lucht verdwenen; er twinkelden nu grote, melkachtige sterren aan de hemel, en Jago had overal in de tuin de Chinese lantaarns aangestoken. Een rijtje flikkerende lichtjes markeerde het pad langs de laurierdoolhof, zodat ze zin kreeg het af te lopen.

In plaats daarvan haastte ze zich plichtsgetrouw naar de tafels waar Dolly en Jenna de taarten en room aan het uitstallen waren. 'Waar bleef je nou, meid?' snauwde Dolly. 'Ben je soms heen en weer naar Newlyn geweest?' En ze verzocht haar te helpen het dessert uit te serveren.

'Taart, nog meer taart,' zei een plagend stemmetje honend. 'Hoe zeggen ze dat ook weer? Als de duivel naar Cornwall zou komen, zou hij in een taart verstopt zitten.' Munnings staarde op haar neer, met een gezicht dat onder de lok op zijn voorhoofd bijna wit zag in het lantaarnlicht – schalks, uitdagend, hard.

Dolly, die Pearl heel duidelijk had gemaakt dat ze de kunstenaars maar een stelletje bedelende nietsnutten vond, perste haar lippen op elkaar en antwoordde: 'Ik hoor verder niemand klagen.'

'En om je de waarheid te zeggen klaag ik ook niet,' merkte hij op met een knipoog naar Pearl, en met een vol bord wendde hij zich af.

In de salon was nu een groepje muzikanten in avondkleding bezig hun instrumenten te stemmen. Toen Pearl met een stapel borden langs de open ramen liep, zag ze dat Elizabeth en Charles met elkaar stonden te praten. Heel even ving ze Elizabeths blik, en ze schrok van de kille dreiging in de ogen van het meisje.

Later, na het dansen, toen Jago de jassen haalde en de deurtjes van de rijtuigen openhield, en Dolly zich afvroeg waar ze alles wat van het eten over was moest laten, vulde Jenna Milly's zakken met kleine pakjes voor de familie en wist Pearl te ontsnappen, zogenaamd om her en der vergeten glazen van de grond op te rapen. Ze glipte langs de bloementuin, waar de dahlia's en chrysanten hun blaadjes hadden dichtgevouwen, en via de rand van het grasveld het pad bij de laurieren op. Toen bleef ze staan, helemaal in de ban van wat ze zag. Alsof hij de grote sterren boven haar hoofd wilde weerspiegelen, gloeide de rotstuin op door het licht dat uit kleine potjes kwam, elk met een kaarsje erin. Sommige vlammetjes flakkerden, een paar kaarsjes waren uitgegaan, maar door de gloed van die welke nog brandden, glitterden en glansden de rijen zeeschelpen waarmee het steen was bezet op in de stille avondlucht. Binnen in de kleine grot twinkelden een paar dozijn lichtjes in gekleurd glas. Ze had nog nooit zoiets betoverends gezien.

Een voetstap achter haar. Met een ruk draaide ze zich om. Het was Charles. Hij kwam bij haar staan, raakte bij wijze van groet even haar elleboog aan. Verrast keek ze naar hem op. Hij was dichtbij, heel dichtbij nu, de hoeken en vlakken van zijn knappe gezicht verzacht door het kaarslicht. Ze voelde zijn warme adem op haar wang en kon de afzonderlijke haartjes van zijn snor onderscheiden. Toen hij glimlachte, sprankelden zijn ogen en ving ze een glimp op van het puntje van zijn tong tegen zijn tanden. Gefascineerd bleef ze naar hem staan staren, terwijl het bloed in hete golven door haar aderen stroomde.

Vanuit het huis riep een stem – die van mevrouw. 'Charles? De Knights staan op het punt van vertrekken.' En het moment was voorbij.

'Je schetsboek,' zei hij.

'Wat?'

'Daar kom ik je om vragen. Kun je het snel even voor me pakken? Knight heeft gezegd dat hij ernaar wilde kijken.'

'O ja?' zei ze, verbaasd. Wilde een echte schilder die tentoonstellingen hield naar haar werk kijken? 'Dank u wel,' zei ze en na een korte stilte maakte ze een vreemdsoortig buiginkje. 'Dank u. Bedankt u hem namens mij.'

Ze maakte zich uit de voeten en rende de achtertrap op naar haar kamer om het schetsboek uit de la te pakken.

18

Het journaal van halfnegen begon, en Mel, die om halfacht en acht uur al een samenvatting had gehoord, zette de radio uit.

Waar bleef Patrick nou?

Kort na zevenen was ze met koken begonnen; ze had de uien en het gehakt voor de spaghetti bolognese gebakken, er tomaten en champignons aan toegevoegd, kruiden en bouillon, en terwijl dat alles stond te pruttelen had ze erin staan roeren. Nu haalde ze de pan van het vuur en keek in de pan met water voor de pasta. Het had geen zin om die er al in te doen voordat hij was gearriveerd. Ze keek om zich heen. De keukentafel was gedekt, de salade aangemaakt, de Parmezaanse kaas geraspt, een fles rode wijn stond geopend aan de zijkant. Maar van Patrick geen spoor.

Ze had toch wel gezegd dat ze bij háár zouden eten? Ze wierp een blik uit het raam op het huis. Achter de ramen op de benedenverdieping brandde zacht licht. Het was niet te zeggen of hij thuis was. Misschien moest ze even een kijkje gaan nemen?

Nee, ze moest het aan hem overlaten om te komen als hij er klaar voor was. Het was een kunstmatige situatie zo, dat ze zo dicht bij elkaar woonden terwijl ze elkaar zo slecht kenden, dus mochten er geen grenzen worden overschreden.

Ze ging aan tafel zitten en vroeg zich af of ze al wat wijn zou nemen, één glas maar, maar dat kon wel eens tot een tweede leiden – en als hij nou eens broodnuchter bij haar aankwam? Of stel dat hij helemaal niet kwam opdagen, omdat hij spijt had van wat er eerder was gebeurd? Haar vastberadenheid wankelde. Ze schonk zichzelf een half glas in, knipte het licht in de keuken uit en ging in de woonkamer zitten, waar ze onmiddellijk tevreden constateerde dat ze het heel gezellig had gemaakt: de gordijnen waren gesloten en het vuur knapperde in de haard.

Ze morste wat wijn op de schoorsteenmantel toen ze het glas neerzette en haastte zich terug naar de donkere keuken om een doekje van het aanrecht te pakken. Een lichtpuntje buiten trok haar aandacht; het verplaatste zich een heel eind verderop in de tuin. Het scheen gestaag, verdween af en toe uit het zicht, waarna het lichtpuntje in een bundel veranderde, die heen en weer danste. Wat was Patrick daar aan het doen op dit uur, in het meest verwilderde gedeelte van de tuin? Gesteld dat het Patrick was.

De lichtbundel kwam inmiddels dichterbij. Ze kon zijn laarzen onderscheiden, toen zijn benen. Ze schoot met het doekje terug naar de woonkamer, want ze wilde niet dat hij zou zien dat ze naar hem stond te kijken. Terwijl ze de wijnvlek wegpoetste, ving ze in de spiegel boven de schoorsteenmantel een glimp op van haar gezicht, haar glinsterende ogen. Even later klonk zijn speciale klopje: drie korte lichte tikjes, en één harde.

Toen ze de deur opendeed, sloeg haar opluchting echter weer om in bezorgdheid, want hij stond niet op de stoep met de bedoeling binnen te komen, maar stapte naar achteren, alsof hij op het punt stond een excuus aan te voeren waarom hij helemaal niet bij haar zou komen eten. De grote zaklantaarn en zijn Barbour-jas deden eerder een nachtelijke exercitie vermoeden dan een knus avondje binnenshuis.

Wat hij zei, stelde haar maar een klein beetje gerust. 'Kan het eten nog even wachten? Ik wil je iets laten zien.'

'Wat dan?'

'Daarvoor moet je meekomen, om zelf te kijken.'

'Wacht even.' Ze schoot in haar jasje, trok haar laarzen aan en stapte de koude tuin in. Achter flarden wolken scheen een zwak maantje.

Patrick was al weggelopen, dacht ze eerst, maar toen zag ze zijn donkere gestalte zich ineens losmaken uit de schaduw van een boom en kwam de lichtbundel weer naar haar toe. 'Deze kant op,' zei hij, en hij sloeg de richting in van de rododendrons.

'Patrick, waar gaan we heen?'

'Geduld, mevrouwtje.'

'Maar het is pikkedonker. Schijn hier eens heen. Oef.'

'Kom, pak mijn hand maar.'

Ze strompelden en struikelden door de ondergroei, terwijl takken hun naar de keel grepen als de handen van moordenaars en bladeren als messen in hun gezicht sloegen.

'Dit is gekkenwerk,' kreunde Mel. 'Au, dat was mijn teen.'

'Sorry. Gewoon doorlopen. Hierdoorheen – kijk, daar is het bankje.' Hij scheen er met de zaklantaarn op. 'Nu moet je even bukken. Deze kant op… We zijn er bijna.'

Op het laatst kwamen ze bij de platgetrapte ondergroei bij de rots-tuin; de rots zelf, een onzichtbare aanwezigheid, absorbeerde in het donker de geluiden. Patrick knipte zijn zaklantaarn uit.

'Patrick…?'

'Ssst. Hierheen.' Haar hand voelde warm in de zijne.

Toen ze om de rots heen liepen, werd ze zich bewust van zijn contou-ren, maar de gouden gloed die eromheen hing werd niet veroorzaakt door de maan; daar was het schijnsel te warm en te geel voor. En toen zag Mel hoe dat kwam: de grot was vol kleine lichtpuntjes van branden-de kaarsen die overal op de richels stonden.

Net votiefkaarsen, dacht ze, en onmiddellijk kwam haar de kerk voor de geest waar de begrafenisdienst voor haar moeder had plaatsgevon-den, de kinderen die zich zo tot de vlammetjes aangetrokken hadden gevoeld, hun hoge stemmetjes die soebatten of ze kaarsjes voor oma mochten aansteken, de scherpe geur van wierook.

'Wat prachtig,' fluisterde ze, nog steeds met haar hand in die van Pa-trick.

'In een kast heb ik een hele zwik waxinelichtjes gevonden en ik heb gewacht tot het goed donker was. Het voelde als een ritueel om ze neer te zetten en aan te steken.'

'Waar heb je voor gebeden?' wilde ze weten.

'Grappig dat je dat zegt. Ik moest denken aan de mensen die hier hebben gewoond, die deze tuin hebben geschapen. En aan Val. En nu… aan jou en mij.' Hij gaf een kneepje in haar hand. 'Het was een heel vreemd gevoel om hier te zijn, een oergevoel. Alsof maar een heel dun laagje ons scheidt van alle lagen van het verleden.'

Patrick ging achter haar staan en sloeg zijn armen om haar middel. Zo bleven ze even zwijgend staan, terwijl Mel doordrongen raakte van zijn lichaamswarmte, zich scherp bewust van zijn wang op haar haar, en ze allebei naar de dansende en flakkerende lichtjes keken.

Na een poosje zocht hij met een hand in zijn jaszak. 'Ik heb er een paar achtergehouden,' zei hij, terwijl hij haar twee waxinelichtjes liet zien. 'Zullen we ze aansteken?'

Ze hurkten neer naast de grot. Mel was de eerste die haar kaarsje aanstak en het vervolgens op de onderste richel neerzette, en toen zette Patrick het zijne ernaast. Dromerig keek hij haar aan. De woorden 'voor ons' speelden Mel door het hoofd, maar ze sprak ze niet uit. Nietsziend staarde ze naar het vlammetje van haar lichtje.

Even later stond hij op en deed een stap naar achteren. 'Er is nog meer,' zei hij, en hij pakte wederom haar hand. 'Kom maar eens kijken wat ik gevonden heb toen jij weg was.'

Met de zaklantaarn scheen hij op de wirwar van struiken tegenover de grot, verderop de tuin in en langs een flauw zichtbaar paadje van nog maar net platgetrapte ranken. Vervolgens ging hij haar voor over het tapijt van ondergroei, waarbij de maan plichtsgetrouw achter een wolk vandaan piepte om hen bij te lichten.

Kort daarop rees er aan hun linkerkant een gordijn van klimop op. Patrick richtte de zaklantaarn erop, en achter de bladeren ontwaarde Mel massief steen. De muur van een gebouwtje.

'Even omlopen,' zei Patrick, en ze sloegen een hoek om om zich door een opening heen te wurmen die hij in de klimplanten en bramenranken had vrijgemaakt. 'Er is ergens een deur.' Hij tastte langs de muur tot ze een klink hoorde rammelen, en toen een klik. Over Patricks arm viel een zacht amberkleurig schijnsel, en vervolgens, toen de deur naar binnen toe openging en ze bijna een kleine kamer in struikelden, ook over zijn gezicht.

Het was meteen duidelijk waar het licht vandaan kwam: aan de overkant van de stenen hut, waar een dubbele deur stevig dicht leek te zitten, stond op een omgekeerde zinken emmer een stormlantaarn.

'Dit is zeker het zomerhuis?' zei ze, en haar stem klonk onnatuurlijk hard in de kleine ruimte. Het rook er muf – wat wellicht veroorzaakt werd door een verzameling vergane dekstoelen in een hoek – maar de lucht was verrassend droog en de houten vloer was nog vrijwel intact. In de zijmuren en aan weerskanten van de dubbele deur tekenden zich duidelijk de vorm van ramen met luiken ervoor af.

'Het vocht moet hier wel heel goed worden afgevoerd,' zei Patrick, die met een hak op de houten vloer stampte. Hij scheen met de zaklantaarn omhoog naar het pannendak. 'Het hele gebouwtje ziet er nog goed uit, vind je niet? Misschien dat Val er iets aan heeft laten doen, dat weet ik niet meer.'

De enige meubelstukken, afgezien van de onbruikbare dekstoelen, waren twee directiestoelen uit het huis en een kleine picknicktafel die was gedekt met een kleed, een fles wijn en twee glazen.

'Ga me niet vertellen dat die hier ook de tand des tijds zo goed hebben doorstaan,' grapte Mel.

'Het leek me leuk om iets te drinken in een geheime schuilplaats,' zei Patrick met een glimlach en een flits van witte tanden in het donker. Hij leek wel een donkere Mexicaanse bandiet in het licht van de olielamp, en de vlakken en schaduwen van zijn krachtige gezicht zagen er op de een of andere manier opwindend en gevaarlijk uit.

'Het is net een speelhut voor kinderen, hè?' lachte ze. 'Misschien moeten we een wachtwoord en bijnamen verzinnen.'

'Goed plan,' fluisterde hij. Ze stonden nu tegenover elkaar, heel dichtbij, en hun lichamen wierpen grote schaduwen op de achterwand. Glimlachend keek hij naar haar omlaag terwijl hij in de gloed van de lamp haar opgerichte gezicht in zich opnam. 'Zo…' zei hij, en hij liet zijn stem op een griezelige manier dalen en tuurde haar met half dichtgeknepen ogen aan. 'Als je lid wilt worden van de bende, zul je een proeve van bekwaamheid moeten afleggen.'

'O ja?' antwoordde ze. 'Wat wil je dan dat ik doe?'

'Hmm,' zei hij, zoekend naar inspiratie om zich heen kijkend. 'Wat dacht je hiervan?' En heel langzaam boog hij zich omlaag en liet zijn lippen de hare raken. 'Is dat niet een goed begin?' vroeg hij zachtjes.

'Als je dat zeker wilt weten, kun je het maar beter nog eens doen,' zei ze met onvaste stem. Dit keer kuste hij haar voller. Hun monden gleden over elkaar, likkend, elkaar beknabbelend, elkaar verslindend. Ze proefde de rokerige smaak van thee vermengd met pepermunt en een ondefinieerbaar smaakje dat van Patrick zelf afkomstig was. Het voelde heel anders dan een zoen van Jake – ruwer, maar toch ook zachter – en een deel van haar voelde een peilloos verdriet. Maar naarmate de zoen langer duurde, ontspande ze zich en kneep ze haar ogen stijf dicht om alle duistere gedachten buiten te sluiten.

De wereld leek te draaien, en ze wankelde enigszins, trok hem bijna met zich mee tegen een van de stoelen.

'Oeps,' zei hij, en plots liet hij haar los om de wiebelende olielamp op te vangen. 'En we hebben nog niet eens een slok op.' Hij zette de lamp weer recht en trok, achteruit stappend, de stoel op zijn plaats.

Bijna verlegen bleven ze elkaar staan aankijken, en om het moment te doorbreken zei Mel: 'Zullen we iets drinken?' Dus pakte hij de fles op en schonk een paar centimeter wijn in een glas. Hij liet de vloeistof walsen en nam een klein slokje, dat hij in de stilte hoorbaar doorslikte. 'St. Emilion,' zei hij. 'Zonder meer een van Vals beste wijnen.' Vervolgens schonk hij de glazen half vol.

'Alsjeblieft,' zei hij. 'Een welkomstdronk op je lidmaatschap.' En ze haakten hun armen door elkaar en dronken giechelend langs elkaars ellebogen.

'Weet je, het lijkt helemaal niet op hoe ik me een zomerhuis had voorgesteld,' zei Mel terwijl ze ging zitten. Patrick nam de andere stoel, zijn ene been bij de enkel over het andere geslagen.

'Niet echt, nee,' zei hij, 'zo half april op een kille avond.'

'Dat is het niet alleen. Het heeft ermee te maken dat het van steen is. Zou dat in de zomer niet koel en donker zijn? En het is naar de verkeerde kant gericht – op het oosten. Dat is ook gek.'

'Ik denk dat dat is gedaan omdat het dan uitkijkt op het huis. Of anders is het weer een van de vele mysteriën hier,' zei Patrick, achteroverleunend in zijn stoel.

Ze deden er een poosje het zwijgen toe terwijl ze de warmte van de wijn tot hun lichaam lieten doordringen en luisterden naar de wind die buiten in de tuin opstak. Wat zaten ze hier afgesloten van de rest van de wereld. Ze hadden wel vijftig jaar terug in de tijd kunnen zijn gegaan, of honderd. De pit van de lamp moest worden bijgeknipt, want de vlam danste heen en weer als een haardvuur. In hun geheime schuilplaats hing nu eerder een spookachtige dan een knusse sfeer.

Mel sprong op toen er een spin over haar hand liep.

'Het is maar een kleintje,' plaagde Patrick haar.

'Misschien heeft hij nog broertjes,' kaatste ze terug, over haar jasje strijkend om zeker te weten dat het beest weg was. Ze huiverde.

'Heb je het koud? We kunnen wel weer gaan, als je wilt.'

'Het eten staat op ons te wachten,' schoot haar te binnen, en ze hees zich overeind uit de stoel. 'En ik heb trek.'

'Ik ook,' fluisterde Patrick. Hij stond ook op en nam haar in zijn armen.

'Je ziet er zo mooi uit,' zei hij toen ze gegeten hadden en ze opgekruld op zijn schoot zat op de bank in haar zitkamer. Hij streelde haar haar en kuste haar weer. 'Een en al rood, bruin en goud, net als de herfst. Ik kon het niet geloven dat ik iemand zou vinden zoals jij, hier zo ver van de bewoonde wereld. Ik was al bang dat ik een eenzelvige ouwe knorrepot zou worden.'

'Ik had ook nooit gedacht dat ik jou zou vinden,' mompelde Mel, en ze vlijde haar gezicht tegen zijn gladgeschoren hals en voelde de warmte van zijn huid tegen haar oogleden. 'Ik voel me hier veiliger, veiliger dan ik me in lange tijd heb gevoeld.'

'Arme ziel,' fluisterde hij, en allebei deden ze er het zwijgen toe, ieder in hun eigen mijmeringen verzonken, alsof ze een te grote intimiteit in een te vroeg stadium gevaarlijk vonden. Toen zoende hij haar weer.

'Ik wil je nooit pijn doen,' ademde Patrick in haar oor.

'Doe dat dan ook maar niet,' antwoordde ze, hoewel ze meteen spijt had van haar scherpe toon, want hij zei niets meer en ze was bang dat ze hem had beledigd.

'Patrick?' zei ze, terwijl haar keel heel even werd dichtgeknepen van angst.

'Mm-mm?' Maar er lag een harde, afwezige blik in zijn ogen.

'Waar denk je aan?'

'Nergens aan,' zei hij. Weer voelde ze zich ongemakkelijk. Iedere man was weer een wereld op zich, en deze was niet zomaar te peilen. Zou ze het echt aankunnen om weer helemaal opnieuw op ontdekkingsreis te gaan? Ja, dat kon ze aan.

En toen ze hem later meenam naar haar kamer boven, leek de lucht zwanger van het verleden – niet alleen van het verleden van dit huis, maar ook van al die andere keren dat ze ooit de liefde had bedreven.

Anderhalve week later reed Mel terug naar Londen. Maar tien dagen daarna was ze terug op Merryn.

19

Er gingen op Merryn ruim vier weken voorbij; de dagen en nachten met Patrick gleden voorbij als glanzende parels aan een snoer, en Mels leven in Londen leek een vage droom.

Op een regenachtige ochtend in juni zat ze aan de keukentafel in de cottage druk te schrijven. Het boek vorderde nu gestaag en was al voor de helft af.

'In deze periode,' typte ze, 'begon Laura Knight te werken aan *Dochters van de Zon*, waarbij ze de plaatselijke bevolking choqueerde door gebruik te maken van professionele modellen uit Londen, die naakt poseerden terwijl ze zonnebaadden op de rotsen onder Carn Barges of in zee zwommen. Laura, die werd gefascineerd door de lichtval, maakte de ene studie na de andere...'

Mel keek op van haar laptop om haar aantekeningen door te bladeren, waarna ze Laura's eigen woorden overnam: 'Hoe heilig is het menselijk lichaam wanneer het wordt beschenen door de zon' (*Oilpaint and Grease Paint*, 1936).

Had ze haar goed geciteerd? Ze zocht naar haar pen om een notitie te maken dat ze het moest checken, maar die was foetsie. Toen ze hem onder de tafel zag liggen, reikte ze ernaar met haar in een kous gehulde voet, waarbij ze per ongeluk de slapende kat aanstootte, die door de keuken wegschoot naar de deur.

'Sorry,' verzuchtte ze, en ze pakte de pen op om om – ja, om wat eigenlijk te noteren? Haar concentratie was nu verstoord. Nou ja, het was toch vast zo'n beetje tijd om te gaan. Ze wierp een blik op haar horloge. Tien uur. Over een halfuurtje zou Carrie komen.

Ze gingen vandaag dan toch eindelijk op bezoek bij tante Norah om over haar moeder, Jenna, te praten, die voor de Eerste Wereldoorlog dienstmeisje op Merryn was geweest. Eerst was Norahs man ziek geweest, vervolgens had Carrie het te druk gehad met het hotel. Nu, half juni, was het even niet zo hectisch meer met de gestage stroom van gasten, en Carrie had de avond tevoren gebeld om te vragen of Mel vrij was.

De kat rekte zich uit en miauwde omdat hij naar buiten gelaten wilde worden. Toen Mel de deur opendeed, glipte hij de stromende regen in en bleef dicht bij het huis voor beschutting, waarna hij om de hoek verdween. Waar ging hij naartoe? Hij at nooit het voer op dat Mel voor hem neerzette, en trouwens ook niet de kleine prooidieren die hij voor haar voeten kwam neerleggen. Hij kreeg zeker ergens anders te eten. 'Hij lijkt op jou,' had Patrick haar vorige week in het oor gefluisterd. 'Hij is hier gewoon naartoe gekomen en doet alsof dit zijn huis is.'

'Ach, jij ook!' Ze probeerde zich weg te draaien, maar daarvoor had hij haar te stevig vast. 'Ik meen me te herinneren dat jij me dringend hebt verzocht om te blijven. Maar ik ga wel als je dat wilt!'

'Als je het maar uit je hoofd laat,' gromde hij terwijl hij zijn handen omlaag liet gaan over haar rug en weer omhoog onder haar strakke truitje. 'Ik heb plannen met jou.'

Ze bleef hier even met gesloten ogen aan staan terugdenken, een lichte glimlach op haar gezicht terwijl ze de frisse lucht van de tuin inademde, luisterde naar het getik van de regen, het gefladder van houtduiven in de bomen, al die geluiden overgoten met de vibraties van een landbouwvoertuig in de verte en af en toe het gezoef van een passerende auto.

De schrille kreet van een meeuw deed haar opschrikken, en ze zag de vogel nog net wegwieken en in de verte achter de bomen verdwijnen. Wat zag het tafereel dat voor haar lag er anders uit dan zes weken geleden, bedacht ze. Haar bloembed kwam nu tot leven met zomerse kleuren – de lobelia die ze had geplant, de goudsbloemen, witte alyssum – en de buddleja en de cistus stonden in knop. Maar daarachter hadden Patrick en zij grote open plekken in de wildernis uitgehakt, het pad naar het zomerhuis vrijgemaakt en de grond geschoond om er later gras te kunnen zaaien, zoals de landschapsarchitect die Patrick had ingeschakeld, had aangeraden. De laatste paar dagen waren ze bezig geweest om de vijver onder de braamstruiken vandaan te halen en de lagen slib eruit te scheppen.

Nog een beeld: Patrick die met de kleine gemotoriseerde shovel aan de gang was 'als een jongetje met een blinkend speeltje', zoals ze hem gisteren had geplaagd toen hij tot 's avonds laat in de weer was geweest om modder en dode planten uit de vijver te graven en in een container te storten. 'Volkomen geobsedeerd.' Patrick had gelachen, een zorgeloze lach van puur plezier.

Toen hij vanochtend had liggen slapen, terwijl het vroege ochtendlicht door de gordijnen heen op zijn gezicht viel, had hij er ook heel jong uit-gezien, bedacht ze nu; de zorgrimpels op zijn voorhoofd en rond zijn mond waren helemaal gladgestreken en zijn huid gloeide. Ze had een poosje naar hem liggen kijken en de krachtige vlakken van zijn gezicht bestudeerd, zijn zachte wimpers, de subtiele welving van zijn mond, waarna ze weer was weggedoezeld. Toen ze weer wakker werd, had hij haar een afscheidskus gegeven. Bij de herinnering bracht ze haar hand naar haar wang. Zijn frisgeschoren kaak had koel aangevoeld tegen haar slaperig-warme gezicht.

'O, ga nog niet weg,' had ze gemompeld, en ze had hem omlaag getrok-ken om hem goed te kunnen zoenen en de frisse citroengeur van zijn scheerzeep geroken, maar plagerig had hij met zijn hand langs haar borst gestreken, zodat de begeerte weer als een golf door haar heen sloeg, om zich vervolgens lachend terug te trekken.

'Om negen uur moet ik helaas naar een vergadering,' zei hij. 'En ik moet eerst de stukken nog doornemen.' En weg was hij, met bonkende stappen de trap af. Even later sloeg de voordeur dicht en verwijderden zijn voetstappen zich over het grind. Er werd een autoportier dichtgesla-gen, het geluid van de motor stierf weg en even later was het doodstil. Al-leen het getik van de wekker en de echo van zijn aanwezigheid van daar-net. Ze luisterde naar hoe de meubels zich krakend voegden en raakte somber gestemd.

Vanwaar toch die angst om hem te verliezen?

Soms hield hij haar nadat ze gevreeën hadden zo stijf vast dat ze er bang van werd. 'Wat is er? Wat is er aan de hand?' vroeg ze dan.

'Niets,' luidde steevast zijn antwoord. 'Er is niets aan de hand. Alleen… soms kan ik gewoon niet geloven dat dit gebeurt.'

'Waarom niet?' fluisterde ze dan, hem op haar beurt tegen zich aan drukkend, maar hij gaf nooit antwoord. Soms ging er een huivering door hem heen, alsof hij een gevoel wegdrukte dat in zijn binnenste aanzwol.

Het was verbazingwekkend, bedacht ze nu terwijl ze rillend de keuken-deur sloot, dat ze elkaar nog maar – hoe lang? Krap drie maanden – kenden, op deze geheime plek die helemaal van de buitenwereld afgesloten was. Soms leek het wel of ze elkaar altijd al hadden gekend.

Maar er waren andere momenten, mijmerde Mel toen ze de ontbijtkommen afwaste, waarop ze Patrick niet kon doorgronden; dan trok hij zich diep in zichzelf terug en keek haar met een afwezige, ongelukkige blik aan als ze erop aandrong dat hij haar zou vertellen wat er door zijn hoofd speelde.

'Er is niets,' mompelde hij dan. 'Zeur me niet aan mijn kop.'

En snel wendde ze zich dan af om de golf van paniek die in haar borstkas opwelde te verbergen, totdat hij in de gaten kreeg dat hij haar gekwetst had en zijn armen op die angstwekkende wanhopige manier om haar heen sloeg en mompelde: 'Sorry, sorry. Het ligt niet aan jou, het heeft nooit iets met jou te maken.'

Misschien zat hij gewoon zo in elkaar, had hij van tijd tot tijd even geen energie meer en gaf hij zich over aan overpeinzingen. Ze had met zijn ouders en zijn broer Joe kennisgemaakt, en had zich erover verbaasd op wat voor bizarre manier familietrekken konden worden overgeërfd.

Frank Winterton, Patricks vader, was een ongecompliceerde man van in de zeventig, met een luchtige manier van doen en een ferme handdruk. Net als bij allebei zijn zoons viel zijn haar in een lok op zijn voorhoofd, maar bij hem was die inmiddels zilvergrijs. Mevrouw Winterton, Gaynor, was iemand die het leven minder makkelijk opvatte. Ze was geen gelukkig mens, kwam het Mel voor, die met haar te doen had toen ze zag hoeveel last ze had van haar artritis.

'Jij bent zeker vegetariër of zoiets,' was het eerste wat ze tegen Mel zei toen Patrick en zij twee zondagen geleden bij hen in hun verbouwde boerderij waren komen lunchen. 'Andere mensen van jouw generatie zijn allemaal nogal aan de dikke kant, lijkt het wel.'

'Nee hoor, ik eet alles,' antwoordde Mel om haar milder te stemmen, maar ze merkte wel dat Gaynor het gevoel had dat ze op de proef werd gesteld.

Toen Mel de lof zong van de gezellige keuken in landelijke stijl, leek dat Gaynor plezier te doen, maar ze zei: 'Hij is vast niet zo chic als jij gewend bent.'

'Hij is prachtig, ik vind hem enig,' stelde Mel haar gerust, en Gaynor leek zich enigszins te ontspannen, maar ze was er toch niet gerust op toen ze het eten op tafel zette, en nam complimentjes niet zonder tegenstribbelen in ontvangst. Misschien had ze aan Patrick, haar oudste zoon, iets van haar duistere ongelukkigheid doorgegeven.

Joe aardde echter duidelijk naar zijn vader; hij vond het prima om op de plek te wonen waar hij was opgegroeid. Hij was leraar, getrouwd met een lerares. Volkomen op zijn gemak voorzag hij in de behoeften van hun acht maanden oude zoon Thomas, die als eerste kleinkind het middelpunt van de belangstelling vormde.

Het was heel verhelderend om iemands ouders te leren kennen, peinsde Mel terwijl ze weer aan de keukentafel ging zitten en naar haar laptop staarde, waar de witte duiven van haar screensaver nu in een nimmer eindigende vlucht over het scherm scheerden. Nu wist ze waar dat grappige gebaar vandaan kwam dat Patrick soms maakte, dat wrijven in zijn nek. Zijn vader deed precies hetzelfde. Of zoals hij met zijn handen in zijn zakken kon staan – net als Joe. Dat waren maar oppervlakkige dingen, wist ze, maar het was haar wel opgevallen dat zijn broer en hij op een bepaalde manier wedijverden om hun moeders aandacht. Wat zei dat over zijn relatie met vrouwen in het algemeen, met Mel? Ze haalde haar schouders op en drukte op de touchpad op haar laptop, zodat de duiven bevroren en vervolgens oplosten in een geheim niemandsland binnen in haar computer, en haar document weer verscheen.

Witte vogels. Van tijd tot tijd hadden Patrick en zij een glimp opgevangen van de albinomerel in de tuin, maar nooit meer van zo dichtbij als die ene keer zes weken geleden in de bloementuin. De witte vogel viel zo op dat het haar verbaasde dat hij nog niet door een roofvogel te grazen was genomen, al was de tuin nog zo beschut. Elke keer dat ze hem zag, bad ze in stilte dat hij in leven zou blijven.

Toen ze aanstalten maakte haar document te sluiten, verscheen er een waarschuwingssignaal dat ze een e-mail had. Chrissie wilde weten wat ze over vier weken voor haar verjaardag wilde hebben.

Mel glimlachte. Echt iets voor haar zus. Het kwam geen moment in haar op om Mel te verrassen met een zelfgekozen cadeautje. Ze drukte op 'Beantwoorden' en typte haar boodschap in: 'Er is hier kilometers in de omtrek geen Marks & Spencer te bekennen, dus dat is niet best. Wat dacht je van oorbellen, bijvoorbeeld zilveren knopjes, als je dat ziet zitten.' Ze dacht even na en tikte er toen achteraan: 'Hoop je gauw weer te zien.'

Ze had Chrissie en haar familie bijna zes weken geleden voor het laatst gezien, toen ze met de trein naar Londen was gegaan vlak voordat het een jaar geleden was dat hun moeder was overleden. Ze hadden de zware dag samen doorgebracht, met z'n tweetjes, en waren naar het kerkhof gegaan waar Maureens as begraven lag, waar ze de stelen van haar favoriete witte lelies in de gaatjes van de grafurn op de kleine steen hadden gestoken. Later had ze met het gezin meegegeten, en ze hadden William aan de telefoon gehad. Ze had zich die avond te uitgeput gevoeld van alle emoties om naar haar flat te gaan, dus was ze in de logeerkamer blijven slapen, met Rory's pluchen ijsbeer als gezelschap.

Het voelde heel raar om de volgende dag terug te gaan naar huis in Clapham. Toen ze de deur van het slot deed, rook het muf in de flat, en zwart stof, afkomstig van de straat, was in een fijn laagje overal over neergedaald, als een symbolische sluier die haar scheidde van haar eigen verleden. Ook de tuin zag er verlaten uit; het gras stond hoog, in de bloembedden wemelde het van de brandnetels. Haar buurvrouw Cara was haar ouders in Spanje gaan opzoeken, dus ze moest de vertroosting van voetstappen en operamuziek boven haar hoofd missen.

Ze was maar een maand of zo in Cornwall geweest, maar op dat moment, met haar hoofd vol gedachten aan Merryn en Patrick, voelde ze zich net iemand die alleen maar in Londen op bezoek was. In die paar weken had ze zich vertrouwd gemaakt met een andere wereld, ze had haar dorstige wortels in de aarde geplant en onder de grond water gevonden dat haar verdriet had weggespoeld. Toen ze die avond vanuit Clapham Patrick aan de lijn had, wilde ze niets liever dan terugkeren naar de koele maanverlichte tuin met het geluid van stromend water, de grote stille sterren die vanuit de hemel op haar neerkeken, het verleden dat fluisterend zijn geheimen prijsgaf en de wildernis die oprukte tot aan de deur.

In de daaropvolgende dagen had Mel bezoekjes gebracht aan de bibliotheken in de stad om een hele reeks vragen af te werken die ze tot dusverre in verband met haar boek had opgesteld. Ze sprak ook af met Aimee en een paar andere vrienden. Aimee had een man leren kennen die ze echt leuk vond.

'Herinner je je Callum nog, die jongen over wie ik je vertelde, die met me mee was naar Parijs? Nou, het is zijn vader. Hij heet Stuart.'

'Kan dat wel – dat je iets krijgt met een ouder van een leerling, Aimee?' vroeg Mel.

'Hmm, ik weet niet precies hoe het op dat punt met de etiquette zit. Maar ik geef Callum alleen maar dit semester les, dus het kan vast wel door de beugel. Ik vertelde je toch dat ik Stuart moest spreken na dat incident met de wijn in Parijs? Nou, op een dag kwam hij na school langs om wat uitgebreider met me te praten. Hij vertelde dat hij vorig jaar van zijn vrouw gescheiden is en dat Callum het daar moeilijk mee had. Daarna kwam ik hem tegen op een feestje van de buren. Sindsdien hebben we iets samen, min of meer.'

Dus Aimee stortte zich ook weer in een relatie. Net als Mel en Patrick. 'Fijn voor je, Aimee,' zei Mel, die haar vriendin tegen zich aan drukte. 'Maar zorg wel dat je niet opnieuw wordt gekwetst.'

'Dat kan ik ook wel tegen jou zeggen,' antwoordde Aimee, die alles over Patrick te horen had gekregen, maar ze zag er zo gelukkig uit dat Mel besefte dat Aimee zich op dat moment niet druk maakte om mogelijke kwetsuren.

Ze ging langs op de universiteit, waar iedereen haar hartelijk begroette, maar tevens verrast was. Ze had toch een sabbatical, dus wat deed ze hier dan in vredesnaam?

Op een gegeven moment ging er een deur van een kantoor open en stapte Jake naar buiten. Ze bleven elkaar een lang ogenblik verrast aanstaren, maar Rowena zat tegen haar aan te praten – ze was niet te stuiten, over een probleem dat ze had met een van de groepen die ze lesgaf – en hij stak alleen maar een arm op bij wijze van groet terwijl hij een wachtende student binnen noodde, en toen ze zich eindelijk van Rowena had weten los te maken, was de deur gesloten. Ze stond ervoor met haar hand al opgeheven om aan te kloppen, van plan hem even te storen om hem luchtig gedag te zeggen, in een schaamteloze poging om duidelijk te maken dat ze over hem heen was, dat ze het niet alleen prima redde zonder hem, maar dat het haar ook nog eens voor de wind ging – de ultieme wraak. Maar toch kon ze de moed niet opbrengen.

Halfelf. Carrie kon er elk moment zijn.

Ze maakte haar e-mail aan Chrissie af: 'Waarom kom je hier in augustus niet een poosje logeren? Patrick heeft ruimte zat en hij heeft er vast geen bezwaar tegen. Veel liefs, Mel xxxx.'

De kusjes waren bedoeld als goedmakertje voor de discussie die haar zus en zij hadden gevoerd op de terugweg van het kerkhof. Mel had Chrissie over Patrick in vertrouwen genomen en het had haar hogelijk verbaasd dat Chrissie hun verhouding afkeurde.

'Nick heeft me verteld dat Patrick helemaal stuk is van Bella. Pas maar goed op. Nog helemaal los van het feit dat jij net van Jake af bent.'

'Het is in orde, Chrissie,' had ze met opeengeklemde kaken geantwoord. Waarom kon haar zus niet gewoon blij voor haar zijn? 'Ik kan heel goed mijn eigen boontjes doppen.'

Ze was zelfs trots op zichzelf geweest toen ze, eenmaal terug op Merryn, haar computer had aangezet en als versteend een boodschap van Jake Friedland in haar IN-box had zien verschijnen. Ze had er even naar zitten staren. '*Wissen, verdergaan,*' zei een kalm stemmetje in haar hoofd. '*Maar wel eerst even lezen,*' zei een ander stemmetje er meteen achteraan. Ze dubbelklikte erop:

Ha Mel. Jammer dat het niet lukte om elkaar te spreken toen je laatst langskwam. Weer druk aan de slag na de vakantie en geen tijd om adem te halen. Ik heb gehoord dat je op sabbatical bent. Mooi zo! Hoop dat alles goed gaat. Freya vroeg gisteren naar je, dus bij dezen een van haar beste prinsessenzoentjes. Dagdag, Jake.

Dagdag? *Dagdag?* Na alles wat er tussen hen gebeurd was? Dit keer wiste ze de e-mail daadwerkelijk, maar de volgende dag viste ze hem weer uit Verwijderde berichten. Ze moest hier volwassener mee omgaan. Cool. Ze klikte op Beantwoorden:

Ha Jake. Leuk iets van je te horen. Ik zit een paar weken in Cornwall, zoals je misschien wel weet, op een prachtige plek, en met mijn boek gaat het goed. Wat lief van Freya. Geef ze allebei maar een kus van me. Het beste, Mel.

Ze sloot de laptop af alsof ze bang was dat de boodschap op eigen kracht zou proberen terug te komen. Dit was de manier om hem aan te pakken. Alleen zat het haar enigszins dwars dat ze iets over haar boek had gezegd: zij had er een uitgever voor, maar die had hij niet voor het zijne.

Maar de volgende dag kwam er nog een boodschap van hem. Ditmaal deed hij zijn beklag over studenten die hun zaakjes niet op orde hadden en dat hij geen tijd had om te schrijven, waardoor ze zich gek genoeg schuldig voelde. Ze schreef één zinnetje terug en hoopte maar dat ze daarmee voorlopig van hem af was.

Toen ze Carries auto de oprijlaan op hoorde komen, las ze haar verzoenende mailtje naar Chrissie nog eens over, voegde er nog twee kusjes voor de jongens aan toe en klikte op Verzenden.

20

'Het is vlak tegenover de kerk,' zei Carrie toen de auto nog een bocht in de laan aan het ronden was, onder de bomen door die dropen van de pas gevallen regen. Rechts kwam een granieten toren in zicht. 'Daar.' Mel voelde de wielen in de modderige berm tot stilstand komen. 'O jee,' zei ze terwijl ze de blubber in stapte. Op haar tenen liep ze om de auto heen om het portier open te doen voor Carrie en haar met haar volumineuze lichaam uit de wagen te helpen, waarna ze de stoel opklapte om de kamerplant te pakken die Mel als cadeautje voor tante Norah had meegenomen.

'We moeten Norah nemen zoals ze is,' had Carrie uitgelegd. 'Ze is nu zesentachtig, en aan de telefoon kon ik haar niet goed volgen; ze is ontzettend doof.'

'Maar ze verwacht ons toch wel?' vroeg Mel.

'O, jawel. Ik heb Cyril even gesproken, haar man. Die goeie Cyril. Al is hij geen prater.'

In tegenstelling tot Carrie, wier mond geen moment had stilgestaan tijdens de een uur durende rit vanuit Lamorna naar dit gehucht buiten Truro waar Jenna's dochter woonde. Carrie had verteld over Norahs drie kinderen, die nu van middelbare leeftijd waren, en de namen en bezigheden van hun volwassen zonen en dochters opgesomd, totdat het Mel duizelde. Vervolgens had ze Mel verteld over haar eigen jonge jaren in Penzance, waar hun vader spoorwachter was geweest, en over wijlen haar echtgenoot Neil, over wiens nagedachtenis de dood een gouden gloed had geworpen. Op Mel kwam hij over als een bedaard en voegzaam iemand, een schril contrast met Carries uiterst energieke persoontje – een man die zich ophield aan de achterkant van het hotel terwijl Carrie aan de voorkant de scepter zwaaide. Maar als het leidmotief van een muziekstuk keerde haar aandacht telkens terug naar haar zoon Matt.

'Ik maak me zo'n zorgen om hem,' zei Carrie. 'Hij laat zijn leven maar tussen zijn vingers door glippen. Hij is een goeie jongen, zoals hij steeds thuis komt helpen, maar hij heeft helemaal geen doel in zijn leven. Hij weet niet wat hij wil. Dat zal deels wel aan mij liggen. Ik heb altijd alles voor hem geregeld, zie je. Hij is mijn enige kind. En toen Neil overleed, was hij alles wat ik nog had. O, hier moet je de middelste rijbaan hebben – sorry, kind.'

Mel zwenkte naar rechts op de autoweg en sneed daarbij een glimmend donkerblauwe sedan die dringend begon te toeteren. Ze voelde zich vagelijk schuldig tegenover Matt, die ze de afgelopen paar weken amper had gezien. Carrie kletste verder.

'Hij mist natuurlijk zijn vader, al zegt hij dat niet met zo veel woorden. Neil was een beste man, maar voor Matt was hij niet streng genoeg. Hij gaf hem nooit ergens verantwoordelijkheid voor. Ze rommelden maar wat aan met z'n tweeën. Neil maakte al het eten klaar voor het hotel, zie je, en Matt hielp hem daarbij. En als Neil een paar uur vrij had, gingen ze samen vissen.'

'Hij vindt vast wel iets wat hem interesseert,' zei Mel, omdat ze zich gedwongen voelde een opmerking te maken toen Carrie even ademhaalde. 'Hij fotografeert toch? Ik vond zijn foto's heel goed.'

'O, dat is maar een hobby,' kreunde Carrie. 'Hij heeft op dat vlak nooit carrière willen maken. Het is gewoon iets wat hij inpast in alle andere dingen die hij verder doet – het duiken, waterskiën. Ik vraag me af hoe dat moet als hij trouwt en kinderen krijgt. Hoe moet hij ooit alles bekostigen?'

Mel lachte. Was Carrie, net als Irina, ook al een overambitieuze moeder? Of wilde ze alleen maar graag haar kind veilig gesetteld zien? Misschien zou ze de Carries en Irina's van deze wereld pas kunnen begrijpen als ze zelf een kind had. Als ze dat ooit kreeg… Ze minderde vaart achter een voortsukkelend landbouwvoertuig, en zelfs Carrie viel stil terwijl ze vergeefs wachtten op een gelegenheid om in te halen. Maar Mels gedachten stonden niet stil.

Ze was ergens wel blij dat zij deze ouderlijke druk nooit had gevoeld. Haar moeder was, anders dan Carrie, zonder daar al te erg haar best voor te doen een krachtig voorbeeld voor haar dochters geweest: een sterk, positief ingesteld mens dat wist waar ze goed in was en wat haar te doen stond. Mel herinnerde zich nog een flard van een gesprek dat ze met haar moeder had gevoerd toen die in de beginfase in het ziekenhuis had gelegen voor een kijkoperatie.

'Over Chrissie en William heb ik me nooit zorgen gemaakt,' had Maureen tegen haar gezegd. 'William was net als zijn vader: hij wist wat hij wilde en ging daarmee aan de slag. En Chrissie, die rolt vanzelf door het leven. Maar jij, Mel, wilde ontzettend graag dingen uitproberen, zonder dat je dat goed durfde, omdat het je aan zelfvertrouwen ontbrak. Ik ben heel blij dat je iets hebt gevonden wat bij je past, lieverd.'

Wat maakt ons toch zo verschillend, ook al komen we uit hetzelfde gezin, vroeg Mel zich af. En in hoeverre kunnen we de schuld bij onze ouders leggen, zoals Carrie zichzelf nu verwijten maakte?

Weer werd ze overrompeld door dat beeld van haar vader die haar als peuter hoog de lucht in tilde. En toen was hij bij hen weggegaan.

Ze hadden hun vader in zijn nieuwe leven regelmatig opgezocht. Eenmaal per maand een weekend, elke zomer een tweeweekse vakantie met hem en zijn nieuwe vrouw Stella, totdat ze tieners werden en dat mochten weigeren. Wanneer had ze hem trouwens voor het laatst gezien? Met Kerstmis. En daarvoor op de begrafenis van haar moeder. Hij was zonder Stella gekomen en stond alleen in de kerk, een stukje bij de rest van de familie vandaan, alsof hij bang was dat iemand hem zou toesissen dat hij weg moest gaan, zou zeggen dat hij niet welkom was. Hoewel niemand dat ooit gedaan zou hebben. Mel wist dat hij nog steeds gebukt ging onder schuldgevoel omdat hij hen in de steek had gelaten. Vanwege die schuld had hij de relatie met zijn kinderen nooit meer opgepakt; die had nooit meer natuurlijk aangevoeld.

Maar William had zich ontwikkeld tot een exacte kopie van zijn vader, zonder dat hij dat leek te beseffen. Gek wel, want Williams relatie met zijn vader was op z'n best formeel te noemen. Zag William hem nog steeds als een rolmodel, of waren de beslissing die hij helemaal zelf had genomen om chirurg te worden, zijn schaaktalent en zijn neiging om op de toppen van zijn zenuwen te leven alleen maar aan DNA te wijten? Hopelijk zou de gelijkenis zich niet uitstrekken tot Williams ideeën over het huwelijk, peinsde Mel, terwijl ze zich zijn lieve, zorgzame vrouw voor de geest haalde, die haar eigen carrière in de geneeskunde had opgegeven om hun kinderen groot te brengen.

Carrie zweeg nog steeds en Mel vroeg zich af of ze niet enthousiast genoeg had gereageerd op haar verhalen.

'Met Matt komt het vast wel goed,' zei ze. Ze dacht aan zijn fraaie gebruinde trekken, de eigenzinnige mond, voortdurend geplooid in een glimlach, zijn korte sluike haar en zijn lenige, sierlijke lichaam, en herinnerde zich hoe hij haar had aangekeken op de dag dat Patrick en zij nader tot elkaar waren gekomen. Met Matt zou het wel in orde komen.

Ze wierp een zijdelingse blik op Carrie. Waarom zat die haar zo raar aan te kijken?

'Ik weet zeker dat hij dat over jou ook denkt, kind,' zei Carrie vriendelijk.

Mel greep het stuur steviger vast. 'O ja?' zei ze zwakjes.

'Hij is erg gesteld op je aan het raken.'

'Dat zal wel loslopen. Ik heb hem de laatste tijd amper gezien.'

Carrie moest hebben begrepen wat ze bedoelde, want ze vroeg: 'Dus er is geen hoop voor hem?'

'Nee,' zei Mel.

'O. Nou, laat hem maar niet merken dat ik het er met je over heb gehad.'

Dat zou hij verschrikkelijk vinden, bedacht Mel, die zelf een rood hoofd kreeg van gêne. Precies op dat moment reed het landbouwvoertuig een parkeerhaven in, en ze reageerde haar gevoelens af door energiek de koppeling in te trappen en ervoorbij te suizen.

'Pas op, nu heb je de afslag gemist,' riep Carrie uit, maar toen Mel vaart minderde om te keren zei ze: 'O nee, je gaat goed. Hij moet nog komen.'

Het onderwerp van Matts liefdesleven was kennelijk afgerond.

Toen ze het platteland op reden, kwamen ze langs een bord van een tuin van de National Trust.

'Matt heeft me verteld over al jullie werkzaamheden aan de tuin van Merryn. Daar zou Norah graag meer over willen horen. Denk je dat Patrick hem gaat openstellen?'

'Openstellen? Je bedoelt voor publiek?'

'Diverse mensen in Lamorna doen dat. Er zou veel belangstelling voor zijn. Het trekt bezoekers naar het gebied en zo – met de juiste publiciteit, natuurlijk. Ik zou er wel aan mee willen werken. Folders neerleggen in het hotel. En voor de bouwprojecten zou hij natuurlijk toestemming moeten vragen.'

'Welke bouwprojecten?' Mel begreep niet waar ze het over had. 'Je weet wel, een tearoom en een parkeerplaats. Toiletten.' 'Ik geloof niet dat Patrick al toe is aan dat soort dingen,' zei Mel verbijsterd.

'Dat was de weg naar Norah,' zei Carrie opeens toen ze een smal zijweggetje passeerden.

'Ik weet niet of je veel aan me zult hebben, kind,' zei Norah, die Mel bewonderend van top tot teen opnam terwijl ze koffie zaten te drinken in de voorkamer. Ze had een hoge stem die kraakte van ouderdom. 'Mijn moeder is nu al twintig jaar dood.'

Mel zette haar kopje neer en boog zich voorover. 'Ik probeer zo veel mogelijk te achterhalen over een kunstenaar op wie ik ben gestuit,' zei ze, omwille van Norah duidelijk articulerend. 'Op Merryn Hall, waar ik logeer, heb ik een paar schilderijen aangetroffen die zijn gesigneerd met de initialen P.T. Ik weet zeker dat de kunstenaar op de een of andere manier te maken had met het huis en dat de schilderijen kort voor de Eerste Wereldoorlog zijn gemaakt. Toen werkte uw moeder daar, toch?'

Norah fronste haar wenkbrauwen. 'Mijn moeder zei altijd dat er één schilder in de familie was. Meneer Charles, noemde ze hem.'

'Ik ben het een en ander over Charles Carey te weten gekomen,' zei Mel knikkend, en ze vertelde haar wat ze in de archieven had aangetroffen. 'Maar de enige met de initialen P.T. die ik heb ontdekt was een dienstmeisje. Het lijkt een beetje onwaarschijnlijk, maar ik wilde vragen of uw moeder het misschien ooit over haar heeft gehad. Ze heette Pearl Treglown.'

Norah dacht even na en mompelde toen: 'Pearl... Dat zou wel eens kunnen kloppen. Was het nou Pearl of iets anders?' Ze maakte aanstalten om op te staan, maar haar hond, een jack russell op leeftijd die Sinbad heette, zat op haar voeten, en ze zei: 'Help me even, kind. Een dun wit boek. Het ligt daar op de bovenste plank.' Ze gebaarde naar een hoge boekenkast met glazen deuren. 'Naast een groot rood woordenboek.'

Mel deed een van de deuren open en las de ruggen. 'Bedoelt u dit?' Ze hield een grote paperback omhoog met een wit omslag met daarop een linoleumsnede van een vissersboot. De titel luidde *Stemmen uit West-Cornwall* en het was voorzien van het beeldmerk van een kleine plaatselijke uitgeverij. Hoewel ze in de verleiding kwam het open te slaan, legde Mel het plichtsgetrouw in Norahs uitgestoken hand, waarna ze de boekenkast dichtdeed en weer ging zitten.

Norah leek er een eeuwigheid over te doen; ze zocht in de zak van haar vest naar haar brillenkoker en kon vervolgens niet meteen de pagina vinden die ze moest hebben. Uiteindelijk vond ze die, en ze trok een frons terwijl ze met een vinger de tekst langs ging.

'Ah, ja, hier heb ik het. Pearl. Kijk eens, kind. Wat een malle kleine druklettertjes. Ze kwamen bij moeder op bezoek – o, wanneer was dat ook alweer?' Haar hand beefde toen ze Mel het boek aanreikte.

Mel hield haar vinger op de pagina die Norah had opgezocht terwijl ze naging wanneer het boek was verschenen. 'In 1972,' zei ze.

Het boek bestond uit een verzameling mondeling overgeleverde verhalen, en de achterplattekst legde uit dat het doel van de uitgave was om de ervaringen vast te leggen van diegenen die zich de Eerste Wereldoorlog en de tijd daarvoor nog konden herinneren. Ze bekeek de bladzijde die Norah had gevonden en begon te lezen:

Jenna Cooper, geboren Penhale

Toen ik in 1907 van school kwam, ging ik als keukenmeisje op Merryn Hall werken. Ik was toen nog maar veertien jaar, maar zo ging dat toen en mijn moeder kon het zich niet veroorloven om me thuis te houden, omdat mijn vader het aan zijn hart had en ze mijn broertjes en zusjes te eten moest geven. Eerst miste ik mijn ouderlijk huis, maar ik zag ze elke zondag als ik 's middags vrij had. Op Merryn waren ze aardig voor me. Er gebeurde altijd wel iets interessants: mensen die kwamen en gingen, feestjes en dergelijke. Maar het was in die tijd wel hard werken geblazen.

Wie werkten er verder nog? Nou, mevrouw Roberts, de kokkin, natuurlijk, en toen ik net begon was er een butler, meneer Richards, maar die ging met pensioen en daarna hadden ze een livreiknecht, Jago, die volgens mij een zwak voor mij had. Voor boven was er een dienstmeisje. Eerst was dat Joan, totdat die naar Zuid-Afrika ging om met haar vrijer te trouwen; we hoorden nooit meer iets van haar. Daarna kwam er een meisje uit Newlyn, het nichtje van mevrouw Roberts, Pearl. Ze was een wees en het zat haar niet mee in het leven, maar ze was aardig en had wel iets.

Ik weet nog dat ze graag mocht tekenen... bloemen en dergelijke, en we deelden samen een kamer totdat zij wegging en trouwde. Het was een goed leven. Het eten was beter dan thuis en je kreeg er ook meer, maar het werk was toen zonder meer veel zwaarder dan nu. De maandagen waren het ergst, maar op vrijdag moesten we alle haarden uitschrobben en met kachelzwart behandelen en het messing en koper poetsen tot het zo blonk dat het pijn deed aan je ogen. Ik ging er vlak voor de oorlog weg toen ik met Tom trouwde. Hij was na de kerkdienst op zondag naar me toe gekomen om te zeggen dat hij mijn zangstem zo mooi vond, en die was ook mooi, al zeg ik het zelf. Z'n pa was boer in de parochie Buryan en ik begon mijn getrouwde leven op de boerderij van zijn ouders; de mensen van Merryn zag ik toen niet meer. Toen brak de oorlog uit en werd alles anders...

Mel bleef zitten peinzen over deze kostbare informatie. *Pearl mocht graag tekenen... bloemen en dergelijke...* Dit was precies het soort wetenswaardigheden waar ze op had gehoopt, en toch leek het maar heel weinig. Hoe zou een dienstmeisje de tijd hebben moeten vrijmaken om te tekenen, laat staan de geestelijke vrijheid of de energie om haar talent in praktijk te brengen? Hoe zou ze het benodigde materiaal hebben moeten bekostigen? En wat had Pearl voor achtergrond dat het haar 'niet meezat in het leven'? Met wie was ze getrouwd en wat was er daarna van haar terechtgekomen?

Na een poosje werd ze zich bewust van de nieuwsgierige blikken van Norah en Carrie.

'Nou?' zei Norah. 'Heb je er iets aan?'

'O, jazeker.' Toen moest Mel hun allebei natuurlijk alles uitleggen. 'Kunt u nog iets anders bedenken dat uw moeder over Pearl heeft gezegd?' vroeg Mel aan Norah, die even nadacht en vervolgens haar hoofd schudde.

'Ze begon pas over die tijd te vertellen toen ze al aardig op leeftijd was,' zei ze. 'Toen die mevrouw kwam om dat allemaal voor haar op te schrijven. Ze was er heel trots op dat ze aan dat boek mocht meedoen, weet je.'

'Dat kan ik me voorstellen,' zei Mel. 'Maar als Pearl echt de kunstenares is naar wie ik op zoek ben, dan zal ik meer over haar te weten moeten komen. Voor het boek dat ik aan het schrijven ben.'

Norah Varco bleef even zwijgend zitten, en aan haar gerimpelde gezicht was goed te zien dat er allerlei gedachten door haar hoofd gingen, terwijl Sinbad aan haar voeten kreunde in zijn hondendromen.

'Er is nog wel iets,' zei ze ten slotte. 'Het is een hele tijd geleden, maar toen ik kind was woonden we in Buryan en daar zat een jongen op school die op Merryn woonde. Hoe heette hij ook weer? Ach, ik weet het nu niet meer, maar misschien kom ik er nog op.'

Mel dacht niet dat ze op deze manier veel verder zou komen. 'Het geeft niet,' zei ze, en ze krabbelde iets op een velletje van haar notitieblok, dat ze er vervolgens uit scheurde en aan Norah gaf. 'Dit is het nummer van mijn logeeradres. Als u nog iets te binnen schiet waar ik iets aan zou kunnen hebben, zou ik het fijn vinden als u me belt.'

21

Maart 1913

Pearl spiedde snel om zich heen of niemand haar had gezien, roffelde op de staldeur en riep op lage, dringende toon: 'Meneer, hier ben ik.' Toen ze wat gedempt gerommel hoorde, klemde ze haar schetsboek onder één arm, trok de dubbele deur op een kier open en glipte naar binnen, waarna ze hem weer achter zich sloot. Ze bleef staan in de koelte van de stal, en haar ogen pasten zich aan aan de patronen van licht en schaduw.

Elke keer dat ze het zag verraste het haar: het atelier van Charles. Van buitenaf gezien was het gewoon een van de stallen, waarin je bovenin de deuren van een kleine hooizolder zag zitten. Binnen rook het nog steeds als in een stal, naar aarde en leer, hooi en de zoete, niet onaangename geur van mest. Maar daaroverheen lag nu de sterke geur van lijnolie. Tegen de muren stonden diverse in bruin papier verpakte doeken: schilderijen die af waren, wist Pearl, en bedoeld waren voor een tentoonstelling in Truro die zij nooit zou zien. En aan een werkbank achter in de ruimte stond Charles schilderslinnen aan een rol af te meten op een houten frame ter grootte van tante Dolly's favoriete theeblad.

'Je staat in mijn licht,' bromde Charles zonder zich om te draaien, en Pearl stapte opzij uit het gestreepte vierkant lenteochtendlicht dat naar binnen viel via de treden van een open trap die naar een opening in de erboven gelegen zolder voerde. Er klonk een scheurend geluid toen zijn mes door het linnen sneed, vervolgens wat geschuifel, en een plof toen hij zijn gereedschappen neerlegde.

'Nou, zo moet het maar,' zei hij, vriendelijker nu, en hij wendde zich naar haar toe en veegde zijn handen af aan zijn jasje.

Het was heel vreemd, bedacht ze, niet voor de eerste keer, dat het gebouw alle weergalm absorbeerde, zodat zijn stem intiem klonk, alsof hij voor haar alleen bedoeld was. Heel anders dan in de gang van het huis, waar tientallen geluiden om voorrang streden, of in de tuin, waar de wind zijn woorden met zich meevoerde.

Met ogen die opglansden in het halfduister kwam hij naar haar toe. Ze drukte haar schetsboek steviger tegen haar borst.

'Laten we maar eens kijken wat je ervan hebt gebrouwen.' Hij stak zijn hand uit, en na een korte aarzeling gaf ze hem het boek. 'Kom,' zei hij, en ze liep achter hem aan toen hij de trap op ging naar het heldere licht.

Op de oude hooizolder waar Charles schilderde, herinnerde niets nog aan de vorige bestemming van de ruimte. Daar had Charles wel voor gezorgd. Hij had, had hij haar verteld toen hij haar hier afgelopen september voor het eerst mee naartoe had genomen, gevraagd of hij dit gebouwtje mocht betrekken toen hij op Merryn was aangekomen.

Hij sloeg de panden van zijn jasje omhoog voordat hij plaatsnam op een vierpotig krukje, waar hij de tekeningen begon door te bladeren die Pearl tijdens haar schaarse vrije ogenblikken sinds haar laatste les, vorige zondag, had gemaakt.

'Ik heb geen tijd gehad, meneer. Alleen woensdag een uurtje, toen kokkie...'

'Dat ziet er goed uit,' onderbrak Charles haar; bij één portret kneep hij zijn ogen tot spleetjes en moest hij even glimlachen. 'Je hebt haar met een paar streken uitstekend getroffen.'

'Jenna heeft voor me geposeerd, meneer, maar dat duurde maar heel kort, en ze zat te wriemelen als een vis op het droge.'

Een lachsalvo van Charles. 'Als een vis op het droge, zeg je? Dat moet dan wel een prachtbeest zijn geweest.'

Hij klapte het schetsboek dicht en gaf het haar met een zwierig gebaar terug, waarna hij even teder haar schouder aanraakte. Een kort moment leek hij in gepeins verzonken, zoals hij daar stond met zijn ene arm over zijn borst geslagen en met de vingers van zijn andere hand over zijn snor strijkend. Lange, sterke vingers, met schoongeboende en recht afgeknipte nagels. Pearl zou ze dolgraag vast willen houden, over de fijne haartjes op zijn handrug willen strijken.

'Vandaag zullen we eens zien wat je van mij terechtbrengt,' zei hij.

'Wilt ú voor me poseren, meneer?'

'Zeker. En de Knights zullen zien dat het lijkt.'

Ze keek hem met vaste blik aan. 'Weet u zeker dat ze me niet zullen uitlachen, meneer?'

'Ja, ja, meisje. Ik heb je al gezegd: ze bewonderen je werk. Ze juichen je ambitie toe.'

'Mijn ambitie?'

'Ja, en de mijne. Om jouw talent aan te moedigen. Om je als schilderes op weg te helpen.'

'Maar…' Pearls opgetrokken schouders en haar opgeheven hand drukten hopeloosheid uit.

Achter in het vertrek stond een oude doorgezakte chaise longue met een verschoten blauwfluwelen gordijn eroverheen gedrapeerd, onder het daklicht, en daarop nam Charles nu plaats, met zijn ene been over het andere geslagen. Aan de zijkant stond een ezel, en toen ze de kruk bijtrok waarvan Charles was opgestaan, wierp ze een blik op het schilderij dat erop was gezet.

Het was half af, maar de zeer jonge vrouw met een brede hoed op die in de tuin stond, te midden van een zee van lentebloemen, haar geheven handen vol sleutelbloemen, was al herkenbaar als Elizabeth. Pearls ogen dwaalden naar de stapel schetsen op de grond van Elizabeths gezicht en handen. Ze keek weer naar het schilderij, en als een fysieke pijn ging er een steek van jaloezie door haar heen toen ze het licht over het mooie gezichtje van het meisje zag spelen, haar houding van pure vreugde, zonder besef van nare dingen of werkelijk lijden. Wat wist Elizabeth van het leven af? Wat had zíj ooit moeten ontberen of verliezen? Toen schoot Pearl te binnen wat het meisje op Charles' feest overkomen was en dat Elizabeth haar met een uit jaloezie voortkomende afkeer had aangekeken, en haar bitterheid vervluchtigde en vervaagde. Ze richtte haar aandacht weer op de taak die voor haar lag en koos een potlood uit uit de pot op Charles' werktafel.

'Gaat het zo, denk je?' vroeg Charles, terwijl hij op de chaise longue plaatsnam. Pearl toog aan het schetsen, maar binnen een mum van tijd begonnen zijn oogleden te trillen en algauw hoorde ze aan zijn gelijkmatige ademhaling dat hij sliep. Nu pas kon ze zich eindelijk op haar werk concentreren.

Eerst gaf ze de lange ovale omtrek aan van zijn gezicht, zoals hij haar had voorgedaan. Ze stelde zich voor dat haar vingers de bevallige lijnen natrokken van zijn hoge jukbeenderen, dat ze de blonde golven van zijn haar streelden. Hoe zou dat voelen? Het haar van mevrouw Carey was droog en dunnend. Jenna's krullen, die ze vaak voor haar had geborsteld, waren springerig en weerbarstig. Charles' haar was vast niet zo dik en glad als dat van haarzelf; daarvoor leek het te fijn. Misschien zou het net zo zacht en zijdeachtig aanvoelen als de vacht van het hondje van mevrouw.

Haar potlood liefkoosde het papier terwijl ze heen en weer keek tussen Charles en haar schetsboek. Zijn blonde wimpers waren onder zijn dichte wenkbrauwen zo lang als die van een meisje; zijn neus een rechte lijn – zo –, maar smal, heel anders dan de kenmerkende korte, dikke Carey-neus. Toen ze aan zijn mond toekwam, groeide haar verlangen. Onder zijn dichte snor had hij volle, rode lippen, met een klare lijn.

Er ging een halfuur voorbij. Duiven koerden op het dak, wervelende vleugels streken langs het hout. Ze was klaar, maar hij sliep nog steeds, dus sloeg ze zachtjes een nieuw blad op en begon opnieuw. Zijn hoofd was nu op één schouder gezakt en zijn lichaam had een comfortabeler houding aangenomen, dus draaide ze het schetsboek een slag; haar vingers zweefden over het papier om de lange lijnen van zijn lichaam vast te leggen, de benen die schuin gebogen waren en in een sierlijke S de grond raakten – Charles pakte nooit iets rommelig aan.

Ze tekende de contrasterende lijnen van de chaise longue en wachtte terwijl ze hem in zijn slaap gadesloeg in het over de vloer kruipende middaglicht; in de stal naast hen begon een paard te hinniken en te stampen. In de toenemende hitte kraakte het hout, en Charles werd wakker. Meteen kwam hij, kreunend en zich uitrekkend, overeind, en hij strompelde naar haar toe om haar werk te bekijken.

'Dit is geweldig!' riep hij uit toen hij de tekeningen zag. 'Je schaduw is heel trefzeker en ik kan mezelf bijna zíen ademhalen. Heeft mijn neus echt die vorm?' Hij haalde zijn vingers over zijn gezicht en lachte.

Zij lachte ook, en ze knikte.

'We moeten zorgen dat je een fatsoenlijke opleiding krijgt,' zei hij, en met haar schetsboek in zijn hand begon hij te ijsberen. 'Hoe krijgen we dat voor elkaar?'

'Ik zou het niet weten, meneer.' In haar binnenste kolkte verwarring, hartstocht, woede. Ze kwam half overeind, en de kruk rolde weg over de grond. Hij draaide zich om en staarde haar aan.

'Hoe zou ik iets anders kunnen worden?!' riep ze uit. 'Moet u mij nu eens zien!'

Zijn blik streek over haar afgedragen jurk, het eenvoudige witte kraagje, haar gebarsten leren laarsjes. *Ze is maar een bediende.* De woorden werden niet hardop uitgesproken, maar de stem die in haar hoofd klonk, behoorde toe aan mevrouw Carey. Er gaapte een kloof tussen hen.

Zijn bezorgde blik ontmoette de hare, en ze had tranen in haar ogen. 'O, lieve kind toch,' fluisterde hij, en in twee passen had hij de kloof gedicht en kwam hij voor haar staan. Hun blikken hielden elkaar vast. Haar lippen trilden, maar ze zei niets. Hij hief een stompe wijsvinger op en ving een opwellende traan, die hij geboeid bestudeerde, waarna hij van zijn vinger op de grond drupte. In een opwelling pakte hij haar schouders beet, trok haar wild naar zich toe en drukte het snikkende meisje dicht tegen zich aan.

Vrijwel onmiddellijk voelden haar vingers dan eindelijk toch zijn zachte korenkleurige haar, en haar lippen vonden de zijne, vol en warm. Het schetsboek tuimelde op de grond, maar geen van beiden besteedde daar aandacht aan.

22

'Ik snap niet waarom we hier nooit eerder zijn geweest.'

Mel deed het hek weer dicht en pakte Patricks uitgestoken hand toen ze over het aarden pad liepen. Ze bevonden zich diep op de bodem van de vallei, onder de bomen waar de molentocht stroomde, of althans vroeger gestroomd had. De molenvijver stond nu, half juli, bijna droog en er groeide een woud aan gunnera's, als reuzenrabarber. De in onbruik geraakte molen zelf was nu een kunstnijverheidswinkeltje.

'We wisten eerder niet goed waar we naar moesten zoeken. Nu hebben we tenminste een naam, zodat het zin heeft om er in de kerk naar op zoek te gaan.'

'Ligt oom Val op het kerkhof van Paul begraven?' vroeg Mel zich hardop af.

'Nee, er is een familiegraf in de plaatselijke kerk van mijn ouders.'

Zwijgend zwoegden ze de heuvel op, genietend van het oude paadje, de stenen muren die aan weerskanten oprezen, terwijl het elektrische gezoem van onzichtbare insecten aanzwol in de broeierige lucht, die onweer voorspelde. Na een poosje lieten ze elkaars hand los, want hun vingers waren warm en glad van het zweet.

Na zo'n anderhalve kilometer zigzaggen door een lappendeken van weilanden met vee kwamen ze bij de rand van het dorp en vervolgens bij de kerk, die een hoge toren had. Bij de ingang aarzelden ze, luisterend naar de macabere geluiden van het orgel, maar toen ze hoorden dat er alleen maar geoefend werd en geen dienst werd gehouden, drukte Patrick de kruk krachtig naar beneden en gingen ze naar binnen.

'Hopelijk storen we u niet,' zei Mel tegen de man aan het orgel, die nu een stapel bladmuziek zat door te bladeren.

'O, nee hoor, het geeft niet,' zei hij afwezig. 'Ga rustig uw gang', en hij begon een sombere hymne te spelen. Dus liepen ze rond door de met licht gevulde kerk in een zonnig waas van stofdeeltjes, lazen de gedenktekens en streelden over het houtsnijwerk, gladgesleten doordat er eeuwenlang andere handen overheen waren gegleden.

'Hier,' fluisterde Patrick. Hij bladerde een ringmap door. 'Moet je zien, we hoeven al die grafstenen niet eens te lezen.'

Ze wierp een blik op het overzicht van begrafenissen en zag tot haar teleurstelling al snel dat de naam Treglown daar niet op voorkwam. Met haar vinger naast de namen las ze ze nogmaals door, zoekend naar ene Pearl. Hij bleef steken bij de naam 'Pearl Boase, 1925'. Er stond een andere naam tussen haakjes achter: 'John Boase', die in 1952 was overleden. De naam had iets bekends.

'Boase. Heette de hoofdtuinman uit die logboeken niet zo?' De naargeestige hymne was ten einde gekomen, en Mels stem klonk haar in de plotselinge stilte zelf te hard in de oren. De organist sloeg wat bladen om en hief een opwekkend processielied aan.

'Ja. Ja, zeker. Maar de naam Boase komt hier veel voor. Moet je zien, daar is er nog een, en daar; hij gaat helemaal terug tot in de achttiende eeuw.'

'Laten we het graf gaan zoeken.' Met de pen die bij het bezoekersregister hoorde, noteerde Mel het nummer en ze staarde naar de plattegrond van het kerkhof in een poging zich de indeling in te prenten. Het gedeelte aan de overkant van de weg achter het hoofdgebouw van de kerk, stond er.

Ze schonken de organist een glimlach, die knikte en Widors *Toccata in F* inzette, waarvan Patrick de basismelodie neuriënd overnam toen ze de kerk uit liepen.

'Mooi stuk is dat,' zei hij tussen het neuriën door. 'Op mijn bruiloft moeten ze dat ook maar spelen.'

'O ja?' vroeg Mel, even van haar à propos gebracht door de wending die het gesprek nam. 'Ja, het is aangrijpend. Ik vind het ook mooi.' Ze wachtte af, maar hij zei verder niets meer over trouwerijen. Boven hun hoofd slaakte een meeuw een spookachtige kreet.

Zwijgend liepen ze via een smeedijzeren hek een soort tuin in. Alleen helemaal achterin waren rijen graven. De rest van het kerkhof bestond uit een keurig gemaaid gazon; de grafstenen waren er verwijderd en rechtop tegen de omringende muur gezet.

Ze kwamen bij wat er nog van de gemarkeerde graven over was, en Patrick sloeg links van het pad af langs een rij met mos begroeide stenen. 'Begin jij daar te zoeken?' riep hij achterom.

Ze wierp een blik op de steen rechts – EMILY MARTIN EN TWEE KLEINE KINDEREN –, maar ze was met haar gedachten nog steeds bij trouwerijen. ROBERT ARMSTRONG... DIERBAAR. Wat zou zij doen? Patrick en zij hadden het nooit over de toekomst, en over een paar weken werd het toch echt tijd dat ze terugging naar Londen en haar werk, om haar leven daar weer op te pakken. ELEANOR GODWIN, MOGE ZIJ RUSTEN...

Was de tijd die ze samen doorbrachten iets echts, iets waardevols, iets blijvends – of was het niet meer dan een vakantieliefde, een midzomernachtdroom? Hoe moesten ze verder? Ze kende Patrick nog maar kort en toch voelde het in zekere zin alsof ze hem haar hele leven al kende – zoals ze zich op hun gemak voelden in elkaars gezelschap, de intimiteit van hun momenten samen, de intensiteit van hun hartstocht.

Gold dat voor hem ook? Soms dacht ze van wel, maar op andere momenten leek hij afstandelijk en niet te peilen. Een mismoedig gevoel overviel haar, als mist die kwam opzetten uit zee.

Toen hoorde ze hem roepen: 'Ik heb het gevonden!' en schudde ze haar stemming van zich af.

De grafzerk van Pearl en John Boase zag er net zo uit als alle andere in de rij – een omgekeerde U – en de inscriptie was nog duidelijk te lezen:

IN LIEFDEVOLLE NAGEDACHTENIS
PEARL BOASE 1894-1925
JOHN BOASE 1869-1952

Mel hurkte neer en trok het lange gras naar achteren om de rest te lezen. EINDELIJK HERENIGD. 'Patrick, ze was nog maar eenendertig.' Verbijsterd kwam ze langzaam overeind.

'Dat is erg jong om dood te gaan,' zei Patrick. 'Hij leefde nog tot zijn... drieëntachtigste. Ze kunnen maar kort samen zijn geweest.'

'Hmm. Patrick, ik heb net iets bedacht,' zei ze op dringende toon.

'Wat dan?' vroeg hij.

'Als dit Pearl Treglown was en als ze met de hoofdtuinman van Merryn getrouwd was...'

'Ja, wat dan?'

'Nou, zou ze dan niet in Gardener's Cottage hebben gewoond?'

'Dat zou best eens kunnen.'

Zou het dan Pearl kunnen zijn wier aanwezigheid ze soms meende te voelen? Mel huiverde. Wat een onzin! Hoe sneller ze zich hier op dit lugubere kerkhof uit de voeten maakten, hoe beter het was.

23

November 1913

'Achterlijke idioten!' Charles verfrommelde met één hand de brief en gooide hem in de open haard. Gefascineerd keek Pearl toe hoe hij zich weer ontvouwde en bruin kleurde voordat hij door de vlammen werd verteerd.

'Wat stond erin?' fluisterde ze, van afschuw vervuld. Uit de manier waarop hij hem van haar presenteerblad had gepakt, hem in zijn handen om en om had gedraaid, het poststempel had bestudeerd en had geaarzeld voordat hij hem openscheurde, had ze wel kunnen opmaken dat het epistel belangrijk was. De envelop was op de grond gedwarreld.

'Ze willen het schilderij niet,' was het enige wat hij erover kwijt wilde, en hij staarde uit het raam de tuin in, waar een van Boases hulpkrachten in het bleke winterlicht met lange halen afgevallen bladeren bij elkaar stond te harken.

'Die tentoonstelling, bedoelt u,' zei ze, en het begon haar te dagen. 'O.' De hele zomer lang had ze op zondagmiddagen toegekeken hoe het schilderij in kwestie vorm aannam. Elizabeth en Cecily hadden op de rotsen onder het klif voor hem geposeerd, uitkijkend over zee. Ze had de vele schetsen van hun gezichten bestudeerd, die van Elizabeths nog steeds meisjesachtige gestalte en Cecily's elfenlichaam, de pogingen die hij had ondernomen om de langs de hemel voortjagende wolken vast te leggen, de juiste kleuren te vinden voor de zee op een frisse zonnige dag. Het resultaat had hen allemaal bekoord – maar kennelijk niet de barse heren van de galerie in Birmingham.

De ene teleurstelling was op de andere gevolgd. Een vroeger portret van Cecily was afgewezen voor de zomertentoonstelling van de Koninklijke Academie, en Charles had er geen koper voor kunnen vinden, totdat mevrouw Carey het zelf maar had gekocht.

Pearl zette haar presenteerblad neer op een stoel en liep de kamer door om in een gebaar van medeleven Charles' elleboog aan te raken. Net toen hij zich omdraaide, met een gezicht waarop woede en verslagenheid om voorrang streden, werd er zacht op de deur geklopt, en ze namen ijlings afstand.

Pearl schoot een stap achteruit naar de bank en bukte zich alsof ze de gevallen envelop wilde oppakken.

'Ah, Charles.' Toen meneer Carey de kamer binnen kwam, liet hij met een lichte frons op zijn gezicht zijn blik even over Pearl heen gaan, waarna hij zijn aandacht op zijn neef richtte. 'Ik heb je nodig op kantoor, als je het niet erg vindt. Er speelt iets met het Top Field waar ik je, eh... van op de hoogte wil stellen.'

Pearl zag een uitdrukking van ongeduld over Charles' gezicht strijken, waarna die plaatsmaakte voor kille beleefdheid. 'Natuurlijk, sir,' zei hij, en hij liep achter zijn oom de kamer uit.

Pearl gooide de envelop in het vuur, zette het haardscherm ervoor en haastte zich naar de keuken om de thee klaar te maken. Maar terwijl ze kopjes op een blad schikte en dunne plakjes brood afsneed met de netheid en precisie die lange oefening verrieden, vertoefde ze in gedachten heel ergens anders.

Wat moet ik doen, wat moet ik doen, klonk het in haar hoofd op het ritme van het zagende broodmes.

Het was overduidelijk dat de zaken met Charles op de spits werden gedreven, aangezwengeld door zijn gefrustreerde ambitie. Het probleem was dat elke toekomst die ze zou kunnen hebben buiten haar situatie van dit moment om, in zijn handen lag. Maar waar ze niet achter kon komen, en wat voor haar het allerbelangrijkste was, was hoeveel hij voor haar voelde.

Afgelopen zondag hadden ze met elkaar gevreeën in het atelier, waarna ze zich snel weer hadden aangekleed, want het werd er te fris om er zonder kleren aan rond te hangen. Hij had steeds geagiteerder door het vertrek geijsbeerd, waarbij hij af en toe even had stilgehouden om met zijn ene voet een weggeworpen doek weg te trappen of om een blik te werpen op een van de vele schilderijen die overal op richels tegen de wanden stonden.

'Ik kan hier niet blijven, ik kan dit leven niet aan.' Charles leek tegen zichzelf te praten, maar haar handen bevroren op de laars die ze net zat dicht te knopen. Hij wendde zich naar haar toe. 'Het wordt een gevangenis. Zie je het al voor je, meisje: een boer? Zie je mij al over de velden benen om de hoeven van de koeien te onderzoeken? Me zorgen maken over de prijs van aardappelen? Met de zonen van het land over het weer praten?'

Pearl had hem wel eerder zo horen praten, en ze schrok ervan. Maar de laatste tijd, nu de ene mislukking op de andere volgde en hij zijn schilderijen nergens kwijt kon, leek hij steeds verbitterder te worden.

'Uw oom zal u niet eeuwig onderhouden,' merkte ze behoedzaam op. Alle bedienden waren zich bewust van het groeiende ongeduld van hun baas jegens zijn neef. De vele woordenwisselingen over het feit dat Charles zich steeds uit de voeten maakte om te gaan schilderen, over zijn reisjes naar Londen, konden hun dan ook moeilijk ontgaan.

'Ik wil reizen. Frankrijk – als ik kon, zou ik naar Frankrijk gaan. Om te studeren. Leren wat de nieuwe ontwikkelingen zijn.'

'Maar waar moet u dan van eten? Hoe moet u uw leraren betalen?' vroeg Pearl op redelijke toon.

'Er is vast wel iemand te vinden die dit nieuwe schilderij tentoon wil stellen. Dat weet ik zeker. Dan verkoop ik het en ga ik.'

Hun blikken ontmoetten elkaar: de zijne woest en uitdagend, de hare intens verdrietig. *En ik dan?* vroegen haar ogen.

'Waarom ga je niet met me mee?' zei hij.

'Hoe zou ik kunnen?' zei Pearl. 'We hebben geen geld. Het zou heel dom zijn…' Haar gedachten gingen met haar op de loop. Arles, Parijs… Ze herinnerde zich de verhalen van haar vader, die nu iets van heel lang geleden leken. Over de intensiteit van het licht, de kleuren van het landschap, het ontspannen levensritme. Maar voor haar waren ze niet meer dan dat: verhalen, plaatjes in boeken, dromen. Voor haar was dat alles niet weggelegd; zij kende slechts een paar vierkante kilometer rotsige kust en met struiken begroeide, door stormen gegeselde velden. Hier had ze tenminste een thuis, mensen die ze in zekere zin de haren kon noemen. Waar wilde hij haar mee naartoe nemen? Waar was hij mee bezig? Het maakte haar bang.

'Hou je soms niet van me?' zei hij nu fel. 'Vertrouw je me niet?'

'Ik hou van u…' zei ze, maar ze kreeg het niet over haar lippen dat ze hem vertrouwde. Iets zei haar dat hij niet veilig was, dat ze de kloof naar zijn wereld niet kon oversteken. Hij beloofde haar van alles – dat zijn vrienden voor haar zouden zorgen –, maar wat waren die beloften waard?

'Hebt u meneer Knight mijn schetsboek nog laten zien?' had ze kort na het feest gevraagd.

'O, jawel,' zei Charles. 'Het ligt op mijn kamer. Ik geef het je wel terug.'

'En wat zei hij?'

'O, hij was vol bewondering voor de tekeningen. Hij zei dat je aangemoedigd moest worden.'

'Was dat alles?' Trots zwol op in haar keel, maar van trots kon ze niet leven. 'Wat moet ik nu doen?'

'Oefenen. Oefenen met wat ik je leer.'

Dus van de kunstenaars viel verder geen hulp te verwachten. Maar wat had ze dan verwacht?

Soms, als de familie weg was en het straffe regime even verslapte, maakte ze een wandeling over de kliffen en passeerde ze een van de Knights, meneer Birch of een van hun vrienden die een schets zaten te maken van de baai of naarstig bezig waren de dramatiek van een naderende storm vast te leggen, waarbij ze onbekommerd de struiken en rotsen om hen heen onder de verf spatten. Dan keken ze even naar haar op en knikten beleefd, met een verre blik in hun ogen, en probeerde zij voordat ze zich weer verder haastte een glimp van hun werk op te vangen, te verlegen om te blijven staan voor een praatje. In hun ogen was ze natuurlijk maar een doodgewoon meisje uit de buurt. Een bediende. Een niemand.

'Ik vertrouw u,' zei ze, 'maar het is te veel, te groot. Ik kan niet…'

Hij nam haar op. 'Nee,' zei hij. 'Dat snap ik wel.'

En wat moesten de mensen wel niet denken, wilde ze vragen. Zou hij met haar trouwen als ze met hem de benen nam? Daar had hij niets over gezegd. Getrouwd… met Charles. Ze probeerde zich voor te stellen hoe de familie zou reageren, het andere personeel. En moest bijna lachen. Het was onmogelijk. Het zou zelfs niet kunnen als ze hier weg waren, in het buitenland. Vrij.

Een panische angst overspoelde haar.

Ze sloeg hem gade toen hij de ruimte door liep om naar een doek te kijken dat in z'n eentje op een ezel aan de zijkant stond: haar eigen schilderij, waar ze maandenlang ijverig aan had gewerkt en dat nu bijna af was. Ze stond op, sloeg haar sjaal om zich heen en liep naar hem toe, waarna ze achter hem bleef staan.

Even later knikte hij langzaam. 'Het gaat goed. Heel goed.'

Het was het portret van Charles in de bloementuin, waar ze de vorige zomer, nu ruim een jaar geleden, de eerste schets voor had gemaakt. Ze moest glimlachen toen ze terugdacht aan hoe ze hadden gewacht op een zondag waarop de tuin verlaten was, toen de familie op bezoek was gegaan bij vrienden verderop aan de kust en tante Dolly bij een nicht in Mousehole was. Het had een jaar, meer dan een heel jaar, gekost om zover te komen.

Opeens lachte Charles. 'Zie ik er echt zo uit?'

'Volgens mij wel,' zei ze ernstig.

'Misschien moet je er een symbool aan toevoegen. Sint-Marcus is te herkennen aan een leeuw, Mercurius aan zijn slangenstaf.'

Plotseling begreep ze wat hij bedoelde. 'Een penseel,' zei ze. 'Ik zal u een penseel in de hand geven. Dat zal uw teken worden.'

Wat moet ik doen, wat moet ik doen, klonk het in haar hoofd. De sneetjes vielen van het brood af als bladeren die uit een schetsboek waren gescheurd, als hoop waar je niets aan had.

Ze kon hier toch niet weg, van deze veilige plek, en met hem op reis gaan? Waarom kon ze dat niet? Diep in haar hart wist ze daar het antwoord wel op: ze vertrouwde hem niet helemaal. O, waarom kon alles niet gewoon altijd blijven zoals het nu was? Waarom moest het veranderen?

'De naam is me weer te binnen geschoten, kind,' klonk de broze stem aan de andere kant van de lijn. 'Van de jongen die op Merryn woonde die bij mij op school zat. Hij heette Peter. Peter Boase.'

Norah Varco had Mel opgebeld op dezelfde avond dat Patrick en zij Pearls graf gevonden hadden.

'Dat is ontzettend toevallig, mevrouw Varco,' zei Mel, en ze legde uit wat ze die dag hadden ontdekt.

'Dan moet Peter hun zoon zijn geweest,' beaamde mevrouw Varco. 'Hij was een van de oudste leerlingen toen ik op school kwam. Ik kan me niet veel van hem herinneren. Hij nam een andere weg terug naar huis, en zijn ouders gingen niet bij ons naar de kerk of zoiets. Hij was een stille jongen. Niet dom, dat niet, maar hij hield zijn gedachten gewoon voor zichzelf. We besteedden niet veel aandacht aan hem. Zijn naam en dat hij een van de stille kinderen was, dat is het enige wat ik nog weet.'

'Wanneer was dat, mevrouw Varco? Over welk jaar spreken we nu?'

'Hè? O, dat moet 1927 zijn geweest. In dat jaar ging ik naar school. Hij moet toen twaalf zijn geweest, denk ik, of dertien, want hij is er niet lang gebleven. Heb je daar iets aan?'

'Misschien wel. Ik neem aan dat hij nu niet meer leeft, maar als we zouden kunnen uitzoeken waar hij gewoond heeft en of hij kinderen had...'

'Het is toch weer een spoor,' zei Mel tegen Patrick toen ze de hoorn had neergelegd.

Patrick keek niet op van de keukentafel, waar hij haar antieke strijkijzer, dat de geest had gegeven, weer in elkaar probeerde te zetten.

'Kijk, ik geloof dat ik het euvel heb gevonden,' zei hij, een stukje doorgebrand draad omhooghoudend. 'Degene die dit in elkaar heeft gezet zou de kogel moeten krijgen... Sorry, over wat voor spoor had je het nou?' Hij pakte een fijn tangetje en verwijderde nog wat isolatie van het koperdraad.

'De oude mevrouw die ik heb gesproken herinnert zich nog een jongen die hier op Merryn heeft gewoond,' legde Mel uit. 'Hij heette Boase. Ik denk dat hij wel eens de zoon van John en Pearl kon zijn geweest. En als zij kinderen had, zou ze ook kleinkinderen kunnen hebben. Zodat we misschien meer over haar te weten kunnen komen.'

Over de rand van zijn leesbril heen keek hij haar aan. 'Dat kon nog wel eens lastig worden, als je bedenkt hoeveel Boases we in het telefoonboek hebben gevonden.' Toen ze die middag thuis waren gekomen, had Mel Patricks telefoonboek doorgenomen. 'Ziezo, even hier een schroefje aandraaien en dan kan dit er weer op.' Hij stak de stekker van het strijkijzer in het stopcontact, en het werd meteen warm.

'Je bent geweldig,' zei ze. 'Bedankt.'

'Wil je mijn hemd voor me strijken?'

'Nee,' zei ze. 'Maar je krijgt een kus van me als beloning.'

En die gaf ze.

Na het avondeten ging Patrick terug naar het huis om wat papieren in orde te maken voor zijn afspraak van de volgende dag.

Het was nog licht buiten, en Mel pakte een wiedvork om nog wat in de bloementuin te gaan werken. Het was een prachtige avond met een zacht briesje en een halfuur lang was ze lekker bezig. Tussen deze muren was het vredig en veilig. Het desolate gevoel dat ze die middag op het kerkhof van Paul had gehad, was weggeëbd. Ze dacht aan de Boases die in haar cottage hadden gewoond met hun zoontje, of misschien ook met nog andere kinderen. Nu ze bij stukjes en beetjes meer te weten kwam over Pearl, kreeg ze een steeds beter beeld van haar. Soms leek het bijna alsof ze dicht bij haar in de buurt was en toekeek.

De witte vogel zat vlakbij in een meidoornstruik en zong zijn avondlijke merellied. Pas toen de rode kat met zwiepende staart de tuin in kwam kuieren, vloog hij op, om hoog in een andere boom neer te strijken.

24

Toen de doorbraak kwam, was die snel en onverwacht.

Eind juli was Mel een frustrerende week lang bezig wetenswaardigheden over Pearl, haar echtgenoot John en hun zoon Peter te achterhalen, via het archief van Merryn, het parochieregister voor dopen en begrafenissen, oude telefoonboeken – alles wat ze maar kon bedenken. Ze was zelfs een paar dagen naar Londen gegaan om een bezoek te brengen aan het bevolkingsregister.

Maar ook na al deze inspanningen kon ze op haar laptop amper een A4'tje vullen. Op een zaterdag zat ze tussen de middag in Patricks keuken en las de regels die ze geschreven had. Pearl Treglown was in 1894 in Newlyn geboren, was in april 1914 getrouwd met John Boase, de hoofdtuinman van Merryn Hall; op dat moment moest ze al zwanger zijn geweest, want vijf maanden later, in september 1914, schonk ze het leven aan Peter. Ze was jong gestorven, in 1925, met als opgegeven doodsoorzaak longontsteking na een astma-aanval. In het archief waren geen foto's van haar te vinden, en de enige keer dat ze na 1914 ter sprake kwam in de logboeken van het huishouden was toen 'mevrouw Boase' kleine geldbedragen had ontvangen omdat ze had geholpen met het wasgoed.

'Eenendertig,' zei Mel tegen Patrick. 'Ik kan nog steeds moeilijk geloven dat ze zo jong gestorven is.' Pearl had een heel kort leven gehad en had slechts één kind en zeven schilderijen nagelaten.

Mel had niet kunnen achterhalen of het paar nog meer kinderen gekregen had en ging er dus maar van uit dat die er niet waren. De vraag was: had Pearl verder nog iets gedaan met haar talent? Wat voor soort vrouw was ze geweest? Was ze echt gefrustreerd in haar ambitie of was ze tevreden geweest met haar levenslot? Wachtten er nog meer schilderijen op ontdekking? Als ze de afstammelingen van Peter op het spoor zou kunnen komen, zou ze heel, heel misschien op een paar van deze vragen het antwoord kunnen vinden. En dat wilde ze graag hebben voor haar boek.

'Ik weet het,' zei ze met een zucht. 'Misschien leidt het allemaal nergens toe. Maar jij wilt het ook weten, toch? Het is een raadsel dat te maken heeft met de geschiedenis van jouw huis.'

'Een van de vele,' was Patrick het met haar eens. 'En ik ben blij dat je meer boven water hebt gekregen over de tuin. Dat over de vader van meneer Carey is echt interessant.'

De oude Selwyn Carey had de tuin van Merryn Hall ontworpen. Mel had een heel pak documenten gevonden, inclusief plattegronden, een grootboek, lijsten van planten en recepten, zelfs een aantekenboek waarin hij zijn gedachten en ideeën had genoteerd. Hij was degene die de zakdoekenboom had opgekweekt waar zijn kleinzoon Charles zo dol op was geweest, uit een stekje dat een plantenverzamelaar voor hem had meegebracht.

'Wat ben je trouwens over Peter Boase te weten gekomen?' zei Patrick.

Mel keek omlaag naar haar aantekeningen. 'Hij is in 1939 getrouwd met een boerendochter, Sonia Westcott, in de kerk van Paul. Ook hij wordt een tuinman genoemd en ze hadden drie kinderen: Richard, Ann en Michael, die werden geboren in 1941, 1946 en 1948. Ik heb zijn naam ook aangetroffen in het militair archief. In 1940 werd hij onder de wapenen geroepen.'

'Dat verklaart de tussenpozen tussen de geboorten van zijn kinderen. Het grootste deel van de oorlog zal hij wel van huis zijn geweest.'

'Ja, en hij is in 1985 overleden. Daarna kom ik niet echt verder meer. Ik heb gevonden wanneer Richard en Michael getrouwd zijn, maar niets over Ann. Michael is verhuisd naar St. Austell en hij heeft minstens twee kinderen gekregen. De vraag is: waar zijn die nu allemaal?'

'Ik snap wat je bedoelt. Waar moet je beginnen met zoeken?'

'Ik denk dat dat hier ergens in de buurt moet zijn. Hoewel ik er weinig voor voel alle Boases die in het telefoonboek staan te gaan opbellen. Ah, mooi zo, is dat de postbode?'

Bij het geluid van zijn auto kwam ze half overeind uit haar stoel; ze zag het busje voor Gardener's Cottage tot stilstand komen.

'Ik ga even kijken wat hij heeft,' zei ze. 'Misschien dat de schijf voor de wegenbelasting eindelijk is gearriveerd.'

De postbode overhandigde haar de bruine envelop van het Bureau Kentekenregistratie waar ze zo op gehoopt had, samen met een kleine witte waarop in onvaste balpenletters haar adres geschreven stond.

'Ga je terug naar de Hall, wijfie?' vroeg de postbode. 'Neem deze dan mee; dat spaart mijn oude benen.'

'Goed hoor,' zei ze, en ze pakte de stapel catalogi en tijdschriften aan die hij haar aanreikte en stak ze onhandig onder één arm.

Ze glimlachte vagelijk ten afscheid, en terwijl ze haar best deed om Patricks post niet te laten vallen, scheurde ze de witte envelop open, waar slechts een enkel velletje papier in zat. Ze vouwde het open en zag meteen dat het van Norah Varco afkomstig was:

Beste Mel,
Vorige week had ik mijn nicht in Buryan aan de lijn. Ze heet Jo Sen-
nen. Zij denkt dat ze weet wie Peter Boases zoon Richard is, want Ri-
chards zoon heeft de dochter van een vriendin van haar twee jaar
lang het hof gemaakt. Vandaag heeft ze me teruggebeld om te beves-
tigen dat hij inderdaad de Richard Boase is die je zoekt en om me zijn
adres te geven. Mijn gehoor is zoals je weet niet meer zo goed, maar
Richard was boer ergens bij Zennor, en ik heb het adres verstaan als
Greenacre Farm, Long Lane, Zennor. Ik hoop dat je iets aan deze in-
formatie hebt.
Hoogachtend,
Norah Varco

Triomfantelijk vouwde Mel het papier weer op. Ze had hem gevonden, en het was bovendien maar een paar kilometer verderop. Het dorpje Zennor lag aan de noordkust vlak bij St. Ives. Wat ontzettend toevallig dat de brief net op dit moment was gekomen. Ze las hem nog eens over. Er stond geen telefoonnummer bij. Moest ze Boase eerst aanschrijven om een bezoekje te regelen, of moest ze zijn nummer opzoeken in het telefoonboek? De laatste manier was het snelst, besloot ze.

Nadat ze haar brieven in de achterzak van haar spijkerbroek had gepropt, pakte ze Patricks post zo over dat ze de stapel makkelijker kon dragen. Daarbij gleed er een gekleurde kaart tussenuit, die op het pad dwarrelde. Een ansichtkaart. Ze pakte hem op en keek naar het plaatje. Een liggend naakt. *La Grande Odalisque* van Ingres, zag ze. Geschilderd in…? Ze draaide de kaart om om het op de achterkant te lezen. Maar de gegevens waren moeilijk leesbaar doordat er met grote letters een ondertekening doorheen geschreven was: 'Bella', met een stel x'en erachter.

Even kreeg ze geen adem. Ze sloeg haar blik op naar het keukenraam. Stond Patrick naar haar te kijken? Nee. Ze wist dat ze het niet zou moeten doen, maar ze deed het toch: snel las ze het zwierige handschrift.

'Liefste Paddy…' Paddy?

'Ik zag deze liggen en moest aan jou denken, zoals ze altijd zeggen. Weet je nog die dag in het Musée d'Orsay? Ik heb nieuws. Bel me, of ik bel jou. Liefs, Bella xxx'

Ze draaide de kaart nogmaals om en staarde naar de afbeelding – die zachte smetteloze huid, de hertenogen van de odalisk, beeldschoon, verleidelijk, wachtend tot ze werd gevonden. Er viel haar iets op: 'Ik zag deze liggen en moest aan jou denken.' Dat had Patrick ook gezegd toen hij haar de theepot cadeau had gedaan. Dus het was hún privégrapje, dat van Bella en hem.

Ze banjerde naar het huis, duwde de deur van de bijkeuken open en dumpte de stapel post op Patricks gelukkig lege bord, met de ansichtkaart bovenop.

Met een lichte frons keek hij haar aan. 'Wat is er?' vroeg hij.

'Niets,' antwoordde ze scherp, met een kort knikje naar de ansicht.

Hij wierp er een blik op en moest meteen hebben begrepen wat hij betekende, want hij pakte hem op, liet zijn ogen over de beschreven kant gaan… en stond op om hem in de overvolle brievenstandaard achter de keukendeur te steken.

Verbaasd staarde ze hem aan. Dus hij wilde de kwestie gewoon negeren? Naarstig zocht ze naar woorden, maar ze kon er geen bedenken.

Hij begon het plastic van de tijdschriften te scheuren en ze eruit te halen: de *Spectator*, *PC World*, zaadcatalogi.

'En?' zei ze.

'En wat?' Hij bladerde de *Spectator* door.

Ze sprak elke lettergreep duidelijk uit: 'Waarom schrijft ze jou zo'n kaart?'

'O, zo is Bella nou eenmaal.'

'Dus zo pakt Bella die dingen aan.'

'Ja.' En toen zei hij: 'Echt, Mel, je zou jezelf eens moeten horen. We zijn volwassen mensen, toch? We kunnen niet doen alsof we nooit andere relaties hebben gehad. Ik ben niet van plan mensen uit mijn leven te bannen alleen maar omdat ik vroeger met ze omging.'
'Dat is dan duidelijk.' Deze toon had ze hem nog niet eerder horen aanslaan: kil, afwijzend. Waarom bood hij haar geen troost, zei hij niet dat hij van haar hield, scheurde hij de kaart niet doormidden met de opmerking dat Bella niet goed wijs was?
Maar hij deed niets van dat al.
'Wat had jij voor post?' zei hij, terwijl hij wat reclamemateriaal bij het oud papier gooide. 'Heb je je bewijs van de wegenbelasting?'
'Hè? O, ja.' Ze drong haar tranen terug, schraapte haar keel en haalde de enveloppen uit de zak van haar spijkerbroek. 'En ik heb ook goed nieuws gekregen. Ik heb de kleinzoon van Pearl Treglown gevonden.'

Die avond sliepen ze in het tweepersoonsbed in Vals oude kamer, waar ze tegenwoordig meestal sliepen, omdat Patrick klaagde over de hobbels in het bed in de cottage. In het begin had Mel gevonden dat er een onheilspellend sfeertje in de kamer hing. 'Maak je geen zorgen, hij is overleden in het ziekenhuis,' had Patrick gezegd. 'En hij sliep de laatste jaren trouwens niet in dit bed. Hij had een speciaal verstelbaar bed met allerlei hendels, waar hij makkelijker in en uit kon komen.'
Patrick viel bijna meteen zodra het licht uit was in slaap, moe van al het tuinieren die dag en omdat hij last had van een lichte verkoudheid. Maar Mel lag wakker in het donker en deed haar best geen aandacht te besteden aan de roep van een uil buiten en om haar voortrazende gedachten een halt toe te roepen. Waarom was ze zo bang voor Bella? Omdat Bella – ze moest de waarheid onder ogen zien – Patrick nog steeds iets deed. Omdat Bella zijn zaak was, zijn geheim, en hij niet over haar wilde praten; dat had hij niet meer gedaan sinds die avond nu bijna twee maanden geleden, toen hij Mel in vertrouwen had genomen over zijn gebroken hart.
Ze besefte overigens maar al te goed dat zij qua geheimen niet voor hem onderdeed. Hij zou nooit te weten komen hoeveel zij nog steeds aan Jake moest denken.
Maar dat wil niet zeggen dat ik nog altijd verliefd op Jake ben, toch? Aan hem denken helpt me alleen maar om hem sneller uit mijn systeem

te krijgen. Ik probeer met hem klaar te komen, ik ben het aan het verwerken.

Was Patrick dat met Bella ook aan het doen? Hoe vaak zocht Bella eigenlijk contact met hem?

Er ging een halfuur voorbij. De uil was zeker ergens op jacht gegaan, maar ze kon nog steeds niet slapen. Haar maag rommelde en na een poosje glipte ze het bed uit, trok haar ochtendjas aan en trippelde naar beneden. Het donker sloot zich om haar heen, en het was een opluchting om het licht in de keuken aan te knippen. Ze schonk wat melk uit de koelkast voor zichzelf in en graaide in een trommel naar een koekje. Haar blik bleef rusten op de overvolle brievenstandaard.

Nee, ze moest het niet doen. Ze nam een hap van het koekje.

Jawel, ze moest het wel doen.

Met twee handen pakte ze de stapel brieven eruit en ging ermee aan tafel zitten.

Toen ze ze allemaal had doorgekeken, wist ze niet goed of ze nu opgelucht of teleurgesteld was. Er was maar één bericht van Bella bij: de ansichtkaart die vandaag was gekomen. Ze schoof de hele bups weer terug in de standaard, in de hoop dat het er hetzelfde uitzag als eerst. Daarna ging ze zitten om haar melk op te drinken. Ze voelde zich zowel beschaamd als opgelucht.

25

De volgende middag hotste Mels auto over een weggetje vol kuilen naar een afgelegen stenen boerenwoning die eenzaam op een heuvelflank bij Zennor stond.

Het huis zag er net zo verlaten uit als veel van de door de wind gegeselde gebouwen op het schiereiland, alsof ze al lang geleden hadden besloten de schijn niet langer op te houden. Het kostte immers al energie genoeg om zich schrap te zetten tegen wind en stormen. Toen ze een hand omhoogbracht om de deurklopper op te tillen, werd er een grendel teruggeschoven en ging de deur open; op de drempel stond een gedrongen man met wit haar, wiens gezicht er even verweerd uitzag als zijn huis.

'Meneer Boase?' zei Mel.

'Kom erin, kind, kom erin,' zei hij, terwijl hij de deur verder opendeed en haar met een gebaar naar binnen noodde. Ze liep achter zijn onvaste, krombenige gestalte aan een zonnige woonkamer met witgeverfde muren en een grote open haard in. De enige wanddecoraties, merkte ze teleurgesteld op terwijl ze plaatsnam op een kleine bank, waren een ingelijste negentiende-eeuwse merklap en twee prenten van landschapstaferelen. Niets wat eruitzag alsof het door Pearl was vervaardigd.

Richard Boase liet zich neer in een aftandse armstoel bij de haard, en stond toen met een verdwaasd gezicht weer op.

'Het spijt me, ik hoor je een kop thee aan te bieden...'

Mel kwam snel met een excuus waarom dat niet hoefde.

Hij zonk weer achterover in de stoel en vouwde zijn handen als in gebed tegen zijn borst. 'Vroeger deed mijn vrouw...' Zijn ogen schoten even naar de lege armstoel tegenover hem. Op een tafeltje ernaast stond een naaidoos, veel te netjes opgeruimd om echt gebruikt te worden.

Mel begreep het meteen. 'Wanneer is het gebeurd?' vroeg ze vriendelijk.

'Drie maanden geleden is ze overleden,' zei Boase, terwijl hij zijn eeltige handen bestudeerde en zijn lange nagels aanraakte. Mel probeerde geen aandacht te besteden aan zijn ongestreken hemd.

'Wat verschrikkelijk,' mompelde ze. 'Ik stoor u in uw rouwproces. Misschien had ik niet moeten komen.'

'Nee, nee,' zei hij, nu met vastere stem. 'Ik zie graag mensen. Mijn dochter woont in Canada. Ze is naar huis gekomen voor de begrafenis, maar ze moest weer terug. Ze heeft haar eigen gezin om voor te zorgen, weet je. Mijn zoom komt af en toe langs, maar vanuit Bristol is het een heel eind rijden.'

'Heeft mevrouw Sennen u verteld waarom ik hier ben?' Toen ze die ochtend had opgebeld, had hij haar telefoontje al verwacht. Norahs nicht, zo bleek, had hem van tevoren ingeseind.

'In verband met mijn grootmoeder, toch?'

'Ja. Pearl Boase.'

Hij knikte. 'Ik heb haar uiteraard nooit gekend. Ze overleed toen pa nog maar een jongen was.'

'Heeft uw vader het ooit over haar gehad?' In het kort legde ze het doel van haar bezoek uit. 'Zou ik u een paar vragen mogen stellen? Het spijt me dat het voor u nu misschien niet zo gelegen komt.'

'Ik vind het niet erg,' zei hij. 'Ik moet toch al steeds denken aan de dingen die er niet meer zijn. Het is fijn om daar met iemand over te kunnen praten. Mijn grootmoeder... Pa kon zich haar niet zo goed herinneren, maar mijn opa had het geregeld over haar. Alleen vertelde hij pa niet het allerbelangrijkste; dat deed hij pas toen hij op sterven lag. In die tijd zou wat hij te zeggen had natuurlijk iets zijn geweest om je diep voor te schamen.'

'Waar doelt u op?'

'Op wat Pearl had gedaan, wat ik je nu ga vertellen. Ik weet ook wel dat jullie jongelui dat soort dingen niet meer zo schokkend vinden, maar in mijn jeugd had je het daar niet over...'

'Wat bedoelt u?' vroeg Mel, in verwarring gebracht.

'John Boase, de man die ik opa noemde, bleek helemaal niet de echte vader van mijn vader te zijn. Toen Pearl met hem trouwde, was ze zwanger van een andere man.'

Mel staarde hem verbijsterd aan. Ze had een blocnote en een pen uit haar tas gepakt, maar nu lagen die vergeten naast haar. Zwanger van een andere man. Dat zou verklaren waarom er maar vijf maanden hadden gezeten tussen Pearls bruiloft en de geboorte van Peter.

'Het schijnt dat de man in kwestie een jongeheer was van Merryn Hall.'

'Een van de andere personeelsleden, bedoelt u?'

'Nee, eentje uit het gezin van meneer en mevrouw. Niet meneer zelf, die bedoel ik niet. Maar zijn neef. Die heette Charles Carey.'

'Charles? Van hem weet ik wel het een en ander,' bracht Mel naar adem happend uit. Het beeld van de knappe jonge man met de snor kwam haar voor de geest.

'Uiteraard kon hij niet met haar trouwen. Dat wilde zijn familie niet hebben. Maar mijn opa, John, was daar hoofdtuinman. Hij was verliefd op haar. Hij vond het niet erg dat ze een kind droeg. Hij heeft pa altijd als zijn eigen zoon behandeld. Pa was er kapot van toen hij de waarheid te horen kreeg. Mijn moeder vertelde me dat hij nadien leek te zijn veranderd. Hij voelde zich er ongelukkig onder.'

'Hij moet wel ontzettend geschrokken zijn,' merkte Mel op, 'dat hij zo ineens zijn hele plaats in het leven moest herzien.'

'Vooral ook omdat hij zijn moeder al zo jong had verloren,' zei meneer Boase. 'Zij had geen familie meer die nog leefde. Ze was zelf een buitenechtelijk kind en haar vader en moeder waren allebei overleden.'

Uiteindelijk pakte Mel haar pen op. 'Was Pearl ook een onwettig kind? Weet u hoe haar ouders heetten? Waar ze vandaan kwamen?'

De oude man keek zonder iets te zien naar de lege open haard. Toen zei hij: 'Nee. Maar mijn pa dacht dat haar vader een van die kunstenaarstypes was.'

'Wat?!' Mel legde haar pen weer neer en probeerde uit deze informatie wijs te worden. 'In Lamorna?'

'Nee, verderop aan de kust, in Newlyn.'

'Maar dat is heel opmerkelijk. Meneer Boase, wist u dat uw grootmoeder kunstenares was? Ik bedoel,' corrigeerde ze zichzelf, 'dat ze schilderde?'

'Ja, natuurlijk,' zei hij eenvoudig. 'Mijn zuster in Londen bezit een paar van de schilderijen. Zij schildert ook, wist je dat niet? Ann is ook kunstenares. Je zou met haar moeten praten, niet met mij.'

26

Februari 1914

'Ik moet met u praten.' Pearl had een pot verse thee voor Charles op tafel neergezet en begon met kalme bewegingen achtergelaten ontbijtbordjes op een dienblad te stapelen. Charles, die op deze vrieskoude februariochtend de laatste was die kwam ontbijten, liet zijn krant zakken en keek haar behoedzaam aan. Pearl wendde haar blik af onder zijn gestaar en zette nu de kop-en-schotels op haar blad, waarna ze het oppakte en een hele tijd bleef wachten, leek het wel, tot haar misselijkheid voorbij was. Rennende voetstappen buiten. Op wanhopige toon zei ze: 'Ik moet u spreken, alstublieft, meneer.' Toen, op het moment dat de voetstappen stopten, zei ze als een in de hoek gedreven dier, met een abrupte draai van haar hoofd: 'Alstublieft!'

Er werd aan de deurknop gedraaid.

'Om vijf uur bij de laurieren,' zei Charles zachtjes. 'Als je er even tussenuit kunt.' De deur ging open en Cecily huppelde naar binnen. Met een steelse glimlach op haar gezicht bleef ze staan toen ze Charles en Pearl samen zag; vervolgens liep ze, haar blik op Pearl gericht, de kamer door en sloeg haar armen om Charles' schouders.

'Alsjebliéft, Charley,' zei ze, in een parodie op Pearls smekende toon. Ze weet het, besefte Pearl, en de kamer leek om haar heen te draaien. Maar ze kon niet hebben verstaan wat ze zei, niet door een gesloten deur heen.

'Alsjebliéft, Charley, je gaat vanavond toch wel met ons mee naar de Pascoes, hè?' *Alsjeblieft, Charley, alsjeblieft, Charley.*

'Wat is er dan bij de Pascoes te doen, lieve schat?' zei Charley, terwijl hij zo goed en zo kwaad als het ging met Cecily's armen om zijn nek zijn krant opvouwde, waarbij zijn stem Pearl in de oren klonk alsof hij van heel ver weg kwam, of uit een droom.

'Ach, je weet wel. We hebben ons suf geoefend. Victoria Pascoe en ik en haar broers doen ons Griekse tableau. En Elizabeth gaat zingen. Zeg nou dat je komt!' Cecily's hoge stem schraapte als metaal over steen. 'Pearl, is alles goed met je?' Charles stond op en duwde Cecily van zich af. Het dienblad viel op tafel toen Pearl wankelde op haar benen en op de grond gleed.

'Ik dacht dat u niet zou komen.'

'Je rilt helemaal. Hier, neem mijn jas. Het spijt me, ik was bij de Birches en heb niet op de tijd gelet.' De mantel van ruwe wol drukte zwaar op haar schouders; toen kwam hij naast haar op het stenen bankje zitten en bleven ze in het geheime duister tussen de laurierhagen zitten luisteren naar de geluiden van de tuin die zich om hen heen voegde, het rusteloze spel van de wind in de takken, de rollende roep van een merel.

'Is alles goed met je? Na vanmorgen, bedoel ik. Ik maakte me zorgen.' De arm die hij in het donker om haar heen had geslagen voelde vertroostend aan. Ze zouden samen weggaan. Ze zouden wel moeten, nu ze zekerheid had.

'Je bent in verwachting, hè, meissie?' In gedachten hoorde ze het Jenna nog zeggen. Toen Pearl was gevallen, was Jenna gelukkig degene die op Charles' dringende gebel had gereageerd; ze had Jago opgedragen het gebroken servies op te ruimen en had Pearl naar boven geholpen.

Ze voelde zich nog beroerder als ze lag, dus was Pearl overeind gaan zitten, vechtend tegen het misselijke lege gevoel, zich afvragend wat die tinteling in haar borsten precies te betekenen had. Jenna ging tegenover haar op haar eigen bed zitten en nam haar nauwlettend op.

'Je gezicht ziet zo bleek als deeg en je ogen staan zo raar. Je bent in verwachting, hè? Van wie? Hoever ben je al heen?'

Pearl schudde haar hoofd.

Jenna kwam naar haar toe, knielde neer en pakte – niet onvriendelijk – de armen van het meisje vast. Ze dacht even na. 'Erg ver kan het nog niet zijn. We waren allebei met nieuwjaar nog ongesteld, weet je nog? Jij had toen nog zo'n kramp, toch? Ik had moeten merken dat je een keer had overgeslagen.' Het was in de kleine kamer onmogelijk om dat niet op te merken.

'Wie heeft dit je aangedaan, meissie?' Ze dacht even na en zei toen met een weifelende stem: 'Toch niet Jago?'

Pearl schudde haar hoofd en kreeg tranen in haar ogen.

'Wie dan? Wie? Je moet het me zeggen,' zei Jenna. 'Dan kan ik je helpen. Ik verzin er wel iets op. Moet je horen, er zijn manieren, weet je, als je het niet wilt laten komen.' Ze zweeg. 'Het was toch niet een van de mannen van Boase?'

'Nee.' Pearl vormde in haar mond Charles' naam, maar ze kon zich er niet toe zetten die ook daadwerkelijk uit te spreken. Want dan zou het echt zijn. Maar ze hoefde zijn naam ook helemaal niet hardop uit te spreken. Wankelend kwam ze overeind en liep naar haar ladekast, waar ze de bovenste la opendeed en daar haar schetsboek uit haalde. Ze bladerde erin tot ze bij de tekening kwam van Charles die in zijn atelier lag te slapen.

Na een hele poos knikte Jenna langzaam, en in haar ogen verscheen een blik van herkenning en woede. Ze haalde haar handen van Pearls armen en zei fel: 'Dus hij was het! Alleen maar om te schilderen, had je gezegd. Dus dát spookten jullie de hele tijd uit. Je dacht zeker dat ik gek was!'

'Het is niet wat je denkt. Ik héb ook geschilderd. Dit… is nog niet zo lang aan de gang,' riep Pearl uit. 'En we waren voorzichtig…'

'Je bent niet goed wijs, weet je dat? Niet goed bij je hoofd! Moet je horen, ik zoek wel een oplossing. Je bent nog niet ver, dus misschien gaat het vanzelf wel over. Soms gebeurt dat, moet je weten. Maar je mag het tegen niemand zeggen. Tegen niemand, hoor je? Nog niet, tenminste.'

'Kokkie,' fluisterde Pearl in paniek. Wat zou er gebeuren als tante Dolly het merkte? Zou ze meteen naar mevrouw stappen? En Cecily? Zij was dan misschien te jong om de tekenen juist te interpreteren, maar ze kon wel iets hebben gezien of gehoord, en als ze dat aan iemand doorvertelde…

'Kokkie hoeft het nog niet te weten, hoewel ze het misschien vanzelf wel doorkrijgt, want er ontgaat haar niet veel. Moet je horen, ik zeg wel tegen haar dat je buikpijn hebt. Heb je moeten overgeven?'

'Nee, maar het voelt de hele tijd raar, alsof dat wel elk moment kan gebeuren.'

'Blijf dan maar een poosje hier. Dan zeg ik wel dat je last hebt van je ingewanden.'

Een uur later, toen ze nog steeds duizelig was, maar iets minder misselijk, had Pearl haar schetsboek weggestopt, ditmaal in de wandkast die ze had gevonden achter haar bed. Daarna was ze naar beneden gekropen en weer aan het werk gegaan. Mevrouw Roberts sloeg haar met een peinzende blik in haar ogen gade, maar vooralsnog leek ze Jenna's verklaring van buikpijn te accepteren. 'Blijf maar uit de buurt van het eten, want anders besmet je ons nog,' zei ze alleen maar.

Pearl moest denken aan wat Jenna had gezegd: *Doe er iets aan.* Dat betekende dat ze moest zien dat ze het kwijtraakte. Ze had verhalen gehoord. Jenna had haar verteld dat haar moeder met opzet voor een miskraam had gezorgd voordat haar vader zo ziek was geworden. Ze konden het zich immers niet permitteren om nog een mond te moeten voeden.

Maar misschien, heel misschien, zou het goed komen. Ze zou tenslotte weggaan met Charles...

'Ik geloof dat ik een kind krijg,' zei ze nu fluisterend tegen hem.

'Wat?!' zei hij, en zijn arm viel van haar schouder. 'Wát?!'

'Ik krijg een kind.' Door het hardop te zeggen werd het angstaanjagend echt. Opeens zag ze het allemaal helder voor zich. Ze kon niet blijven. Ze zou haar werk hier kwijtraken. Wat zou er dan met haar gebeuren? Ze wist het niet zeker, maar waarschijnlijk zouden ze haar wegsturen en de baby van haar afpakken, waarna ze ergens anders weer helemaal opnieuw zou moeten beginnen. Hoe ze het ook bekeek, ze zou van Merryn moeten vertrekken, deze plek die haar thuis was geworden, waar ze zich gelukkig voelde. Hoe kon ze zo dom zijn geweest om dat geluk te verkwanselen?

'Weet je het zeker?' vroeg hij zacht. 'Hoe kan dat nou? We hebben toch geprobeerd...'

'Dat weet ik ook wel!' riep ze uit. 'Maar het heeft geen effect gehad, wel? En nu zullen we ervandoor moeten.'

Charles sprong overeind en ze moest de jas vastgrijpen omdat die anders zou vallen. Toen ging hij weer zitten en hoorde ze dat hij in het donker met zijn nagels over zijn stoppelige kin krabde en een zucht slaakte.

'Pearl? Pearl! Ik vil je. Waar zit die meid als ik haar nodig heb?' De stem van mevrouw Roberts galmde door de tuin, half verwrongen door de wind.

'Ik moet gaan,' zei ze.

'Ja.' Zijn stem klonk dof.

Ze stond op, liet de jas vallen, draaide zich naar hem toe en drukte haar knieën tegen de zijne. Zijn armen omvatten haar bovenbenen en hij trok haar naar zich toe en begroef haar gezicht tegen haar buik. 'Het is in orde, het is in orde,' fluisterde hij. 'Het spijt me.'

Ze sloeg haar armen om zijn hoofd, wreef met haar wang tegen zijn zijdeachtige haar, het deel van hem waar ze het meest van hield: zijn prachtige haar en zijn kwetsbare mond. Ze tilde zijn hoofd naar haar toe en kuste die mond, waarbij ze ziltigheid proefde en een flauw, mannelijk spoor van rook. Haar schoot trok zich samen van verlangen en ze hapte naar adem toen er een lichte pijn door haar borsten trok.

'Kan ik u zondag zien?' vroeg ze terwijl ze hem losliet. In het atelier in de stal was het nu ijskoud, maar Charles had er een oliekacheltje neergezet. Ze konden er alleen werken totdat het daglicht wegstierf.

'Pearl? In godsnaam, waar…?' Jago's stem ditmaal. Pearl baande zich op de tast een weg terug door de laurierstruiken naar het grasveld, waar ze in het licht van de zachte olielampen vanuit het huis het pad kon zien. Bij de bloementuin struikelde ze. Opeens doemde er een donkere gestalte op, iemand stak een hand uit om haar op te vangen. Jago? Nee.

'Oeps, meissie.' Het was meneer Boase, die haar tot bedaren bracht zoals hij met een verschrikte pony zou doen. Er stootte een mand tegen haar heup; ze snoof de rijke geuren op van aarde en groenten, en haar maag kwam in opstand.

'Hier, neem dit maar mee,' zei hij. 'Daar was je me om komen vragen, weet je nog?'

'Hè?'

'Zeg maar tegen ze dat je hierop moest wachten,' zei hij.

Ze begreep ineens wat hij bedoelde en pakte de mand aan, kalmer nu – 'O. Ja. Dank u wel' – liep langs hem heen en haastte zich naar de Hall.

'Waar zat je nou, meid?' vroeg Jago bot in de deuropening van de bijkeuken, waarna het licht van zijn lamp op de mand met aardappelen viel.

'Wie heeft je daarom gevraagd?' zei de kokkin vanachter het fornuis toen ze de met damp gevulde keuken binnen kwamen. 'Hoewel… We kunnen er best een paar extra gebruiken.'

'We kunnen toch weggaan? Ik kan hier niet blijven, wel?' Beverig ging haar stem de hoogte in.

'Pearl, luister nou eens naar me. We kúnnen niet samen weggaan. Snap je dat niet? We hebben geen geld om zomaar wat te lanterfanten in het buitenland.'

'Maar wat moet ik dan doen?' Pearl, die trilde en in tranen was, staarde naar de stoffige chaos van papier, lappen en schildersdoek op de grond van het atelier alsof ze haar eigen toekomst aanschouwde. *En de zeemeermin. Waar is de zeemeermin gebleven?* Iemand had in haar spullen zitten rommelen – niet Jenna, Jenna kon het niet zijn geweest. Jenna was haar vriendin.

Charles stond bij het kacheltje met zijn rug naar Pearl toe. 'Kun je het niet zien kwijt te raken?' zei hij.

Geschrokken staarde ze hem aan. 'Dat heb ik geprobeerd,' mompelde ze. 'Maar nog niets heeft gewerkt.'

Op woensdag was Jenna ertussenuit gepiept om naar haar ouderlijk huis te gaan en daar een kruidendrankje op te halen dat volgens haar moeder zijn uitwerking niet zou missen. Laat die avond had ze dat aan Pearl gegeven, maar het enige wat het had uitgericht was dat Pearl er hondsberoerd van was geworden.

'Er bestaan andere manieren,' zei Jenna de volgende ochtend toen ze het zweet van het voorhoofd van haar vriendin wiste. 'Maar daar kunnen we niet mee aan de slag zonder dat kokkie of iemand anders het merkt. Zullen we afwachten en maar kijken wat er gebeurt – of het haar vertellen?'

'Wachten,' kreunde Pearl, die hevig rilde terwijl ze haar jurk probeerde aan te krijgen. 'Godzijdank is ze vanochtend naar de markt.'

'Is er niet een of andere dokter die er iets aan kan doen?' zei Charles nu, met wanhoop in zijn stem.

'Wat dan?'

'Je helpen ervan af te komen.'

'Is dat het enige waar u en Jenna aan kunnen denken: hoe ik ervan af kan komen?' vroeg ze, koppig ineens. 'Het is een kind. Ons kind!'

'Dat is het niet, dat kan niet zo zijn – snap je dat dan niet, Pearl?' Hij beet haar de woorden bijna toe.

'Wat zou ik moeten snappen? We zouden weg kunnen gaan. U zou een baan kunnen zoeken, toch?' We zouden kunnen trouwen, samen een huishouden kunnen opzetten, wilde ze zeggen, maar ze had er de kracht niet voor om zo expliciet te zijn.

'Pearl, dat kan ik niet. De Careys zouden me verstoten. En wie zou mij een fatsoenlijke baan moeten geven als…' Hij hoefde de woorden niet uit te spreken: als hij met haar samen was, als hij getrouwd was met haar. Er stak een zwarte woede in haar op.

'Daar zit 'm dus de kneep?' Ze kwam wankelend overeind, trots, om de confrontatie met hem aan te gaan. 'Al die praatjes van u over gelijkwaardigheid, al die dingen die uw vriend Kernow zegt – ik heb jullie wel gehoord. Maar het heeft allemaal niets te betekenen, is het wel? Niets. Ik ben niet goed genoeg voor u, dáár komt het op neer.'

'Pearl…'

'Waarom hebt u me dan zo veel hoop gegeven, me geleerd hoe ik dit moet doen?' Ze griste een schets tussen de rollen op de grond vandaan en scheurde hem doormidden. '"Je kunt schilderes worden, Pearl. We kunnen samen schilderen," zei u. "Mijn vrienden helpen je wel," zei u. Maar dat hebben ze niet gedaan, is het wel? Ik geloof niet eens dat u het ze ooit ook maar hebt gevraagd.'

'Dat heb ik wel gedaan,' zei Charles. 'Maar wat kunnen ze nou helemaal? Je bent…'

Hij maakte zijn zin niet af en draaide zich om.

'Ik ben maar een bediende!' riep ze uit. 'Toe maar, zeg het maar: ik ben maar een bediende. Inderdaad ja, meer ben ik niet. Maar ik had gedacht dat ik op u kon rekenen, dat u anders was. Dat u… Nou, dat u van me hield.'

'Ik hou ook van je,' zei Charles, die haar vastpakte en haar met één wanhopige beweging tegen zich aan drukte.

Ze duwde hem weg. 'Maar uw liefde is niet groot genoeg. Het is geen liefde die alles overwint, zoals dat in de Bijbel heet. U bent niet bereid wat dan ook voor mij op te offeren, of wel soms? Helemaal niets. Het zou wat, al die grootse ideeën van u over de wereld veranderen! U bent precies als al die anderen. Nee, u bent nog erger. U hebt me hoop gegeven. En nu zit ik met de gebakken peren.'

'Ik kan je geld geven, Pearl. Veel heb ik niet, maar wat ik heb kun je van me krijgen. Hier.' Hij deed een greep in de binnenzak van zijn jasje en stak haar een paar bankbiljetten toe. 'Neem dit nu maar aan; later geef ik je meer. Ik zie het wel ergens vandaan te schrapen. Zeg alsjeblieft nog tegen niemand iets. Ik moet nadenken…'

Stik maar met uw geld, wilde ze al bijna zeggen, maar een stemmetje in haar hoofd fluisterde: *Neem het aan, want wat heb je verder nog?* De stem leek verdacht veel op die van haar stiefmoeder.

Met ogen die vuur spuwden griste ze de bankbiljetten uit zijn hand, en het schonk haar enige voldoening dat hij in elkaar kromp.

27

Mijn zuster is kunstenares. Toen Mel de auto terugstuurde over het on-verharde paadje en de smalle weg insloeg die slingerend terugliep over het desolate platteland naar Lamorna, klonken Boases woorden nog na in haar hoofd. Hoe meer ze over deze onthulling nadacht, hoe meer ze het gevoel kreeg dat dit een juiste ontwikkeling was. Pearl zelf mocht er dan niet in geslaagd zijn haar ambitie waar te maken, maar de klein-dochter die ze nooit had gezien, was dat op de een of andere manier wel gelukt. En beter nog: Ann Boase – ze gebruikte haar meisjesnaam – be-zat nog meer schilderijen van haar grootmoeder. Opeens tekende Pearls hele verhaal zich duidelijk af. Zodra ze er een gelegenheid toe zag, zou Mel naar Londen moeten afreizen.

Londen… Ongevraagd kwam er een andere gedachte in haar op. Hier zat ze dan, eind juli, en het nieuwe semester zou over… hoe lang? … maar zeven, acht weken van start gaan. Te ver weg om over na te denken. Maar dat was niet echt zo. Patrick en zij zouden het er op een gegeven moment toch over moeten hebben. Al moest ze hem ertoe dwingen.

Het vakantieverkeer op de grote weg vertraagde haar tempo, en tegen de tijd dat ze terugkwam bij Gardener's Cottage was het al laat in de middag. Nadat ze thee voor zichzelf had gezet, nam ze de mok mee naar buiten de zon in. Door het gegons van het vakantieverkeer in de verte ontging haar het beschaafde geluid van de motor van een Mercedes die snorrend de oprijlaan van Merryn Hall op kwam.

Een mannenstem, laag en zelfverzekerd, riep: 'Hallo?' en ze zag hem om de hoek van de cottage komen, met één hand boven zijn ogen tegen de zon.

Ze stond op en vroeg zich af wie hij was. Hij ging verzorgd gekleed in een duur uitziend jasje met broek en gepoetste bruine brogues. Ze schatte hem op ergens in de vijftig, want zijn grijzende donkere haar week van zijn fraaie voorhoofd. Een kennis van Patrick, nam ze aan.

'Kan ik u helpen?' zei ze.

'Neem me niet kwalijk dat ik zomaar uw terrein op kom, maar ik wilde even een kijkje nemen. Ik was op zoek naar meneer Winterton, en bij het huis kreeg ik geen gehoor.'

'Hij kan elk moment terugkomen van kantoor.'

De man keek een beetje verdwaasd. 'Kantoor?' zei hij. 'Ik had gedacht dat hij met pensioen was, op de een of andere manier.'

'Nee…' zei ze onzeker. 'Maar weet u zeker dat ik u niet kan helpen? Ik ben Melanie Pentreath.'

'Weldon is de naam.' Greg Weldon reikte haar de hand. Ergens in haar achterhoofd begon bij Mel een belletje te rinkelen. Was hij een vriend van Patrick? Had Patrick iets over hem gezegd? Zijn voorhoofd glinsterde van het zweet. Hij haalde een zakdoek tevoorschijn en bette zijn gezicht.

'Bent u van ver gekomen?'

'Londen. Ik ben vanochtend vroeg vertrokken.'

'Nou, terwijl u wacht, kan ik wel iets te drinken voor u inschenken. Patrick is vast snel thuis. Ik ben een vriendin van hem, trouwens.'

Hij koos voor gemberbier en kwam bij haar in de tuin zitten.

'Ik had niet gedacht dat meneer Winterton nog steeds werkt. Er was me verteld dat hij een heer op leeftijd was.'

'O,' zei Mel, in een flits van begrip. 'De oude meneer, bedoelt u. Was u op zoek naar Val Winterton?'

'Heet hij zo, Val? Net zei u Patrick.'

'Ja, Patrick woont hier nu. Hij heeft het huis geërfd van Val. Wist u dat niet? Val is vorig jaar overleden.'

'Aha.' De man zette een zorgelijk gezicht.

'Neem me niet kwalijk als ik u laat schrikken,' zei Mel, terwijl ze zich afvroeg wie deze man in vredesnaam was en waarom hij niet op de hoogte was van Vals dood. 'Hebt u hem goed gekend?' Dat kon haast niet, als hij niet eens Vals voornaam wist.

'Eh… nee, helemaal niet. Eigenlijk ben ik niet echt op zoek naar een Winterton, maar naar mijn vrouw.'

'Uw vrouw?' Opeens herinnerde ze zich weer waar ze laatst de naam Greg had horen vallen: Irina.

'En mijn dochter. Zijn die nog steeds hier? Irina en Lana?'

Mels hand ging naar de hanger om haar hals. De ongemakkelijkheid moest van haar gezicht af te lezen zijn geweest, want met lage, dringende stem vroeg hij: 'U kent hen, nietwaar?'

'Ik, eh...' Wat moest ze zeggen? 'Ik... Jawel.' De waarheid zou het eenvoudigst zijn.

'Waar zijn ze? Wonen ze hier nog steeds? Vertelt u het me alstublieft.'

'Hoe weet u dat ze hiernaartoe zijn gegaan?' flapte ze er opeens uit in een poging om tijd te rekken.

Greg Weldon keek haar aan alsof hij probeerde in te schatten in hoeverre ze op de hoogte was. Hij leek ervoor te kiezen op safe te spelen. 'O, dat heeft ze me geschreven. Ze heeft u misschien wel verteld dat we... gescheiden zijn. Maar ik moet haar spreken. Het is drie jaar geleden dat ik mijn dochter heb gezien. Wonen ze hier nog steeds?'

'Nee,' gaf Mel toe. Met dat gedeelte van de waarheid bracht ze Irina tenminste niet in gevaar. 'Maar... Nou ja, ik ken haar maar oppervlakkig. Ik weet niet zeker of ze u wel wil zien.' Ze dacht koortsachtig na. Hoe had Greg ontdekt dat Irina in Lamorna woonde als Irina hem alleen maar een postbusnummer had opgegeven?

Op dat moment veranderde zijn manier van doen; heel even was hij naakt en kwetsbaar, toen verhardde hij. Hij dronk zijn glas leeg, stond op en overhandigde het haar.

'Dank u wel, dat was erg lekker. Nou, mevrouw Pentreath, het ziet ernaar uit dat u al een beslissing over mij hebt genomen.'

Mel stond ook op en keek hem aan. Opeens begreep ze precies wat Irina had bedoeld: hij was een man die je maar beter niet kwaad kon maken, iemand die zijn macht liet gelden en eraan gewend was zijn zin te krijgen.

Met zijn armen over elkaar geslagen nam hij haar op. 'Irina heeft nu al jaren mijn dochter zomaar van me weggehouden. En ik blijf naar hen zoeken tot ik ze vind. Wonen ze hier nog steeds in de buurt? Volgens mij wel, aan de brief te zien.'

Mel speelde met de gedachte om te liegen, maar zag daar meteen van af. Greg was het soort man dat een leugen van een kilometer afstand zou ruiken.

'Ik ben bang dat ik u niet meer kan zeggen. Als u op Patrick wilt wachten en met hem wilt spreken is dat prima, maar anders zou ik u dringend aanraden terug te gaan naar Londen. Ik kan tegen Irina zeggen dat u haar hebt gezocht.'

'Zodat ze de benen kan nemen…' zei Greg Weldon zachtjes. 'Ik geloof niet dat ik meneer Winterton lastig hoef te vallen. Is hij de zoon van de oude heer? Mijn bron was niet erg duidelijk over hoe de verhoudingen in elkaar steken.'

'Zijn neef.'

Hij knikte. 'Nou, een prettige dag verder dan maar. En nogmaals bedankt voor de verfrissing.' Met zijn duim tikte hij tegen zijn voorhoofd, alsof hij een hoed droeg – een ouderwets gebaar van hoffelijkheid dat in tegenspraak was met zijn bruuskheid. Toen liep hij de helling op, om de Hall heen, en vertrok.

Toen Mel weer ging zitten, speelde haar van alles door het hoofd. Vervolgens stond ze weer op. Ze moest Irina waarschuwen.

De telefoon bij Irina thuis ging diverse malen over, waarna hij op de voicemail overschakelde. 'Irina, met Mel,' zei Mel op gejaagde toon. 'Ik bel je even om je te waarschuwen dat je man hier is geweest om je te zoeken. Ik heb hem natuurlijk niet verteld waar je zit. Bel me.' Ze legde de hoorn neer en keek op haar horloge. Halfzes. Ze pakte de hoorn weer op en bladerde met haar andere hand haar agenda door, totdat ze een nummer vond dat naast de naam Carrie was neergekrabbeld. Bij de vijfde keer overgaan werd de telefoon van het hotel opgenomen. Een mannenstem.

'Ben jij dat, Matt?' vroeg ze. 'Met mij, Mel.'

'Hallo, hoe is het met je?' klonk Matts stem. Hartelijk, weer vriendelijk – die goeie ouwe Matt.

'Is Irina daar?'

'Sorry? Wacht even, de andere telefoon gaat.'

Ze hoorde hem een ander telefoontje beantwoorden en er volgde enige discussie. Hij rondde dat telefoontje af, waarna ze hem hoorde zeggen: 'Goedenavond, kan ik u helpen?' en een donkere en beleefde mannenstem vroeg: 'Ik vroeg me af of u voor vannacht een kamer voor me hebt.' Het was de stem van Greg Weldon.

Wat moest ze doen? Ze riep: 'Matt!' De hoorn werd opgepakt en ze hoorde Matt tegen Greg zeggen: 'Een momentje, meneer.' Toen zei hij in de telefoon: 'Volgens mij is ze boven. Wil je haar spreken? Ik kan haar zo meteen gaan halen, als ik het even minder druk heb.'

'Matt, ik kan het nu niet uitleggen, maar die man die net bij jullie is binnengekomen, mag niet weten waar Irina is, hij mag haar niet zien.'

'Watte?'

'Volgens mij is de man die voor je staat de echtgenoot van Irina. En zij wil hem niet zien. Je mag hem niet vertellen waar ze is.'

'Goed, goed, zeker,' zei hij, en door zijn verandering van toon sloeg er een golf van opluchting door haar heen. 'Ik zal de boodschap doorgeven, mijn moeder zal u later terugbellen. Goedendag.'

'Wat heb je gedaan?' vroeg ze zachtjes toen Matt haar een halfuur later terugbelde.

'Nou, gewoon,' zei hij. 'Ik heb domweg gezegd dat we geen kamers vrij hadden. Ik heb hem naar mevrouw Penhaligon gestuurd in Buryan. Wel jammer trouwens, want we hadden net een afzegging gekregen, maar nu is het probleem opgelost.'

'Matt, dank je wel. Heb je Irina nog gezien?'

'Ja, natuurlijk. En ik heb het haar verteld. Verdorie, Mel, ik had hier geen idee van. Ik dacht dat ze gescheiden was of zoiets, maar dit lijkt wel een soap.'

'Ja, ik weet het. Hoe reageerde ze?'

'Nou, ze schrok zich wild.'

'Je hebt haar toch niet naar huis laten gaan? Daar kan hij haar vinden; iemand stuurt hem daar natuurlijk naartoe.'

'Tuurlijk niet. Als de andere receptioniste hier is, breng ik Irina weg om Lana op te halen bij haar vriendinnetje. Dan kunnen ze daar misschien een poosje blijven, terwijl zij besluit wat ze gaat doen. Ze zit nu boven aan de telefoon met Ambers moeder. Hoor eens, Mel,' – hij liet zijn stem dalen – 'ze heeft me niet veel verteld. Weet jij wat dit allemaal te betekenen heeft?'

'Nee, niet helemaal. Ik weet maar een klein beetje, en het klinkt onaardig, maar ik weet niet zeker of ze het hele verhaal wel heeft verteld. Sommige onderdelen sluiten niet helemaal goed op elkaar aan.'

'Aha. Hoor eens, ik moet nu ophangen. Ik kom zo bij u, mevrouw, als ik dit telefoontje heb afgehandeld.'

'Ik bel later nog wel,' zei Mel in een impuls. 'Breng ze maar hiernaartoe als dat nodig is.'

'Goed. Oké. Dag.'

'Hoe is het met haar?' Mel stond half op toen Irina later die avond de salon van Merryn Hall in kwam.

Irina bleef handenwringend staan en zei: 'Ze slaapt.'

Matt had Irina en haar dochter naar Merryn Hall gebracht omdat dat de veiligste plek was die Irina op dat moment kon bedenken, waarna hij was weggegaan met de belofte terug te komen als het diner in het hotel achter de rug was.

'Mijn moeder voelt zich vandaag niet zo lekker. Als ik niet terugga, redt ze het niet.'

Het was Irina's macht te boven gegaan om de situatie aan Lana uit te leggen. Eerst had ze geprobeerd niets te zeggen over Gregs komst. 'Het leek me leuk om voor de verandering een poosje bij Patrick te logeren.' Zelfs Mel kon haar oren niet geloven toen ze Irina zo pertinent hoorde liegen. Lana had het meteen doorgehad.

'Er is iets, hè mam? Het heeft zeker iets te maken met papa? Ik hoorde je praten met Matt.'

'Ja. Hij is hiernaartoe gekomen, maar we kunnen hem niet zien.'

'Waarom kan ik papa niet zien? Dat wil ik graag.'

'Lana...' Irina probeerde haar armen om haar dochter heen te slaan, maar Lana duwde haar van zich af.

'Ik mag hem van jou nooit zien. Ik wíl hem zien!' Lana's gedrein ging over in gejammer.

'Lana...' Irina deed haar best gedecideerd te klinken, maar haar stem was onvast. 'Ik heb het je al zo vaak uitgelegd. Je vader houdt van je, ik weet zeker dat hij van je houdt, maar ik hou niet van hem, en ik kan niet met hem samen zijn. Hij is niet lief voor me geweest.'

'Maar ik wil hem zien.'

Lana keek naar Mel en zei met een zacht stemmetje: 'Ze konden het heel goed vinden samen, weet je. Hij gaf haar cadeautjes. Zij was zijn prinsesje. Het valt niet mee voor haar.'

Mel staarde Irina aan; het feit dat Lana meeluisterde weerhield haar ervan een van de vele vragen te stellen die haar door het hoofd schoten.

'Ik ga wel even de bedden in orde maken,' mompelde ze, en ze vluchtte de kamer uit. 'Waar kan ik lakens vinden?' vroeg ze aan Patrick, die uit de vuurlinie was gebleven door zich in de keuken om het eten te bekommeren.

Terwijl hij stukken kip omdraaide in de pan trok hij zijn gezicht in een frons. 'Kijk maar even in de oude kast op de overloop als je ze niet in de droogkast kunt vinden. Hoe gaat het daar binnen?'

'Niet best. Volgens mij ligt het allemaal niet zo simpel. Ik besef ook wel dat je nooit kunt zeggen hoe andermans huwelijk er van binnenuit uitziet, maar Irina heeft met Lana de benen genomen en heeft voor haar het contact met haar vader verbroken. Dat is niet goed, als je het mij vraagt.'

'Waarom zou ze dat hebben gedaan?'

'Ik heb geen idee, behalve dan dat ze overduidelijk bang is voor Greg. Op grond van wat ze daarnet zei, denk ik niet dat Greg Lana verkeerd heeft behandeld. Ze lijkt erg dol op hem te zijn. Irina verkeert zeker in de veronderstelling dat Greg haar kind van haar af wil nemen en dat zij dan geen toestemming krijgt om haar nog te zien.'

'Wie weet.' Patrick deed het ovendeurtje open en prikte met een vork in de pastei die daar stond te bakken. 'Ik vraag me af of ze voor de rechter een regeling hebben getroffen...'

Toen hoorden ze iemand snikken en verstrakten ze allebei.

'Lana!' hoorden ze Irina roepen, gevolgd door rennende voetstappen in de gang die de trap op gingen.

Mel liep de gang in op hetzelfde moment dat Irina de naastgelegen salon uit kwam. Met een machteloos gebaar hief Irina haar handen in de lucht. 'Ze haat me,' zei ze met verstikte stem. 'Ze zegt dat ik haar leven verpest.'

'Zal ik proberen met haar te praten?' bood Mel aan. 'Niet dat ik nou zo goed weet wat ik moet zeggen...'

'Dank je wel, maar we kunnen haar het best even tot zichzelf laten komen. Ze zal wel naar haar oude kamer zijn gegaan. Ik ga zo meteen naar haar toe.'

Patrick stak zijn hoofd om de keukendeur. 'We kunnen zo eten. Een glaasje wijn?'

'Een groot glas, graag.' Irina zag er uitgeput uit. Ze zocht in haar tas naar een pakje sigaretten. 'Mag ik?' vroeg ze op wanhopige toon.

Patrick knikte geamuseerd dat het goed was.

Mel rende met twee treden tegelijk de trap op, wat haar frustratie niet echt verlichtte, en trok de deur van de droogkast open. Terwijl ze de stapels oude gordijnen, handdoeken en spreien doorzocht op bruikbaar beddengoed, voelde ze dat ze werd gadegeslagen; ze draaide zich om en

zag een verslagen gestalte in de deuropening van een van de slaapkamers staan.

'Ik leg deze wel even voor je op bed,' zei ze tegen Lana. Het meisje
haalde haar schouders op en slenterde terug de kamer in.

'Help je me even? Hier, pak deze kant maar vast.' Lana pakte met twee
vingers een punt van het laken en drapeerde het lusteloos over het bed.

'Val je moeder maar niet te hard,' zei Mel vriendelijk terwijl ze het laken rechttrok en instopte. 'Ze probeert alleen maar te doen wat voor jou
het beste is.'

Lana mompelde iets. 'Wat zei je?' vroeg Mel.

Het meisje plofte neer op het half opgemaakte bed en sloeg met een
vermoeid gebaar een arm voor haar gezicht. 'Ik wil mijn papa zien,
maar dat mag niet van haar.' Na die woorden deed ze er het zwijgen toe.

Mel hurkte naast haar neer. 'Ik weet zeker dat er wel een oplossing
komt, lieverd. Maak je maar geen zorgen. Kom beneden wat eten en dan
brengen we je naar bed.'

Maar toen ze langzaam achter Lana aan de trap af liep, hoopte ze
maar dat ze haar geen loze belofte had gedaan.

'Ze heeft zichzelf in slaap gehuild,' zei Irina, die als een hoopje ellende
op de bank in elkaar gedoken zat. Ze was de hele avond rusteloos geweest, had de ene sigaret na de andere gerookt en was van elk geluidje
van buiten geschrokken, waarbij ze een angstige blik uit het raam had
geworpen.

'Het klinkt alsof ze haar vader echt mist,' merkte Mel op op hetzelfde
moment dat Patrick de kamer in kwam en plaatsnam in een fauteuil.

Irina keek haar niet aan. 'Ja, dat weet ik,' zei ze botweg.

'Is het niet mogelijk om tot een oplossing te komen, tussen jou en
Greg?' vervolgde Mel. 'Zou je advocaat je niet kunnen helpen?'

Irina reikte weer naar haar sigaretten, stootte tegen het pakje aan, en
het viel op de grond. Ze vloekte in haar moedertaal en raapte het op.

'Dat is nou net het probleem. Greg zou zijn dochter de helft van de
tijd mogen zien. Hij kreeg te horen dat hij een huis voor me moest kopen in Londen en zorg zou moeten dragen voor ons levensonderhoud.
Maar hij heeft me bedreigd. Hij zei dat hij Lana bij me weg zou halen als
ik niet het hele circus stopzette en bij hem terugkwam. Dus... ik moest
haar wel bij hem weghouden.'

'Zou hij dat dan kunnen – haar bij je weghalen, bedoel ik? Waarom geloofde je hem?' Mel vroeg zich af of Irina haar nu wél het hele verhaal vertelde.

'Jij kent Greg niet.' De andere vrouw schudde mismoedig haar hoofd. 'Die doet precies wat hij wil.'

En wat Lana wil dan, dacht Mel, die een veelbetekenende blik in Patricks richting wierp.

'Hoe ben je er zo toe gekomen om met hem te trouwen, Irina?' vroeg Patrick. 'Er moet toch een tijd zijn geweest dat je niet bang voor hem was.'

Mel herinnerde zich de kracht die Gregs lichaam had uitgestraald, zijn directe, meedogenloze blik.

Uiteindelijk stak Irina haar sigaret aan, nam een diepe trek en zei: 'Een tijdje was ik ook niet bang, maar ik zag geen andere oplossing dan met hem te trouwen. Je weet toch dat ik uit Dubrovnik kom?'

'Ja, natuurlijk,' zei Mel. 'Ik heb de foto van jullie hotel gezien. Je zei dat je broer het nu runde.'

'Ik kan daar nooit meer naar terug. Ik wil mijn broer nooit meer zien. Echt nooit meer. Ik zal het je vertellen. Ik was vierentwintig toen het gebeurde. Ik was net begonnen als lerares, en mijn verloofde, Goran, en ik spaarden voor ons trouwen. Goran was journalist bij een politiek nieuwsblad. Helaas verkondigde die krant meningen die veel katholieken, onder wie mijn broer, niet aanstonden. Toen de strijd losbarstte, werden Goran en zijn collega's van de krant een doelwit. Het was niet veilig om met hem samen te zijn op de plek waar hij zich schuilhield, en mijn ouders maakten zich grote zorgen om mij. Mijn broer was kwaad dat ik nog steeds met Goran wilde trouwen. Ik was het heus niet met alles eens wat mijn verloofde schreef, maar hij was een goed mens. Hij hield er radicale overtuigingen op na, dat is waar, maar hij wilde mensen echt helpen. Hij wilde een vuist maken tegen die naarlingen.' Ze viel even stil, opgaand in het verleden.

'Wat gebeurde er toen?' vroeg Mel.

'Hij werd verraden,' zei Irina, en ze kreeg tranen in haar ogen. 'Een paar mannen ontdekten waar hij zich schuilhield en ze schoten hem en de twee anderen die bij hem waren dood. Gewoon, in koelen bloede. Goran had nog nooit van zijn leven iemand kwaad gedaan, en toch deden ze dat zomaar.' Ze drukte de nog maar half opgerookte sigaret uit in de asbak en huiverde, waarna ze nogmaals zenuwachtig naar de ramen keek, ook al waren de gordijnen nu tegen de schemering dichtgetrokken.

'Op een avond vertelde een vriend het me: mijn broer was degene die Gorans schuilplaats had verraden aan die... die moordenaars. Mijn broer had de dood op zijn geweten van de man van wie ik hield. Een man die hem helemaal geen kwaad had gedaan.'

'O, Irina...' Wat kon Mel anders zeggen? Patrick zat voorovergebogen in zijn stoel aandachtig te luisteren, maar zei niets.

'Je hoort wel eens dat mensen gek worden van verdriet. Nou, ik was ook een poosje gek, ik was er helemaal kapot van. Toen ik me wat beter voelde, besefte ik dat ik niet daar bij mijn familie kon blijven. Ik kon het niet verdragen mijn broer ooit nog te zien, of zijn vrienden. Bovendien kenden we andere mensen die vonden dat mijn broer als patriot, als katholiek zijn plicht had gedaan. Tussen hen hoorde ik niet meer thuis.'

Ze slaakte een zucht en strengelde haar afgekloven vingers op haar schoot ineen. 'Nou, er logeerde een man in het hotel, een zakenman uit Engeland. Hij zei dat hij me wel wilde helpen. Hij zei dat hij verliefd op me was. Let wel, ik was helemaal mezelf niet. En hij kwam op mij over als heel sterk en veilig. Hij wist wat er gedaan moest worden, hoe hij de juiste mensen te spreken kon krijgen. Hij nam me met het vliegtuig met zich mee naar Engeland. De rest heb ik je verteld, toch? Dat we trouwden en dat Lana werd geboren.'

'Jawel. Ja, dat heb je verteld. Maar...' Mel wist niet goed hoe ze de vraag moest formuleren. 'Waarom ben je met hem getrouwd – als je niet van hem hield, bedoel ik. Deed je dat om in Engeland te kunnen blijven?'

Irina haalde haar schouders op. 'Deels wel, maar ik moet erbij zeggen dat hij heel charmant kan zijn. En je kunt je niet voorstellen hoe dankbaar ik was dat ik me na alle ellende die ik had meegemaakt bij hem zo veilig en gekoesterd voelde. In het begin was hij ontzettend attent.'

Op dat moment klonk buiten het geluid van voetstappen. Er klopte iemand op de achterdeur.

'Daar zul je hem hebben.' Irina stond op, klaar om weg te vluchten, en haar gezicht zag doodsbleek.

Patrick haastte zich de kamer uit, en even later klonken er stemmen. Gespannen bleven de vrouwen zitten luisteren.

'Het is in orde. Ik geloof dat het Matt is,' fluisterde Mel, en Irina ging weer zitten.

'Neem me niet kwalijk,' hoorden ze Matts stem vanuit de deuropening. 'We hebben het vanavond ontzettend druk gehad en ik heb mijn moeder naar bed moeten sturen omdat ze zo moe was. Irina, hoe is het met je? Hoe gaat het met Lana?' Hij schonk Mel een knikje en liep snel de kamer door om naast Irina te gaan zitten.

Irina legde zachtjes uit hoe bang Lana was geweest.

'Wat ga je nu doen? Blijf je voorlopig hier?' vroeg Matt.

'Jullie mogen best een paar dagen blijven als dat je beter lijkt,' zei Patrick enigszins geprikkeld.

'Bedankt,' zei Irina.

'Maar Irina,' zei Matt, 'je man komt natuurlijk terug en dan zul je toch met hem moeten praten. Daar kun je volgens mij niet onderuit.'

'Wij zijn er voor je,' zei Mel.

'Ik weet ook wel dat ik met hem moet praten,' zei Irina met een zucht. 'Maar het zou fijn zijn om te weten dat jullie allemaal in de buurt zijn.'

Het was al na twaalven toen Matt vertrok en ze allemaal naar bed gingen. Geduldig controleerde Patrick of alle ramen en deuren dichtzaten, zodat Irina met een gerust hart kon gaan slapen.

Patrick viel al snel in slaap, maar Mel lag nog een hele poos te piekeren over alles wat er die dag was voorgevallen.

Toen ze wegdoezelde keerden haar halfbewuste gedachten terug naar haar gesprek met de oude man van die middag, naar wat hij haar over Pearl had onthuld. Zij was ook een vrouw geweest die op Merryn haar toevlucht had gezocht; ze had alles op het spel gezet – maar wat had ze gewonnen?

28

April 1914

'Is het waar, kind, wat ze zeggen? Je kunt maar beter niet tegen me liegen.'

Verstijfd van schrik wendde Pearl uiteindelijk haar blik af van het half opgemaakte haar van mevrouw Carey om haar in de spiegel in haar vuurspuwende ogen te kijken.

'Ja,' zei ze hees, waarna ze aanstalten maakte door te gaan met mevrouws haar te borstelen.

'Ja, mevrouw Carey.' Mevrouw wachtte niet af tot Pearl zichzelf corrigeerde, maar kwam half overeind en griste de haarborstel uit haar hand. Met plotselinge stemverheffing zei ze: 'En daar geef je mijn neef zeker de schuld van?'

'Nee, dat heb ik niet gezegd, m'vrouw – mevrouw Carey!' riep Pearl uit. Hoe was mevrouw er in vredesnaam achter gekomen en waar haalde zij, Pearl, in deze doffe ellende de kracht vandaan om hem de hand boven het hoofd te houden?

'Maar hij heeft hier wel een aandeel in, hè? Denk maar niet dat ik dat niet weet. Ik heb zo mijn bronnen, weet je.'

Cecily. Ze dacht aan het meisje dat hen had bespioneerd. Alleen Cecily kon het aan haar moeder hebben verteld, kon degene zijn geweest die in haar spullen had zitten rommelen en de zeemeermin had weggenomen.

'Akelig wicht! Met die grote ogen van je heb je het maar hoog in je bol! We hebben ons allemaal in je vergist. Ach ja, ze zeggen altijd dat je de stillen goed in de gaten moet houden, nietwaar? Nietwaar?' Ze stond nu met haar handen op haar heupen, als het toonbeeld van woede, maar zag er enigszins lachwekkend uit met haar haar aan één kant opgestoken, terwijl het aan de andere kant over haar schouder omlaag hing.

'Hij... Hij had gezegd dat we samen weg zouden kunnen gaan.' Pearls jammerkreet klonk hartverscheurend.

'Samen weggaan? Het moet niet gekker worden!' Haar mevrouw gooide de haarborstel op het vloerkleed. 'Waar zouden jullie dan heen moeten, vraag ik me af. En wie zou dat allemaal moeten betalen? Van ons hoeft hij geen cent te verwachten en ik heb geen idee wie hem anders zou willen helpen als hij zich op zo'n minne, verachtelijke manier zou losmaken van zijn familie en vrienden.'

Pearl voelde mevrouws sproeiende spuug op haar wang terechtkomen en kromp in elkaar.

'Hoever is het al?' beet haar bazin haar toe. 'Die... baby.'

'Ik geloof nu zo'n drie maanden. Mijn maandstonden...'

'Bespaar me de details. Drie maanden. Ik neem aan dat je hebt geprobeerd... Nou ja, goed.'

'Dat heb ik inderdaad, mevrouw.' Pearl staarde naar de grond. 'Maar het heeft niet mogen baten.'

Opeens leek mevrouw Careys aanval van woede voorbij, en in plaats daarvan verscheen er een sluwe, berekenende blik op haar gezicht. Ze leunde weer achterover in haar stoel en gebaarde dat Pearl moest verdergaan met haar haar.

'Ach, volgens mij hebben we nog wel even de tijd om erover na te denken.' Pearls hand bleef halverwege in de lucht hangen, op weg naar de haarborstel. 'Je zult moeten vertrekken, natuurlijk.'

Plotseling kreeg Pearl tranen in haar ogen. 'Ja, mevrouw,' fluisterde ze. Toen zei ze: 'Maar ik kan nergens heen. Nergens.'

'Nou, dat had je dan eerder moeten bedenken,' zei mevrouw Carey venijnig. Maar toen ze de schrik en verwarring in de ogen van haar dienstmeisje zag, voegde ze er op vriendelijker toon aan toe: 'Ik moet eerst eens uitzoeken wat ons in dit soort gevallen te doen staat. Het belangrijkste is dat niemand buiten deze vier muren het te weten komt.'

'Charles? Meneer Charles?' De staldeur zat op slot, maar Pearl bonsde er toch op, al kon ze het net zo goed laten. Waar was hij? Ze had het bij zijn slaapkamer geprobeerd, haastig in alle kamers beneden gekeken.

Er viel een schaduw over de tuin. Ze keek op, huiverend in de plotselinge kilte, en zag een donkere wolk voor de zon.

De tuin – ze moest in de tuin gaan kijken. Ze draaide zich om en rende het pad af langs het huis, met een hart dat hamerde in haar borstkas en een hoofd dat duizelde. Eerst probeerde ze het zomerhuis. Dat was verlaten, maar er lag wel een vergeten dichtbundel van Robert Kernow op een stoel te verstoffen. Ze pakte hem op en bladerde hem door, waarbij ze moest denken aan die keer dat Charles haar eruit had voorgelezen – over het paarse landschap van Cornwall en de hartstochtelijke, onderdrukte geest van de mensen die er woonden.

Nadat ze het boek met zo veel kracht weer had neergeworpen dat het op de grond viel, stormde ze naar buiten. Met haar rok opgeschort tegen de doorns van de rozen die naar haar uithaalden, glipte ze door de opening in de laurierdoolhof. Op het bankje zat niemand, en haar paniek groeide. Ze holde verder naar het ravijn en vervolgens het pad op langs de fontein, met haar adem raspend in haar keel, terwijl de lucht boven haar hoofd nu donker kleurde als zwarte as. De donder rommelde.

Ze bleef staan en speurde naarstig om zich heen. In de moestuin was niemand te zien. Plotseling knetterde de donder, en ze schrok zich een ongeluk. Het was even stil, waarna de vogels in de tuin allemaal tegelijk waarschuwingskreten aanhieven.

'Charles!' riep ze. 'Meneer Charles!' En ze vluchtte onder de boog door de bloementuin in om daar de kassen te doorzoeken, waarna ze op de plek ging staan waar hij had geposeerd voor haar schilderij, het schilderij dat ze nu diep in de kast op haar zolder had verstopt.

Een voetstap op het grind. Met een ruk draaide ze zich om. 'Charles…' bracht ze hijgend uit. Alleen was het niet Charles, maar John Boase. Hij had een schoffel in zijn hand, die hij eerst zorgvuldig tegen een muur zette voordat hij naar haar toe liep, zijn hoed afnam en voor haar bleef staan.

In zijn ogen lag een blik van diep mededogen.

'Hij is weg, juffer,' zei hij vriendelijk. En toen: 'Het spijt me wel.'

'Weg?' Wat bedoelde de man in vredesnaam?

'Met de koets naar Penzance. Zachary heeft opdracht gekregen hem op de trein naar Londen te zetten.'

De trein naar Londen? Waarom? Ze kon het Boase niet vragen – nee, dat kon ze niet.

Stuntelig schraapte Boase zijn keel, waarna hij met schorre stem zei: 'Ze hebben hem weggestuurd, juffer Pearl.'

'Nee!' snikte Pearl. 'Hij zou nooit weggaan zonder…'

Ze maakte haar zin niet af. Hij zou toch niet zomaar zijn weggegaan zonder afscheid te nemen? Maar dat had hij wel gedaan. Ze schrok even erg als wanneer ze een plens koud water in haar gezicht had gekregen.

Toen begonnen er allerlei stemmetjes in haar hoofd te praten, en zwarte nachtmerrieachtige beelden uit haar jeugd, van piepende vleermuizen, overvielen haar. Toen die eindelijk vervaagden, bleef ze achter in een verstikkende mist van droefenis, verlatenheid en wanhoop.

Er drong een vriendelijke stem door haar verdwazing heen. 'Ik kan je helpen, Pearl, als je dat goedvindt.'

'Mij helpen? Natuurlijk kunt u me niet helpen! U weet niet… Hoe zou ook maar iemand me kunnen helpen?'

En toen de regen met grote, zachte druppels uit de hemel begon neer te dalen, gaf ze hem een duw en sprong weg onder de boog door. Algauw veranderde de lucht in een stortvloed van tranen die over haar haar, haar gezicht en haar lichaam stroomden. Naar adem happend in haar paniek graaide ze haar rokken bij elkaar en rende naar de poort, de weg op – welke kant? Naar zee.

Glibberend en snikkend strompelde ze voort langs de waterstroom, terwijl de met korstmos begroeide takken van de bomen zich grijpend uitstrekten naar haar haar en het geluid dempten van het bruisende water dat snel door de vallei stroomde naar het thuis dat het riep, het thuis dat háár riep: de brede open armen van de oceaan.

Een kreet. Ze keek achterom. John Boase kwam haar achterna. Ze sprong langs de steiger naar rechts, door de smalle opening in de rotsen naar het klifpad. Doorweekt van de regen en het opspattende water, rillend van de kou, klauterde ze het zigzaggende pad op, waarbij haar hart bijna uit haar borstkas leek te barsten. Hoger en hoger, uitglijdend op natte stenen, geschramd door de gaspeldoorn; ze klom steeds verder naar boven, tot ze bij de cairn kwam waar de schilders altijd zaten, al was er nu niemand van hen te zien, en toen verder langs de klifrand, waar de zee ziedde en zich op de inktzwarte rotsen in de diepte stortte. Daar hield ze even halt, alsof de kosmos zijn adem inhield.

'Pearl…' Boases stem werd meegevoerd door de wind, maar hij bleef bij de cairn staan, omdat hij niet goed dichterbij durfde te komen, uit angst dat ze zou doen wat iedereen die wordt opgejaagd zou doen: naar beneden springen.

Op de rand van de rotsen bleef ze staan uitkijken over het water. De storm spoelde al haar gedachten weg, totdat er niet meer van haar over was dan een lege, uitgeputte huls.

Charles was vertrokken. Ze hadden hem weggestuurd. Hij was weggegaan zonder gedag te zeggen, waarschijnlijk zonder een boodschap achter te laten. Daar had hij natuurlijk geen tijd voor gehad. Maar hij had niet voor haar gevochten, besefte ze diep in haar hart.

Weer was ze alleen, en zeer binnenkort zou ze dakloos zijn.

Ze staarde omlaag naar het kolkende water beneden haar, in de wetenschap dat een witgekuifde golf haar breekbare lichaam zomaar te pletter zou kunnen doen slaan op de rotsen, haar schedel zou kunnen openkraken als was het een noot. Dat zou geen enkele moeite kosten.

Alleen…

Maar nee, ze was niet alleen, toch? Ze raakte haar buik aan, die nog steeds even plat en strak was als tevoren, maar waarin ze een leven met zich meedroeg, een hartenklop.

Deze baby was niet iets wat haar hoopvol stemde. Misschien zou het kind van haar afgenomen worden en als wees opgroeien, zoals zijzelf in feite ook was opgegroeid. Maar op de een of andere manier zouden de baby en zij er het beste van moeten zien te maken. '*Waar leven is, is hoop,*' klonk de stem van haar stiefmoeder in haar gedachten.

En toen ze zich uiteindelijk omdraaide om terug te gaan, zag ze dat John Boase op haar was blijven wachten; dat hij naar haar uit stond te kijken – zoals, besefte ze, hij steeds had gedaan sinds ze elkaar voor het eerst hadden ontmoet toen ze op marktdag in Penzance onder het standbeeld van David had gestaan met al haar aardse bezittingen in een sjofel valies aan haar voeten.

'En zo trouwde hij met haar,' zei de kleinzoon van John Boase negentig jaar later. 'Hij trouwde met haar, en toen de baby was geboren bracht hij het jongetje – mijn vader – als zijn eigen kind groot. Ze woonden tot haar overlijden in Gardener's Cottage. En als je mijn grootvader moet geloven, waren ze heel gelukkig in de korte tijd die God hen samen liet zijn. Hij was een beste man, aardig en vriendelijk.'

Wat een romantisch verhaal, dacht Mel. Heel hartverwarmend. Maar was het wel echt zo geweest? Had Pearl niet nog steeds van Charles gehouden? Was haar hart niet gebroken toen hij was weggegaan? Dit was John Boases kant van het verhaal, niet die van Pearl. Misschien zou ze nooit iets over Pearls versie te weten komen.

Ze had niet het gevoel dat ze dat kon zeggen tegen deze man op jaren met zijn vochtige ogen, die kortgeleden zijn vrouw had verloren en troost zocht bij het verleden, die mythische gouden jaren van de jeugd waarin 'en ze leefden nog lang en gelukkig' nog mogelijk leek. In plaats daarvan zei ze: 'Het verbaast me dat mevrouw Carey hen in Gardener's Cottage liet wonen. Waarom stuurde ze hen niet weg, zodat Pearls geheim nooit aan het licht zou komen?'

'Misschien wilde ze haar beste hoofdtuinman niet kwijt. Zeker niet toen de oorlog eenmaal was uitgebroken en er zo veel mensen hun gereedschap neerlegden omdat ze in dienst moesten. Of misschien was verder niemand van het geheim op de hoogte. Als het allemaal niet aan het licht hoefde te komen, maakte ze zich er misschien niet langer druk om.'

'Een pragmatische vrouw. En hoe liep het af met Charles?'

Boase haalde zijn schouders op. 'Die werd naar de Somme geroepen. Ergens in 1917 raakte hij vermist, maar mijn vader beweerde dat hij het toch had overleefd. Ik weet niet hoe het hem daarna is vergaan.'

'Daar moet vast wel achter te komen zijn,' zei Mel weifelend.

'Ik heb me er persoonlijk nooit zo druk om gemaakt,' zei Boase, die zijn artritische vingers stijfjes strekte op de armleuningen van zijn stoel. 'Mijn pa zei altijd dat John Boase zijn vader was en wilde niets weten van Charles Carey. Familiegevoel heeft wel met meer te maken dan met genen, weet je. Kennelijk had Carey al zijn eventuele rechten verspeeld.'

'Dat zal wel, ja,' zei Mel, denkend aan haar eigen vader die hen had verlaten.

Terwijl ze hier naast Patrick in het donker over na lag te denken, viel ze eindelijk dan toch in een diepe slaap.

29

De volgende ochtend ging tijdens een ontbijt dat voor de rest in stilte verliep de telefoon. Irina, die er bleek en afwezig uitzag, nam een slokje van haar zwarte koffie. Mel sneed dikke sneden zacht witbrood af en Patrick zette met een lepel gekookte eieren, waar Lana dol op was, in eierdopjes.

'Kun jij even opnemen?' vroeg hij aan Mel, die deed wat hij vroeg.

'Mel? Met Matt,' klonk de stem aan de andere kant van de lijn. 'Moet je horen, ik maak me zorgen over mijn moeder. Ik had je toch gezegd dat ze gisteren zo moe was? Nou, ze heeft niet geslapen. Ze is erg kortademig en heeft pijn op haar borst. Ik heb gezegd dat ze in bed moest blijven, maar ze is nogal van streek.'

'Heb je de dokter gebeld?'

'Net, ja. En hij zei... Nou, er is een ambulance onderweg. En uiteraard zal ik met haar mee moeten naar het ziekenhuis.'

'O, Matt, wat akelig. Die arme Carrie. Maar dat betekent...'

'Weet ik. Afgezien van Ella en George zit ik hier in mijn eentje.' Ella was een schuchtere vrouw van middelbare leeftijd die elke ochtend als kamermeisje fungeerde. Hoewel ze voor die werkzaamheden heel betrouwbaar was, zou ze niet graag de telefoon willen beantwoorden of eventuele klachten van hotelgasten afhandelen. George, een montere, gedrongen gepensioneerde man wiens taken bestonden uit bagagevervoer en onderhoudswerkzaamheden, wist verder weinig over het reilen en zeilen van een hotel.

'Wat is er aan de hand, Mel?' kwam Irina tussenbeide.

'Wacht even, Matt.' Ze haalde de telefoon van haar oor. 'Carrie is ziek, ze moet naar het ziekenhuis. Matt zit in het hotel nogal om hulp verlegen.'

Op Irina's gezicht streden vermoeidheid en bezorgdheid om de voorrang. Toen slaakte ze een diepe zucht. 'Laat mij maar even, alsjeblieft.'

'Irina...'

'Nee, zij zijn mijn vrienden en ik wil ze helpen.' Ze stak haar hand uit naar de telefoon. 'Hallo, Matt,' zei ze. 'Met Irina. Nee, nee, met mij is alles goed. Zeg maar tegen Carrie dat ze zich geen zorgen hoeft te maken. Ik kom eraan.' Aan de andere kant van de lijn werd zeker geprotesteerd, want Irina herhaalde gedecideerd: 'Nee, nee, ik kom naar jullie toe. Je hebt Greg niet meer gezien, zeker?' Haar schouders ontspanden zich toen Matt antwoord gaf. 'Mooi zo.' Ze wierp een blik op Lana en keek Mel en Patrick vervolgens smekend aan. 'Lana moest misschien maar met me meekomen.'

Mel, die onder de indruk was van Irina's besluitvaardigheid, pikte de hint meteen op. 'Maak je maar geen zorgen.' Ze keek Lana glimlachend aan. 'Patrick geeft me vanochtend een lift naar Penzance om een paar boodschappen te doen. Heb je zin om mee te gaan, Lana? Dan kunnen we samen winkelen en misschien ergens gaan lunchen.'

Lana stak haar laatste lepel ei in haar mond en knikte; haar gemelijke gezichtje klaarde meteen op. 'Mag het, mam?'

'Natuurlijk, engel... Matt, ik kom er meteen aan,' zei Irina tegen hem. 'En... doe Carrie mijn hartelijke groeten, de arme ziel, mocht de ambulance komen voordat ik bij jullie ben.' Ze zette de telefoon in de houder en nam een grote slok van haar koffie, die koud stond te worden: een toonbeeld van kracht en doelgerichtheid. Mel sloeg haar met enige verbazing gade; haar manier van doen stond in schril contrast met dat van de vorige avond.

'Een vrouw met veel verschillende kanten,' merkte Patrick met gefronste wenkbrauwen op toen hij nadat ze was vertrokken de voordeur sloot.

'Volgens mij is het wel goed voor haar om zich nuttig te kunnen maken,' antwoordde Mel, 'in plaats van dat ze alleen maar zit te tobben. En Carrie en Matt kunnen haar hulp goed gebruiken. Irina vindt het fijn als anderen haar nodig hebben.'

'Laat die olifant nog eens zien die je van me gekregen hebt. Wat een schatje, hè?'

Mel en Lana hadden de straten van Penzance af gelopen en de winkels bekeken, en ze hadden – Lana's keus – een vroege lunch gebruikt in een Cornish *pasty shop*.

Lana haalde een papieren zak uit de plastic draagtas die aan haar stoel hing, vouwde de bovenkant open en haalde er voorzichtig een olifant van houtsnijwerk uit met een blauw-gouden zadel op zijn rug waarop een kleine Indiase jongen zat. Ze had er heel lang over gedaan om dit cadeautje uit te kiezen, was van de winkel met etnische kunstnijverheid naar de cadeaushop vol snuisterijen gedwaald, had kettingen met plastic 'haaientanden' en geëmailleerde bloemenbroches betast voordat ze haar keus hierop had laten vallen.

Ze hadden het amper over iets anders gehad dan hun winkeluitje zelf, maar nu Mel tegenover het meisje aan tafel zat, viel er moeilijk aan te ontkomen toch iets te zeggen over wat er allemaal speelde. Ze zou Lana graag willen vragen hoe ze zich onder de verwikkelingen voelde – haar vader, haar muziek –, maar was bang dat ze daarmee hun aangename samenzijn zou verstoren. Het meisje zou haar vanzelf wel vertellen wat ze kwijt wilde, op haar eigen manier en als ze daar zelf aan toe was.

Lana zat onverstoorbaar te eten en keek om zich heen naar de andere gasten. Op een gegeven moment, als een klein dier dat alert is op gevaar, verstijfde ze midden in een hap, haar blik strak gericht op iets wat buiten was. Maar wat het gevaar ook wezen mocht, het ging voorbij en ze at verder. Ze was een gereserveerd kind, vond Mel, maar wel iemand met een sterk innerlijk leven. Het was bijvoorbeeld prachtig om Lana's vrije hand op de tafelrand te zien trommelen alsof ze in gedachten een viool hoorde.

Lana onderbrak haar maaltijd, keek naar haar op en zei ernstig: 'Ik dacht dat ik net mijn papa zag, maar het was iemand anders.'

'Loop je soms de hele tijd al naar hem uit te kijken?' vroeg Mel kalm.

Lana knikte en nam nog een hap. Toen zei ze: 'Mama zou niet zo bang moeten zijn. Ik wil hier zijn en bij haar wonen, maar ik wil ook graag af en toe naar hem toe kunnen.'

'Weet je moeder dat?'

'Ik heb het wel tegen haar gezegd. Gisteravond nog.'

'Het valt niet mee, hè,' zei Mel behoedzaam, 'als grote mensen het niet met elkaar kunnen vinden? Maar je weet toch wel dat dat niets met jou te maken heeft?'

Lana knikte. 'Dat weet ik allemaal wel,' zei ze met het air van een vrouw van de wereld. 'Maar wat zij doet is voor mij niet eerlijk.'

'Ze zorgt heel goed voor je, is het niet? Dat doet ze omdat ze van je houdt. Ze wil je beschermen.'

Lana slaakte een zucht en zette haar pasteitje neer. 'Maar er ís helemaal niets om me tegen te beschermen. Met papa is helemaal niks mis. Hij was alleen maar bang dat ze weg zou gaan. En dat deed ze ook, dus kreeg hij gelijk, toch?'

'Ik vrees dat het niet zo simpel ligt.' Als je van iemand hield, moest je diegene vrijlaten. Maar daar was Greg misschien de fout in gegaan: hij had de mooie Irina gevangengehouden en had gedacht dat hij haar, als een bang vogeltje, in een kooitje kon houden.

'Dat zeggen grote mensen wel vaker. Maar ik ben niet gek, hoor.'

'Neem me niet kwalijk,' zei Mel, die haar handen opstak met de palmen naar buiten gekeerd. 'Ik denk helemaal niet dat je gek bent.' Lana had juist een opvallend scherp onderscheidingsvermogen. 'Weet je, ik kies voor niemand partij; ik probeer het alleen maar te begrijpen.'

Lana zette een ernstig gezicht, trok een stukje korst van haar pasteitje los, legde het opzij op haar bord en zei: 'Jij vindt Patrick leuk, hè?'

Wat zou dit kind zo meteen nog meer gaan zeggen? 'Ja... Ja, ik vind hem leuk. Heel leuk.'

'Volgens mij vond mama Patrick ook wel leuk.'

Mel staarde Lana aan. 'O ja? Echt waar?'

'Ja. Ze had het de hele tijd over hem en vroeg vaak of hij kwam eten, maar hij nodigde haar zelf nooit uit of zo, en ze moest een keer huilen toen ze hem aan de telefoon had, dus ik geloof niet dat hij háár nou zo leuk vond.'

'Hij is altijd heel aardig tegen je moeder,' zei Mel, en haar brein maakte overuren. Deze onthulling kon misschien iets van Irina's stekeligheid tegenover Patrick en haar verklaren. 'Ik weet zeker dat hij een vriend van haar is.'

Het voelde niet goed om hier dieper op in te gaan. 'Ben je klaar? Ja?' Ze wierp een blik op haar horloge. 'We hebben nog twee uur voordat we Patrick kunnen gaan opzoeken om ons naar huis te brengen. Zullen we bij de zee gaan kijken? Dan kunnen we onderweg een ijsje kopen.'

In de auto op weg naar huis belde Mel Irina's mobiele nummer, maar het toestel was buiten gebruik, dus probeerde ze de receptie van het hotel. Matt nam onmiddellijk de telefoon op.

'We zijn op de terugweg met Lana,' zei Mel. 'Hoe gaat het met je moeder?'

'Iets beter, gelukkig, nu ze in het ziekenhuis ligt. Het is een lichte hartaanval, eigenlijk een soort waarschuwingssignaal. Ze willen haar daar een paar dagen houden. Mijn tante is bij haar en ik ga er straks weer heen. Sorry, wat is er?'

Op de achtergrond klonk wat gemompel, waarna Irina aan de lijn kwam.

'Mel, bedankt dat je voor Lana hebt gezorgd. We redden het goed zonder Carrie, maar er is iets gebeurd. Greg is langs geweest.'

'O ja? Wat heb je gedaan?'

'Het was in orde. Matt was hier; ik heb met hem gepraat waar hij bij was.' Ze zuchtte en voegde eraan toe: 'Ik heb tegen Greg gezegd dat hij Lana kan zien. Is het goed als hij morgenochtend naar Merryn komt? Ik wil niet dat we alleen zijn, snap je. Kun jij zorgen dat je in de buurt bent?'

'Jawel, dat denk ik wel, Irina, als jij denkt dat dat het beste is.'

Toen ze terugkwamen bij de Hall, pakte Patrick de telefoon in de keuken op om te kijken of er berichten waren. Hij luisterde ze ingespannen af en Mel zag hem fronsen en iets op een oude envelop neerkrabbelen, die hij in zijn zak stak.

Mel realiseerde het zich pas later, maar Patrick was die avond stil en in zichzelf gekeerd. Terwijl Mel en Lana Monopoly speelden met een oud bordspel dat Mel in een kast had gevonden, trok hij zich terug in zijn werkruimte in de oude administratiekamer van het landgoed.

'Sorry dat ik haar zo lang heb laten opblijven,' zei ze tegen Irina, die om halftien aanbelde, 'maar ze wilde jou nog zien en we hebben niet op de tijd gelet. Goeie hemel, wat zie je er moe uit.'

'Dat ben ik ook. Hallo, lieverd,' zei ze tegen Lana, en ze knuffelde haar even. Ze gingen in de salon zitten, terwijl Irina theedronk en hun over haar dag vertelde, hoe hard ze allemaal hadden gewerkt. Mel zat erop te wachten dat ze Greg ter sprake zou brengen, maar dat deed ze niet. Uiteindelijk zei ze: 'Kom, engeltje, ruim het spel nu maar op, het is bedtijd', en ging met Lana mee naar boven, waar, zo stelde Mel zich voor, ze het meisje zou uitleggen dat ze de volgende dag eindelijk haar vader te zien zou krijgen, voor het eerst in drie jaar.

Patrick was zeker nog aan het werk. Mel knipte het licht uit en bleef een poosje zitten uitkijken over de donker wordende tuin. In de verte was de lucht nevelig, als het oppervlak van een kop koffie met melk. Er schoot een vleermuis op het raam af, die op het laatste moment wervelend afboog, maar ze schrok er toch van. De sterren waren groot vanavond. Wat een vreemd idee dat die honderd jaar geleden ook naar deze tuin omlaag hadden gekeken, dat Pearl er net zo naar moest hebben staan staren als Mel nu deed, en dat ze nog steeds omlaag zouden kijken lang nadat Mel en Patrick al tot stof waren vergaan.

Hoe lang zou het nog duren voordat ze hier wegging, terug naar Londen? Ze had geen idee. Moest ze er vanavond over beginnen tegen Patrick? Nee, ze kon beter wachten tot Irina's ontmoeting met Greg achter de rug was. Misschien dat ze het er dan morgenavond met hem over zou hebben.

In het halfduister tuurde ze op haar horloge en ze geeuwde, waarna ze de hal in liep en de gang door ging naar zijn werkkamer. Daar zat Patrick op de grond, omringd door grote stapels papieren, die hij grofweg had gesorteerd. De hele kamer was één bende van open dozen en mappen.

'Ik probeer wat orde in de chaos te scheppen,' zei hij, met een frons opkijkend. 'Maar ik kom telkens andere dingen tegen die gedaan moeten worden. Moet je zien, hier is de polis van de opstalverzekering.'

'Het is al verschrikkelijk laat,' zei ze, terwijl ze tegen zijn bureau leunde en met één vinger tegen de computermuis duwde.

'Ik kom zo,' zei hij afwezig, en hij ging verder met sorteren.

De screensaver verdween van het scherm en Patricks IN-box werd zichtbaar. Op de lijst met namen viel haar er eentje op. Hij stond er drie, – nee, vier keer: Arabella Blake. Patrick had vier mailtjes van Bella gekregen. Toen de eerste schrik eenmaal was bedaard, wierp Mel een blik op Patrick, maar die tuurde naar de oude envelop die hij uit zijn zak had gehaald. Ze liep bij de computer weg, bang dat Patrick zou denken dat ze hem bespiedde.

Maar Bella was niettemin aanwezig, tussen hen in.

'Trouwens,' zei Patrick, die zijn best deed nonchalant te klinken, maar daar jammerlijk in faalde, 'er is een ietwat heikele situatie ontstaan.'

'O?' Alsof de stilte door een steen door een ruit werd verbroken.

'Ik heb eerder op de dag een telefoontje gekregen. Van Bella.' IJlings vervolgde hij: 'Ze is een paar dagen hier in de bossen, ze logeert bij vrienden in de buurt van St. Ives. Ze wilde langskomen. Ik heb gezegd dat het morgen wel zou schikken. Ik kan immers toch niet naar mijn werk, want de boomchirurg komt en we zitten met die toestand met Greg. Ik had zo gedacht dat je haar misschien wel zou willen ontmoeten.'

'O,' zei Mel. 'Dacht je dat? Best, hoor.'

'Je zou haar hoe dan ook een keer te zien krijgen, want ze is een vriendin van vroeger.'

Hun blikken troffen elkaar, maar Patrick was de eerste die wegkeek.

30

De volgende ochtend werd Mel wakker met het gevoel dat er iets helemaal mis was. Naast haar was het bed al leeg. Op de kop thee die op het nachtkastje klaarstond lag een bruin vlies. Het was benauwd in de kamer, en ze had hoofdpijn.

Een gebrul en een reeks krakende geluiden deden het huis trillen. Ze sleepte zich het bed uit en glipte over de overloop naar het raam van Patricks oude kamer. De vrachtwagens van de boomchirurg arriveerden, compleet met aanhangwagens, versnipperaar en al. Dit was echt een klus waar zwaar materieel voor nodig was.

Vermoeid liep ze terug. Ze ging op de rand van het bed zitten om van haar thee te nippen, maar ze zette hem met een vies gezicht weer neer en liet haar gedachten gaan over de dag die voor haar lag. Vandaag, en de komende dagen, zou het lawaaiig en druk worden en mocht ze getuige zijn van andermans huwelijkscrisis, maar het ergste was nog wel de onderliggende angst waar ze een dikke keel en buikkramp van kreeg: de komst van Bella.

Weer werd ze bestormd door duizend-en-een zorgen. Wat had Bella hier te zoeken? Hoe kon ze toevallig 'in de buurt zijn' in het afgelegen West-Cornwall? Waarom had Patrick er een paar uur mee gewacht om tegen Mel te zeggen dat ze langs zou komen, en wat hadden al die mailtjes in zijn IN-box te betekenen? Ze wou dat ze de kans had gekregen om ze te lezen. Of misschien zou dat het nog erger hebben gemaakt. Zalig zijn de onwetenden, hield ze zichzelf voor. *Ja*, zei de spottende stem van haar broer William in haar gedachten, *en de waarheid zal je bevrijden*.

Toen ze na een snelle douche beneden kwam, was Patrick druk in de weer om voor de mannen buiten een blad met thee in orde te maken, zat Irina aan tafel chagrijnig verwoed te roken, terwijl Lana in en uit liep, jammerend: 'Wanneer komt hij nou?' En toen: 'O, ik wil mijn viool hier hebben, mam. Kunnen we die niet gaan ophalen?' En: 'Ik weet helemaal niet meer hoe hij eruitziet. Waarom heb je geen foto?'

Mel ving Patricks blik toen hij terugkwam nadat hij de thee naar buiten had gebracht. Hij zag eruit alsof hij ontzettend baalde en keek haar nijdig aan. Boos keek ze terug. Hoe kon hij? Hoe durfde hij? Het drong tot haar door dat hij zijn netste ribbroek droeg en dat zijn hemd keurig gestreken was. Nadat ze een paar paracetamoltabletten die ze in de badkamer had gevonden in haar mond had gestopt, pakte ze de kop verse thee die Patrick haar zonder iets te zeggen aanreikte aan en zei: 'Vanochtend werk ik in de cottage. Roep me maar als Greg er is, Irina, als je me nodig hebt.' Ze schonk Patrick een smekende blik, waar hij ongevoelig voor leek te zijn, beende naar buiten en sloeg de deur van de bijkeuken met een klap achter zich dicht.

Op dat moment hielden het gedreun en gekraak gelukkig op. Ze houden natuurlijk theepauze, bedacht ze. Ze hoopte maar dat het er een van vele zou zijn, als ze van plan waren zo'n herrie te blijven maken. Toen ze bij de cottage kwam, bleef ze in plaats van de deur open te doen en naar binnen te gaan, nippend van haar thee over de vredige tuin staan uitkijken. De rode kat sloop langs haar heen naar de rododendrons.

Wat was deze plek haar dierbaar geworden. De bloemenborder die zij had vrijgemaakt stond nu, hoewel ze er de laatste tijd weinig aan had gedaan, vol met bloeiende klaprozen en kamille. Patrick was bijna klaar met de klus om het zomerhuis daarachter te bevrijden van de verstikkende deken van groen. Ze hadden allebei een heleboel braamstruiken gerooid, en ook de groene, zuur ruikende klimop die hier overal woekerde, zodat het zanderige pad was blootgelegd dat om de met een betonnen rand afgezette, naargeestige rechthoek liep die ooit de vijver was geweest.

Er hing nu een heel andere sfeer. De tuin ontwaakte, gooide zijn deken van zich af. De gedempte geluiden waren verdwenen; in plaats daarvan was het een en al vogelgezang. Plotseling bedacht ze iets ontzettends: straks zou hij haar niet meer nodig hebben. Het moment naderde dat ze zou moeten vertrekken; en wie kon zeggen, bedacht ze verdrietig, denkend aan Bella en Patricks stuursheid, of ze ooit terug zou keren? Toen het geluid van de elektrische zaag weer opklonk in de ochtendlucht, wreef Mel over haar stijve nek. Ze zette haar lege kopje op de drempel en zocht in de zak van haar spijkerbroek naar haar sleutel. Maar toen ze die in het slot stak, hoorde ze geknars van metaal op metaal en het geronk van een oude motor. De krakkemikkige pick-up van Jim de tuinman kwam hotsend de laan over.

'Môge,' zei Jim, die uitstapte en tegen zijn aftandse hoed tikte, waarna hij naar de achterkant liep om de klep open te doen en de grasmaaier eruit te sjorren. 'Nog steeds vakantie aan het vieren, zo te zien?'

'Hè? O nee, ik heb geen vakantie, ik ben aan het werk,' zei Mel, 'als ik tenminste nog kan nadenken met al die herrie.' Ze bleven staan luisteren naar het gezaag en de omlaag stortende takken, en toen er een korte stilte viel, stelde ze de vraag die haar bezighield: 'Wat bedoelde u laatst toen u zei dat er een "zij" in de tuin zou zijn? Over wie had u het?'

Hij keek haar niet-begrijpend aan. 'Heb ik dat gezegd?' Toen klaarde zijn gezicht op. 'Toen ik nog een jonkie was, speelde ik hier wel 'ns, heb ik je toch gezegd?' Mel knikte. 'Nou, toen heb ik haar één of twee keer gezien.'

'Wie?' herhaalde Mel.

'De vrouw in de tuin. Ik zie haar nooit meer, maar soms heb ik het gevoel dat ze hier naar me kijkt.'

'Kijken? Als een geest, bedoelt u?'

Hij haalde zijn schouders op. 'Geen idee, 't zou kunnen. Dit is Cornwall. Soms zijn dingen gewoon zoals ze zijn en heeft het weinig zin om vragen te stellen.' Hij wendde zich af.

Terwijl hij stond te frunniken aan de maaier en vruchteloos aan het startkoord rukte, klonk er plotseling hevig gekwetter en gekrijs. Allebei keken ze op. De kat was weer verschenen en sloeg naar iets wat voortsnelde over het gras. Veren vlogen door de lucht. De witte merel.

'Weg, weg hier! Sjjjt!' Mel rende achter de kat aan, die zich omdraaide en wegschoot de tuin in. Ze hurkte neer om de gewonde vogel te onderzoeken terwijl de oude man naast haar kwam staan.

De vogel probeerde weg te vliegen, maar hipte met één neerhangende vleugel in een kringetje rond. De man bukte zich stram, pakte hem op en hield hem zo vast dat hij niet naar hem kon pikken, voelend aan de gebroken vleugel. Hij maakte troostende geluidjes en streelde het kleine lijfje tot dat stopte met beven.

'Rotkat,' zei hij.

'Weet u van wie hij is?' vroeg Mel, die een vinger uitstak om over het vogelkopje te aaien. De roze oogjes waren half geloken, en nieuwsgierig keek ze naar de gele vlekjes op zijn snavel.

'Ja, hij is van mij. Of liever gezegd: het lijkt eerder of ík van hém ben. Een zwerfkat die is aan komen lopen. Ik geef hem te eten, maar hij is altijd op pad. Volgens mij zit hij vaak hier.'

'Kunt u hem niet een belletje omdoen?' verzuchtte ze. 'Hij vangt voortdurend vogels en muizen.'

'Ja, 't is een beste muizenjager,' zei de oude man met een mistroostig knikje. 'Dat moet ik wel zeggen. Zeg, als je een doos hebt, neem ik dit beesie mee naar huis. Straks is zijn vleugel weer helemaal in orde, de stakker.'

Het was een kwelling om te proberen te werken, in de toenemende hitte, met het geluid van de zagen en de duistere gedachten die haar door het hoofd spookten, en toch leek het schrijven van het volgende hoofdstuk dat ze in de steigers had staan Mel het enige wat ze kon doen om niet helemaal door te draaien.

Vanuit het huis werd er geen beroep op haar gedaan. Het enige telefoontje dat ze kreeg was van Rowena, die haar vroeg een paar details te bevestigen over de colleges van het volgende semester. Ze zei iets over zelf lesgeven, maar Mel vroeg er niet op door. Ze werd te zeer in beslag genomen door wat er in het hier en nu gaande was en was Rowena zodra ze de telefoon had neergelegd alweer vergeten.

In de loop van de ochtend – de telefoon ging niet meer opnieuw over – wist ze zich wat te ontspannen. Ofwel Greg was gearriveerd en alles keerde zich ten goede of ten kwade, ofwel hij was niet komen opdagen. Er werd haar tenminste niet gevraagd of ze Lana in bescherming wilde nemen tegen een vader die van plan was haar te kidnappen, of om een snikkende Irina te troosten. Geleidelijk aan vroeg haar schrijverij al haar aandacht.

Het was bevredigend om uiteindelijk het nieuwe gedeelte van Pearls verhaal dat ze op het spoor was gekomen in haar betoog op te nemen. Eigenlijk zou het dienstmeisje maar een klein deel van een hoofdstuk vormen, maar ze fungeerde als metafoor voor Mels thema over de berg die vrouwelijke kunstenaars te beklimmen hadden, en ze slaagde erin op Pearls verhaal terug te grijpen en het in de inleiding te verwerken. En toen ze het dienstmeisje haar bescheiden plaats in de geschiedenis toekende, zag ze opnieuw overeenkomsten met haar eigen situatie. Voor hen allebei had Merryn een veilig toevluchtsoord betekend na een storm. Waarna het was veranderd in een strijdperk waarin ze hun krachten moesten beproeven.

Bella. Mels concentratie verslapte. Ze klikte op Opslaan en wreef in haar ogen. De computerklok gaf 12.31 uur aan en het gezaag en geraas in de tuin verstomden voor de tweede keer. Schafttijd, zeker. Ze sloot de laptop af, spetterde koud water uit de keukenkraan over haar verhitte gezicht en armen, en trok vervolgens de koelkastdeur open. Ze bleef even peinzend staan en liet de deur toen weer dichtzwaaien. Haar nieuwsgierigheid won het; ze moest maar eens een kijkje gaan nemen bij het huis.

De hitte rolde in zware golven over de tuin; de middagzon scheen zo fel dat ze even weinig zag. Maar toen ze bij de bloementuin kwam, hoorde ze stemmen. Ze tuurde onder de halve boog door.

Bij de muur aan de overkant, overschaduwd door de beuken, stonden twee gestalten. Het duurde even voordat ze de ene als Patrick herkende – die keurig geklede man, met zijn jasje over een schouder, zijn andere hand in zijn broekzak, zijn witte hemdsmouwen opgerold, zodat zijn armen, die bruin waren geworden door een hele zomer tuinieren, bloot waren. Hij stond dicht bij – té dicht bij – een slanke, knappe vrouw, met wie hij diep in gesprek was. Wat zag ze er fris uit in haar lichtblauwe hemdjurk, sandaaltjes met bescheiden hak en met een net wit handtasje over haar ene onderarm gehaakt. De zon glinsterde op haar schouderlange blonde haar. Op een gegeven moment bracht de vrouw in een kwetsbaar gebaar haar hand naar haar gezicht, en Patrick raakte haar aan en wreef over haar schouder alsof hij haar wilde troosten. Mel bleef even staan kijken, verteerd door jaloezie. Het tweetal zag eruit alsof ze prima bij elkaar pasten: Patrick lang en fraai uitgedost, met een huid die oplichtte tegen het wit van zijn shirt. Straalde hij zo omdat hij naast Bella stond? Opeens verlangde Mel zo ontzettend naar hem dat het pijn deed.

Terwijl de tranen in haar ogen prikten, draaide ze zich om op hetzelfde moment dat Patrick haar riep. Hij zei iets tegen zijn metgezellin en beende snel de tuin door.

'Hai! We wilden net naar je toe komen.'

Mel stapte onzeker naar voren, en haar glimlach voelde aan alsof hij op haar gezicht geplakt zat. Bella zette omstandig een zonnebril op en bleef staan wachten terwijl Patrick zijn arm om Mel heen sloeg en met haar naar haar toe kwam.

'Ik wist niet dat ze er al was,' fluisterde Mel, en ze liet zich door Bella verwelkomen zoals een koningin een onderdaan begroet.

Patrick, die toekeek hoe ze elkaar koeltjes de hand schudden, had kennelijk het gevoel dat zijn taak erop zat, want hij bleef alleen maar in alert stilzwijgen van de een naar de ander staan kijken.

'Heel leuk om je te zien,' zei Bella, haar ogen onzichtbaar vanwege haar zonnebril. 'Patrick heeft me veel over je verteld.' Met haar ene hand gaf ze Patrick een speels klapje, waarbij haar gemanicuurde vingertoppen even op zijn schouder bleven rusten. 'Hij is niet erg mededeelzaam, wel?'

'O nee?' zei Mel zwakjes.

'Maar dat maakt hem natuurlijk ook zo aantrekkelijk,' vervolgde ze. 'Hij denkt dat wij vrouwen nooit precies weten wat er in hem omgaat. Maar dat weten we natuurlijk wel. Grappig kunnen mannen zijn, hè?'

Mel glimlachte alleen maar. Bella was een fraaie verschijning, maar haar aantrekkelijkheid was gecultiveerd en slechts te danken aan een goede persoonlijke verzorging. Toen Mel echter een blik op Patrick wierp, schrok ze ervan dat hij Bella aan stond te gapen alsof elk woord dat van haar lippen rolde hem mateloos boeide.

'Waar logeer je?' vroeg Mel, om het gesprek op een veiliger onderwerp te brengen.

'O, bij een paar vrienden in Hayle, bij St. Ives,' zei Bella. 'Ik blijf er een week, om eerlijk te zijn.'

'Wat leuk,' zei Mel. 'Hopelijk tref je goed weer.'

'Misschien kunnen we elkaar nog eens zien?'

Patrick staarde met een ongemakkelijk gezicht naar de grond en duwde met zijn schoen tegen een grote pol paardenbloemen.

Ten slotte stelde hij voor om naar de Wink te gaan, de oude pub in het dorp, om daar te gaan lunchen. Ze liepen de bloementuin door, waarbij Bella goed oplette waar ze haar fraai geschoeide voetjes neerzette. Patrick bleef een stukje achter.

Met een blik op het huis schoot het Mel ineens weer te binnen dat Irina daar was, en ze vertraagde haar pas om zachtjes te vragen: 'Hoe gaat het binnen? Is hij er al?'

'Greg? Ja, die kwam om een uur of elf. Ik heb hem binnengelaten.'

'Hoe gaat het?'

'Goed. Lana was eerst een beetje verlegen. Ik heb ze maar alleen gelaten. Kijk nou eens.' Ze waren weer onder de boog door gegaan en Patrick gebaarde met een hand boven zijn ogen tegen de zon de tuin in. Daar, bij de rododendrons, stonden Greg en Lana hand in hand. Lana kletste honderduit en keek met een geanimeerd gezichtje naar haar vader op. Van Gregs stuursheid was niets meer over; met een geamuseerde glimlach op zijn gezicht blikte hij omlaag naar zijn dochter. Patrick liep de tuin door om even een praatje met hen te maken. Toen hij terugkwam, zei hij: 'Irina is weer naar het hotel gegaan, om Matt te helpen. Greg brengt Lana daar later ook naartoe.'

'Nou, godzijdank is het blijkbaar goed verlopen,' fluisterde Mel. Hij knikte en liep naar voren om iets tegen Bella te zeggen. Toen ze naar zijn rug keek, kwam het haar plots voor dat niet Irina's leven, maar het hare uiteen dreigde te vallen.

31

'Weet je nog, Paddy, toen we die keer in Lois' cottage logeerden? En dat Lois vergat haar auto op de handrem te zetten en dat hij in zee stortte, en dat Geoff en jij hem eruit moesten slepen? O, Mel, dat was lachen. Wat was je toen razend, hè, Paddy?'

Mel at gewoon door van haar gepofte aardappel, die smaakte alsof ze as zat te eten.

Bella bleek zo iemand te zijn die onderhoudend almaar over dingen voortbabbelt, zonder gelegenheid te bieden voor een verdieping van het gesprek. Eerst had Mel gedacht dat ze dat met opzet deed, in een poging haar buiten te sluiten door herinneringen aan vroeger op te halen, maar al snel realiseerde ze zich dat Bella helemaal niet echt geïnteresseerd in haar was. Mels rol was die van publiek, en ze moest haar kaken op elkaar klemmen en het zich maar laten welgevallen.

Ze kreeg het bijna niet voor elkaar een blik op Patrick te werpen, die lachte en Bella plaagde met zijn eigen verhalen, hoewel hij Mel van tijd tot tijd vroeg of alles wel goed met haar was.

Bella was echt ontzettend aantrekkelijk, moest Mel toegeven terwijl ze haar af en toe een korte blik toewierp, met haar kleine, hoge borsten, fraaie hals en glanzende haar, en ze probeerde er maar niet te lang bij stil te staan dat zijzelf nodig eens naar de kapper moest en in een verbleekte spijkerbroek rondliep. Nu Bella in de pub haar zonnebril had afgezet, was Mels enige troost dat ze door de vorm van haar neus en de stand van haar lichtblauwe ogen haar een heel klein beetje aan een verrast schaap deed denken.

Bella had Mel tijdens de lunch maar twee vragen gesteld: wat ze deed voor de kost en hoe lang ze van plan was in Cornwall te blijven. Voor de rest was het gesprek gegaan over dingen die Patrick en zij samen hadden beleefd, nieuwtjes over hun vroegere kennissen, grappige verhalen over mensen die in Chelsea, waar ze woonde, huizen kochten en verkochten. Van tijd tot tijd vroeg ze nadrukkelijk Patricks aandacht door zijn arm aan te raken en te vragen: 'Paddy vond het dolkomisch, toch, Paddy?' of: 'Herinner je je Hugo nog, Paddy, van kantoor?' waarna ze weer een of andere nieuwe anekdote te berde bracht.

Mel, die in een kop koffie zat te roeren, kon niet wachten tot de maaltijd achter de rug was. Eindelijk was het dan zover, en Patrick stelde voor naar de baai te wandelen.

'Dat zou ik graag willen, maar het is zo warm en ik heb alleen maar deze malle schoenen bij me,' zei Bella met een zucht, en ze draaide met haar welgevormde enkel. Hoewel Mel geen goed woord overhad voor de modieuze sandaaltjes, was ze het met haar eens wat de warmte betreft, en dus zwoegden ze weer omhoog naar de Hall, waar Bella haar Clio achter de vrachtwagens van de boomchirurg had geparkeerd.

Gefascineerd staarden ze uit over het grote stuk van de tuin dat al boomvrij was gemaakt en was ontdaan van ondergroei. 'Ik wil hier een grasveld aanleggen, zie je,' zei Patrick tussen de geluiden van de machines door.

'Wat is het allemaal veranderd sinds ik het hier voor het laatst heb gezien,' antwoordde Bella terwijl ze het huis binnen gingen. 'Weet je,' zei ze tegen Mel, 'het was een ontzettende puinhoop. Ik kon me gewoon niet voorstellen dat iemand hier zou willen wonen, laat staan ikzelf.'

'Ik vind het schitterend,' zei Mel mat.

'O, het zal best wel mooi worden; dat zie ik nu ook wel.' Klonk daar enige spijt in door, of wilde ze alleen maar beleefd zijn? 'Nou, het was erg gezellig, Paddy, maar ik moet nu toch echt gaan. Vanavond worden we in het restaurant van Rick Stein verwacht.'

'Dat is in Padstow, toch? Wat een eind weg.'

'Weet ik, maar Lois is jarig en ze heeft maanden geleden al gereserveerd. Hé, jij zou eerst toch ook komen? Voordat...' Op een veelzeggende manier liet ze haar woorden in de lucht hangen.

'Ach ja, haar verjaardag, die was ik helemaal vergeten.' Het leek Patrick oprecht te spijten. 'Doe haar maar mijn hartelijke groeten, wil je, Bella?'

'Dat zal ik doen. Mel, als je het niet erg vindt, is er een kansje dat Paddy en ik later in de week nog een keer kunnen afspreken om iets te gaan drinken? Ik zou het erg fijn vinden om eens goed met hem bij te praten.'

Patrick wendde zich tot Mel en zei op terloopse toon: 'Wij hebben niet veel op het programma staan, toch? Kun jij je daarmee verenigen, Mel?'

'Dat moet je zelf beslissen,' zei Mel schouderophalend.

'Morgen ben je zeker niet vrij, hè, Paddy?' vroeg Bella. 'We gaan overmorgen naar een toneelstuk in het Minack Theatre, en de avond daarna moeten we volgens mij uit eten.'

'Jawel, hoor. Waar wilde je naartoe?'

Abrupt zei Mel: 'Leuk met je kennisgemaakt te hebben, Bella. Maar ik moet nu verder,' en ze glipte door de voordeur naar buiten.

Toen Patrick kort daarna naar de cottage kwam, was ze een lange wandeling gaan maken. Bij terugkeer vond ze een briefje met de tekst: 'Eten om acht uur. P x.'

Toen Patrick die avond met het eten bezig was, belde Irina. Al snel gaf hij de telefoon aan Mel.

'Waar zit je?' vroeg die.

'Thuis,' antwoordde Irina. 'Lana is hier ook en zit tv te kijken in de andere kamer. We gaan vanavond met Greg uit eten in het hotel. Zeg, ik wilde je nog even bedanken voor je hulp van de afgelopen dagen.'

'Graag gedaan, hoor. Hoe is het allemaal gegaan?'

Irina slaakte een zucht. 'Hij heeft zich heel redelijk opgesteld en zegt dat hij overal spijt van heeft. Dat we er wel uit zullen komen. Kennelijk is hij veranderd. Wat moet ik erover zeggen?'

'Het leek of hij, eh… Lana echt gemist had.'

'Ja.'

'En, wat heb je met hem afgesproken?'

'Het ligt moeilijk,' zei Irina. 'Ik ben er nog steeds niet gerust op, maar Lana wil hem zien, dus wat moet ik? Ik kan het risico niet nemen dat ze zich tegen me keert.'

'Nee.'

'Daarom gaan we uit eten, en dan zie ik wel hoe het loopt. Ik, eh… Ik heb genoeg van al dat vluchten. Ik ben weggevlucht van mijn familie in Dubrovnik, ik ben weggevlucht van mijn man. Nu wil ik alleen maar een rustig leven en dat Lana gelukkig is. Misschien komt alles toch nog goed.'

'Ik hoop het maar.'

'Dank je wel, Mel.'

'Wie weet is er een happy end in zicht,' zei Mel, en ze hing op.

'Godzijdank,' was het enige wat Patrick zei vanachter het fornuis, waar hij verwoed in een roux stond te roeren. Hij leek er die avond niet helemaal met zijn gedachten bij en zei niets over Bella's bezoekje. Bella hing als een zwaard van Damocles boven hun hoofd.

Nippend van haar wijn sloeg Mel hem gade, en opnieuw vielen haar zijn trefzekere bewegingen op als hij naar keukengerei reikte of neerhurkte om te controleren hoe het met de pastei in de oven stond, de manier waarop hij zonder het zich bewust te zijn over zijn nek wreef als hij nadacht. Net nu ze ten volle besefte hoe dierbaar hij haar was, leek hij verder van haar weg te groeien, opgaand in zijn eigen gedachten, bijna zonder haar een blik waardig te keuren. Ze kreeg een brok in haar keel. Ze voelde wel aan dat dit niet het juiste moment was om iets te zeggen, maar uiteindelijk kon ze toch haar mond niet houden.

'Patrick…' begon ze aarzelend, 'moet je morgen echt iets gaan drinken met Bella?' Het zwaard, dat nu uit zijn schede getrokken was, flitste dreigend.

Hij keek op van de pan, en zijn uitdrukkingsloze gezicht werkte haar op de zenuwen. 'Nou, dat is wel de afspraak, ja,' zei hij alleen maar. Zijn stem klonk vreemd. Hij zette de steelpan van het vuur en draaide zich met over elkaar geslagen armen naar haar om.

'Je kunt haar toch bellen en zeggen dat je het bij nader inzien te druk hebt?'

'Waarom zou ik?' wilde hij weten. 'Wat heeft dit allemaal te betekenen, Mel? Je bent niet bepaald vriendelijk tegen Bella geweest vandaag. Ze was er nogal door aangeslagen. Je bent toch niet nog steeds jaloers op haar, hè?'

'Zíj was aangeslagen?!' riep Mel naar adem happend uit. 'En ik dan? Wordt er hier geen rekening gehouden met míj? En nee, nu je het vraagt: ik ben niet bepaald jaloers, maar alleen… heel kwaad. Je hebt nu toch iets met míj? Je kunt niet van me verwachten dat ik ga staan juichen als jij een intiem avondje uitgaat met je ex.'

Haar kwaadheid riep bij hem ook kwaadheid op.

'Mel, wat denk je dat er gaat gebeuren? Dat ik in de pub over de tafel spring en haar ten overstaan van alle dorpelingen suf neuk? We gaan alleen maar iets drinken, hoor. En trouwens, ze heeft een relatie met hoe-heet-hij-ook-alweer, met Ed, in Londen.'

Mel herinnerde zich Bella's blik vol aanbidding, dat ze haar ogen niet van Patrick af had kunnen houden.

'Ik vertrouw haar voor geen cent,' zei ze. 'Of er nou wel of niet ene Ed in de coulissen staat te wachten.'

'Wat een rotopmerking. Kom op, zeg, je maakt je zorgen om niets. Ik kan haar niet laten zitten. Ze kan ontzettend somber zijn en moet dan met iemand praten.'

Mel kon niet goed geloven dat Bella somber kon zijn. Manipulatief en van zichzelf vervuld, dat wel, dacht ze grimmig, maar ze kwam op haar niet over als iemand die ook maar in de verste verte genoeg diep-gang had om een existentiële angst te voelen, laat staan om daaronder te lijden.

'Heeft ze geen andere vrienden die haar kunnen helpen? Hoe zit het dan met die Lois en de anderen met wie ze hier is? Waarom moet jij het altijd zijn?'

'Volgens mij omdat ik haar zo goed ken; mij hoeft ze niet alles uit te leggen. Hoor eens even, Mel, dit is nogal een beschuldiging, dat je me niet vertrouwt.'

'Dat heb ik niet gezegd.'

'Maar dat bedoelde je wel.'

'O, ga dan maar iets met haar drinken. Mij kan het niet schelen. Ik zou het niet op mijn geweten willen hebben dat ze op Land's End van een rots springt.'

'Mel!' zei Patrick, en plotseling werd ze bang van de klank van zijn stem, die kil was als staal. Hij zweeg even en zette een stap naar haar toe. 'Het wordt helemaal niets als... Moet je horen, we zijn allebei niet be-paald lentekuikentjes. Ik kan niet al mijn vrienden van vroeger in de steek laten, doen alsof die nooit hebben bestaan, alleen maar omdat ik jou heb leren kennen. Hoe zit het trouwens met die Jake? Ik zeur jou toch ook niet voortdurend over hem aan je kop omdat ik denk dat je nog steeds iets voor hem voelt?'

'Maar ik ga helemaal niet meer met Jake om,' zei Mel, die bijna wijn morste toen ze haar glas trillerig op tafel zette. 'En Bella en jij hebben nog wel contact.'

'Je ziet hem toch als je teruggaat naar de universiteit? Elke dag.'

'Patrick, dit is belachelijk. Die dingen zijn niet met elkaar te vergelijken.' Ze staarden elkaar aan. Ze kon zijn kwaadheid niet verdragen en wendde haar blik af.

Als je teruggaat naar de universiteit.

'Patrick,' zei ze, ook ditmaal niet in staat zichzelf een halt toe te roepen. 'Misschien is dit niet het beste moment om erover te beginnen, maar hoe moet het nou als ik terugga?'

'Hoe bedoel je?' vroeg hij op welwillende toon.

'Hoe het verder moet met ons. Over een paar weken beginnen de colleges alweer. Ik moet terug naar mijn werk, mijn flat, mijn oude leven. Maar waar gaan wíj heen, Patrick, jij en ik? De tijd die ik hier heb doorgebracht is heel speciaal voor me geweest, maar wat betekent die voor jóú? Was dit alleen maar een leuke onderbreking van het echte leven? Ben ik niet meer dan een vakantieliefde? Of is het iets belangrijkers voor je?'

Opeens kwam hij naar haar toe en nam haar in zijn armen, begon haar verwoed te zoenen en drukte haar vervolgens zo dicht tegen zich aan dat ze zijn warme adem in haar oor voelde fluisteren: 'Doe niet zo mal. Natuurlijk ben je belangrijk voor me. Alleen...'

'Wat?' zei ze, terwijl ze iets achteruitging om hem te kunnen aankijken. Hij sloeg als eerste zijn blik neer.

'Niks,' antwoordde hij, waarna hij haar een glimlach schonk. Nogmaals raakten hun lippen elkaar. Toen ze elkaar weer loslieten om adem te halen zei ze: 'O, Patrick, het spijt me zo.'

'Lieverd...' Hij drukte haar nog dichter tegen zich aan. 'Kom op, laten we niet bekvechten. Het lost zich vanzelf wel op, dat zul je zien.'

'Denk je?' verzuchtte ze, terwijl tot haar doordrong dat hij helemaal niets over Bella had prijsgegeven.

'Natuurlijk wel.' Weer begon hij haar te zoenen, hartstochtelijk, bijna agressief. Maar hij had niet gezegd dat het hem ook speet.

32

Toen ze weken later op die avond terugkeek, vroeg Mel zich af of ze op de een of andere manier toen al had aangevoeld dat dat de laatste keer zou zijn dat Patrick en zij in elkaars armen zouden liggen. Over hun liefdesspel lag een sfeer van droefenis, van urgentie, alsof ze te horen hadden gekregen dat de wereld zou vergaan. Op het moment zelf had ze die gevoelens toegeschreven aan verdriet, de wetenschap, bij hen allebei, dat Patrick en zij gevangenzaten in hun eigen verleden en zich alleen maar aan elkaar vastklampten op zoek naar troost. Ze waren volwassen mensen, natuurlijk; ze hadden uit ervaring geleerd hoe ze hun emotionele wonden konden verzorgen, hoe ze dingen konden afsluiten om met hun leven verder te gaan. Maar die avond leken ze even kwetsbaar en behoeftig als kleine kinderen.

Hoe konden na die intense ervaring dan de gebeurtenissen van de volgende ochtend hebben plaatsgevonden?

De dag begon heel normaal – als je om halfacht gewekt worden door het geluid van rammelende vrachtwagens en gierende kettingzagen tenminste normaal kon noemen –, hoewel Patrick erg stilletjes was. Toen Mel beneden kwam, trof ze hem aan bij het keukenraam, waar hij zonder iets te zien stond uit te staren over de tuin. Ze streelde hem even over zijn schouder toen hij voor haar opzij ging zodat ze de ketel onder de kraan kon vullen. Die liet ze tot de rand toe vollopen, omdat ze begreep dat hij nog geen thee had gezet voor de werklieden.

'Ik kan vandaag maar beter naar kantoor gaan,' mompelde hij, terwijl hij wat cornflakes voor zichzelf in een kommetje strooide. 'Vind je het erg om vandaag hoofd Catering te spelen?' Hij gebaarde met zijn hoofd naar de voorkant van het huis, waar nu geluiden vandaan kwamen die door merg en been gingen.

'Volgens mij niet. Ik ben van plan vandaag met hoofdstuk dertien aan de slag te gaan,' zei Mel terwijl ze een sneetje toast beboterde. 'Over de komst van Alfred Munnings en Augustus John in Lamorna.'

'Hoeveel hoofdstukken gaan het worden?'

'Vijftien. En dan nog een heleboel nawerk. Bijlagen, een notenapparaat – dat soort dingen.'

'Dus je bent bijna klaar?'

Ze had geprobeerd in te schatten hoe lang ze nog bezig zou zijn als ze eenmaal terug was in Londen; ze moest nog naar de British Library, een paar museumbibliotheken, en had nog een gesprek in het verschiet met een curator bij het Tate. Nog een maand stevig doorwerken, had ze gedacht. Maar dan alleen als ze de gegevens die ze zocht makkelijk boven tafel kreeg. Het was al frustrerend genoeg om te moeten wachten tot mensen hun e-mail beantwoordden, zeker in augustus. En als ze eenmaal weer aan het werk ging, kwamen de colleges er ook nog eens bovenop.

Daar kwam nog bij dat ze een belangrijk bezoekje wilde afleggen, namelijk aan Ann Boase, Pearls kleindochter, om andere schilderijen van Pearl te gaan bekijken en te proberen te weten te komen wat zij nog allemaal over haar grootmoeder wist, om haar eigen verhaal te horen. Nee, ze kon haar werk zeker niet als afgerond beschouwen voordat ze Ann gesproken had. Gisteren had ze geprobeerd het nummer te bellen dat Richard Boase haar had gegeven, maar de telefoon was eindeloos overgegaan zonder dat er werd overgeschakeld op de voicemail. Misschien was Ann op reis. Ze was vaak in de Verenigde Staten, had haar broer gezegd.

Was het niet grappig, bedacht ze somber, zoals alles leek samen te zweren om haar terug te voeren naar Londen? Rowena's telefoontje van laatst had haar op het moment zelf amper iets gezegd, maar nu begon ze zich zelfs daar zorgen over te maken. Het zag ernaar uit dat Rowena het komende semester nog steeds college zou geven. Waarom was dat?

Nadat ze Patrick snel gedag had gekust – 'Onderweg naar huis koop ik wel iets te eten,' had hij gezegd – liep ze terug naar de cottage, waarbij ze meteen een slap gevoel kreeg in de verzengende hitte. Daar, nadat ze voor zichzelf had proberen te bepalen wat erger was, de hitte of het lawaai, koos ze voor het geluid van de zagen en zette de voordeur en de keukendeur tegen elkaar open om het huisje door te laten tochten. De computer had ook last van de warmte – het duurde eindeloos voor hij was opgestart – en terwijl ze daarop wachtte, nam de vrees die de hele ochtend al als een eb-en-vloed door haar heen had geslagen vastere vorm aan: Bella.

Waarom maakte ze zich zo'n zorgen? Patrick had vanavond met Bella afgesproken, en aan het eind van de week zou ze weer weg zijn. Maar toen ze haar e-mail bekeek, moest ze aan twee avonden geleden denken, toen ze op Patricks computer Bella's naam had gezien. Wat had ze Patrick geschreven? Had ze maar even naar de berichten kunnen kijken.

Toen ze zelf twee mailtjes bleek te hebben, verdween Bella voor even uit haar gedachten. Het eerste was van Chrissie, het tweede van Jake.

Even bleef ze naar Jakes naam staren, waarna ze haar blik naar de titel liet gaan. Die luidde: 'nieuws'. Het moest iets zijn wat alleen voor haar ogen was bestemd en geen groepsmail, want dit was haar persoonlijke e-mailadres.

Ofwel hij gaat trouwen, ofwel hij heeft een andere baan, ging het door haar heen. Daarom schrijft hij me. Ze zette zich schrap en dubbelklikte op de boodschap. Pas na een hele poos, leek het, werd het bericht geopend, en ze las:

Ha Mel,
Zit je nog steeds in the middle of nowhere? Hoop dat je het desondanks naar je zin hebt. Wilde je dit even laten weten, want het is vreselijk leuk. Ik kan het zelf amper geloven. Met Anna en Freya gaat het prima; als ze wisten dat ik je zat te schrijven zouden ze je de groeten doen. Helen heeft hen meegenomen naar Spanje met haar nieuwe man.

Wat leuk voor Helen, bedacht Mel, die echt blij voor haar was. Ze klikte op de link die Jake had meegestuurd, van een blad uit de uitgeverswereld. Ze las:

Sirius Books sleept de Britse Dan Brown binnen. Gisteren sloot Sophie Wright van Conway & Eaton Library Agency voor een 'hoog bedrag van zes cijfers' een contract voor twee thrillers van de hand van dichter en docent creatief schrijven Jake Friedland, op basis van een deels voltooid manuscript en een outline. Siriusuitgever Bill Meek noemt het eerste boek, *Delacroix ontraadseld*, 'een intrigerend verhaal met een hoog tempo over een samenzwering in de internationale kunstwereld die Dan Brown in de schaduw stelt'. Sirius plant uitgave van...

Mel sloot de link; de aanvankelijke verrastheid trok weg van haar gezicht en een glimlach breidde zich daarover uit. Hij had het voor elkaar! Die goeie ouwe Jake. Twee thrillers maar liefst. Nou, er zou wel druk over gekletst worden in de kantine van de staf, omdat het commerciële fictie was geworden in plaats van de erudiete satire op de kunstwereld waar hij zo lang aan had gewerkt, maar ze besefte dat hij ook benijd zou worden. Een hoog bedrag van zes cijfers – dat betekende in elk geval een paar honderdduizend pond. Hoeveel jaarsalarissen waren dat voor de meeste van haar collega's? Zelfs zij kreeg voor haar boek maar een schijntje. Het was uitzonderlijk nieuws.

Nadat ze op Beantwoorden had geklikt, tikte ze een snelle, maar welgemeende felicitatie in. Ze kneep haar ogen tot spleetjes toen ze op Verzenden klikte, en toen ze ze weer opendeed, had ze onmiddellijk spijt van wat ze had geschreven. Welke duivel had bezit van haar genomen om in datzelfde bericht voor te stellen iets te gaan drinken om het te vieren?

Enigszins ontstemd over haar roekeloosheid dubbelklikte ze op Chrissies e-mail, die voornamelijk bleek te gaan over papieren met betrekking tot de nalatenschap van hun moeder die Mel moest ondertekenen, waarna ze eindigde met: 'Kunnen we in augustus een paar dagen langskomen als de crèche gesloten is?' Ze antwoordde dat ze de papieren in orde zou maken en beloofde Patrick te raadplegen over het tweede punt.

Ze slaakte een zucht. Aan de ene kant zou het fijn zijn om Chrissie en de jongens te zien, maar anderzijds wilde ze ook graag met Patrick alleen blijven. Wat haar weer op de indringster bracht: Bella.

Concentreer je, mevrouwtje, hield ze zichzelf voor, en ze dwong zichzelf ertoe het document 'Boeklamorna' te openen.

Twee uur later werd ze zich ervan bewust dat het geluid van de zagen was opgehouden. Ze wierp een blik op de klok en uitte een krachtterm. Ze was de laatste theepauze helemaal vergeten. Op het korte tochtje naar de andere kant van het huis, waar ze ging kijken of de mannen niet allemaal waren bezweken aan uitdroging, voelde ze de zon dwars door zich heen branden.

Vroeg in de avond kwam Patrick thuis, verhit en geprikkeld, met diverse draagtassen vol boodschappen. Mel begon over Chrissies verzoek en hij leek het leuk te vinden haar te zien. Vervolgens meldde ze hem dat Irina weer had gebeld.

'Het lijkt nog steeds niet te geloven, maar kennelijk hebben Greg en zij alles opgelost. Of liever gezegd: dat heeft Lana gedaan.'

'Lana?'

'Ja. Gisteravond heeft ze tijdens het eten tegen haar vader en moeder gezegd dat ze bij Irina wil wonen, maar dat ze vaak bij haar vader wil komen logeren. En aangezien allebei haar ouders aan haar genade waren overgeleverd en ze geen van beiden wilden dat ze hen voor verdere conflicten verantwoordelijk zou stellen, stemden ze daarmee in. En o ja, hij is bereid te betalen voor haar muziekopleiding. Voilà – opgelost. Irina klonk heel trots op haar.'

'Kinderen en dronken mensen… spreken de waarheid. Ze is wel een bijzonder voorlijk meisje, hè? Toch verbaast het me dat Greg er zomaar in is meegegaan.'

'Ja, hij is een harde noot om te kraken. Maar als Lana echt zijn kleine prinsesje is, windt ze hem misschien wel om haar kleine vingertje.' Net als iemand anders die ik ken, voegde Mel, met Bella in gedachten, er wrokkig aan toe, maar ze zei alleen maar: 'Hoe laat wenst u vanavond uit te gaan, meneer?' Als ze er een grapje van maakte, misschien dat het dan allemaal inderdaad net zo weinig te betekenen zou hebben als hij deed voorkomen.

'Ik heb om acht uur met haar afgesproken in een pub in St. Ives.'

'Dan kun je maar beter opschieten. Het is al zeven uur.'

Toen hij vertrok, gaf hij haar een lichte kus, maar toen hij eenmaal de drempel over was gestapt, keek Patrick niet meer achterom.

Mel dwaalde door het huis en vroeg zich af wat ze met zichzelf aan moest terwijl ze de uren aftelde tot hij weer terug zou komen.

Tien voor acht. Hij zou er nu bijna zijn.

Vijf voor acht. Nu was hij een parkeerplek aan het zoeken. Patrick had een T-shirt over de rug van een keukenstoel laten hangen. Mel drukte het tegen zich aan en snoof zijn geur op: aards, een tikje zweterig.

Acht uur. Nu ziet hij haar, tenzij ze te laat is. Was Bella iemand om expres te laat te komen? Dat leek Mel niet onmogelijk.

Ze ruimde op, stopte de berg wasgoed in de machine, deed wat strijkwerk en besteedde daarbij extra zorg aan Patricks spullen. Daarna probeerde ze een roman te lezen, maar omdat ze zich er niet op kon concentreren hield ze daar maar mee op. Nadat ze de televisie had aangezet keek ze naar de eerste twintig minuten van een romantische komedie, maar ze had hem al eerder gezien, en van de gevatte gesprekken over en weer was trouwens de lol inmiddels wel af. Een liefde die misliep en toen weer goed kwam. Waarom was dat eigenlijk een onderwerp om je zo mee te amuseren? Ze wist er alles van, van liefde die misliep: je afgewezen voelen, de desolaatheid, hoop die de bodem in wordt geslagen, het gevoel dat de toekomst je is ontnomen. Daar was helemaal niets grappigs aan.

Ze sjokte de donker wordende hal in met de bedoeling nog een kop koffie voor zichzelf te zetten. Of misschien stond er nog wel een aangebroken fles wijn in de koelkast.

Maar toen ze afboog naar de keuken, werd haar blik gevangen door een vreemde gloed helemaal achter in de donkere gang en sloeg haar hart een slag over. Het kostte haar slechts twee tellen voordat het tot haar doordrong dat Patrick het licht in zijn werkkamer moest hebben aangelaten.

Ze zette een paar stappen de gang in, terwijl ze zichzelf voorhield dat ze gewoon het licht uit zou gaan doen en dan weer linea recta haar weg naar de koelkast zou vervolgen, maar toen ze door de deuropening van de oude administratiekamer van het landgoed keek, zag ze dat het schijnsel afkomstig was van Patricks computer, die hij niet goed had afgesloten.

In haar binnenste riep een zeurend stemmetje, ook al deed ze haar uiterste best om het het zwijgen op te leggen, op volle kracht: *Kijk naar zijn e-mails, kijk naar zijn e-mails!*

Dat zou verkeerd zijn. Zij zou het vreselijk vinden als Patrick háár computer aanzette en haar ontvangen berichten zou doornemen – als hij die boodschappen zag van Jake en de verkeerde conclusie trok. Bij het idee alleen al kromp ze in elkaar, terwijl iets zelfgenoegzaams in haar heftig protesteerde dat er in háár correspondentie niets aanstootgevends te vinden zou zijn.

Maar met Bella was er wel iets aan de hand; er speelde iets, en zij moest erachter zien te komen wat precies – ja toch? Haar geestelijke gezondheid stond hier op het spel.

Ze drukte op een paar toetsen, en de computer kwam tot leven. Ze klikte op Ontvangen berichten en staarde naar het scherm.

Snel scrolde ze op en neer. Hier en daar kwam ze een mailtje van Bella tegen. In de afgelopen weken waren het er vijf of zes geweest. Ze ging naar Verzonden berichten: Patrick had haar even vaak geantwoord.

Ze ging op de stoel zitten en begon te lezen.

Het laatste mailtje, van een paar dagen geleden, luidde: 'Ik weet niet wat ik moet doen, ik moet je echt spreken. Liefs, je Bella xxx.'

Het bericht van daarvoor was: 'Zoals altijd geef je goede raad, maar ik kan maar geen knopen doorhakken. Kunnen we volgende week afspreken in Cornwall?' Dus hij had geweten dat ze zou komen, zelfs nog voor haar telefoontje van twee dagen geleden.

Een stukje verder terug, aan het begin van de vorige week, was de e-mail gekomen waar ze bang voor was geweest:

Ik ga tegen Ed zeggen dat ik niet meer met hem samen kan zijn. We kijken domweg niet op dezelfde manier tegen dingen aan. Ik dacht dat hij en ik iets speciaals hadden, iets wat kostbaar was, maar hij neemt me niet serieus genoeg. Niet zoals jij dat altijd deed. En hij is behoorlijk egoïstisch. Als hij moet overwerken, staat hij er geen moment bij stil dat ik dan in mijn eentje in mijn appartement zit, en je weet dat ik daar een bloedhekel aan heb. Ik wou dat ik je kon zien, Patrick. Ik wil het niet weer op mijn geweten hebben dat je helemaal in de kreukels ligt, maar jij bent mijn grote troost, jij zegt precies de goede dingen, en ik heb je op het moment hard nodig: een vriend die me steunt totdat ik er weer bovenop ben.

Wat kon die vrouw manipuleren! Met kloppend hart bekeek Mel het overzicht van Patricks antwoorden. Ze las ze allemaal, waarna ze versuft bleef zitten van de klap die ze zichzelf had toegebracht.

De uren verstreken. Tien uur, elf uur. Om halftwaalf had ze er genoeg van om in de donkere ontbijtkamer te zitten en terwijl ze het ene glas wijn na het andere achteroversloeg te wachten tot ze het licht van autokoplampen over de muur zag spelen.

Ze zou niet op Patrick blijven wachten. Ze zou hier vanavond niet blijven slapen, maar teruggaan naar de cottage. Haar eigen schuilplaats.

Ze draaide net de voordeur op slot met een sleutel die Patrick haar een paar weken geleden had gegeven, toen zijn auto de oprijlaan op kwam snorren. Ze bleef in de portiek staan terwijl hij parkeerde, de koplampen uitzette en naar buiten stapte. Er was die nacht geen maan; het was warm, en de lucht was roerloos.

'Sorry dat ik zo laat ben,' riep hij door het donker. Zijn stem klonk vermoeid.

Ze zei niets en bleef staan wachten tot hij het autoportier had dichtgeslagen en het bordes op kwam.

'Leuke avond gehad?' Haar stem klonk afgemeten, haar woorden scherp als glasscherven.

'Nee,' zei hij. 'Ga je terug naar de cottage? Dan loop ik met je mee.' Zijn toon had iets vlaks. Er begonnen alarmbellen bij haar te rinkelen. Zichzelf bijlichtend met de smalle bundel van de zaklantaarn ging ze op weg langs de zijkant van het huis, zich ervan bewust dat hij ergens achter haar moeite moest doen om haar bij te houden.

Bij de cottage aangekomen zocht ze in haar tas naar haar sleutel, maar ze liet de zaklantaarn vallen, die uitging.

'Verdikkeme,' zei ze, en ze bleef staan luisteren naar Patrick, die ergens achter haar in de dichte duisternis stond. 'Ik moet alleen even de sleutel zoeken.'

'Mel...' zei Patrick, achter haar. Zijn stem klonk nog steeds vreemd. Ze verstrakte.

'Het is niet eerlijk. Ik moet het je vertellen.'

'Ik weet al wat je gaat zeggen.'

'Nee, dat weet je niet.'

'Ja, dat weet ik wel, Patrick. Je gaat naar haar terug, hè? Ze heeft die andere vent aan de kant gezet en wil jou terug. En als de slappeling die je bent ga jij daarin mee.'

'Ik ga niet naar haar terug – geen sprake van. Ik ben alleen maar... in de war, meer niet. Ik heb tijd nodig om dingen op een rijtje te zetten.'

'Nou, ik ben niet van plan om te blijven afwachten hoe dit zich ontwikkelt. Heb je haar dan niet door, Patrick? Ben je echt zo stom? Ze is iemand die je helemaal leegzuigt.'

'Zeg niet zulke dingen over haar. Zo klinkt ze net als een vampier.'

'En dat is precies wat ik ermee bedoel.'

'Ze heeft me nodig. Ze is bang dat ze een fout heeft gemaakt door bij

mij weg te gaan. We zijn nog steeds niet met elkaar klaar.'
'En ik dan? Heb ík je dan niet nodig?'
'Niet op dezelfde manier. Jij bent een overlever, Mel. Dat is een van de dingen die ik zo leuk aan jou vind: jij bent echt helemaal van jezelf.'
'Natuurlijk ben ik een overlever, verdorie. Dat moet je als volwassen mens wel zijn. Maar dat betekent nog niet dat ik jou niet nodig zou hebben. Want dat is namelijk wel zo.' Opeens haperde haar stem.
'Mel, het spijt me. Dit is heel moeilijk, en ik breng het verkeerd. Je zou niet begrijpen hoe het zat tussen Bella en mij. Ik ken haar al zo lang. Ze is een deel van me geworden. Het is heel moeilijk om me van haar los te maken.'
'Hoezo? Ze heeft ontzettend met je lopen sollen.' Ik heb die mailtjes gelezen, wilde Mel zeggen, maar dat durfde ze niet te bekennen. Flarden van zijn antwoorden kwamen haar weer voor de geest. Hij had geprobeerd sterk te zijn: 'Ik ben nu met iemand anders, Bella', 'Ik wil graag dat je met Mel kennismaakt', 'Ze is heel speciaal voor me'. Maar Bella had aangedrongen. En nu zag het ernaar uit dat zij had gewonnen.
'Patrick, ik heb hier de kracht niet voor,' zei ze in het donker terwijl ze haar uiterste best moest doen om niet in snikken uit te barsten. 'Ik ga niet wachten tot jij alles voor jezelf op een rijtje hebt. Ik heb ook mijn trots. Het is zij of ik. Je kunt ons niet allebei hebben.'
'Mel, zo simpel ligt het niet.'
'Zo ligt het wel. Zij of ik. Als je voor mij kiest, moet je het contact met haar verbreken.'
'Mel, doe niet zo dwaas, dat kan ik niet. Niet nu. Echt, als je haar gezien had – ze is ontzettend in de war. Ze heeft gebroken met Ed en…'
'Gisteren leek alles anders prima in orde met haar.'
'Ze hield de schijn op. Daar is ze heel goed in. Maar vanavond kon ze haar waakzaamheid laten verslappen…'
'Patrick,' onderbrak ze hem. 'We kunnen wel in kringetjes blijven ronddraaien, maar ik heb het gehad voor vanavond. Ik ben kapot. Je wilt vast niet dat ik dingen ga zeggen waar we allebei spijt van gaan krijgen.' Ze had eindelijk de sleutel gevonden en stak die in het slot. 'We praten er morgen nog wel over.' En ze ging naar binnen, deed de deur dicht en leunde er aan de andere kant met haar rug tegenaan.
'Mel. Mel! Alsjeblieft.' Hij rammelde aan de klink. 'Doe nou niet zo. Doe open, in godsnaam. Mel, ik hou van je.' Hij bleef staan wachten.

Binnen liet Mel zich langs de deur op de grond zakken. Na een hele poos hoorde ze zijn voetstappen, aarzelend, wegsterven over het grindpad, en een vloek, waarna de stilte neerdaalde.

Ze nam haar gezicht in haar handen en huilde in de benauwde duisternis tot ze geen tranen meer overhad. Toen klom ze de trap op en ging op haar dekbed liggen, nog te uitgeput om zich uit te kleden. Een paar tellen later zakte ze weg in de vergetelheid van de slaap.

'Ik kan het niet, ik kan het niet, probeer me niet over te halen.'
'Ga liggen, meissie. Straks doe je de baby nog pijn.'
'Ah, de baby.'

Hij zucht; zijn lichaam, groot en zwaar, hangt over me heen, helemaal niet zoals Charles – deze man is een vreemde, hij komt uit een andere wereld. Dan geeft hij het op, drukt mijn dij plat als hij zich van me af laat rollen. Hij worstelt, hijgend in het donker, en blijft dan stilliggen, zijn bloed pulserend in de stilte. Ik lig roerloos plat op mijn rug en probeer mezelf met louter wilskracht onzichtbaar te maken, als een haas in het gras. Een oceaan scheidt ons, een oceaan die ik niet wens over te steken en die hij niet kán oversteken. Mijn echtgenoot. Nee, ik krijg het niet over mijn lippen.

Tante Dolly schudt me heen en weer. 'Je moet het doen, meissie. Neem hem. Je hebt geen keus, en je zou het stukken slechter kunnen treffen.'

'Ik hou niet van hem.'

'Jullie kunnen gewoon vriendelijk met elkaar omgaan. Alle mooie praatjes van de wereld zijn geen cent waard als er geen vriendelijkheid is. En geloof mij maar: ik kan het weten.' Wat is er met meneer Roberts gebeurd? Ze heeft het nooit over hem, maar voordat ik ernaar kan vragen praat ze al verder: 'Het zou toch niks geworden zijn, Pearl. Zelfs niet als juffrouw Elizabeth er niet achter was gekomen.'

'Juffrouw Elizabeth?'

'Aye, zij heeft het aan mevrouw verteld. Wie dacht jij dan?'

Dus ze waren niet bespioneerd door juffrouw Cecily, maar door juffrouw Elizabeth, die ook achter hem aan zat. En nu zijn we hem allebei kwijt.

Charles… Mijn hele lichaam hunkert naar hem. En nu komen de tranen, langzaam, eerst stilletjes en dan sneller, een hele stroom; de snikken schokken door mijn lichaam, gekwelde kreten wellen op in mijn keel.

Mel kreeg geen adem, worstelde zich naar de oppervlakte van haar bewustzijn en werd wakker met een kreet op haar lippen. Het was net alsof er een groot duivels beest grommend op haar borstkas neerhurkte, met zijn glinsterende ogen op maar een paar centimeter van de hare. Zat het monster er nog steeds? Ze sloot haar ogen en duwde er in paniek naar; de knoedel van het dekbed vouwde zich los en haar erin vastgedraaide lichaam kwam vrij. Roerloos bleef ze liggen, met hamerend hart en een huid die overal prikte. Buiten rommelde nogmaals de donder.

Gehuil. Er huilde iemand. Waar? Was er iemand in de kamer? Het donker kwam naderbij, mummificeerde haar, smoorde elke ademtocht. Opeens flitste de bliksem, en ze kneep haar ogen stijf dicht toen de massieve vormen van de meubels dreigend oplichtten. Het gehuil ging over in gejammer – onmenselijk, verschrikkelijk.

Patrick, riep ze in gedachten uit. Patrick, help me! Maar hij was er niet. Hij was weggegaan, ver weg. Net als Charles. *Charles.* Het gehuil ging over in een gruwelijk gekrijs. Er was iemand anders, iets anders in het bed; ze kon de warmte naast zich voelen. De donder knetterde en de bliksem flitste over haar gesloten oogleden. Doe je ogen niet open!

Charles.

Patrick.

Lieve God, verlos mij, lieve God, verlos mij.

Er steeg een snik op in haar keel, maar die werd gesmoord door een ander geluid: gefluister, getrippel. Regen op het dak, tikkend tegen het raam, ruisend door de bomen. Zachte, verkoelende, gezegende regen.

Geleidelijk aan nam de druk van de benauwde duisternis af. Buiten begon een vogel te zingen.

De rode kat staakte zijn gemiauw om te worden binnengelaten en sloop weg tussen de bomen.

Binnen lag Mel slapeloos in het oude tweepersoonsbed en wist nu heel zeker wat haar te doen stond.

De volgende ochtend heel vroeg gooide ze uitgeput en half in tranen al haar bezittingen in koffers en dozen, laadde de auto in en keerde terug naar Londen. Het was net of ze door een tunnel een diep zwart gat in reed. Cornwall was de plek waar ze zichzelf had verloren. Ze vertrok zonder afscheid te nemen.

33

'Je kunt niet zomaar van studieprogramma wisselen zonder de geëigende procedures te doorlopen, dat weet je toch wel?' zei Mel tegen de hooghartig uitziende jongeman met de groene gleufhoed op, wiens naam niet op haar lijst stond. 'Ga zodra het college is afgelopen maar naar Gina van Inschrijving om de papieren te ondertekenen.'

Ze kwam in de verleiding eraan toe te voegen: 'En je kunt in het lokaal natuurlijk niet zonder die afgrijselijke hoed', maar dat deed ze niet. Lang geleden had ze al geleerd dat ze zich op glad ijs begaf als ze opmerkingen maakte over het uiterlijk van studenten. Ze kon haar energie trouwens beter benutten voor haar strijd tegen rinkelende mobieltjes en gezellige onderonsjes.

'Hierop staat het programma voor dit semester.' Ze reikte een jonge Aziatische vrouw links van haar een bundel papieren aan met de kop 'Symbool en psyche – de oorsprong van het surrealisme' en bleef wachten tot de twintig studenten de steeds kleiner wordende stapel hadden doorgegeven. Bij één jongen viel het haar in net zo'n lok over zijn voorhoofd als bij Patrick...

In haar buik knaagde een doffe pijn, en heel even wist ze niet meer wie en waar ze was. 'Alles goed met u, mevrouw?' vroeg een bleek meisje dat haar de overgebleven vellen aanreikte. Mel keek op. Twintig paar ogen staarden haar aan.

'Jawel. Alleen wat hoofdpijn. Als jullie nu even willen kijken naar het college van de volgende week...' Blijven praten. Zolang ze praatte, was er niets aan de hand.

Het was de eerste dag van het herfstsemester.

'Weet je wel zeker dat je ernaartoe moet?' had Chrissie de vorige avond aan de telefoon gevraagd. 'Kan die Rowena het niet van je overnemen?'

'Die lol gun ik haar niet,' had Mel geantwoord. 'Trouwens, ik heb je toch gezegd dat het me goed zal doen? Dan kom ik er weer een beetje in.'

'Nou, als je het zeker weet…' had Chrissie weifelend gereageerd. 'Maar ik wil wedden dat de dokter je zó een ziekenbriefje wil geven.'

'Ik heb genoeg dokters gezien,' had Mels antwoord geluid.

Ze kon zich van de terugrit vanuit Cornwall, zes weken geleden, amper iets herinneren, alleen dat ze laat op de avond bij Rob en Chrissie was langsgegaan, nadat ze zich op de een of andere manier door het afschuwelijke augustusverkeer heen had geworsteld, waarbij ze vlak buiten Exeter op een moment van verslapte aandacht een lelijke deuk in de voorkant van haar auto had opgelopen. Ze was niet gewond geraakt, maar tegen de tijd dat ze in Islington aankwam en Rob haar van de drempel naar binnen plukte en haar zo'n beetje naar de bank in de woonkamer droeg, keek ze verdwaasd uit haar ogen en rilde ze over haar hele lichaam; ze was neergezakt op de kussens vol yoghurt- en chocoladevlekken en was in hysterisch snikken uitgebarsten.

Chrissie noch Rob kreeg uit haar los wat er aan de hand was. Rob ging eerst naar de auto om haar bagage naar binnen te halen en te controleren of ze wel goed geparkeerd stond, waarbij hij niet-begrijpend een hand over de gedeukte motorkap liet gaan. Ten slotte wist Chrissie Mel ertoe te bewegen wat thee met suiker te drinken en legden ze haar in de kleine logeerkamer te slapen.

De volgende morgen kregen ze haar niet wakker, en toen ze eindelijk halverwege de ochtend naar beneden kwam, wilde ze nog steeds niets loslaten, maar staarde ze alleen voor zich uit. Ze merkte amper dat Rory bij haar op schoot klauterde.

'Hallo, tante Mel. Wat zie je er verdrietig uit vandaag.'

'Ze voelt zich niet helemaal goed, Rory,' zei Chrissie, die hem losmaakte. Mel hing alleen maar geknakt over tafel, in dezelfde kleren als de vorige dag.

Chrissie belde hun broer William om hulp, maar kon alleen zijn secretaresse bereiken. Op haar aandringen belde ze echter kort daarna haar eigen huisarts.

'Het is een natuurlijke reactie op een overmaat aan psychologische stress,' liet de dokter Chrissie weten. 'Geestelijk gaan dan de luiken dicht om afstand te scheppen. Laten we het een paar dagen aanzien en dan kijken hoe het gaat.'

Vervolgens belde ze Patrick.

Chrissie liet haar gedachten gaan over hun gesprek.

'Ze is zomaar ineens vertrokken,' zei hij. 'We hadden... een woordenwisseling, zie je. Dat zal ze je wel hebben verteld.'

'Ze heeft me helemaal niets verteld,' beet Chrissie hem toe. 'Sinds ze hier is heeft ze nog geen woord gezegd. Als jij haar hebt gedumpt, en dat zo kort na Jake...'

'Ik heb haar niet gedumpt, zoals jij het zo fijntjes noemt. Zo is het helemaal niet gegaan. Ze wilde alleen niet dat ik omging met...'

'Wat?' zei Chrissie, die onraad rook.

'Bella is op bezoek geweest,' zei Patrick kortweg.

'Aha. En Mel werd op het verkeerde been gezet. Of was het het goede? Patrick, als je met haar hebt lopen sollen, vermoord ik je, weet je dat?'

'Zo is het niet gegaan, Chrissie. Ik kan het niet precies uitleggen. Het is gewoon... een misverstand. Chrissie, ik wil haar spreken. Ik heb naar haar flat gebeld. Ik had me niet gerealiseerd dat ze bij jou was – maar dat had ik kunnen weten. Mag ik langskomen?'

'Volgens mij heeft dat op dit moment niet veel zin, Patrick. Ik laat het je wel weten als het wat beter met haar gaat.'

Toen ze de telefoon neerlegde, trilde Chrissies hand. De klootzak. Hoe kon hij haar kleine zusje dit hebben aangedaan – híj, nota bene? Chrissie beschouwde Mel altijd als 'klein', had altijd over haar gemoederd. En nu zou ze ook over haar moederen. En dat betekende dat ze zo nodig Patrick uit Mels buurt zou weren. Daar hoefde ze helemaal niet over na te denken.

Dit alles had ze zachtjes aan de dokter uitgelegd toen die was gearriveerd.

'Ze moet de dood van onze moeder verwerken, en het einde van haar relatie. Het ging best goed met haar, totdat ze iets kreeg met die oude vriend van mij, maar ze heeft zich er duidelijk te diep in gestort.'

De dokter knikte, alsof hij zo'n verhaal al vaker had gehoord, vele malen, maar zijn gezicht stond meelevend.

'Volgens mij komt het wel goed met haar,' zei hij, 'maar ze moet iemand bij zich hebben. Kan ze hier bij jullie blijven?'

'Ja, natuurlijk. Ik heb naar mijn werk gebeld. Ik kan vrij krijgen.'

Op de tweede dag sliep Mel lang uit. Ze at een half stukje toast en een chocoladekoekje, maar aan haar ogen was te zien dat ze nog steeds ver weg was, ergens diep in zichzelf teruggetrokken. Het grootste deel van de dag lag ze met tussenpozen te slapen, bezorgd gadegeslagen door Rory. Patrick belde nog een keer, maar Chrissie deed kortaf tegen hem en gaf hem te verstaan dat zij hem wel zou bellen als er nieuws was.

Op de derde dag was Mel nog steeds moe, maar ze keek korte pozen televisie, nuttigde een lichte maaltijd en zei geluidloos 'ja' en 'bedankt' in reactie op Chrissies vragen. Ze glimlachte Rory toe toen hij haar vertelde hoe zijn dag was geweest. Patrick belde alweer en voerde een lang gesprek met Rob. Toen Chrissie de telefoon overnam, raadde ze Patrick aan voorlopig echt niet meer te bellen; dat zou de dingen alleen maar erger maken. Ze besloot Mel voorlopig niets over de telefoontjes te vertellen; als Patrick ter sprake kwam, leek het of Mel zich dieper in zichzelf terugtrok.

De middag daarop zat Mel aan tafel om Rory te helpen tijgers te tekenen. Hij kleurde ze in met klodderige zwarte en oranje verf die uitliep over de lijntjes, wat hem deed stampvoeten van woede. Mel maakte haar eigen schilderij, van een mooie tuin met glimlachende bloemen en kleine schuwe dieren. Rory vond het prachtig en vergat helemaal dat hij boos was.

Chrissie drukte haar tegen zich aan, dolblij dat ze naar de mensenwereld terug leek te keren.

Maar dit bleek alleen nog maar het begin. Het was een traag herstelproces, telkens onderbroken door lange tussenpozen van diepe somberheid, dagen waarop er een onverklaarbare pijn door haar lichaam trok en haar hoofd bonsde.

Verdriet, zei de dokter.

Later, toen de zwarte periodes korter duurden en minder intens werden, maakte ze af en toe een wandeling, waarbij ze op een dag kilometers aflegde, waarmee ze zichzelf uitputte in haar pogingen haar energie te kanaliseren in lichaamsbeweging, zodat ze niet hoefde na te denken.

Begin september, drie weken na haar komst, was Mel magerder en bleker dan tevoren, maar ze was wel weer zichzelf. Aimee was komen eten, en toen ze klaar waren had Mel gezegd: 'Het is tijd om weer naar huis te gaan.'

'Weet je het zeker?' vroeg Chrissie. 'Je mag best blijven, hoor.'

'Dat spreekt voor zich,' voegde Rob eraan toe, terwijl hij zijn arm om de rugleuning van haar stoel sloeg. 'We vinden het fijn om je bij ons te hebben.'

'Ik hou haar wel in de gaten,' zei Aimee. Zij woonde maar een paar straten bij Mel vandaan. 'Ze kan altijd bij mij logeren als ze daar zin in heeft.'

Aimee had Mel de avond daarop teruggebracht naar Clapham, in

Mels auto, die inmiddels was gerepareerd nadat Rob had gesteggeld met de verzekeringsmaatschappij en de garage.

Ze hielp Mel met haar bagage naar binnen en liet haar toen alleen om rond te dwalen door haar verwilderde tuin, terwijl zijzelf bij de winkel op de hoek boodschappen ging doen. Toen ze terugkwam, trof ze de bovenbuurvrouw Cara aan, die op het puntje van de bank een eind weg zat te kletsen, terwijl Mel aan tafel de post die Cara had meegebracht sorteerde.

'En hij is twee, misschien wel drie keer langs geweest,' zat Cara te vertellen met brede handgebaren en ogen die glansden bij alle dramatiek.

'Wie, Cara?' vroeg Mel nadrukkelijk, opkijkend van haar speurtocht naar interessante post te midden van alle rekeningen en reclamefolders. Ze had al snel gezien dat er niks van Patrick bij zat. Maar had ze dan bericht van hem verwacht? Het leek er immers verdacht veel op dat hij al die tijd dat zij niet in orde was geweest niet één keer had gebeld. Maar nu kreeg ze weer even hoop. 'Wíe is er langs geweest?'

'Je man, Jake, stond aan de deur te bellen,' riep Cara schril uit. 'Wie anders? Hoeveel mannen hou je erop na?'

'Op het moment geen een,' zei Mel verloren. 'Wat heb je tegen hem gezegd?'

'Dat je in Parijs bij je Franse minnaar logeerde – wat dacht jij nou?'

Mel rolde met haar ogen. Dat zou echt iets voor de licht ontvlambare Cara zijn. 'Bedankt dat je de post hebt verzorgd, trouwens. Ik hoop niet dat je het vervelend vond.'

'Nee, nee. Het is maar goed dat je zus me heeft gebeld om te zeggen waar je zat, want anders had ik nog een hele rits brieven naar je vakantieadres doorgestuurd.'

'Het was geen vakantie, Cara,' zei Mel. 'Maar toch bedankt. Ik ben je heel dankbaar.'

'Dus Jake heeft naar je lopen zoeken!' zei Aimee toen Cara weg was. 'Heb je dan contact met hem gehad, stoute meid? Kom op, vertel!'

Mel vertelde over Jakes boekencontract, maar zei dat ze sindsdien geen mailtjes meer hadden uitgewisseld. 'Maar ik heb dan ook in geen tijden meer naar mijn mailbox gekeken.'

Terwijl Aimee voor hen allebei thee zette, knipte Mel haar laptop aan en zag ze dat Jake haar nota bene twee keer gemaild had. 'Ik had gedacht dat we misschien iets konden gaan drinken voordat het semester weer begint,' had hij in de eerste boodschap geschreven, en vervolgens: 'Het klinkt stom, maar ik ben je mobiele nummer kwijt. Om eerlijk te zijn ben ik mijn mobiel kwijt. Belachelijk dat je zo afhankelijk kunt zijn van een stukje metaal.'

'Hij wil iets afspreken,' zei ze tegen Aimee.

'Mel...' Aimees mooie, kleine gezicht trok zich in rimpels als de snuit van een King Charles-spaniël. 'Je past toch wel op, hè?'

'Jawel.' Haar stem klonk vlak, en Aimee raakte Mels arm even aan. 'Je zit niet met hem in je maag, hè?'

'Nee, hoor,' zei Mel, en ze keek uit het raam naar een plastic tas die in een dode boom in de tuin van het bouwvallige huis aan de overkant flapperde in de wind.

Aimee slaakte een zucht.

'Misschien moet ik contact met hem opnemen,' fluisterde Mel bijna tegen zichzelf. Maar toen ze weer aan Bella dacht, aan de laatste avond, huiverde ze. 'Nee. Ik geloof niet dat ik dat kan. Beter van niet.' De plastic tas flapperde als een dolle, alsof hij zich los wilde worstelen uit de boom.

'Mel...' Aimees gezicht vertoonde een ondoorgrondelijke mengeling van emoties. 'Waarschijnlijk is dit niet het goede moment, maar ik moet je iets vertellen.'

'O ja, wat dan?' Ze voelde haar eigen glimlach zich verbreden, hoewel die maar een flauwe afspiegeling was van Aimees grijns van oor tot oor. 'Stuart, zeker? Kom op, vertel me alles, ouwe stiekemerd!'

'Ik kan er moeilijk over praten. Uitgerekend tegen jou...'

'O, dat maakt niet uit. Ik kan wel een oppepper gebruiken. Vertel – ga je trouwen?'

Aimee kon haar gezicht niet meer in de plooi houden. 'Ja, hij heeft me gevraagd.'

'En wat heb je gezegd?'

'Dat ik wel ja wilde zeggen, maar...'

'Maar wat? Ik dacht dat je niets liever wilde!'

'Ik wil ook niets liever, echt waar, maar... Nou ja, Callum ziet het niet zitten. Dat kan ik hem niet echt kwalijk nemen. Het is nog niet zo lang geleden dat zijn moeder is vertrokken, en nu wil zijn vader ineens met zijn lerares trouwen. Getver!'

Mel moest lachen om Aimees impressie van een misnoegde puber.

'Maar als Callum geen rol zou spelen, zou je dan met Stuart willen trouwen?'

'Ja, nou en of. Maria, zijn vrouw, en hij zijn alleen maar vanwege Callum zo lang bij elkaar gebleven. Toen leerde zij iemand anders kennen, dus daarom zijn ze uiteindelijk uit elkaar gegaan. Het is allemaal in verrassend goede orde verlopen.'

'Heeft Callum nog contact met zijn moeder?'

'O, ja, maar hij vond haar nieuwe vriend maar niks. Daarom is hij ook bij zijn vader gebleven.'

'En nu komt daar dus ook verandering in. Die arme jongen.'

'Wat moet ik doen?'

'Ik heb geen idee. Kijk het aan. Misschien moet Callum alleen maar aan je wennen.'

'Dat denk ik dus ook. Maar als dat nou niet gebeurt?'

Ze bleven allebei even zwijgen.

'Kom,' zei Aimee, die opsprong en de mokken oppakte. 'Je kunt hier niet blijven, heb ik besloten. Ik word bij Stuart te eten verwacht. Jij gaat mee, en daarna gaan jij en ik naar mijn huis. En daar valt niet over te onderhandelen.'

Om twaalf uur omstuwden de studenten Mel als het getij een rots. Niet dat ze zich momenteel nou zo'n rots voelde – eerder een kiezelsteentje dat heen en weer werd geslingerd door de stroom. Op de een of andere manier had ze haar eerste college sinds maart weten te geven, en het was goed gegaan; bij de studenten had ze belangstelling bespeurd. Maar nu rees dat duistere gevoel weer in haar op, en ze pakte het doekje om het whiteboard schoon te vegen alsof het loodzwaar was.

Alles was veranderd, kwam het Mel voor, toen ze de vorige week naar de universiteit was gegaan. Davids vriendelijke gezicht was er niet meer. Het feestje ter gelegenheid van zijn pensionering van afgelopen zomer had ze aan zich voorbij moeten laten gaan. John O'Hagan had nu zijn plaats ingenomen, een man met een bruuske en strijdbare manier van doen, die er helemaal klaar voor was om zijn nieuwverworven gezag te doen gelden door onnodige veranderingen aan te brengen, mopperden de medewerkers van de faculteit die tot de oude getrouwen behoorden. De tweede verandering was dat er voor Rowena een fulltimefunctie was gecreëerd.

'Er komen steeds meer studenten. Kunstgeschiedenis is erg in trek,' had John het Mel een paar dagen geleden uitgelegd.

'Fijn om te kunnen constateren dat al mijn inspanningen van de afgelopen jaren resultaat hebben gehad,' merkte ze op. 'Maar je had me wel even mogen inseinen.'

'Je was er niet,' luidde zijn antwoord.

'Ik was maar één e-mail ver,' beet ze hem toe. John had echter maar een korte aandachtsspanne.

'Het spijt me dat je er zo over denkt,' zei hij, waarna hij opstond om aan te geven dat het gesprek beëindigd was, 'maar wat gebeurd is, is gebeurd, en ik weet zeker dat we allemaal blij zullen zijn met Rowena's hulp. Ze heeft een heleboel nuttige suggesties gedaan.'

Terwijl Mel het bord schoonveegde, moest ze aan dit gesprek denken.

'Heb je even?' Er verscheen een hoofd om de deur: een krans van blonde krullen die achterover werden gehouden door een Alice-achtige haarband met een grote Schots geruite strik. Rowena.

'Mel, hoe ging je college? Zo te zien is het je niet in de koude kleren gaan zitten, meid.' Rowena's lichte stem, met zijn sissende klanken, kon je niet anders betitelen dan als zelfgenoegzaam. En die strik, wat vond Mel die vreselijk. Voor een meisje van tien kon hij er nog wel mee door, maar… Het ergste was nog dat haar onschuldige uiterlijk volstrekt in tegenspraak was met haar venijnige karakter.

'Prima, dank je, Rowena.'

'Mooi zo. Ik heb net John gesproken. Het leek me goed om je deze even te laten zien.' Ze overhandigde Mel een paar uitgeprinte e-mails. 'Weet je, ik heb een paar ideetjes, over hoe we de colleges beter kunnen inrichten.'

Mel voelde een vermoeide ergernis in zich opkomen. Ze wierp een blik op de mailtjes. 'Beoordeling van de studenten…', 'herinrichten…', 'nieuwe technologie…', 'zou inspirerender kunnen…'. De frases sprongen haar van het papier tegemoet.

'Waarom heb je dit niet met mij besproken?' vroeg ze Rowena koeltjes.

'Nou, dat doe ik nu toch?' zei Rowena met gespeelde verontwaardiging. 'John vond dat je er even naar moest kijken.'

Opeens had Mel er geen zin meer in om moeite te doen haar met fluwelen handschoenen aan te pakken.

'Rowena, ik weet zeker dat je het allemaal goed bedoelt, maar ik zal eerlijk tegen je zijn. Ik geef hier al tien jaar deze cursus. En jij bent hier nog maar vijf minuten.'

'Zoals je weet, heb ik je lessen overgenomen toen jij een paar jaar geleden weg was. Toen je moeder…'

'Maar dat geeft je nog niet meteen het recht om achter mijn rug om te proberen allerlei veranderingen door te voeren.'

'Het spijt me wel, ik had niet gedacht dat je er zo tegenaan zou kijken. Ik wilde alleen maar helpen.'

'Nou, dat kun je beter laten.' Ze slaakte een zucht en zei toen: 'Niet dat ik tegen veranderingen ben, maar daar kunnen we beter eens goed met z'n allen voor gaan zitten. Met jouw ideeën ligt het niet zo eenvoudig als het lijkt. Je moet de achtergrond kennen.'

En het laatste waar ik op zit te wachten is wel dat John en jij achter mijn rug om met elkaar gaan konkelefoezen, besloot ze gedecideerd bij zichzelf, en ze pakte haar tassen, schonk Rowena een knikje en beende het lokaal uit. Ze liep de gang door zonder iets of iemand te zien, ontsloot de deur van haar kamer, glipte naar binnen en deed hem achter zich dicht. Ze liet zich neervallen op haar bank, blij dat ze een moment voor zichzelf had.

Vrijwel meteen werd er op de deur geklopt. 'Binnen,' riep ze vermoeid, en de deur ging open. Het was Jake.

Hij leek de hele deuropening te vullen, met een elektromagnetisch veld om zich heen dat sterker geladen was dan ooit. Hij had zijn blonde haar laten groeien en droeg het keurig geknipt achterovergeborsteld, maar voor de rest zag hij er nog hetzelfde uit.

Terwijl hij zijn onderarmen aan weerskanten klemzette tegen de deurpost, als de geketende Samson die op het punt staat de pilaren van de tempel uit elkaar te drukken, zei hij met een overdreven Amerikaans accent: 'Welkom terug, mevrouwtje Voortvluchtig. Hoe gaat het met u?'

Mel stond op, sloeg haar armen over elkaar en keek hem met vaste blik aan. 'Ik heb het druk gehad,' zei ze.

'Heb je tijd om vanavond iets te gaan drinken?' zei hij, en het verbaasde haar met hoeveel gemak hij dat vroeg, alsof ze nog aan het begin stonden van hun relatie in plaats van dat ze te maken hadden met de dovende restanten daarvan.

'Nee,' zei ze kortweg. 'Ik moet vanavond een college voorbereiden.' Wat in zekere zin waar was, maar het college was al voorbereid; ze hoefde alleen maar een paar afbeeldingen van de PowerPoint-presentatie te vervangen omdat ze inmiddels betere gevonden had.

Jake roffelde ongeduldig tegen de deurpost en wierp een blik op zijn horloge. 'Morgen dan. Woensdag – nee, woensdag wordt te druk, denk ik. Donderdag?'

Uiteindelijk stemde ze in met donderdag.

'Dan gaan we iets drinken,' zei ze, hem streng aankijkend, 'om je boekencontract te vieren.'

Hij leek even van zijn stuk gebracht en zei toen ongemakkelijk: 'Goed. Tot dan', waarna hij zich uit de voeten maakte. Toen ze opstond om de deur dicht te doen, zag ze hem wegsluipen door de gang, als een gracieuze luipaard.

Het was een warme septemberavond, dus at ze een lichte maaltijd van roerei en bonen op de laatste korst brood die ze nog in huis had, waarna ze een kijkje in de tuin ging nemen. Rowena, de student met het hoedje, Jake… De irritaties van de afgelopen dag wervelden door haar hoofd. Hard werken was de oplossing.

Het schonk voldoening om zich af te reageren door aan het verstrengelde onkruid te rukken en de struiken terug te snoeien. Na een poosje drongen de verschillende geluiden om haar heen tot haar door: het zachte gebonk van muziek in de verte, een man en een vrouw die verderop over de schutting heen ruziemaakten in een taal met scherpe klanken die ze niet herkende, een voetbal die tegen hout en beton bonsde, het gegier van een boor op steen ergens aan de overkant.

Wat een verschil met de vredige tuin van Merryn. Maar desondanks ontwaarde ze, naarmate ze kalmer werd, ook het gekwetter van een merel, de primitieve geur van de aarde, het scherpe aroma van plantensap. Wat haar allemaal regelrecht terugvoerde naar Lamorna.

Het viel niet mee om niet aan Patrick te denken. De waarheid was dat ze niet anders deed, hoewel ze zich af en toe bezorgd afvroeg of ze hem in de herinneringen die haar lichaam had niet verwarde met Jake. Neem nou die keren dat ze in haar grote bed wakker werd en een hand uitstak, half in de verwachting dat er iemand naast haar zou liggen: zocht ze dan naar Patrick of naar Jake? Wanneer ze thuiskwam, zou een deel van haar er niet raar van hebben opgekeken als de deur van haar flat niet op het nachtslot had gezeten en er binnen iemand wachtte om haar te verwelkomen. Wie was dat?

Maar als ze 's nachts wakker lag, met haar kussen in haar armen, en wachtte tot de slaap haar zou overmannen, dan stelde ze zich voor dat Patrick dicht naast haar lag en haar zoende, rook ze zíjn speciale geur van hout en tandpasta met pepermunt, en vloeiden haar tranen. En weer vroeg ze zich af waarom hij helemaal niet had geschreven, niet had gebeld, helemaal niet naar haar toe was gekomen, waarna ze besloot dat ze best wel wist waarom dat was. Ik moet eroverheen zien te komen, dat moet echt, hield ze zichzelf almaar voor.

En nu liet ze haar gedachten afdwalen naar Jake.

Het verwarde haar om aan hem te denken. Jake, Patrick, Patrick, Jake... Als het ene beeld in haar gedachten vervaagde, tekende het andere zich scherper af.

Toen de schemer zich verdiepte, borg ze haar tuingereedschap op en trapte ze het gewiede onkruid plat om het in een vuilniszak te proppen, die ze dichtbond en apart zette voor de gft-ophaaldienst. Op het moment dat ze het huis in ging, rinkelde de telefoon. Het was haar vader.

'Pap? Is alles goed?' Sinds de ansicht uit Frankrijk had ze niets meer van hem gehoord.

'Hmm? Ja, ja, natuurlijk. Ik heb je al een tijdje niet meer gesproken, dus ik dacht: ik bel maar eens op om te vragen hoe het gaat. Will zei dat je niet in orde was.'

Een meester in het understatement, haar vader.

'Ik heb een nogal stressvolle zomer gehad,' gaf ze toe, in de wetenschap dat hij niet op onverkwikkelijke details zat te wachten. 'Maar nu gaat het weer prima.'

'Mooi zo, mooi zo,' zei haar vader. 'Zeg, volgende week moet ik naar Londen voor een conferentie,' vervolgde hij. 'Zullen we een keer 's avonds samen eten?'

'Goed. Wanneer?'

'Dinsdag?'

'Ja,' zei ze, bladerend in haar agenda, waarbij ze met een schokje Jakes naam bij aanstaande donderdag zag staan.

'Ik bel je wel als ik ergens heb gereserveerd,' zei hij.

'Prima. Hoe maakt Stella het?' vroeg ze beleefd. Ze was op haar elegante, zorgvuldig gekapte stiefmoeder gesteld, maar had haar nooit goed leren kennen.

'Stell? Best, best, druk in de weer met het een of andere liefdadigheidsbal waar we dit weekend heen moeten. Het huis staat vol met dozen vol spullen en de telefoon staat roodgloeiend omdat allerlei mensen over de bloemstukken willen delibereren. Ik ben een vreemde in mijn eigen huis geworden.'

Nou, dat verbaasde haar niks, dacht Mel bij zichzelf terwijl ze op-
hing. Hij was voor wie dan ook niet veel aanwezig. Waarom zou hij haar
nu willen zien?

34

'Er is een nieuw café geopend bij het metrostation,' zei Jake toen hij haar donderdag om zes uur kwam ophalen bij haar werkkamer op de universiteit. 'Als je het goedvindt, lopen we erheen.' Ze keken uit het raam naar de grauwe Londense motregen, en Mel pakte haar antieke paraplu.

De wijnbar liep al aardig vol met groepjes jonge mensen uit naburige kantoren, maar moeiteloos wist Jake een tafeltje te bemachtigen en hij wenkte een serveerster, die meteen naar hen toe kwam. Het was Mel opgevallen dat het meisje zodra ze binnenkwamen Jake in de gaten had gehouden.

Had hij altijd zo'n toestand gemaakt van de wijnkaart, vroeg ze zich af terwijl ze achteroverleunde en hem de gelegenheid gaf de relatieve verdiensten van de St. Remy af te zetten tegen de cabernet sauvignon van het huis. Patrick had altijd een snelle blik op de kaart geworpen en meteen een keus gemaakt. Uiteindelijk bemoeide ze zich ermee en merkte op: 'We hebben wél iets te vieren', en hakte de knoop door door champagne te bestellen.

'Wat geweldig, dat boekencontract,' zei ze nadat de serveerster een fles in een ijsemmer en twee champagneglazen had gebracht. 'Op jou', en ze klonken.

'En ook op jou,' zei Jake doodkalm terwijl hij haar blik vasthield. 'Op je terugkeer naar de echte wereld. Ik heb je wel gemist.'

Mel slikte een grote slok champagne door en de bubbels prikkelden in haar neus. Het duurde even voordat ze uitgehoest en -geproest was.

'Sorry,' zei ze, het bundeltje grofpapieren servetjes dat hij haar aanreikte aanpakkend. Ze herinnerde zich nog goed Patricks zacht aanvoelende zakdoek die hij haar bij hun eerste ontmoeting had geleend, en ze voelde een steek van pijn in haar hart.

317

'En of ik je gemist heb,' zei Jake geamuseerd en een tikje kregel. 'Ik heb tenminste nog steeds een dramatische uitwerking op je.' Hij maakte een theatraal gebaar.

'Tja...' zei ze vaagjes, omdat ze het gevoel had dat er een antwoord van haar werd verwacht, waarna ze er haastig aan toevoegde: 'Vertel me eens iets over het boek. Wanneer ben je op het idee gekomen?'

'Eigenlijk kwam dat door Sophie,' zei hij, achteroverleunend in zijn stoel. 'Dat is een slimme meid. Ze had geluncht met een uitgever die zich erover beklaagde dat iedereen tegenwoordig helemaal in de ban was van het fenomeen *Da Vinci Code*. Hij vond het jammer dat er geen Britse schrijver was die dat soort thrillers kon schrijven. Maar goed, die gast had net *Schilderen voor je plezier* afgewezen, maar wilde wel meer van mijn werk zien, en Sophie kreeg opeens een idee. Ze stelde voor dat ik het eens met een outline zou proberen. Ik moest me concentreren op het vertellen van het verhaal, zei ze, en dat gewoon opschrijven. Ik wist niet goed hoe ik moest beginnen, moet ik bekennen, maar toen kocht ik onderweg naar huis een exemplaar van Dan Brown en besloot dat ik het beter kon. Dus ging ik ervoor en toog aan de slag. *Et voilà!*'

'Nou, het zou mooi zijn als je ook maar de helft van Dan Browns verkoopcijfers zou halen,' grapte Mel, en hij moest ook lachen, maar aan zijn ogen zag ze wel dat ze een gevoelige snaar had geraakt. Al had hij dan ooit literaire roem nagestreefd, nu streefde hij naar een plek op de bestsellerlijsten.

'Op de universiteit had een enkeling wel commentaar, maar verdorie, zeg. Als het met dit eerste boek iets wordt, blijf ik daar niet lang meer, dat kan ik je wel vertellen.'

'Hmm, dat wilde ik net vragen,' zei Mel.

'Hoe gaat het met jouw schrijverijen?' Voor het eerst klonk Jake oprecht geïnteresseerd in het welslagen van wat zij ondernam, en hij zei: 'Goed, zeg,' toen ze hem vertelde dat ze nog maar één hoofdstuk te gaan had.

Hij tilde de champagnefles uit de emmer en vulde met een zwierig gebaar hun glazen bij, waarna hij weer achteroverleunde in zijn stoel en Mel veelbetekenend aankeek. 'God, wat fijn om je weer te zien.' Hij harkte met zijn vingers door zijn haar en schudde even licht zijn hoofd. Ze zag dat hij een nanoseconde naar zichzelf keek in een spiegel die aan de wand hing.

'Het is ook leuk om jou te zien,' antwoordde Mel luchtig. Hij was charmant en stimulerend als altijd, en ze koesterde zich in zijn aandacht. Maar het was ook net alsof het verstrijken van de tijd voor een patina van objectiviteit tussen hen had gezorgd, als een dunne glasplaat die haar afscheidde van haar gevoelens voor hem. Een vreemde gedachte, maar er was nu geen tijd om die te analyseren.

'Hoe maken de meisjes het?' vroeg ze. 'En Helen?'

Zag ze hem nou even aarzelen voordat hij antwoord gaf?

'Prima, met de meisjes gaat het uitstekend. Anna is met paardrijden begonnen. Ik moet haar elke zaterdag naar Surrey brengen om haar in kringetjes rond te zien lopen. Ze is erg groot geworden. En Freya zit op ballet.'

'En Helen?'

'Ah, ja, nou… Heb je al gehoord over Igor de Geweldige – nee zeker?'

'Igor? Is dat die vriend van haar?'

'Jazeker. Regelrecht van de Russische steppe. Nou ja, Moskou.'

'Hoe heeft ze hem leren kennen?'

'Dat geloof je niet: op een kinderfeestje. Hij heeft ook een dochtertje.'

Opeens zag hij er lichtelijk triest uit, en Mel zei: 'Ben je jaloers, Jake? Dat Helen iemand heeft gevonden, bedoel ik?'

'Ik weet niet. Het is gewoon… een beetje vreemd. Om haar met een andere man te zien.'

Maar jij hebt andere vrouwen gehad, ging het door haar heen. Hoe moet dat wel niet voor haar zijn geweest?

'En vinden de meisjes hem aardig?' vroeg ze.

'O, jawel.' Het klonk lusteloos.

'En jij?' zei ze. 'Heb jij… iemand?'

'Nee, als je het per se weten wilt,' zei hij, zijn vingernagels bestuderend. Toen keek hij haar recht aan. 'Sinds jou heb ik niet echt meer iemand gehad.'

Hoeveel onenightstands impliceerde dat 'niet echt', vroeg ze zich af. Maar toch voelde ze zich gevleid.

'Het valt voor een vrouw niet mee om jou te moeten opvolgen, Melanie Pentreath.'

Ze lachte en wachtte af tot hij dezelfde vraag aan haar zou stellen, maar dat deed hij niet, en zonder reden ergerde dat haar. Vond hij het soms onwaarschijnlijk dat ze voor een ander aantrekkelijk zou kunnen zijn?

'Ik… heb wel iemand leren kennen. In Cornwall. Maar het is op niets uitgelopen,' zei ze haastig.

'Zijn jullie… nu niet meer samen?' vroeg hij, en hij boog zich naar voren en keek haar onderzoekend aan.

'Nee.'

De zucht waarmee hij weer achteroverleunde klonk voldaan. Zijn lichaam leek zich te verbreden, te ontspannen. 'Nog eentje?' Zijn vingers sloten zich om de hals van de fles.

'Nee,' zei ze hoofdschuddend. 'Mijn hoofd tolt nu al.'

'Iets te eten dan?'

'Nee, Jake, dank je wel. Ik moest maar weer eens op huis aan.'

Toen ze naar buiten stapten, regende het nog licht. Hij wachtte tot ze haar paraplu had uitgeklapt en zei toen: 'Ik loop wel even met je mee naar huis.'

'Nee, echt, Jake, ik red me wel.'

'Het is geen moeite.'

'Jake…'

Zijn schouders zakten iets in elkaar.

'Ik vond het leuk om je te zien,' zei ze, de paraplu ophoudend boven hun beider hoofden, terwijl ze een regendruppel over zijn wang zag glijden. Hij stak zijn hand naar voren en streek een lok van haar haar weg, terwijl zijn ogen haar gezicht aftastten. Hij zag er hoopvol uit, kwetsbaar, en iets in haar wilde niets liever dan dat hij zich naar voren zou buigen en haar zou zoenen. Zodat ze zich weer veilig kon voelen. Maar het voelde niet goed. Eerst moest er een heleboel puin uit de weg geruimd worden, en ze wist niet waar ze moest beginnen. Ze had zich vast voorgenomen dat ze niet op het laatst samen in bed mochten belanden alleen maar omdat ze zich allebei eenzaam voelden en een slok te veel ophadden; dan zouden ze alleen maar weer vastlopen in verwachtingen die toch niet waar werden gemaakt.

'Kan ik je nog eens zien?' vroeg hij, verlegen als een jongen. 'Op deze manier, bedoel ik – ik weet natuurlijk ook wel dat ik je morgen op het werk weer zie.'

Ze lachte. 'Dat lijkt me wel.' Snel streek hij even met warme lippen langs haar wang, en weg was hij. Ze keek hem na toen hij tussen de plassen door wegliep naar het metrostation. Zijn broek, merkte ze op, was net even te kort, en op de een of andere manier ontroerde dat haar.

Langzaam liep ze naar huis, terwijl ze probeerde wijs te worden uit haar gevoelens. Voelde ze zich nog steeds tot Jake aangetrokken? Ja, gevoelsmatig wel. Waarom stelde ze zich dan zo terughoudend op? Kwam dat door Patrick? Ze nam aan van wel. Vanbinnen voelde ze zich nog steeds dof en doods, als een tuin in december.

35

Op vrijdag belde haar vader haar om te zeggen dat hij een tafeltje had gereserveerd in een Frans restaurant in Covent Garden voor hun etentje van de dinsdag daarop.

Zo'n gelegenheid was echt iets voor hem, bedacht Mel toen ze de telefoon neerlegde: authentiek Frans eten, klaargemaakt door een authentieke Franse kok en geserveerd door authentiek Frans personeel. Ongetwijfeld zou er die avond een verhitte discussie plaatsvinden met de authentieke Franse *patron* – uiteraard in het abominabele Frans van haar vader – over een of ander onderdeel van het menu. Ze hield haar hart nu al vast.

Het kwam maar zelden voor dat ze haar vader in haar eigen leefomgeving te zien kreeg en een goed gesprek met hem kon voeren over wat haar bezighield. Ze wilde het hebben over echte hartskwesties, maar de ironie was dat terwijl haar vader deskundig was in alle aspecten van het hart als fysiek orgaan, hij niets wilde weten van alle emoties die ermee verband hielden.

Toen ze op dinsdagavond om halfzes het metrostation op Leicester Square uit kwam, begaf ze zich langzaam in de richting van het restaurant, onderweg af en toe even een boekwinkel in duikend. Maar haar gedachten waren niet met boeken bezig. Ze liep te repeteren wat ze haar vader wilde zeggen.

'Pap, waarom heb je mam al die jaren geleden in haar eentje laten zitten met drie kleine kinderen?' Dat was een vraag die ze van tijd tot tijd op verschillende manieren had geprobeerd te stellen. En het antwoord? Dat had altijd koel geklonken. Alsof het einde van hun huwelijk net zoiets was als een bedrijfsfiliaal dat moest worden afgestoten.

'Je moeder en ik merkten dat we niet bij elkaar pasten, zo simpel is het. We waren samen opgegroeid, maar we waren allebei veranderd. We wilden allebei een andere kant op in ons leven.' En voor haar vader was die kant niet te verenigen geweest met de dagelijkse verantwoordelijkheid voor drie kinderen. Het was opmerkelijk dat Stella en hij nooit kinderen hadden gekregen – en niet, dat wist Mel zeker, want Stella had daar tegenover haar een keer op gezinspeeld, omdat ze daar niet toe in staat waren geweest. Hij had juist willen ontvluchten aan de intimiteit van een gezin, de voortdurend dreigende verstoring van zijn emotionele evenwicht, de rompslomp die kinderen met zich meebrachten.

Als William, Chrissie en zij bij hem waren en een van hen begon te klieren, als ze elkaar knepen of uitscholden, liep hun vader gewoon weg. Hun moeder ging heel anders met hun gekissebis om; zij praatte op hen in, mengde zich in de discussie, hielp hen hun onderlinge verschillen te hanteren.

Vijf voor acht. Ze legde het boek over naakten van Egon Schiele dat ze had doorgebladerd weer neer zonder de zeggingskracht van de tekeningen tot zich door te laten dringen en haastte zich de winkel uit. Het regende weer, en ze moest telkens de rijweg op stappen om de paraplu's te ontwijken van de mensen die naar een vroege theatervoorstelling gingen. Snel liep ze Upper St. Martin's Lane op en om klokslag acht uur stond ze voor het restaurant.

Toen ze de deur openduwde, kon ze haar vader, als altijd punctueel, al in een stoel aan een van de beste tafeltjes bij het raam zien zitten. Hij had iets imposants over zich, iets van een patriciër, bedacht ze met een onverwachte golf van bewondering. Door zijn langgerekte lichaam leek hij als hij zat langer dan hij in werkelijkheid was, een effect dat nog werd versterkt door zijn grote gezicht met zijn hoge voorhoofd en de dikke lok grijs haar die leek tegen te spreken dat hij al zeventig was.

Hij droeg formele avondkleding, en Mel was blij dat ze haar zwarte jersey jurkje had aangetrokken met een zachte zilverkleurige sjaal erop, en dat ze de moeite had genomen haar haar op te steken.

'Hallo, pap.' Hij wierp een snelle blik over de rand van zijn bril, zette die vervolgens af en stond met een onhandige beweging op, waardoor het blad dat hij had zitten lezen – *The Economist*, zag ze – op de grond viel.

'Mel, lieverd, wat zie je er mooi uit.'

Zijn kwetsbaarheid raakte haar. Ze had hem – hoe lang? – acht, negen maanden niet gezien, en hij leek op de een of andere manier minder vast op zijn benen te staan. Hij kuste haar snel op haar wang, klopte haar op de schouder en ging toen behoedzaam weer zitten. Maar uit de manier waarop hij de serveerster die zijn tijdschrift had gered een kort knikje gaf en voor Mel een gin-tonic bestelde, maakte ze op dat zijn onhandigheid niets had afgedaan aan zijn présence, aan zijn gezag.

'Ik neem *les escargots*,' zei hij op gebiedende toon tegen de serveerster toen ze even later hun bestelling kwam opnemen. '*Soupe à l'oignon* voor mijn dochter, met daarna *Suprème de Poulette*, en dan neem ik de *Bar Cuit à la Vapeur Tartare d'Huitre*, alstublieft.'

Met een frons bekeek hij de wijnkaart, koos een bordeaux en leunde vervolgens achterover in zijn stoel om antwoord te geven op Mels vraag naar wat hij in Londen te doen had. Het bleek een conferentie te zijn waarbij hij alleen maar toehoorder was, want hij was nu al enkele jaren chirurg in ruste.

'En wat heb jij allemaal gedaan?' vroeg hij op zijn beurt. 'Je was toch in Cornwall? Je bent zeker niet bij Gillian in Bodmin langs geweest, hè?'

'Nee, maar dat had ik best kunnen doen.' Gillian was haar vaders oudere nicht, en Mel kreeg ineens spijt dat ze er geen moment aan had gedacht haar op te zoeken, ook al lag Bodmin vanuit Lamorna gezien precies aan de andere kant van het land. 'Ik was druk met schrijven, om eerlijk te zijn. En tuinieren. Ik heb geholpen een oude tuin te restaureren.' Ze vroeg zich af hoe die er nu uit zou zien. Zou Patrick zonder haar door zijn gegaan? Zouden de bladeren nu verkleuren, zouden de beuken hun nootjes over het gras strooien en zouden de zwarte bessen rijp zijn? En hoe zou het met Carrie zijn, en met Matt, Irina en Lana? Het stemde haar verdrietig dat ze hen zo makkelijk was vergeten omdat ze zo met haar eigen problemen bezig was geweest.

'Dat hoorde ik gisteren van Chrissie, ja,' vervolgde haar vader. 'Ze zei dat het de laatste tijd niet zo goed met je ging. Het spijt me dat te horen, al vind ik dat je er patent uitziet. Tussen jou en mij gezegd en gezwegen: je zus maakt overal een drama van.'

'Wat heeft ze nog meer verteld?' vroeg Mel, die haar ogen tot spleetjes kneep.

Op dat moment werd hun eerste gang gebracht, en haar vader begon omstandig zijn slakkentang te hanteren en bestelde een mandje brood.

'En hoe is het nou met je?' zei hij, naar haar turend voordat hij zijn speciale vorkje in de grootste slak stak en het rubberachtige stukje vlees in de knoflookboter doopte. 'Je ziet trouwens wel een beetje, eh... bleekjes. Mmm, dit is echt heel lekker. Hoe is de soep?'

'Alles is prima in orde, pap,' zei Mel kortweg, en ze liet hem in de waan dat ze daarmee beide vragen beantwoord had. Maar dit keer nam hij daar tot haar verrassing niet zomaar genoegen mee.

'Chrissie zei dat het iets met een man van doen had,' ging hij verder, en hij keek haar over de rand van zijn bril heen scherp aan voordat hij zijn aandacht weer naar zijn eten verlegde. Hij klemde het tweede slakkenhuis vast en prikte met zijn vork naar de inhoud. 'Wat akelig nou. Op dat front heb je volgens mij de laatste tijd niet veel geluk gehad.'

Hij kauwde langzaam en keek haar even recht in de ogen. Ze voelde zich net als de slak: gestoken, gevangen en uitgekauwd. Ze verstrakte en vroeg zich af wat ze nu moest zeggen. Verwachtte hij echt dat ze hem in vertrouwen nam?

'Je moet ze niet allemaal laten lopen.' Wat mompelde hij nou? Ze keek toe toen hij het volgende slakkenhuis beetpakte, maar hij legde zijn vork neer, zette zijn bril af en wreef verwoed de glazen op met zijn servet. 'Het voorbeeld dat ik heb gegeven mag voor jou geen spaak in het wiel steken,' zei hij, het resultaat van zijn gepoets in ogenschouw nemend, zijn ogen klein en flets, weerloos zonder bril. 'Ik maak me zorgen, weet je – dat dat wel het geval is.'

Mel staarde omlaag in haar soepkom. De stukjes brood die daarin ronddreven zagen er ineens onappetijtelijk uit; bij de geur van ui en knoflook draaide haar maag zich bijkans om.

'Denk je dat echt?' vroeg ze gesmoord terwijl ze haar ogen opsloeg. 'Dat ik, omdat jij de benen hebt genomen, verwacht dat mannen bij me weg zullen gaan, dat ik ze wegjaag? Het ligt heus niet aan mij dat het nooit iets wordt, weet je.'

O nee? klonk een nadrukkelijke stem in haar hoofd. De stem van haar vader.

'Het is misschien psychologie van de koude grond.' Haar vader schudde zijn hoofd en toen verzachtte zijn stem. 'Maar ik ben nou ook weer niet zo'n stuk onbenul dat ik niet weet dat zulke dingen effect kunnen hebben.' Hij kreeg de laatste slak te pakken, stak hem snel in zijn mond, kauwde, slikte en bette vervolgens zijn lippen met de punt van zijn servet.

'Waarom is het met mama niks geworden, pap?' vroeg ze ineens. 'Dat heb ik nooit goed begrepen. Was dat vanwege… ons?' Opeens moest ze aan Jake denken, die was weggegaan bij Anna en Freya. 'Veranderde er iets tussen mam en jou toen jullie kinderen kregen?'

Haar vader leek hierover na te denken en zei uiteindelijk: 'Het was in feite een kwestie van passie, zo simpel is het. Ik hield ontzettend veel van je moeder, maar toen leerde ik Stella kennen en besefte ik dat zij het helemaal was. Sindsdien heb ik nooit meer naar iemand anders getaald.' Hij keek haar aan en zijn lichtblauwe ogen glansden op met een ongebruikelijke felheid. 'Ik móést haar hebben. Ik besefte ook wel dat dat betekende dat ik jullie allemaal achter zou laten, ik besefte dat dat jullie pijn zou doen, dat het je moeder pijn zou doen, maar op dat moment kon ik niet anders. Het was de pure zelfzucht van de minnaar, realiseerde ik me later. Voor Stella en mij moest al het andere wijken. "De wereld verloren voor de liefde", zeggen grote minnaars het niet zo?'

Het was het langste en meest onthullende betoog dat hij ooit tegenover haar had gehouden. Zijn woorden raakten haar recht in haar hart.

'En Stella kreeg je,' zei Mel, die haar soep van zich af schoof. 'Je kreeg haar, en ons was je kwijt. En mam.'

'Ik was jullie kwijt, ja, dat zag ik algauw in.' De serveerster kwam hun borden afruimen en wierp een afkeurende blik op het eten dat Mel had laten staan.

'Ik heb me heel lang schuldig gevoeld. Ik wilde geen kinderen meer, en gelukkig hoefde Stella die ook niet. Maar inmiddels denk ik dat ze daar nu spijt van heeft. Nou ja, we maken keuzes, nietwaar? En daar moeten we mee zien te leven. Maar dat is nou precies wat ik bedoel over jou.'

'Wat, pap? Wat bedoel je?'

'Dat je je eigen beslissingen moet nemen, je eigen koers moet varen, zoals dat heet. Laat je niet beïnvloeden door wat ik gedaan heb. Ik ben nu een ouwe knar die een heleboel fouten heeft gemaakt en ongetwijfeld anderen leed heeft berokkend. Maar ik wil niet dat je mij de schuld geeft van de keuzes die jijzelf maakt, dat kan ik je wel vertellen. Weg met al die therapeutische onzin. Je bent zélf verantwoordelijk voor de keuzes die je in je leven maakt.'

'Nou, bedankt, pap, dat is fijn om te weten.' Mels stem haperde. 'Maar gek genoeg is dat helemaal zo makkelijk niet. Misschien heb je gelijk. Jij hebt me geleerd dat mannen weggaan, en dat heb ik in mijn leven ook zien gebeuren. Mannen. Gaan weg. Einde verhaal. Waarom zou dat míjn fout zijn?'

Zijn ogen glinsterden. Hij legde zijn servet op tafel. 'Onzin,' zei hij. 'Kijk nou naar Chrissie. Zij kan het prima vinden met die Rob van haar, en dat is ook een beste kerel. Will is gelukkig met Sandra. Jij moet je kans schoon zien – en niet verwachten dat het volmaakt is. Volmaaktheid vind je niet. Kies iemand van wie je echt houdt en blijf bij hem.'

'Zoals mam en jij?' vroeg Mel met een klein, strak stemmetje.

'Zoals Stella en ik,' verbeterde hij haar.

Wat betekende dat in haar geval? Jake of Patrick? Patrick of Jake?

De serveerster kwam het hoofdgerecht brengen, en een poosje zaten ze in stilte te eten. Mel had ineens trek en wilde haar maag vullen met warm, troostrijk voedsel.

Haar vader vroeg haar naar haar boek en haar colleges, vertelde over de tentoonstelling die Stella en hij in Birmingham hadden bezocht, beschreef een recent uitstapje naar de Londense dierentuin met de kinderen van Chrissie. Hij klonk als een toegewijde grootvader en Mel begreep tot haar verrassing opeens dat hij er voor haar zou zijn wanneer zij op haar beurt ook kinderen zou krijgen, mocht het ooit zover komen.

Later, toen ze buiten voor het restaurant afscheid van elkaar namen – hij ging terug naar zijn hotel in Bloomsbury en zij naar de metro – drukte hij haar tegen zich aan en kuste haar voorhoofd, en weer merkte ze dat hij niet al te vast op zijn benen stond.

'Mijn kleine Melanie,' zei hij, met een klopje op haar arm. 'Voor altijd mijn kleine Melanie.'

'O, pap,' zei ze met een zucht, terwijl haar ongenoegen over zijn gebrek aan tact van deze avond werd getemperd door medeleven. 'Wacht, daar komt een taxi aan. Ik kan je op dit uur niet dat hele eind laten lopen.' De taxi hield halt en na enig gemor over dat hij werd behandeld als een oude man stapte hij in. Ze sloot het portier en zwaaide toen de auto wegreed het donker in, en zij alleen bleef staan.

36

'Mmm, wat ruik je lekker.' Jakes welkomstkus duurde net iets te lang, en ze voelde de schok van een inbreuk toen zijn hand licht over haar heup streek. Ze duwde de fles die ze had gekocht stevig in zijn handen en stapte van hem weg om haar jasje te kunnen uittrekken. Hij begreep de hint en ging voor haar opzij zodat ze de woonkamer binnen kon gaan.

Jakes flat, een appartement met twee slaapkamers op de eerste verdieping van een bewaakt wooncomplex in Kennington, zag er precies zo uit als Mel het zich herinnerde, alleen dan opgeruimder. Toen hij even ging kijken naar de lasagne, nipte ze van witte wijn die zo koud was dat het glas ervan besloeg, en liet ze haar blik dwalen langs de boeken en siervoorwerpen op de witte planken die twee van de woonkamermuren in beslag namen. Het was nieuw dat het grote zwart-witte studioportret van Anna en Freya die een luchtsprong maakten nu boven de haard hing, en nieuw was ook de stapel hardback-thrillers onder het raam.

Het trof haar dat ze nog steeds twee foto's van zichzelf zag staan, al was het dan op een nieuwe plek – had hij ze daar vanaf februari al staan of had hij ze uit de kast gehaald omdat zij op bezoek kwam? Ze nam zichzelf haar cynisme kwalijk, maar troostte zich met de gedachte dat het volkomen natuurlijk was om op je hoede te zijn.

De afgelopen paar weken was het net geweest alsof hij haar weer het hof maakte. Ze waren opnieuw naar de wijnbar gegaan, waar ze ditmaal hadden gegeten. Vervolgens had ze hem vergezeld naar een boekpresentatie in de Kensington Roof Garden, waar hij haar tactvol aan mensen had voorgesteld als 'een vriendin'.

Het feestje was tenminste in die zin nuttig gebleken dat ze had kennisgemaakt met een literair agent die erg geïnteresseerd was in haar

328

boek en haar zijn kaartje had gegeven. 'Misschien kan ik me bij volgende projecten nuttig maken,' had hij gezegd.

Zoals bij al hun afspraken was Jake ook die keer charmant en attent geweest, maar zonder het er te dik bovenop te leggen, want de kussen waarmee hij haar begroette waren eerder teder dan hartstochtelijk geweest. Tot vanavond. Ze zouden deze vrijdagavond bij hem thuis eten. De sfeer leek al geladen met verleiding.

Het laatste album van Kate Bush, dat hij alleen maar kon hebben gekocht omdat hij wist dat zij daarvan hield, speelde op de achtergrond. De tijdschriften en stapels papieren die meestal her en der in de kamer rondslingerden waren op mysterieuze wijze verdwenen, evenals, zag ze toen ze de ongewoon keurige badkamer gebruikte, alle sporen van vuil wasgoed of resten scheerzeep in de wastafel, twee dingen die in het verleden tot woordenwisselingen hadden geleid. Op het schoteltje lag een nieuw stuk zeep, en de badhanddoek – een badhanddoek? Wanneer had hij die gekocht? – hing schuin in de metalen ring naast de douche.

Toen ze op de terugweg van de badkamer even naar binnen gluurde in Jakes slaapkamer, zag ze een fris opgemaakt bed in plaats van de gebruikelijke knoedel van dekbed en kussens...

'Het eten is klaar!' riep hij vanuit de keuken.

Ze pakte haar wijnglas op om naar hem toe te gaan. En wist niet wat ze zag. De kleine keukentafel was gedekt met een kleed, servetten, kaarsen, een jampotje met fresia's. Ze trok haar wenkbrauwen op en glimlachte, ving zijn blik zoals hij daar stond achter de stoel die hij voor haar achteruit had geschoven. Heel even keek hij schaapachtig weg, maar toen kwam hij naar haar toe en nam haar in zijn armen.

Bij zijn zoen was het alsof er een vloedgolf van passie in haar losbrak. Ze schrok van de intensiteit van haar reactie. Zijn handen waren overal, strelend, wrijvend, knijpend, totdat haar hele lichaam in vuur en vlam stond en de tranen haar uit de ogen stroomden.

'O god, Mel,' gromde hij in haar oor. Zijn lippen waren op haar haar, haar gezicht, haar hals, en zijn lichaam drukte zich tegen het hare.

Het was precies zoals ze zich herinnerde – de manier waarop hij met zijn vingers door haar haar harkte, haar schedel masseerde – en ze wachtte op de zachte kusjes op haar oogleden waar ze zo dol op was, maar die gaf hij niet, en toen realiseerde ze zich met een schokje dat Patrick haar die altijd had gegeven en niet Jake. Ze zette die gedachte van zich af en zoende hem hartstochtelijk terug.

'Kom,' zei hij, terwijl hij haar niet al te zachtzinnig het vertrek uit trok.

'Maar het eten…' protesteerde ze.

'Dat kan wel wachten. Ik niet.' En hij duwde haar neer op de bank en kwam op haar liggen, zodat zijn erectie pijnlijk tegen haar bekken duwde. Zijn vingers gingen over haar lichaam, toen frummelde hij met zijn kleren. Maar opeens begonnen er bij haar alarmbellen te rinkelen en raakte ze in paniek.

'Nee,' zei ze. 'Nee.' En ze verstijfde.

Hij bevroor. 'Wat nou?' zei hij. 'Wat is er?'

Ze duwde tegen hem aan tot hij zich van haar af liet rollen en op de grond viel.

'Jezus,' bracht hij uit, overeind krabbelend. 'Sorry, hoor. Ik dacht dat je het wilde. Wat is er in vredesnaam aan de hand?'

'Ik weet niet,' fluisterde ze, met haar bovenarm over haar ogen, omdat ze niet eens naar hem kon kijken. 'Ik weet het echt niet.'

Jake at zijn portie koude lasagne op, maar Mel raakte de hare amper aan; door de pijnlijke brok emoties in haar keel kon ze geen hap naar binnen krijgen.

'Ik ben er geloof ik nog niet aan toe,' zei ze met trillende stem.

'Nee, kennelijk niet. Neem me niet kwalijk, hoor,' zei hij gemelijk.

Woede vlamde in haar op. 'Ik kan niet gewoon maar weer doorgaan waar we gebleven waren, Jake,' zei ze met een boze blik in zijn richting. 'Ik wil hetzelfde niet nog eens meemaken, niet nog eens net zo gekwetst worden als de vorige keer. Het is nu niet meer hetzelfde. We moeten het over dingen hebben…'

'Weet ik, weet ik,' zei hij, zijn vork neerleggend. 'Maar voor mij is het nu ook anders. Het is allemaal duidelijker geworden. Nu er weer toekomstperspectief is, vind ik dat we er iets van moeten maken. Samen dat huis kopen. Misschien zelfs…' Even haperde zijn stem, maar toen mompelde hij: '… een gezinnetje beginnen. Eén kind is misschien zo erg nog niet.' Hij lachte zenuwachtig.

Mel zat hem stomverbaasd aan te gapen en probeerde wijs te worden uit wat hij zei. Een jaar geleden zou ze haar armen om hem heen hebben geslagen of een dansje hebben gemaakt op tafel, maar nu… nu voelde ze zich alleen maar moe, vanbinnen gebroken.

Jake was nog niet uitgepraat. 'Toen ik Helen zag,' vervolgde hij, 'met haar nieuwe man… Je had gelijk: dat heeft me aan het denken gezet. Het wordt tijd dat ik verderga, dat ik me settel. En ik heb je ontzettend gemist, Mel. Ik had nooit gedacht dat ik je zo zou missen, maar het is wel zo.'

Mel sloeg hem gade. Had hij altijd al van die roodomrande ogen gehad als hij een paar glazen wijn ophad? Hij begon er ouder uit te zien. Zijn gezicht was getekend, hol; zijn haar begon bij zijn slapen zonder meer te wijken. Niet dat dat er iets toe deed, hield ze zichzelf haastig voor. Ze had eerder die avond tenslotte zelf een paar zilveren haren uit haar eigen rode haar getrokken en zich voor de spiegel staan afvragen of de kleur daarvan nog wel net zo diep was als vroeger.

'Jake,' zei ze met vaste stem, 'je hebt me in de steek gelaten. Jij wilde me niet graag genoeg om bij me te blijven. En je bent naar bed geweest met iemand anders en hebt mij daar pijn mee gedaan. Dat was wreed. Je kunt niet van me verwachten… dat ik de draad gewoon weer oppak.'

'Waarom ben je dan vanavond hiernaartoe gekomen? Je voelde toch zeker wel aan waar dat op zou uitlopen?'

Ja, waarom was ze eigenlijk gekomen? Om de waarheid over haar gevoelens te ontdekken. Behoedzaam zei ze: 'Omdat ik dacht dat het, ondanks alles, tussen jou en mij misschien toch iets kon worden. Ik moest erachter zien te komen wat mijn gevoelens voor jou waren, mijn echte gevoelens.'

'En wat zijn je echte gevoelens voor mij?' Hij zag er nu heel gespannen uit; zijn neus was wit, met een strakke trek van emotie eromheen.

'Ik… Ik ben ontzettend op je gesteld, echt. En ik vind je verbazend aantrekkelijk.' Viel er verder nog iets te melden? Haar vaders woorden kwamen haar weer voor de geest: dat ze de liefde moest pakken waar ze die pakken kon, dat ze niet naar volmaaktheid moest zoeken. Was Jake, met al zijn onvolkomenheden, de moeite waard? Ze wist het niet goed.

Hij schonk haar een vluchtig glimlachje. 'Dat is tenminste iets. Iets waar we op voort kunnen bouwen.'

Ze schudde haar hoofd. 'Ik weet niet. We moeten maar zien.'

'Blijf je slapen?' vroeg hij. 'Morgen krijg ik de meisjes. Ik heb tegen ze gezegd dat er misschien een verrassing zou zijn.'

'Ik, bedoel je? Was ík de verrassing?'

'Ja. Ik dacht…'

'Jake,' zei ze zacht, haar hoofd schuddend. En nu wist ze wat de waarheid over haar gevoelens was. 'Dat is niet eerlijk tegenover hen, echt niet. Ik zou ze dolgraag willen zien, maar... ik kan ze niet laten denken, laten hopen, dat we weer bij elkaar komen.'

'Aha,' zei hij. Hij liet zijn hoofd achterovervallen en sloot in een gebaar van verslagenheid zijn ogen.

'Het spijt me,' zei ze, terwijl ze over tafel reikte om zijn hand aan te raken. Hij trok hem weg.

'Ik kan maar beter gaan.' Ze wachtte tot hij in beweging kwam, tot hij haar zou smeken te blijven, wat dan ook.

Hij liet zijn hoofd zakken. 'Oké,' zei hij op doffe toon. Hij stond op en schuifelde naar de gang. 'Ik kan je maar beter even brengen.'

'Nee, Jake. Ik neem wel een taxi.'

De twintig minuten die ze moest wachten voordat er een minitaxi arriveerde waren de langste van Mels leven. Ze zat met haar jasje aan op de bank en probeerde niet te luisteren naar Jake, die – met opzet lawaaiig – opruimde in de keuken. Ze was woedend, echt woedend. Hij leek net een verwend kind dat zijn zin niet kreeg en daarom geen aandacht meer aan haar besteedde.

De intercom zoemde, en hij kwam in de deuropening van de keuken staan, vanwaar hij haar lusteloos gadesloeg. Ze stond op en wierp een lange, kille blik door het appartement waarvan ze wist dat ze het nooit meer zou zien. Haar ogen bleven rusten op de foto's van haarzelf. Ze kon er niet tegen dat die hier zouden blijven staan, dat hij nog een stukje van haar in zijn bezit zou hebben. Ze beende de kamer door, griste ze allebei mee, drukte ze tegen haar borst, knikte naar hem, nam met een paar korte woorden afscheid en liet zichzelf uit.

Onderweg naar de toegangspoort tot het complex, waar de taxi stond te wachten, keek ze nog een keer achterom naar het raam. Hij stond haar na te kijken, maar toen hun blikken elkaar kruisten, draaide hij zich zonder ook maar even te zwaaien af.

Toen ze terugreed in de sjofele minitaxi, zich vastgrijpend aan haar stoel terwijl de chauffeur door donkere straten met woonhuizen sjeesde waar aan beide kanten auto's geparkeerd stonden, wachtte ze tot het bekende dode gewicht van de wanhoop weer over haar zou neerdalen.

37

De weken gingen voorbij. Oktober kwam ten einde, november brak aan. Mel besteedde de avonden, nu het vroeger donker werd, aan het schrijven van het laatste hoofdstuk van *Stralend licht*, ordende de voetnoten en bijlagen, en liet haar gedachten gaan over de illustraties die ze haar uitgever zou aanraden op te nemen. Ze had er echter moeite mee het boek als af te beschouwen voordat ze Ann Boase had gezien, die ze nog steeds moest opsporen.

Op 5 november, Guy Fawkes Day, was het koud en regenachtig. Vijf paar in kaplaarzen gestoken voeten vertrokken van het huis van Chrissie en Rob naar het plaatselijke park: een groot zwart paar, een crèmekleurig paar, een groen paar en twee Thomas de Stoomlocomotief-paren, waarvan een aan de voetjes van de tweejarige Freddy, die hoog op zijn vaders schouders zat.

Het gemeentevuurwerk moest een rituele gebeurtenis markeren van het soort waarvoor de Britten onbewogen toestroomden, om vervolgens nadrukkelijk te beweren dat ze ervan genoten. Rory piepte de hele tijd dat hij er niets van kon zien, en het vuurwerk dat op de grond werd afgestoken was ook inderdaad onzichtbaar als je niet op de voorste rij van de mensenmenigte stond. Freddy moest huilen, bang van de knallen. Op een veiligheidsposter op het hek stond te lezen dat sterretjes in het park verboden waren, dus kon Rob het pakje dat hij voor de jongens had meegenomen niet aansteken, en de rijen voor de hotdogkraampjes waren zo lang dat geen van de volwassenen in het gezelschap er veel voor voelde om aan te sluiten. Halverwege de voorstelling begon het weer gestaag te regenen, met dikke, zware druppels.

'Laten we maar naar huis gaan,' mompelde Rob zodra de laatste vuurpijl ter aarde was gestort en toen het vreugdevuur eindelijk oplaaide. 'Dan eten we daar wel wat.'

'Ik-willun-hotdog,' begon Rory, een smeekbede die onmiddellijk overging in hoogtonig gedrein, dus nam Chrissie Freddy over en was het Rory's beurt om zich door zijn vermoeide vader te laten dragen. 'Hotdog, hotdog, hotdog,' herhaalde hij half huilend op het ritme van Robs voetstappen.

Tante Mel, in gepeins verzonken, vormde de achterhoede met Freddy's laarsjes in haar hand; die waren een voor een van zijn voeten gegleden. Guy Fawkes was voor haar een nieuwe mijlpaal die het verstrijken van de tijd markeerde. Vorig jaar was het de eerste keer geweest dat hun moeder er niet bij was; dit jaar voerde het haar verder weg van Patrick.

De afgelopen weken, sinds haar laatste rampzalige avondje met Jake, waren een eindeloze sleur geweest, maar zonder de wanhoop waar ze die avond, toen ze in de minitaxi door het raster van Londens smalle zijstraatjes was gereden, bang voor was geweest.

Ze zou een desolaat gevoel moeten hebben, hield ze zichzelf voor. In emotioneel opzicht was de deur tenslotte weer eens voor haar dichtgeslagen. Maar zelfs toen ze thuiskwam had ze zich alleen maar hondsmoe gevoeld; ze was linea recta naar bed gestrompeld en had tot de volgende ochtend doorgeslapen zonder te worden geplaagd door dromen. Toen ze wakker was geworden, had ze niets gevoeld van het zwarte monster van de depressie dat haar dreigde te verpletteren. Ze had juist een merkwaardige sensatie van bevrijding.

Het was een geluk dat het de week daarop herfstvakantie was: negen volle dagen dat ze Jake niet zou hoeven tegenkomen bij de postvakjes voor het universiteitspersoneel, of, wat dat aangaat, Rowena, die nog steeds rondliep met het air dat ze de boel eens flink zou opschudden. De eerste paar dagen liet ze haar mobieltje uit staan en wachtte ze elke keer dat haar vaste telefoon ging tot de beller een boodschap zou inspreken, zodat ze wist wie het was. Maar de dagen verstreken en Jake belde niet. Aanvankelijk vond ze dat een opluchting, maar na verloop van tijd sloeg dat om in wrok: dus zo veel was ze hem waard. Kennelijk had hij zijn leven alweer opgepakt.

Op woensdagavond tijdens de vakantie ging ze eten bij haar vrienden Sally en Mike, met Aimee en Stuart en een ander stel dat ze nog niet kende. Toen Sally haar een paar weken geleden had uitgenodigd, had ze gevraagd of Mel iemand mee wilde brengen. Mel had precies één seconde nodig gehad om nee te zeggen.

Ze had Jake niet gevraagd, realiseerde ze zich, omdat ze diep vanbinnen wel had geweten dat hij geen deel meer zou uitmaken van haar leven. En dat inzicht hielp haar te accepteren dat hij geen contact meer had opgenomen.

Sally had tactvol geen vrijgezelle man uitgenodigd om het gezelschap compleet te maken, maar – wat veel inspirerender was – een vrouw die ze kortgeleden had leren kennen. Ze organiseerde tentoonstellingen in een Noord-Londense kunstgalerie en schreef recensies voor een website die de nieuwe ontwikkelingen in de kunstscene van de stad op de voet volgde.

De vrouw, Judith, vroeg Mel naar haar werk, en Mel vertelde over haar boek en vervolgens, enigszins aarzelend, over wat ze in Cornwall over Pearl aan de weet was gekomen. Ze begon over Merryn, en opeens, terwijl ze daar zo zaten in de volle kleine en warme Londense zitkamer, spoelden herinneringen aan Cornwall, de tuin, Pearl en Patrick als een vloedgolf over haar heen.

'Gaat het?' vroeg Judith, en Mel besefte dat ze in het luchtledige zat te staren.

'Ja, jawel – ik moest alleen even aan alles daar denken,' zei ze, 'en mezelf inprenten dat ik nog maar een paar weken heb om het boek af te maken.' De deadline van de uitgever was aan het einde van het jaar, maar in december verwachtte ze er niet veel aan te kunnen doen, met al die werkstukken van studenten die ze moest nakijken en de voorbereidingen voor kerst.

'Moet je er nog veel aan doen?'

'Voornamelijk wat puntjes op de i zetten. Maar er ontbreekt nog een stukje van de puzzel – ik moet nog bij iemand op bezoek.' Hoe kon ze dat zo lang voor zich uit geschoven hebben? 'Zeg, heb jij wel eens gehoord van een kunstenares die Ann Boase heet? Ik weet niet eens zeker wat voor werk ze precies maakt, maar ik denk dat ze voor in de zestig is.'

Tot haar verrassing knikte Judith meteen. 'Jazeker. Ik heb van haar gehoord en ik heb haar werk ook gezien. Grote abstracte doeken: schilderijen met collages. Een geweldig gevoel voor licht en lucht, en de zee. Volgens mij is ze erg populair in Amerika. Al die grote bedrijven met hun gigantische vergaderzalen moeten immers ook ingericht worden, stel ik me zo voor. Waarom vraag je dat?'

'Zij is de kleindochter van Pearl en zij zou wel eens het succes kunnen hebben dat Pearl niet gegeven was.'

De volgende dag zocht ze het nummer op dat Richard Boase haar had gegeven en belde het. Dit keer nodigde een krakend antwoordapparaat haar uit om haar naam en nummer achter te laten, dus deed ze dat maar.

Later die avond nam ze op toen er gebeld werd, en een gruizige vrouwenstem zei: 'Melanie Pentreath? Mijn broer had al gezegd dat je misschien zou kunnen bellen, kind, maar dat was in augustus.'

'Ik weet het,' zei Mel. 'Het spijt me. Er kwam toen... iets tussen. Mag ik bij u langskomen?'

'Ik hoopte al dat je dat zou vragen,' zei Ann Boase, 'maar ik ga morgen weer voor zes dagen naar Amerika. Zullen we iets afspreken voor de tweede week van november?'

Nu ze van het vuurwerk terugsjouwde naar Chrissies huis, herinnerde Mel het zich weer: aanstaande donderdagochtend – ze zou pas in de tweede helft van de middag weer college moeten geven – werd ze verwacht in Anns huis en atelier bij Waterloo. En daarna zou ze haar boek afmaken en het opsturen naar Grosvenor Press – Mel ving een sokje van de kleine Freddy op toen het van zijn voet gleed – en daarna... Nou ja, wie weet wat ze daarna zou gaan doen.

'Heeft Patrick echt helemaal niet geprobeerd te bellen?' vroeg Chrissie nadat iedereen een gevulde groentesoep en zelfgemaakte hotdogs naar binnen had gewerkt. Rob had vermoeid aangeboden Rory naar bed te brengen – Freddy was voor de tv bij *Pingu* in slaap gevallen op de bank – en Chrissie was koffie aan het zetten. Mel had haar zojuist verteld wat er was voorgevallen met Jake en voegde er gemelijk aan toe: 'Zeg maar niets, Chrissie, ik weet toch al wat je denkt.'

'Dat was ik ook niet van plan,' antwoordde Chrissie stekelig. 'Ik had je van tevoren kunnen zeggen... Maar het verbaast me hogelijk dat Patrick helemaal geen contact heeft gezocht. Ik had gedacht dat hij dat wel zou doen.'

Chrissie had Mel een tijd geleden verteld over de keren dat hij had gebeld tijdens wat ze nu schertsend Mels Donkere Periode noemden, alsof ze een schilder was wiens emotionele leven tot uitdrukking kwam in zijn kunst.

'Nou, dat heeft hij niet gedaan,' zei Mel toonloos, terwijl ze een verboden lepel suiker door haar koffie roerde.

Even bleven ze zwijgen, totdat Chrissie zei: 'O, dat vergat ik nog te zeggen: eerder deze week had ik pap aan de lijn. Hij belde om te vragen wat Rory voor zijn verjaardag wilde hebben. We hadden het erover of Stella en hij nog langs zouden komen, en weet je, in een vlaag van verstandsverbijstering vroeg ik of ze zin hadden om met kerst te komen logeren, en dat vond hij een goed idee.'

'Dat mag dan wel in de krant,' zei Mel. 'Ik kan me niet heugen wanneer we ze voor het laatst met Kerstmis hebben gezien. Echt met kerst zelf, bedoel ik. Dat zal wel vreemd zijn.' Chrissie sloeg haar nauwlettend gade en Mel vermoedde dat ook zij aan hun vorige, akelige kerst moest denken, de eerste zonder hun moeder.

'Jij komt toch ook gewoon, zoals anders, Mel? Rob heeft je in elk geval dan graag hier.'

'Hebben jullie wel genoeg ruimte voor ons allemaal?'

'Natuurlijk, als je het niet erg vindt om op het vouwbed in de kinderkamer te slapen. Dan kan Freddy bij Rory liggen.'

Mel glimlachte. 'Alleen als ik dan de Spiderman-dekbedhoes krijg,' zei ze.

Ze schrok toen ze de volgende dag bij thuiskomst zag dat Cara een kleine, strak dichtgeplakte bubbeltjesenvelop voor haar had aangenomen waarop in Patricks vloeiende handschrift Mels adres geschreven stond.

Mel deed de deur van haar appartement open, zette eerst haar tas binnen en pakte toen het pakje op. In de keuken maakte ze het met een schaar voorzichtig open. Er zat een beduimeld aantekenboekje met een harde kaft in. Ze sloeg de vergeelde gelinieerde bladzijden om en bestudeerde de grote schuine hanenpoten, die wel wat van Patricks handschrift weg hadden. In de envelop zat ook nog een witte envelop die aan haar was geadresseerd, waar ze een enkel blad opgevouwen papier uit haalde. Het was een brief van Patrick. Even bleef ze er nietsziend naar staan staren, moed vergarend om hem te lezen:

Liefste Mel,
Eindelijk een excuus om je te schrijven. Ik wil al een hele tijd niets liever, maar wist niet of een brief wel welkom zou zijn en ik had de moed niet om dat uit te zoeken. Vergeef me.

Wat je hierbij aantreft kwam een paar dagen geleden. Lees de brief die erin zit en alles zal je duidelijk worden. Ik weet zeker dat een deel van het mysterie rond Pearl erdoor opgelost wordt. Wat moet ik verder zeggen? Ik mis je, Mel, ik mis je echt. Onze tijd samen was te kort, maar als ik erop terugkijk, besef ik dat die fantastisch was, en ik moet er steeds aan denken. Ik kan niet geloven dat ik er zo'n zootje van heb gemaakt, en dat spijt me ontzettend. Ik moet je vertellen over Bella.

Ten eerste: het belangrijkste is dat Bella en ik niet bij elkaar zijn en ook niet meer bij elkaar zullen komen. Kort na je vertrek is dat me duidelijk geworden. Ik ben haar in een ander licht gaan zien. Er is een tijd geweest dat ze me dierbaar was, en ik denk dat ik al die weken dat ik met jou samen was nog bezig was het verdriet te verwerken dat ik haar kwijt was. Ik was erg in de war, en dat spijt me. Het komt er waarschijnlijk op neer dat het voor jou en mij niet het goede moment was. Toen je weg was, wist ik niet waar ik het zoeken moest, maar ik beschouwde het als een signaal dat ik de waarheid over Bella en mij moest zien te achterhalen. Of het iets zou worden. En we hebben het geprobeerd, maar het werd ons allebei al snel duidelijk dat we een fantoom najoegen. Ik ben gaan inzien dat wat ik voor haar voelde maar een flauwe afspiegeling was van wat ik voor jou voel. Ik heb haar gezegd dat ik niet meer met haar kan omgaan, dat wat zij en ik vroeger hadden tot het verleden behoort en ook tot het verleden beperkt moet blijven.

Mel, ik weet niet of je me ooit nog wilt zien. Ik zou het je niet kwalijk kunnen nemen als je dat niet wilt, want ik heb je enorm in de steek gelaten. Maar ik hoop dat het anders is, dat je me, nu er wat tijd overheen is gegaan, nog een kans wilt geven.

De tuin maakt zich inmiddels op voor de winter. Je hebt de herfstkleuren niet kunnen zien, de zoete wilde appels, de geur van rook van de eeuwige vuren – Jim kan verdomd goeie fikkies stoken. Het is hier donker en mistig, nat en eenzaam. Ik hou daar wel van.

Er is weinig nieuws. Carries toestand is stabiel, maar ze wachten met opereren tot haar bloeddruk is gedaald. Ze staat ook op dieet, en dat maakt haar prikkelbaar. Matt runt het hotel met hulp van Irina, maar gelukkig is het laagseizoen. Greg is er soms te gast. Hij is een paar keer Lana komen opzoeken. Maar deze week, in de herfstvakan-

tie, heeft Irina na veel handenwringen en raad vragen aan iedereen,
tot ze ons er hoorndol mee maakte, besloten haar op de trein naar
Londen te zetten en haar daar bij hem te laten logeren. De hele week
al loopt ze rond als een gekooide leeuw. Hij brengt Lana dit weekend
hopelijk weer veilig terug, zodat we allemaal weer opgelucht kunnen
ademhalen.
Schrijf me alsjeblieft.
Alle liefs,
Patrick

Mel las de brief nog een keer, waarbij haar oog bleef haken aan het 'Ik mis je, Mel, ik mis je echt. Onze tijd samen was te kort, maar als ik erop terugkijk, besef ik dat die fantastisch was, en ik moet er steeds aan denken'. Er stroomde zo'n opluchting door haar heen dat ze steun moest zoeken bij het aanrecht om niet om te vallen. Ze las de woorden nogmaals, en voor de eerste keer in vele maanden wist ze weer wat voor geschenk vreugde was, die juichende zekerheid dat de wereld een verrukkelijk oord is waarin we ons speciaal en oneindig waardevol kunnen voelen. 'Dank je wel, dank je wel,' fluisterde ze, ook al zou ze niet precies kunnen zeggen wie ze nu bedankte.

De gedachte kwam in haar op – en ze schrok ervan – dat ze die vreugde geen moment had gevoeld bij het weerzien met Jake, en ze wist nu heel zeker dat ze zich tegenover hem die paar weken als een zombie had gedragen, die alleen maar reageerde op de knoppen die bij haar werden ingedrukt. Maar Patrick... Opeens wilde ze niets liever dan met hem praten, hem zien, bij hem zijn. Ze draaide zich om om de telefoon te pakken en zijn nummer in te toetsen, maar iets hield haar tegen.

Ze las de rest van de brief nogmaals over en koesterde zich in de warmte ervan. 'Nu er wat tijd overheen is gegaan.' Patrick klonk breekbaar, vond ze, verdrietig; en ze besefte dat hij de laatste maanden eenzelfde weg moest hebben afgelegd als zij. Maar toen ze herlas wat hij over Bella schreef, doofden de vonken van haar euforie uit en vielen neer op de grond: al die tijd dat hij met Mel samen was geweest, had hij dus half met zijn gedachten bij Bella gezeten. Wat wilde dat zeggen? Kon ze hem nog wel ooit vertrouwen? Zou hij, als hij wist dat ze het opnieuw had geprobeerd met Jake, háár ooit nog vertrouwen?

'Nu er wat tijd overheen is gegaan.' Tijd heelt alle wonden, immers?

Maar daar had ze nooit echt in geloofd. Er bestonden echt kwetsuren – zoals het verlies van een kind, of een partner na een huwelijk van jaren – die daar te diep voor waren. De huid groeide misschien wel weer dicht en de pijn werd dan misschien doffer, maar de littekens bleven en konden van tijd tot tijd flink pijn doen. Patrick en zij waren allebei geschonden, verwond. Misschien moesten ze wachten tot het littekenweefsel zich goed had gevormd en weer tegen een stootje kon. De tijd schonk je ook andere dingen. Zoals perspectief. 'Alles op zijn tijd,' zei haar moeder altijd als Mel zeurde om een stuk speelgoed dat ze ergens had gezien, om modeschoenen waar ze nog te jong voor was, om toestemming om tot laat naar de disco te gaan. Wat was de juiste tijd voor dingen? Misschien moest ze daar eens achter zien te komen. Ze zou hem nog niet bellen. Eerst moest ze nadenken.

Mel trok een stoel onder de keukentafel uit en ging zitten. Even was ze in diep gepeins verzonken, maar toen legde ze de brief opzij en pakte het aantekenboekje. Ze sloeg het open, pakte het opgevouwen blad crèmekleurig briefpapier eruit dat met een oud stuk elastiek aan de binnenkant zat en wierp een blik op de handgeschreven notitie boven aan de eerste rechterpagina van het boek: *Charles Carey*. Charles Carey! Dit was wel heel apart.

Ze vouwde de brief open.

Die was beschreven met dicht opeenstaande getypte letters, zonder kantlijnen, getikt op een mechanische typemachine met een dansende e:

Geachte heer Winterton,

Vorige week, op een familiebegrafenis, trof ik voor de eerste keer in vele jaren mijn achternicht Susan Granger. Susan is de dochter van Elizabeth Goodyear, geboren Carey, die opgroeide op uw woonstee Merryn Hall, en ze vertelde me dat u had geschreven met de vraag of er familiepapieren bestonden. Mogelijk is het bijgeslotene voor u van belang. Mijn vader Duncan en Elizabeth, mogen hun zielen rusten in vrede, waren neef en nicht en ook neef en nicht van Charles Carey, die dit dagboek in ik meen 1934 schreef, toen hij op sterven lag in een sanatorium in Surrey. Ik herinner me Charles niet, omdat ik nog maar zes weken oud was ten tijde van zijn overlijden, maar mijn grootmoeder, Margaret, wier neef hij was, bracht hem geregeld ter sprake. Hij was schilder – geen bijster goede, helaas – en mijn grootmoeder had hem terzijde gestaan toen hij na de Eerste Wereldoorlog een moeilijke tijd doormaakte. Dit boek trof ik na zijn overlijden aan tussen de papieren van mijn vader. Het is een merkwaardig verhaal, maar misschien komt het u bij uw onderzoek van pas. Mijn kinderen hebben weinig belangstelling voor de familiegeschiedenis, dus als u ermee klaar bent, zou ik het op prijs stellen wanneer u het onderbrengt in het Carey-archief.

Hoogachtend,
Mw. Jane Merchant

Charles Carey. De foto van hem die ze in het archief had aangetroffen kwam haar weer voor de geest: een zorgeloos uitziende, knappe jongeman met een helm van zacht blond haar en een dunne, maar sierlijke snor, die losjesweg tegen de auto geleund stond. En op Pearls schilderij dezelfde elegante gestalte, met een… En nu wist ze het: hij hield een penseel vast. Het symbool van zijn beroep, hoewel hij daar, als je Jane Merchant mocht geloven, niet erg succesvol in was geweest. Mel vroeg zich ineens af of er iets van zijn werk bewaard zou zijn gebleven.

De oude boekband kraakte toen ze het aantekenboek bij de eerste bladzijde opensloeg. De in inkt geschreven letters, verbleekt tot een sepiatint, waren moeilijk te lezen; de krullen van Charles' handschrift maakten de y's en g's geregeld onleesbaar, en de s'en en f'en vielen amper van elkaar te onderscheiden. Maar ze was eraan gewend te puzzelen op handgeschreven bronnen, en geleidelijk aan werd duidelijk wat er stond:

Ik ben nu een maand in dit verrekte vochthol, en nu snap ik helemaal waarom ze ons patiënten noemen, want ik ga nog eerder dood van verveling dan door mijn ziekte. Tante Margaret kwam vandaag op bezoek met een vruchtentaart die er lekker uitzag, het eerste fatsoenlijke voer dat ik in weken heb gezien – niet dat ik trouwens veel trek heb na al die drankjes waar ze me mee volpompen. Zij is de enige die nog komt. Ze is erg krom geworden. In al die jaren geen woord van de familie van oom Stephen.

Charles had kennelijk gevonden dat dit niet de goede aanpak was, want nadat hij een paar regels had opengelaten, gooide hij het over een andere boeg:

Ik heb in mijn leven veel fouten gemaakt, maar daar is er één bij waar ik boven alles spijt van heb. De kapelaan die vandaag weer kwam, met zijn mollige vingers en zijn air van vermoeide berusting, wist er niets over uit me los te krijgen, dus raadde hij me aan het op te schrijven, er devoot over na te denken en God om vergeving en vrede te vragen. Ik heb nooit veel op gehad met God, maar vrede – nou, daar zijn we allemaal naar op zoek, en ík heb die nooit kunnen vinden.

Mijn vader overleed toen ik een jongen van tien was; hij liet mijn moeder en mij een klein jaargeld na. Dat was het enige wat we hadden om van te leven, want haar eigen ouders waren al enkele jaren tevoren overleden. Ze deed haar best voor me, met als extraatje het geld dat mijn vaders broer en zuster haar stuurden. Toen ik een jaar of zestien was, kreeg ze in de gaten dat ik geen studiehoofd was, niet in de laatste plaats omdat ik mijn vrije tijd besteedde aan tekenen en schilderen in plaats van aan boeken. Ze smeekte oom Stephen om financiële steun om mij naar de kunstacademie in Londen te laten gaan, waar we in de buurt woonden. Helaas voelde hij daar niets voor, en in zijn brief legde hij uit dat die opleiding voor een jongen in mijn bescheiden omstandigheden geen perspectief bood op een inkomen, maar hij nodigde me wel uit bij hen in Cornwall te komen wonen en te leren hoe het boerenbedrijf in elkaar zat, want hij had zelf geen zonen die hem konden opvolgen. Mijn arme lieve moedertje wilde me niet laten gaan en merkte dat ik er ook niets in zag en hoe krachtig mijn roeping was. Uiteindelijk nam ze een baantje aan als gezelschapsdame van een oudere mevrouw en bepraatte ze tante Margaret en haar man net zo lang tot ze zich bereid verklaarden bij te dragen in de kosten van mijn opleiding, hoewel zijzelf een groot gezin te onderhouden hadden.

In mijn tweede studiejaar gebeurde er een ramp: mijn moeder kwam om bij een ongeluk op straat waarbij een losgebroken paard en een rijtuig betrokken waren. Met haar dood stopte het jaargeld dat mijn vader haar had nagelaten. Het duurde niet lang of ik moest kie-

zen: ofwel de huur betalen, ofwel eten kopen, dus moest ik onze sjofele kamers opzeggen. *Eerst logeerde ik bij mijn tante, maar ik moest daar een kamer delen met haar twee oudste zonen, en haar wispelturige echtgenoot vond het maar niks dat ik bij hen aan tafel schoof. Er brak een moment aan dat ze mijn studiegeld niet meer konden betalen, en toen mijn oom me nogmaals per brief uitnodigde naar Cornwall te komen, leek dat het antwoord dat voor iedereen het beste was.*

Zijn vrouw, Emily, voegde er een charmant PS aan toe waarin ze me een eigen atelier aanbood als ik per se door wilde gaan met mijn 'gekladder', en in die tijd klonk Lamorna, een streek die geliefd was bij kunstenaars, als een land van mogelijkheden voor de beginneling die ik was.

Ik hield van Merryn zodra ik het zag. Cornwall kwam me paradijselijk voor na de mistige straten van onze hoofdstad. En Elizabeth en Cecily, mijn twee nichtjes, waren inschikkelijk en amusant. Elizabeth beloofde op te groeien tot een teerbleke, gracieuze schoonheid, en de kleine Cecily was een donker, ernstig en elfachtig meisje, dat het verschrikkelijk leuk vond als je haar plaagde. Elizabeth begon uiteindelijk volgens mij gevoelens voor me te koesteren, en er hing een stilzwijgende afspraak in de lucht dat wanneer die zouden uitgroeien tot iets meer, haar ouders ons niets in de weg zouden leggen. Mijn tante Emily was een levendige, rusteloze vrouw, die alles uit het leven wilde halen wat erin zat. Het viel niet te ontkennen dat oom Stephen, hoewel hij een toegewijde echtgenoot en vader was, ook een saaie man was, en ik kon me er geen voorstelling van maken hoe die twee tot elkaar gekomen waren, al wist ik dat haar familie bestond uit bemiddelde parvenu's en dat mijn oom een grootgrondbezitter was die weliswaar aanzien genoot, maar toch om geld verlegen zat. Hij wist niet wat hem overkwam zoals mijn tante Emily zich presenteerde in het sociale leven en met al die grootscheepse diners die ze gaf, en had altijd kritiek op de 'frivoliteiten' die ze uit Londen liet komen, hoewel ze het geld niet over de balk smeet, maar juist altijd elke penny die ze uitgaf wilde kunnen verantwoorden. Zijn belangrijkste interesse gold de boerderij, maar die was tussen ons het struikelblok waarop mijn relatie met hem stukliep.

Als het aan mijn oom had gelegen, zou ik de hele dag achter hem aan zijn gedraafd om te kijken wat hij deed, over de akkers benen die hij liet beploegen, de veestapel inspecteren, de administratie van het landgoed beheren, verslagen bijhouden, bekvechten met pachters, juristen en bankiers.

Op een goed moment kon ik niet langer doen alsof dat alles me echt interesseerde. Ik maakte fouten in simpele optelsommen, ging uit rijden op een kostbaar paard dat tijdelijk kreupel was. Op een avond gaf ik hem te verstaan dat ik het helemaal niet zag zitten om in het pikkedonker buiten een of ander ellendig verdwaald beest te gaan zoeken, en hij begon zich steeds meer aan me te ergeren.

Maar toch, als er niet iets veel tumultueuzers had plaatsgevonden, had ik nog wel in de pas willen lopen. Met de komst van tantes nieuwste project werd echter het zaad van mijn eigen neergang gezaaid.

Ze heette Pearl Treglown en was aangenomen in de plaats van Joan, het babbelzieke dienstmeisje dat haar vrijer achterna was gegaan naar Zuid-Afrika. Maar tante Emily had grootsere plannen: Pearl zou worden opgeleid als tantes eigen kamenierster, die haar haar moest doen en zorg moest dragen voor haar japonnen. Dit meisje was geen gewone boerendochter; ze gedroeg zich als een hertogin, al was het dan wel een hertogin die zware tijden meemaakte. Later vertelde ze me dat ze altijd had gedacht dat haar vader een heer was, een van de kunstenaars die Newlyn hadden bezocht, en ze had iets over zich waardoor ik dat ook geloofde. Niet in de laatste plaats door haar vermogen om goddelijk te tekenen.

Ik was in die tijd nog erg jong en hield er de radicale ideeën op na die veel jonge mannen erop na houden, namelijk dat romantische liefde alles overwint, dat een bescheiden komaf geen beletsel mag zijn voor succes, dat mooie woorden en hooggestemde idealen waar je hartstochtelijk in gelooft meer zoden aan de dijk zetten dan de burgermansdeugden van hard werken en trouw je plichten vervullen, waar ieder uilskuiken in kan geloven.

En dus zag ik ook een nieuwe taak voor mezelf weggelegd in het leven. Tante mocht van Pearl dan een chic kamermeisje willen maken, maar ik zou ervoor zorgen dat ze uitgroeide tot een kunstenares. Ze betoonde zich een gemakkelijke en gewillige leerling.

Hoewel we weinig tijd hadden, boekten we toch een hele poos vooruitgang. Pearl was erg goed in miniaturen; ze kon de kleinste details van de meeldraden van een bloem vastleggen en elke subtiele kleurschakering van bloemblaadjes met haar penseel weergeven. *Weldra tekende ze portretten waarop de gezichten echt tot leven kwamen, waarbij ze getrouw de zwakke lijnen wist te treffen waaruit het karakter naar voren komt, de glimp van weten in het oog van haar onderwerp. Ik liet haar schetsboek een keer aan meneer Knight zien; hij bestudeerde het aandachtig en vond het prachtige tekeningen. Ik had geen idee waar dit allemaal toe moest leiden. Vagelijk dacht ik dat de Knights en hun vrienden Pearl wel onder hun hoede zouden nemen, haar zouden stimuleren, haar misschien geld zouden geven, maar de werkelijkheid was dat zijzelf krap bij kas zaten, en ze waren trouwens niet in staat haar te zien zoals ik haar zag. Zij kenden haar alleen maar als een schuchter wezen dat hun thee of limonade inschonk, niet als een van de hunnen. Toch had het nog best iets kunnen worden, als er niet een tragedie had toegeslagen.*

De tragedie was dat ik verliefd op haar werd.

Geleidelijk aan was ik me ervan bewust geworden dat ze me aanbad; ze volgde me overal met die grote donkere ogen van haar, hing aan mijn lippen bij alles wat ik zei. Ik was natuurlijk gewend aan Elizabeths attenties, aan haar gegiechel en flirterige blikken, maar Elizabeth was nog niet meer dan een onschuldig meisje dat haar voorlijke trucjes uitprobeerde op de eerste man buiten haar vader bij wie dat weinig kwaad kon. Pearl, met haar kalme, stille manier van doen waarachter een felle hartstocht en diep leed schuilgingen, was daarentegen een vrouw.

Het is een oud verhaal, nietwaar? De meester die zich vergrijpt aan de dienstbode. Maar zo was het niet, kan ik je zeggen, zo ging het helemaal niet. Zij begeerde mij evenzeer als ik haar uiteindelijk begeerde, maar ze hunkerde naar iets anders, iets wat ze niet op eigen kracht kon bereiken en wat ik haar als het erop aankwam niet kon geven: een uitweg uit het leven dat ze leidde. En als ik mezelf iets verwijt, dan is het wel dat ik iets in haar wakker heb geroepen: haar ambitie.

Nog voordat onze verhouding aan het licht kwam, werd dat besef bij mij steeds sterker. Hoe kon zij, een armlastige jonge vrouw van lage komaf – ja, ondanks de verhalen over haar vader –, met nauwelijks opleiding en een plattelandsdialect, verwachten dat ze op eigen benen zou kunnen staan en door de gemeenschap gerespecteerd zou worden zonder een bemiddelde echtgenoot of de begunstiging van rijke vrienden? We spraken erover er samen vandoor te gaan, naar Frankrijk misschien, of Italië, waar niemand ons zou kennen, waar we aan onze eigen toekomst konden bouwen. Maar aangezien we geen geld hadden, waren dat allemaal loze dromen. Want wat zou ik, zelf vrijwel zonder middelen, kunnen doen om haar, of ook maar mezelf, vooruit te helpen?

Met haar trouwen? Ik had niet met haar kunnen trouwen en tegelijkertijd mijn positie op Merryn kunnen handhaven. Zelfs mijn welwillende Londense tante zou dan haar deuren voor me gesloten hebben uit afschuw over de keus van mijn bruid.

Toen Pearl me vertelde dat ze zwanger was, besefte ik onmiddellijk dat daarmee een einde aan onze idylle was gekomen. Die avond had ik een droom. Ik droomde dat ik als klerk op een saai kantoor werkte met saaie collega's, en dat ik elke avond in het donker naar mijn sombere huurkamers strompelde, waar ik werd opgewacht door jankende kinderen, terwijl mijn verbitterde echtgenote alleen maar tijd had om te wassen, te schrobben en haar kinderen te vertroetelen. Badend in het zweet werd ik wakker, een angstkreet op mijn lippen.

Uiteindelijk werd de beslissing me uit handen genomen, want we werden bespioneerd en verraden, en ik werd met mijn tassen, koffers en schildersdoeken op de trein terug naar Londen gezet, zonder dat ik afscheid mocht nemen, waar ik weer aan de genade was overgeleverd van tante Margaret en haar akelige echtgenoot. Ze zocht kamers en een baantje voor me – geen klerkenbaantje godzijdank, maar tegen stukloon illustraties maken voor een uitgever. Geen zwaar werk misschien, maar toch kreeg ik een baas boven me.

Toen viel de schaduw van de oorlog over het land, die alle hoop van iedere jonge man de bodem insloeg. Ik ben nog steeds niet bereid tegen wie dan ook over die jaren te vertellen. Moge het volstaan dat ik zelfs nu nog soms droom dat ik gevangenzit in een lange, donkere tunnel, waar de kreten van mannen in doodsnood alleen worden overstemd door het gebulder van kanonnen en ontploffende granaten.

In de ogen van de mannen die ik ontmoette zag ik diezelfde gevoelens weerspiegeld, mannen die minder geluk hadden dan ik en in een rolstoel moesten zitten, die een arm of been moesten missen, en ook in de ogen van mannen die nog ongeschonden leken, maar dat niet waren.

Op een goed moment raakte ik, toen ik de order had door te dringen in vijandelijk gebied en op was van de zenuwen door al het granaatvuur om me heen, afgescheiden van mijn peloton en dwaalde kilometers lang doelloos rond over het verwoeste platteland, zonder dat ik, wonderbaarlijk genoeg, door de vijand gevangengenomen werd. Op het laatst verschool ik me in een half ingestorte boerenschuur en sliep de slaap der doden – de diepste slaap die ik in maanden had gehad. Daar vond de boer me, en hij bracht me naar zijn huis, waar hij me vele weken moet hebben verpleegd. Ik had alleen maar afschuwelijke dromen, van bloed dat over kapotgeschoten gezichten liep, van lichamen die uiteenspatten tot losse brokjes vlees. Om mezelf op de momenten dat ik bij zinnen was tot bedaren te brengen dacht ik aan Merryn, waar ik, zo wist ik nu, gelukkig was geweest. En dan kwam Pearls gezicht me voor ogen – o god, mooi, maar verwoest door verdriet en pijn, terwijl ze in een vergeefse smeekbede om hulp haar armen hief. Ik ging zwaar gebukt onder schuldgevoel en doffe ellende, want ik besefte hoeveel leed ik haar had aangedaan. Wat zou er van haar zijn geworden? Ik had geen idee.

Toen ik hersteld was, begreep ik dat ik terug moest naar het front of anders het gevaar liep als deserteur te worden gebrandmerkt. Maar toen ik de aanwijzingen van de boer wilde opvolgen en probeerde de weg terug te vinden, werd ik gevangengenomen door een vijandelijke patrouille. De rest van de oorlog bracht ik door in een Duits gevangenkamp.

In maart 1919 stond ik in de haven van Dover, gehuld in afgedragen werkmanskleren die om mijn magere lijf slobberden en met laarzen aan mijn voeten die twee maten te groot waren. Ik had geld op zak en was een vrij man, maar ik had geen thuis om naar terug te keren. Ik vond het vanzelfsprekend om regelrecht naar tante Margaret te gaan, vooral ook omdat iedereen daar in de rouw was. Na veel omzwervingen had mij in het kamp een brief van haar bereikt, waarin ze schreef dat ze blij was dat ik nog leefde en me het nieuws mededeelde dat mijn twee vroegere kamergenoten, haar oudste zonen, in Frankrijk waren gesneuveld. Haar jongste zoon, Duncan, was gewond uit de oorlog teruggekeerd.

In de trein naar Londen hoorde ik een jonge officier iets tegen de conducteur zeggen over Penzance, en dus vroeg ik hem of hij bekend was in Lamorna, en we raakten in gesprek. Hij kende een heleboel van de plekken die mij zo dierbaar en vertrouwd waren, dus tegen de tijd dat we in Londen arriveerden brandde ik van verlangen om Merryn terug te zien en te weten te komen hoe het Pearl was vergaan. En zo, terwijl ik op wrede wijze tante Margaret in de steek liet, die me zo hard nodig had, doorkruiste ik met mijn nieuwe vriend Londen, overnachtte in een herberg in Paddington, en nam de vroege trein naar het westen.

Wat bezielde me om dat te doen: terugkeren naar de plek van mijn misstap, van mijn vernedering, als een moordenaar die terugkeert naar de plaats delict? Je bent gek, je bent niet wijs, spotte het geluid van de treinwielen terwijl mijn nieuwe vriend en ik de ene sigaret na de andere rookten en grote hompen brood met kaas die we op het station hadden gekocht naar binnen werkten, genietend van het simpele feit dat het ons vrijstond om dat te doen. De Careys zouden me niet willen zien. Ik had de hele oorlog lang niets van hen gehoord. Maar iets dreef me voort, een bizar verlangen om het verleden in de ogen te zien, om als het kon nog iets te herstellen. Of misschien maak ik mezelf dat zelfs nu nog alleen maar wijs; het kon ook zijn dat ik alleen maar Cornwall wilde terugzien en de plek waar ik gelukkig was geweest.

Al die jaren geleden had ik Merryn in ongenade verlaten en nu keerde ik ernaar terug als een dief, meeliftend op een kar die terugkeerde van de markt. De laatste kilometer van de weg vol kuilen en gaten legde ik sluipend af, mijn voeten heen en weer schuivend in de veel te grote laarzen, gespitst op nieuwsgierige blikken, maar die zag ik nergens. De diepe rust van het Engelse platteland op die late middag, die alleen werd verstoord door vogelgezang en het geloei van koeien in de verte, was als balsem voor mijn ziel na de griezelige stilte die tussen de explosies in de loopgraven in had gehangen, of de wrokkige stilte in het gevangenkamp. Ik liep langzaam voort en dronk die rust dankbaar in, nog steeds zo verzwakt door mijn detentie dat zelfs deze korte wandeling me zwaar viel.

Toen ik uiteindelijk voor de poort van Merryn stond, leek het heel even alsof de tijd werd teruggedraaid. Ik was thuisgekomen. Maar toen ik mijn blik over de hoge Georgian ramen van het huis liet gaan, over de gazons die tot aan de voorhof doorliepen, zag ik wel dat er iets niet in de haak was. Het gras was weliswaar gemaaid, maar de brede struikenwallen eromheen waren niet bijgehouden, en op de hof schoot hier en daar onkruid tussen de kieren van de flagstones op. Het huis zelf stond er verlaten en verdroomd bij, en toen ik om de rand van het grasveld heen sloop, me schuilhoudend in de schaduwen van de bomen, zag ik dat de gordijnen waren dichtgetrokken, dat het erf voor de stallen was schoongeveegd en dat de stallen zelf een blinde rij gesloten deuren vormden.

Omdat mijn nieuwsgierigheid het won van mijn voorzichtigheid, glipte ik langs de zijkant van het huis en stapte onder de boog door de bloementuin in. Waar me een desolaat tafereel wachtte.

Om deze tijd van het jaar zouden de bloembedden moeten zijn omgespit, in voorbereiding op de beplanting, maar het was wel duidelijk dat er seizoenen lang niemand iets aan gedaan had, want ze waren helemaal overwoekerd door allerlei soorten onkruid. De kassen waren leeg en afgesloten. Alleen de geleide fruitbomen, die vol bloesemknoppen zaten, leken te zijn gesnoeid, en de paden waren bijgehouden. Deze tuin verkeerde net als het huis in diepe slaap; het hart ervan klopte nog, maar wanneer zou hij ontwaken?

Toen ik een blik op het huisje van de tuinman wierp, zag ik dat de deur op een kier stond. En op dat moment schrok ik op van een geluid ergens achter me: een kreet gevolgd door een lach. Ergens verderop in de tuin speelde een kind. Ik stapte snel achteruit om uit het zicht te blijven, liep langs de gevel van het huis en tuurde om het hoekje.

Bij Gardener's Cottage rende een jongetje door het gras achter een bal aan; hij droeg bruine kleren en had een volle kop met blond haar. Achter hem sjouwde een lange, donkere vrouw een zware emmer naar een bloembed en goot met stijve en vermoeide bewegingen de inhoud uit over een paar struiken. Met de emmer in de hand bleef ze staan kijken naar het kind, dat nu de bal hoog in de lucht gooide en probeerde hem op te vangen.

'Hou hem maar goed in de gaten, Peter,' riep ze toen hij hem tot driemaal toe niet wist te pakken, en toen ik haar stem hoorde, vielen me de schellen van de ogen.

Ik liet me achterover zakken tegen de muur, met een hart dat hamerde in mijn borstkas, en heel even wist ik niet meer wie of waar ik was. Hoe kon ik haar niet hebben herkend? Ze was sterk veranderd, dat wel. Ze had een veel schrieler figuur gekregen, en sinds de jaren dat ik haar voor het laatst had gezien was haar gezonde blos verdwenen en had ze holle wangen gekregen. Ik moest weer denken aan haar stramme bewegingen – zou ze ziek zijn?

Toen ik nog een keer keek, liepen ze weg naar het kleine huis, de bal overgooiend; het kind liet hem nog steeds af en toe vallen en maakte er een spelletje van om zich dan met een vreugdekreet op de grond te laten vallen om erachteraan te gaan. Hoe oud was hij? Dat soort dingen kan ik nooit goed schatten. Hij had geen babyvet meer, niet meer het bolle buikje van heel jonge kinderen, maar toen ik zag hoe hij zijn armen om zijn moeder heen sloeg en zijn wangetje tegen haar buik drukte, werd me duidelijk dat zij nog steeds zijn hele wereld uitmaakte. Misschien was hij vijf, zes jaar oud.

Waarom duurde het zo lang voordat de waarheid tot me doordrong? Ik nam hem aandachtig op zoals hij voortrende, huppelde, sprongen maakte en zich over de grond liet rollen. Zijn haar zag er net zo uit als het mijne op een foto die ik van mezelf op die leeftijd had gezien, maar zijn ogen waren scherp en donker, als die van Pearl. Iets in de vorm van zijn hoofd, zijn profiel, raakte ergens diep vanbinnen een snaar. Toen wist ik het zonder nog langer te twijfelen, en weer ging er een schok door me heen en huiverde ik, en ik stak mijn handen in de lucht alsof ik mezelf wilde beschermen tegen iets wat op me neer zou kunnen vallen. Ik liet me langs de muur omlaag glijden, dook in elkaar en sloeg mijn armen over mijn hoofd. Dat jongetje was mijn kind. En, o wat een ellende, toch ook weer niet mijn kind.

Toen ik weer opkeek, waren ze naar binnen gegaan, maar op het moment dat ik wankelend overeind kwam, werd ik me ervan bewust dat er iemand anders vlak bij me was. Ik keek achterom naar de bloementuin, waar – stokstijf – een man onder de boog stond, met in zijn hand een langstelig stuk gereedschap: de tuinman, Boase. Een hele poos bleven we elkaar aanstaren, en de verschrikte uitdrukking die op zijn gezicht had gelegen maakte plaats voor gekweldheid en woede.

Opeens kon ik het bokkige smoel van die kerel niet langer verdragen. Ik keek weg en stak omstandig een sigaret op om mijn zenuwen tot bedaren te brengen.

Ik ving een beweging op. Ik keek op en zag dat hij naar me toe gebeend kwam; het viel me op dat zijn knokkels wit wegtrokken om de steel van de schoffel, die ik angstvallig in de gaten hield.

'Wat moet je hier?' Hij spoog me de woorden stuk voor stuk in mijn gezicht. De brutaliteit!

Ik zei tegen hem: 'Ik ben naar huis gekomen.'

'Fijn thuis is dat. Nou, ze zijn er niet.'

'Waar zijn ze heen?'

Boase slaakte een zucht en gooide het over een andere boeg. 'Heb je het dan niet gehoord?' Zijn ogen namen me van top tot teen op en hij kneep ze tot spleetjes toen tot hem doordrong dat ik werkmanskleren droeg.

'Wat moet ik gehoord hebben? Op de plek waar ik heb gezeten drong maar weinig nieuws door.' Ik keek hem vrijmoedig recht in zijn gezicht om hem uit te dagen, met de verachting van de jonge soldaat voor de oude man die is thuisgebleven zonder zich in de oorlog nuttig te maken. Hij begreep heel goed wat ik met die blik wilde zeggen.

'Nee, dat zal wel niet,' zei hij, scherp inademend. En toen: 'Je oom. Ziek, heel ziek. In het ziekenhuis in Plymouth. Ze zijn allemaal bij hem. Al maanden weg.'

In haar brief had tante Margaret daar helemaal niets over gezegd.

'Dus hier is niets voor je.' Zijn woorden eindigden in een soort blafgeluid. De pezen in zijn nek tekenden zich af.

'Nee,' zei ik, maar hij had me zeker naar de cottage zien kijken.

'Laat haar met rust,' zei hij op onderdrukte fluistertoon. 'Ze heeft al genoeg geleden. Laat haar met rust. Ga weg!'

'De jongen…' begon ik.

'Weg!' Zijn grote hand verstrakte zijn greep om de schoffel. 'Wegwezen hier!'

Ik ging.

Ik ben nooit meer naar Cornwall teruggekeerd en zal dat ook nooit meer doen. Maar ik moet vaak aan hem denken, aan de kleine Peter. Hij moet nu natuurlijk al een man zijn, en ik probeer me voor te stel-

len wat voor leven hij leidt. Misschien is hij net als zijn stiefvader tuinman of werkt hij op de boerderij van oom, hoewel oom het jaar daarop overleed en het land werd verkaveld en verkocht. Mijn zoon heeft waarschijnlijk nooit van mij gehoord, en mocht dat wel zo zijn, dan vraag ik me af wat hij heeft gehoord en wat voor beeld hij zich heeft gevormd van zijn echte vader. Een schoft? Of een romantische droom? Ik vrees het eerste.

Elke dag zie ik het bittere feit onder ogen dat ik een mislukkeling ben. Niemand heeft iets aan me, ik ben iedereen tot last. En nu ben ik stervende, ook al willen ze dat niet toegeven, die dokters met hun praatjes over onderzoek en nieuwe wonderbehandelingen. Peter is alles wat ik heb. De herinnering aan dat prachtige kind, de hoop waar hij voor staat. Als ik aan Pearl denk en aan hoe ik haar heb verraden, drukken gevoelens van spijt zwaar op me neer. Maar als ik aan Peter denk, heb ik helemaal nergens spijt van. Totaal niet.

Nog een hele poos nadat ze klaar was met lezen bleef Mel aan de keukentafel uit zitten staren over de desolate novembertuin, terwijl de tranen opdroogden op haar wangen. Ze had Charles' verslag niet in één ruk uit kunnen lezen, want een deel van haar gedachten keerde steeds terug naar Patrick, maar toch was ze op de een of andere manier bij het einde aanbeland. Dus Charles had geprobeerd Pearl te helpen, maar was daar niet in geslaagd en had haar in plaats daarvan bijna kapotgemaakt. Wat zou er met haar zijn gebeurd als Boase er niet was geweest om uitkomst te bieden? Dan was ze waarschijnlijk weggestuurd. Maar waar had ze dan heen gemoeten – ze had immers geen familie? Maar Boase was er wél geweest. Een sterke man. Een bovenstebeste, vriendelijke man, als je het verhaal van zijn kleinzoon mocht geloven. Hij was voor Pearl op de bres gesprongen. Zou ze er ooit achter gekomen zijn dat Charles haar was komen opzoeken? Boase moest het haar hebben verteld, besloot Mel. Ze was geen kind meer dat je tegen het echte leven kon beschermen. Maar wat had ze moeten doen? Ervandoor gaan met Charles? Wie weet. Maar ze had een klein kind, haar mogelijkheden waren beperkt, en ze was er natuurlijk inmiddels wel achter dat Charles niet te vertrouwen was. Had ze de voorkeur gegeven aan de veiligheid, zekerheid en de degelijke deugden van Boase?

Haar gedachten dwaalden weer af naar Patrick, en opluchting en dankbaarheid stroomden als een straal gouden licht door haar heen. Wat moest ze doen? Niets, besloot ze. Helemaal niets. Althans, niet vandaag. Ze moest eerst nadenken. Die avond zouden Aimee, Stuart en drie andere vrienden komen eten. De hele middag, terwijl ze bezig was groenten te snijden en desserts te mixen, moest ze terugdenken aan de keren dat ze samen met Patrick had gekookt, hij in zijn slagersschort, in de grote, groezelige keuken meeneuriënd met Miles Davis. Hoe zou de tuin er in november uitzien? Nat, had hij in zijn brief geschreven, en melancholie overviel haar bij de gedachte aan de vele lente- en zomerdagen waarop het leven overal om hen heen krachtig was ontsproten. Nu, in de laatste weken van de herfst, zou het er donker, afgelegen en eenzaam zijn. Maar Patrick vond het niet erg om alleen te zijn, had hij haar verteld. Zijn familie was tenslotte vlak in de buurt, en zijn vrienden van vroeger ook. En het klonk alsof hij Matt en Irina van tijd tot tijd zag. Zou Mel het eenzaam vinden om zo afgelegen te wonen? Waarschijnlijk wel. Maar zou ze het erg vinden daar met Patrick te zijn? Alweer iets waar ze geen antwoord op kon geven.

Hoewel ze graag alleen zou zijn gebleven, had ze zich die avond toch geamuseerd. Het eten was lekker, haar gasten vormden een uitgebalanceerd gezelschap. Stuart bleek zelfs ineens te beschikken over een verborgen verteltalent, en pas ver na twaalven namen ze allemaal afscheid, terwijl in de omgeving nog laat vuurwerk werd afgestoken. Ze ruimde de vaatwasser in en waste de steelpannetjes af, werkjes waar ze haar gasten niet mee lastig had willen vallen. Ze voelde zich prettig in haar eigen gezelschap en genoot ervan dat alles een eigen plek had die zij had uitgezocht; ze had plezier in een gevoel van controle dat ze maar zelden ervoer. Vervolgens ging ze naar bed en sliep door tot de volgende ochtend negen uur, zonder te dromen.

Toen ze wakker werd, wist ze wat ze moest doen.
Ze moest drie keer opnieuw beginnen, maar toen ze haar brief uiteindelijk overlas, was ze er tevreden over:

Lieve Patrick,
Het was heel fijn om iets van je te horen, meer dan fijn.
We hebben allebei een heleboel meegemaakt sinds we elkaar voor

het laatst zagen. Jij moest nagaan hoe het zat met Bella en jou. Ik moest uitzoeken of Jake nog steeds iets voor me betekende, en dat is niet het geval. Hij zegt me gewoon niks meer. Alles is veranderd doordat ik jou heb leren kennen. Maar ik voel me nog zo beurs, zo wankel, hoewel het beter met me gaat dan een tijd geleden, en ik kan gewoon niet halsoverkop aan iets anders beginnen.

Het lijkt vreemd om, in een wereld waarin we niet langer op dingen hoeven te wachten, waarin computers en mobiele telefoons ons direct met elkaar in contact kunnen brengen, te zeggen dat ik je graag wil zien, maar nu nog niet.

Ik heb meer tijd nodig, Patrick. We hebben allebei meer tijd nodig. Ik weet dat elke relatie risico's inhoudt, maar nu wil ik iets wat standhoudt, iets wat het wachten waard is. Ik weet niet of het weken of maanden gaat duren, maar ik hoop dat je wilt wachten.

Het dagboek van Charles is een heel bijzondere vondst en vult veel lege plekken in. Ik hoop dat je het goedvindt dat ik het aan Ann Boase laat zien, Pearls kleindochter, met wie ik over een paar dagen een afspraak heb. Ik geef het je zo snel mogelijk terug. Ik ben al veel te lang met mijn boek bezig; ik heb me vast voorgenomen het binnenkort echt af te maken.

Heel veel liefs voor Carrie en Matt, voor Irina en de kleine Lana. Ik mis hen allemaal, en Merryn ook, en vooral mis ik jou.

Lieve groeten,
Mel

38

Toen ze over Westminster Bridge naar het zuiden liep, bleef Mel even staan om naar een plezierboot te kijken die onder de bogen onder haar vandaan kwam, waarbij de golven tegen de pijlers sloegen terwijl hij zijn weg stroomafwaarts vervolgde. De golfjes die alle boten maakten hadden iets vrolijks, en het had iets moois zoals de verschillende gebouwen hun klare lijnen lieten oprijzen naar een skyline die werd gedomineerd door een reuzenrad.

Jammer dat het uitzicht stroomopwaarts werd belemmerd door bouwhekken, merkte ze op, waarna ze verder liep naar de fronsende monsters van zwart glas en staal van Waterloo. Ergens in het midden waarvan, als Mel het tenminste kon vinden, Pearls kleindochter Ann moest wonen.

Sinds ze Patricks brief had gekregen bezag ze, merkte ze zelf, Londen met andere ogen: de ogen van iemand die er misschien wel weg zou gaan. Dat kwam niet voort uit een bewust genomen besluit, maar eerder uit het gevoel dat er zich ergens in haar binnenste een autonoom proces voltrok, een proces van het afwegen van voors en tegens, waarbij een gezoem klonk als van een computerprogramma waarin ze een lange lijst gegevens had ingevoerd alvorens op Enter te drukken en de kamer uit te gaan.

Als ze de draad met Patrick weer zou oppakken, wat moest ze dan doen? Door de week in Londen blijven wonen en in het weekend naar Cornwall gaan? Haar baan opgeven en in Cornwall gaan wonen? Ze had het leuk gevonden om aan haar boek te werken. Misschien kon ze er nog meer schrijven? Of misschien wilde Patrick wel terug naar de stad? Ze ergerde zich aan het stemmetje in haar binnenste dat haar voorhield dat ze zich wel erg veel vrijheden permitteerde; ze wist tenslotte niet eens hoe het zou uitpakken en wanneer ze hem weer zou zien, hoe ze zich dan zou voelen, hoe hij zich zou voelen, of er echt wel kans was op een toekomst samen. Maar dat leek haar de hoop die ze diep vanbinnen voelde niet te ontnemen.

Mel zocht zich een weg over een grote rotonde en kwam uiteindelijk bij een smalle straat die vanaf de rivier naar het zuiden liep. Ze controleerde of de naam overeenkwam met het adres dat ze in haar agenda had gekrabbeld en liep de straat in.

Terwijl ze stond te wachten tot er op nummer 64 iemand open zou doen, voelde ze tot haar schrik de grond onder haar voeten trillen, maar toen ging de deur open en zong de gruizige diepe altstem die ze herkende van de telefoon haar tegemoet: 'Kom binnen.'

Ann Boase was een kleine, gedrongen vrouw, gekleed in een beige jasje in safaristijl met bijpassende broek. Haar haar was bruin geverfd en achterovergebonden met een veelkleurige sjaal die tot een haarband was gedraaid, en haar zwarte eyeliner was eerder met veel enthousiasme dan oordeelkundig aangebracht. Mel liep achter haar aan de smalle witgeverfde gang door, via een moderne keuken naar een gigantisch atelier met een hoog glazen plafond. Warm licht scheen het vertrek in en weerkaatste op de spierwitte muren. Dat gaf een opwindend effect, dat echter enigszins teniet werd gedaan door de sterke geur van terpentijn.

'Wat prachtig,' zei ze vol bewondering terwijl ze om zich heen keek naar de grote felgekleurde schilderijen aan de muren, de kale hardhouten vloer, vol verf- en lijmvlekken en kloddders gips.

'Het is niet altijd zo opgeruimd als nu,' zei Ann, die een van de schilderijen recht hing – een woeste krul van nachtblauwe verf waarop strookjes wit tape waren geplakt die gekartelde figuren vormden. Net een onweersbui, vond Mel, en ze vroeg zich af wat het moest voorstellen. 'Ik heb opgeruimd voordat ik naar Chicago ging, maar eind volgende week sta ik weer tot mijn knieën in de stoflakens en rommel.'

De vloer begon weer lichtelijk te trillen, en ditmaal hoorde Mel het zoevende geluid van een sneltrein.

'De spoorweg loopt hier vlak achter,' zei Ann, die naar de openslaande ramen liep. Mel kwam achter haar aan. Het atelier besloeg het grootste deel van de voormalige tuin, en slechts een paar meter struiken en een rij bomen scheidden het van een stevig gaashek en de onzichtbare treinen.

'Met tuinieren heb ik nooit zo veel opgehad, zoals je ziet,' zei Ann terwijl Mel haar blik over de buitenruimte liet gaan. 'En aan treinen raak je gewend.'

'Ik ben ermee opgegroeid,' zei Mel. 'Ik vond vroeger altijd dat ze een prettig geluid maakten.' Maar wanneer was het gedender van weleer veranderd in dit afgrijselijke moderne gebrul? 'Hoe lang woont u hier al?'

'Sinds… 1978, geloof ik. Mijn dochters proberen me steeds over te halen om te verhuizen, de schatten, maar ik vind het hier fijn. Kom maar mee.'

Ze liepen een andere deur door en kwamen in Anns woonkamer. Nog meer kale houten vloeren en comfortabele oude banken, met boekenkasten die vol stonden met foto's. Ann liep de kamer door naar een zitje bij de haard en ging voor een schilderij staan van ongeveer een meter in het vierkant, gevat in een brede goudkleurige lijst. Het was een aquarel van een kleine jongen op het strand; het kind was volledig gekleed, maar had blote voeten en groef met een schepje met een houten steel in het zand.

'Dat is van Pearl, zeker?' fluisterde Mel na een poosje.

Ann knikte, met een blik die zacht was van genoegen. 'Is het niet schitterend?'

'En… is dat… Peter, uw vader?'

'Ja, dat klopt. Kort voor hij overleed heeft hij het aan mij gegeven – omdat ik de kunstenaar van de familie was, snap je. Hier hangen er nog twee.' Aan de muur achter de deur hing een stel kleine olieverfschilderijen. Het ene was een portret van een man op leeftijd, met een vriendelijk, door de zon verweerd gezicht. 'Dat is mijn opa. Ik beschouw hem altijd als mijn opa, weet je. Mijn broer heeft je zeker wel verteld dat Pearl een stoute meid was?'

Mel, die zich scherp bewust was van Charles' dagboek, dat als een duister geheim in haar handtas in de keuken lag, knikte.

'En dit is de stoute meid in eigen persoon.' Het laatste schilderij had sombere kleuren en was een interieur. De lijnen van een spiegel omlijstten een bleek vierkant gezicht, het zwarte haar achterovergetrokken. Grote donkere ogen kwamen intens uit het schilderij naar voren, de lippen gewelfd in een flauwe Mona Lisa-achtige glimlach. Dus dit was Pearl, herrezen uit het verleden. Mel was gefascineerd. Ze stapte achteruit tot ze het schilderij op z'n voordeligst kon zien en staarde naar de ogen die terugstaarden naar haar. Ze had dat gezicht eerder ergens gezien, dat wist ze zeker. Mel keek naar Ann. Ook zij had scherpe donkere ogen, maar die twinkelden, terwijl die van Pearl plechtig stonden, en terwijl Pearls gezicht een vierkante vorm had, was dat van Ann, met een botstructuur die geprononceerder was door haar leeftijd, klein en hartvormig. Nee, ze moest Pearl ergens anders hebben gezien. In Gardener's Cottage? Of was het in een droom geweest?

Ze liep terug naar het portret van John Boase, en toen weer de kamer door naar de kleine Peter, voor altijd en eeuwig met zijn schepje in de weer.

'En ik heb een van haar schetsboeken voor je opgediept.' Ann pakte een ingebonden klein schetsboek op dat op de salontafel naast een pakje sigaretten en een aansteker lag, en hield het Mel voor.

'Ga maar zitten, zodat je het goed kunt bekijken,' zei ze toen ze Mel het boek verbaasd om en om zag draaien in haar handen. 'Dan ga ik even koffie voor ons zetten.'

Op het eerste blad van het schetsboek stond de tekst: 'Voor Pearl Treglown, van Arthur Reagan in diepe genegenheid, 1910', en tot de laatste pagina aan toe stond het vol met tekeningen en aquarellen van planten, gezichten, studies van handen, de plooien van kleding, een bloem die op een stenen muurtje groeide. Een paar tekeningen in het bijzonder trokken Mels aandacht: diverse potloodschetsen van een mannengezicht dat meteen te herkennen was als dat van Charles, en, tegen het einde van het boek, schetsen van de kleine Peter vanaf zijn babytijd, inclusief studies voor het strandschilderij dat ze zag als ze haar hoofd ophief om het met de schets te vergelijken.

'Wij denken dat Arthur Reagan haar vader was,' zei Ann toen ze terugkwam met een dienblad met koffie. 'Ze heeft mijn grootvader – John, bedoel ik – verteld dat hij schilder was, maar we zijn nooit veel over hem te weten gekomen. Zei je nou dat dit allemaal van belang was voor iets wat je aan het schrijven was?'

In het kort vertelde Mel waar *Stralend licht* over ging. 'Ik zou daarin graag iets meer vertellen over Pearl,' zei ze. 'Ik weet niet hoe u daarover denkt – met name of u me toestemming zou geven om een paar van deze afbeeldingen over te nemen. Ik heb u toch verteld over wat we op Merryn hebben aangetroffen? Ik weet zeker dat Patrick Winterton, de huidige eigenaar van het huis, u die schilderijen zeker een keer zal willen laten zien.' Ze beet op haar lip en vroeg zich af of er onenigheid zou ontstaan over de eigendom van die schilderijen. Als ze bij toeval in het huis waren achtergebleven, kon Patrick dan met recht zeggen dat ze van hem waren? Ze wist het niet.

Ann knikte terwijl ze koffie inschonk en een sigaret opstak, die haar een hoest diep vanuit haar keel ontlokte toen ze er een trek van nam. 'Dat zei je over de telefoon, ja. Ik vind het razend interessant dat er nog meer schilderijen zijn. Die zou ik dolgraag eens zien. Denk je dat meneer Winterton het bezwaarlijk zou vinden als ik langskom wanneer ik de eerstvolgende keer in Cornwall ben?'

'Ik weet zeker dat hij ze u graag zal laten zien. Hij is bijna even geïnteresseerd in uw grootmoeder als ik.'

'Dat is mooi. En uiteraard kun je deze gebruiken. Ik heb er dia's van, maar misschien wil je die liever zelf maken. Weet je, ik kan je niet zeggen hoe blij ik ben met deze belangstelling voor Pearl. In de kunstwereld van die tijd heeft ze vast maar een heel bescheiden plekje ingenomen, een voetnoot van een voetnoot, maar het zou geweldig zijn als daarover geschreven werd.'

'Dat vind ik ook,' zei Mel. 'O, en ik heb nog iets voor u.' Behoedzaam legde ze het schetsboek op tafel en ging haar tas uit de keuken halen. 'Ik weet niet of u veel over uw grootvader weet – uw biologische grootvader, bedoel ik. Maar dit verslag heeft Charles geschreven toen hij heel ziek was; hij lag op sterven, denk ik.' Ze had een transcriptie van het manuscript gemaakt en overhandigde de uitdraai samen met het aantekenboekje aan Ann.

'Wat uitermate boeiend. Dank je wel.'

'Hij vertelt het verhaal vanuit zijn perspectief, natuurlijk. En hij schreef het twintig jaar na dato. Dus we moeten zijn versie van de gebeurtenissen wel met een korreltje zout nemen.'

In werkelijkheid vond ze, ook al zei ze dat niet tegen Ann, dat delen van Charles' verhaal niet helemaal oprecht klonken. Vooral de passage over de tijd die hij in de oorlog had gediend, toen hij vermist was geraakt. Had hij echt in een delirium verkeerd, of was hij tijdelijk gedeserteerd? En onder wat voor omstandigheden was hij precies door de vijand gevangengenomen? Ze vermoedde dat daar nog wel het een en ander over te vertellen zou zijn, hoewel ze geen idee had hoe ze die feiten ooit boven tafel zou moeten krijgen. Of dat Ann en haar familie wel zouden willen dat ze op onderzoek uitging.

En Pearl... Had een deel van hem – het oprechte deel – gehoopt dat hij Pearl weer voor zich kon winnen, of had hij alleen maar willen nagaan of ze gelukkig was? Ze herinnerde zich hoe vermagerd en schraal hij haar had aangetroffen toen hij aan het eind van de oorlog zonder dat iemand het wist naar Merryn was teruggegaan.

'Uw grootmoeder is jong gestorven, hè?' vroeg ze aan Ann.

'Ja. Vreselijk tragisch allemaal. Het heeft mijn vader voor het leven getekend dat hij haar zo jong moest verliezen. Ik geloof dat ze is overleden aan astma, die uitliep op longontsteking. Zoiets was het. Ik weet nog wel dat mijn grootvader erop zinspeelde dat ze een zware bevalling had gehad, dat ze nadat ze de baby eenmaal had gekregen nooit meer helemaal de oude is geworden. Ik heb me altijd afgevraagd wat dat wilde zeggen, totdat ik zelf kinderen kreeg. Dat is een aanslag op je hele lichaam, vind ik. Ontzettend oncomfortabel. Maar hoe dan ook, tegen haar werd gezegd dat ze maar beter niet nog meer kinderen kon krijgen. En in 1918 bezweek het arme mens bijna aan de Spaanse griep, waar ze nooit meer goed van herstelde. Heel verdrietig. Heb jij zelf al kinderen?' Anns blik werd ineens nieuwsgierig.

'Nee,' zei Mel. Maar ze vatte Anns vragend opgetrokken wenkbrauwen eerder op als een teken van werkelijke belangstelling dan van opdringerigheid. 'Ik wacht nog op een geschikte man.'

'Dan zou ik maar niet te lang meer wachten. Ik heb helaas de ware nooit gevonden, alleen maar kerels die na verloop van tijd de benen namen, maar ik heb nooit spijt gehad dat ik mijn twee dochters heb gekregen.'

Mel moest hardop lachen. 'Die raad zal ik in mijn oren knopen,' zei ze.

Was dat het antwoord, vroeg ze zich af toen ze afscheid had genomen, met de belofte elkaar gauw weer te zien. Op de terugweg volgde ze de bordjes naar Waterloo Station, want die middag moest ze college geven. Was het onrealistisch van haar om een goede vader te willen hebben voor een eventueel kind dat ze zou krijgen? Haar eigen vader was tenslotte ook iemand geweest die de benen had genomen. Ze herinnerde zich het gesprek dat ze met Patrick had gevoerd kort nadat ze elkaar hadden leren kennen. Ze wist dat hij kinderen wilde, dat hij er voor hen wilde zijn. Ze slaakte een zucht. Te veel onzekerheden, en niet in de laatste plaats wat Patrick betrof. Maar Ann had gelijk: ze moest niet te lang wachten. En dat zou ze ook niet doen.

Toen ze die avond thuiskwam, kwam Cara de trap af met een kartonnen doos in haar handen die aan alle kanten was voorzien van het stempel BREEKBAAR. Ze bleef staan kijken toen Mel hem op de keukentafel openmaakte en deed haar best de wormpjes van piepschuim die alle kanten op vlogen bij elkaar te graaien. In de doos zat een kleine theepot, net groot genoeg voor twee kopjes. Hij was versierd met een dessin van klokken met gekke gezichtjes, tuitvormige neuzen en dunne beentjes die in rode en blauwe schoentjes gestoken waren. Tussen de klokken door stond steeds de tekst te lezen: 'Theetijd, theetijd, zet de ketel maar op het vuur.'

Cara, een romantische ziel, bleef er gefascineerd naar staan staren. 'Wie stuurt je nou zoiets?' vroeg ze, zoekend naar een etiket met de naam van de afzender, maar dat vond ze niet.

Mel lachte. 'Een heel goede vriend van me,' was de enige verklaring die ze gaf.

'Een man?' Aan Cara's gezicht was te zien dat ze dat maar moeilijk kon geloven.

'Ja, een man.'

'Ik weet wel wat ik zou zeggen tegen een man die me zoiets stuurt,' zei Cara, met haar handen op haar stevige heupen. '"Wat dacht je van een bos bloemen, of, mmm, iets sexy's voor in de slaapkamer?"'

Mel lachte. 'Dit is precies wat ik van deze man wilde hebben,' zei ze. Ze zou hem een bedankbriefje schrijven.

Die avond klapte Mel haar laptop open en begon ze de nieuwe gegevens die ze die dag over Pearl Treglown te weten was gekomen te verwerken in haar boek. Drie dagen later beschouwde ze *Stralend licht* als afgerond en mailde ze het manuscript naar Grosvenor Press. Toen ze het verstuurd had, voelde ze zich leeg, alsof er een hoofdstuk in haar eigen leven was afgesloten.

39

'Tijd is geld, zelfs met Kerstmis,' merkte Rob bijdehand op terwijl hij Mel een bezoekersparkeerpas voor haar auto overhandigde. 'De parkeerwacht aast op een laatste extraatje voordat alles dichtgaat, let op mijn woorden. Hier, geef mij die koffer en die doos maar. Redden Rory en jij het met de rest?'

Het was lunchtijd op de dag voor kerst, en Mel was met een kofferbak vol bagage bij haar zus aangekomen om daar drie nachten te blijven logeren.

'Het gaat wel, Rob, bedankt.'

'Ik breng de cadeautjes wel voor je naar binnen, tante Mel,' zei Rory op plechtige toon, en over de rand van de kofferbak heen trok hij een doos naar zich toe.

'O, Rory!' Mel behoedde de inhoud net op tijd voor een ramp en hielp hem de doos de tien meter naar de voordeur te dragen, waardoorheen ze Rob naar boven kon zien verdwijnen met haar koffer.

'Zeg maar tegen Chrissie dat ik op zolder ben,' riep hij over zijn schouder.

Chrissie haastte zich vanuit de keuken de trap op, met de vulling voor de kalkoen nog aan haar handen, en Mel en zij begroetten elkaar met een kus, zonder elkaars handen aan te raken, als verlegen kinderen.

'Deze moeten onder de boom,' riep Rory, en hij begon in de woonkamer pakjes over de grond uit te spreiden.

'Eddy ook.' Freddy kwam achter Chrissie aan de trap op en rende naar binnen om met zijn broertje te kibbelen over een lang, dun pakje met een grote zilveren strik erop.

'Jongens, hou eens op,' zei Chrissie, hulpeloos wapperend met haar besmeurde handen. 'Straks scheuren jullie het papier nog stuk.'

'Het is een vlieger!' riep Rory uit. 'Voor mij van tante Mel.'

'Nietes, voor mij!' kwam Freddy erachteraan.

'Eigenlijk was hij voor Rob,' zei Mel met een zucht. 'Jullie cadeautjes zitten daar niet in, jongens. Ach, ik heb mijn handtas in de auto laten liggen. En de portieren zitten nog niet op slot.' Met een hulpeloze blik op Rory's activiteiten rende ze weer naar buiten.

Ze sloeg de riem van haar tas om haar schouder en zette een tweede doos met cadeautjes op de stoep neer om de auto te kunnen afsluiten. De dag tevoren was ze eindeloos bezig geweest om alles in te pakken en te versieren met linten, strikken en stickers, totdat de cadeautjes er bijna te mooi uitzagen om uit te pakken. Een zijdezacht nachthemd voor Chrissie, een biografie van een sportheld voor Rob, voor bij het schertscadeautje van de vlieger, een reisverslag dat in de bladen goed was besproken plus een sjaal voor haar vader, een mooi stukje porselein voor Stella. Diverse pakjes voor elk van de kinderen, de oogst van een vrolijke ochtend die ze met Aimee in de speelgoedwinkel van Hamley's had doorgebracht, die voor Callum het nieuwste computerspelletje had uitgekozen.

De enige die Mel na stond voor wie ze dit jaar geen cadeautje had gekocht was Patrick. Hoe ze ook haar best had gedaan, ze had niets passends kunnen bedenken, niets waarbij ze gezien de omstandigheden een goed gevoel had. Het was sowieso lastig om een cadeautje voor een man te bedenken, hield ze zichzelf voor, dus wat moest je nou kopen voor iemand aan wie je voortdurend dacht, maar met wie je momenteel niet echt een relatie had? Aftershave? Dat was te cliché. Boeken? Ze wist niet goed wat hij graag las. Muziek? Idem dito. Een das? Sokken? Te saai.

Het ergste was nog wel dat ze sinds ze in november de theepot van hem had gekregen helemaal niets van hem gehoord had. Eerst had dat niet zo belangrijk geleken; ze bracht haar dagen door met de gedachte aan hem als een delicaat geheim weggestopt in een hoekje van haar brein. Maar naarmate de weken verstreken en er nog steeds geen bericht van hem kwam, werd haar zelfvertrouwen aan het wankelen gebracht. Was hij haar vergeten? Of was hij misschien anders over haar gaan denken? Misschien, bedacht ze terwijl ze in het holst van de nacht wakker lag, had hij wel iemand anders leren kennen. Maar dan zou hij dat vast hebben gezegd – toch? Ze hadden nu inmiddels wel een soort van vertrouwensband opgebouwd.

Ik had hem opnieuw moeten schrijven om hem te bedanken voor de theepot, besloot ze terwijl ze in de kofferbak reikte om een fles van Robs lievelingswhisky te pakken, die naar achteren was gerold. Ze had het allemaal niet zo lang op zijn beloop moeten laten. Aan de andere kant: ze hadden toch afgesproken elkaar tijd en ruimte te geven? Ze leunde tegen de open kofferbak terwijl alle energie plotseling uit haar wegstroomde. Uiteindelijk had ze een mooie kaart voor hem gemaakt met uitklapbare engeltjes in goud en zilver, waarop ze geschreven had: 'Lieve Patrick, ik wens je een mooie kerst en een gelukkig nieuwjaar. PS: Ik ben zoals altijd met de feestdagen bij Chrissie en de kinderen. En jij?'

Twee weken geleden had ze die kaart op de bus gedaan, en sindsdien had ze elke dag bij de post uitgekeken naar een bericht van hem te midden van alle kaarten die vrienden, oude collega's en tantes die ze zelden zag haar stuurden. Maar er was niets gekomen. Niets, niets, niets.

Waar stond ze nou precies? Nergens. Erger nog dan nergens: in een zwart gat.

'Al iets gehoord van pap en Stella?' vroeg Mel toen ze zich, nadat de cadeautjes veilig onder de enorme kerstboom waren geschikt, bij Chrissie in de keuken voegde.

'Ze zijn een uur geleden aangekomen en zijn meteen naar de slijter gegaan,' zei Chrissie, met haar arm half in het lijf van een flinke kalkoen, terwijl een dreinende Freddy zich vastklampte aan haar ene been.

'Kan ik iets doen?' vroeg Mel halfhartig, en ze liet haar blik over de chaos in de keuken gaan. Op het fornuis stond de inhoud van een confiturepan hevig te bubbelen, en er lag bloem op de grond. Op elk horizontaal vlak lagen etenswaren in diverse stadia van bereiding.

'Kun je de ham even keren? En daar staat de kersttaart die nog moet worden opgemaakt – het chocoladeglazuur staat in de koelkast – en de piepers moeten nog worden gejast. Dat had ik allemaal al eerder willen doen, maar ik moest ook nog voor hapjes zorgen bij de kerstvoorstelling van Rory, plus dat ik deze week op mijn werk een extra dienst in mijn maag gesplitst kreeg, waar ik razend om was. Ik heb nota bene nog niet eens kans gezien om de bedden op te maken, laat staan om de cadeautjes in te pakken. O, Freddy, lieve schat, je nageltjes doen me pijn als je me zo stijf vasthoudt.'

Freddy jammerde nog harder toen zijn moeder hem zo streng toesprak, en nadat Mel het gas had laag gedraaid stak ze haar handen naar hem uit om hem op te pakken. 'Kom jij maar eens hier, monstertje,' fluisterde ze in zijn oor, en hij draaide zich naar haar toe om zich tegen haar aan te vlijen.

'Mel, kun je even gaan vragen of Rob beneden wil komen? Hij loopt zich al de halve ochtend suf te zoeken naar de piek voor de boom, maar we kunnen best zonder, vind ik. Misschien dat hij de jongens even aangenaam wil bezighouden, met kerstkousen ophangen of papieren slingers maken of zo.'

Er werd aangebeld.

'Ah, daar zul je pap en Stella hebben.'

'Wij gaan wel even opendoen, hè, Freddy?' zei Mel op zangerige toon, en knuffelend met haar neefje liep ze de trap op naar de hal. Freddy rook heerlijk naar chocola, babydoekjes en slaap. Vorig jaar met kerst, herinnerde ze zich nog, kon hij alleen nog maar kruipen en had hij meer belangstelling gehad voor het cadeaupapier dan voor de cadeautjes die erin zaten. Wat veranderde alles toch snel. Was het echt nog maar een jaar geleden dat ze allemaal rouwend om de eettafel hadden gezeten terwijl William, op zijn ietwat gewichtigdoenerige manier, een heildronk uitbracht op 'afwezige vrienden'? William en zijn gezin brachten dit jaar de kerst bij zijn schoonfamilie door. Het zou vreemd zijn dat hun vader zijn plaats innam... Ze hoopte maar dat hij zich niet zou ergeren.

Weer klonk de bel. 'Ik kom eraan!' riep ze, en met haar vrije hand hielp ze Rory de deur open te doen. Maar op de stoep stond niet haar vader, maar een jongeman met een motorhelm aan zijn voeten, met een lange rechthoekige doos en een klembord in zijn handen.

'Wilt u even tekenen?' vroeg hij terwijl hij het klembord voor haar ophield. Mel krabbelde haar naam neer en nam het pakje aan, dat op de een of andere manier lichter aanvoelde dan ze had verwacht, en wenste hem een vrolijk kerstfeest. Rory riep 'Dag meneertje!' en deed de deur dicht.

In het halfduister van de gang tuurde ze naar het etiket of het pakje voor Rob of voor Chrissie was. Tot haar verrassing zag ze dat er in plaats daarvan 'Mw. Melanie Penthreath' op stond. Waarom zou iemand haar iets sturen op dit adres? Het pakje voelde echt licht aan. Er zat duidelijk geen fles in, en voor een doos bonbons had het de verkeerde vorm.

De jongens en zij gingen de trap weer op naar de keuken, waar Chrissie onder spookachtig geritsel de kalkoen in folie stond te wikkelen. Met opgetrokken wenkbrauwen keek ze op. Toen ze de doos zag en Mel zei: 'Gek genoeg is hij voor mij', schonk ze haar een veelbetekenende glimlach. 'Wat is er nou?' vroeg Mel.

'Niets, hoor,' zei Chrissie, en ze vlijde de kalkoen op het ovenrooster en kwam kijken.

Mel zette Freddy in zijn kinderstoel om met de kartonnen koker van de folie te spelen, waarna ze ging zitten en de flappen van de doos losscheurde. Haar oog viel op het adres van de afzender: Cornwall. Ze maakte de bovenkant open, vouwde die terug, trok de lagen cellofaan en vloeipapier los en onthulde... een keurig samengebonden bosje narcissen in knop – nee, geen gewone narcissen, maar *sol d'oeuil*-narcissen, verpakt in natte watten. De zwakke bloemengeur en de bedauwde groene frisheid die uit de doos opstegen voerden haar uit deze naar warme ham en uien ruikende en met dampen gevulde keuken mee terug naar de tuin van Merryn, waar niets anders te horen was dan vogelgezang en waar een zilt briesje vanuit zee haar in het gezicht blies. Het werd haar even te veel. De tranen schoten haar in de ogen en biggelden over haar wangen.

Patrick was haar dus toch niet vergeten. Hij riep haar terug. Merryn riep haar. Misschien was het tijd.

'Waarom huil je, tante Mel?' vroeg Rory, die grotemensentranen stukken interessanter vond dan de bloemen.

Tussen het cellofaan was een kaartje gestoken en ze haalde het eruit. Met zwarte inkt had Patrick erop geschreven: 'Uit de tuin, een eeuwige lentebelofte. Een fijne kerst, schat. Met lieve groeten, Patrick.'

Toen Mels vader en zijn echtgenote Stella vijf minuten later terugkwamen, hoefde de laatste, elegant gekleed in een donkerblauw-met-witte twinset, maar één blik in de chaotische keuken te werpen, op Mel, die gebogen over een doos met bloemen zat te huilen, terwijl Chrissie haar probeerde te troosten, en de kinderen die kibbelden om de koker van de folie, of ze nam met tactvol gezag de touwtjes in handen. 'Ik kan wel voor de lunch zorgen als je wilt, Chrissie,' zei ze, 'dan kun jij je met belangrijker zaken bezighouden.' En even later stonden er soep, koud vlees en salade op de tafel in de eetkamer, terwijl Rob sherry inschonk en aandachtig luisterde naar wat zijn schoonvader te vertellen had over de hachelijke situatie waarin de staatsgezondheidszorg verkeerde.

'Pap lijkt het best naar zijn zin te hebben,' fluisterde Mel tegen Chrissie toen ze de vuile borden naar de keuken brachten en de vruchtensalade en het ijs voor het toetje mee terug namen.

'Ja, hij is meer op zijn gemak dan anders, hè?' beaamde Chrissie.

'Sinds mam is overleden...' Mel maakte haar zin niet af. Misschien begon hij zelf de leegte te vullen die Maureen had achtergelaten.

'Dat dacht ik ook net,' zei Chrissie snel. 'Rory en Freddy hebben hem nog amper te zien gekregen, weet je, maar daarnet voor het eten lag hij opeens op de grond met Rory's treintje te spelen. Ik kan me niet heugen dat hij dat ooit met Will heeft gedaan.'

'O nee?' zei Mel. 'Jij kunt je tenminste de tijd nog herinneren dat hij bij ons woonde. Daar weet ík niets meer van. Ik weet alleen nog dat we bij hem op bezoek gingen. En dat hij met Stella was in plaats van met mam. Daar raakte ik toen helemaal door van slag.'

'En mam huilde de ogen uit haar hoofd.'

'Daar weet ik ook niks meer van. Maar als ik diep in mijn geheugen ga graven, wordt alles daar heel zwaar en verdrietig van. Ik zal het wel allemaal ver hebben weggestopt, neem ik aan.'

'Speelde dát je soms parten, afgelopen augustus?' zei Chrissie opeens, haar zus aankijkend.

'Je bedoelt of dat gedoe met Patrick soms herinneringen opriep?' Chrissie haalde haar schouders op. 'Het zou toch kunnen?'

'Dat ik het gevoel had dat Patrick me afwees, net als pap vroeger? O, kom nou toch, Chrissie, dat zou een beetje al te simpel zijn.'

Maar was dat wel zo? Had haar zus niet toch misschien gelijk? Mel dacht terug aan die laatste nachtmerrieachtige avond op Merryn. Ze was in de war geweest, dat zeker. Maar ze had ook dromen gehad... Er had een bepaald sfeertje in de cottage gehangen. Het had geleken of ze in contact had gestaan met de herinneringen van iemand anders – die van Pearl. En als dat echt zo was geweest, was het vast ook niet moeilijk geweest toegang te krijgen tot haar eigen herinneringen.

'Voel je je nu wel weer goed, Mel?' vroeg Chrissie, die zich met de schaal vruchtensalade in de hand bezorgd omdraaide om haar aan te kijken. 'Niet al te verdrietig, of zoiets?'

'Nee, zeker niet sinds die bloemen zijn gekomen. Wist jij daarvan?'

'Nee, echt niet,' zei Chrissie met een glimlach. 'Nou ja, hij heeft wel gebeld om het adres te controleren, dus ik hoopte al dat hij je iets zou sturen. Heb je hem gesproken? Waarom bel je hem niet even?'

'Later misschien,' zei Mel nonchalant.

Chrissie begreep de hint. 'Nou ja, dat moet je zelf ook maar weten.'

Na het toetje glipte Mel de slaapkamer van Rob en Chrissie in en belde het nummer van Merryn Hall. Ze luisterde naar Patricks stem op het antwoordapparaat. Die klonk helemaal niet zoals hijzelf klonk – formeel, beleefd, levenloos – wat haar ervan weerhield om een boodschap in te spreken. Ze overwoog even hem mobiel te bellen, maar hij had niet altijd bereik, en als ze hem wel te pakken kreeg was hij misschien wel net samen met een groep vrienden of zat hij te lunchen met zijn moeder als toehoorder die nergens van wist tegenover hem, en die gedachte ontmoedigde haar. Trouwens, Rob riep of ze naar beneden kwam voor de koffie.

'Het leek ons een goed idee om naar de vroege kerkdienst te gaan,' zei Chrissie toen ze in de woonkamer zaten. 'Die begint om vijf uur, en tegen die tijd ben ik wel klaar. Vrienden van ons gaan er ook heen; volgens hen is de nieuwe vrouwelijke dominee heel goed.'

'Wij gaan wel mee, hè, schat?' zei Stella met een klopje op de hand van haar echtgenoot.

'Natuurlijk. Maureen en ik gingen ook altijd naar de kerk toen jullie drietjes nog klein waren,' zei hij tegen Chrissie en Mel, 'maar misschien kunnen jullie je dat niet meer herinneren. Mel probeerde toen een keer een van de lammetjes van de kerststal mee naar huis te nemen.' Hij gaf haar een knipoog.

'Dat weet ik nog,' zeiden ze allebei tegelijk. Tot haar verbazing schoot het Mel ineens weer te binnen.

'Mijn oma is doodgegaan,' zei Rory plechtig tegen Stella, en hij legde zijn handje op haar schoot. 'Ze was heel ziek en toen ging ze dood.'

'Dat weet ik, schatje. Dat is heel verdrietig, hè?' zei Stella, Rory's haar achteroverstrijkend.

'Ben jij ook een oma?' vroeg hij.

'Als je wilt, liefje, word ik jouw oma. En die van Freddy ook.' Ze zwaaide naar Freddy, die met zijn beentjes recht voor zich uit op de grond zat en autootjes op een laadwagen liet rijden. 'Jullie mogen me oma Stella noemen, of gewoon Stella.'

Rory knikte tevreden. 'Dan noem ik je Stella,' zei hij. 'Maar je bent wel net als mijn oma.'

Stella keek hem in de ogen alsof ze verliefd op hem was.

Mel, Rob en haar vader gingen met de jongens naar de schommels en glijbanen in het plaatselijke park, terwijl Stella Chrissie hielp met de bedden.

'Weet je het zeker?' vroeg Mel hun.

'O, jawel hoor, ga jij maar en maak een gezellig praatje met je vader,' zei Stella. Mel begon te vermoeden dat het 'praatje' niet ongepland was.

'Er zijn heel wat vaders op de been, hè?' zei Mel lachend toen ze bij het omheinde speelterrein kwamen, waar het wemelde van de kleine kinderen. 'Je kunt wel raden waar de moeders zich allemaal op kerstavond mee bezighouden.'

Op de bankjes zaten mannen te roken en in hun mobieltje te praten, of ze duwden vermoeid kleintjes voort op de schommels.

Ze praten niet met elkaar, zoals vrouwen, ging het door haar heen.

Terwijl Rob geduldig bleef staan onder het klimrek, waar Rory helemaal tot bovenin klauterde, nam Mel een vrije kleuterschommel, waar ze Freddy op vastgordde. Haar vader begon hem zachtjes te duwen, alsof hij bang was dat het kind eruit zou vallen.

'Meer!' brulde Freddy, en opa gaf hem een wat hardere zet.

'Toen jullie klein waren hebben we dit niet veel gedaan,' zei hij tegen Mel. 'Maar ik vind het erg leuk om opa te zijn.'

'Zie je Wills kinderen vaak?' vroeg Mel. Will woonde maar dertig kilometer bij Stella en hem vandaan, in Birmingham.

'We proberen het wel. Nu ik met pensioen ben, is het allemaal een stuk makkelijker. En nu je moeder er niet meer is…' Hij gaf Freddy's schommel een hardere duw dan zijn bedoeling was geweest.

'Woehoe!' riep Freddy toen hij de lucht in schoot. 'Meer, meer!'

'Ach, het lijkt nu gewoon belangrijker. Het zijn allemaal schatten van kinderen, en Stella is dolblij dat ze op haar gesteld zijn. Volgens mij had ze zelf kleinkinderen moeten hebben.'

'Ze zou een fantastische oma zijn,' zei Mel.

'Uit, uit!' commandeerde Freddy. 'Gijbaan.' Haar vader hield de schommel stil voordat Freddy er midden in de lucht uit kon klauteren, hielp hem vervolgens omlaag en begeleidde hem veilig naar een van de lage glijbanen. Daar bleef Mel achter Freddy staan terwijl hij als een aapje op handen en voeten de paar treetjes beklom.

'Heb je al iets met mijn goede raad gedaan?' vroeg haar vader terwijl zijn blauwe ogen haar vorsend opnamen.

'Welke goede raad?' zei Mel om tijd te rekken.

'Over die jongeman waar Chrissie me over vertelde.'

'Je bedoelt Patrick?'

'Ja, die.'

'Pap, het is goed zo, weet je. Ik ben geen klein kind meer, ik kan zelf wel beslissingen nemen. Er is tijd genoeg.'

'Tijd is er juist niet, Mel. Denk aan wat ik heb gezegd: als je van hem houdt, moet je niet op zoek gaan naar mankementen. Niemand is volmaakt, en misschien is hij straks wel vertrokken.'

'Dat laat ik niet gebeuren, pap, dat beloof ik,' zei ze met een kneepje in zijn schouder. 'Dit keer niet.'

En allebei schoten ze toe om Freddy te hulp te komen, die met een plof van de glijbaan kwam glijden. 'Nog 'ns,' zei hij terwijl hij hen innig tevreden aankeek.

Ze zitten allemaal in het complot, concludeerde Mel toen ze in een kerkbankje zaten halverwege de victoriaanse kerk, die snel volstroomde met kinderen, ouders en bejaarden. Om de een of andere reden hebben ze allemaal besloten, mijn hele familie, dat Patrick de ware voor mij is. En dat terwijl mijn vader hem nota bene nog nooit heeft gezien.

'Hij zal je vibraties wel hebben opgevangen,' zei Chrissie met een uitgestreken gezicht toen Mel haar vertelde over wat ze met haar vader had besproken. 'Ja, natuurlijk heeft hij mij naar Patrick gevraagd, maar ik heb hem geen aanleiding gegeven om te denken dat hij dé man voor jou is. We kunnen alleen aan je merken dat je blij van hem wordt, meer niet.'

'Gedraag ik me dan anders dan toen met Jake?' vroeg Mel met een zucht.

'Heel anders,' antwoordde Chrissie. 'Toen je iets met Jake had, leek je nooit helemaal jezelf. Je hield hem altijd in de gaten, weet je, en kon je nooit ontspannen.'

'Dat herinner ik me niet meer.'

'Nou, ik wel.'

Het orgel begon te spelen en zette zachtjes 'Er is een kindeke geboren' in, terwijl ouders hun peuters uit wandelwagentjes haalden, kinderen uit hun jasjes pelden en reikhalsden om te zien of er al iets te gebeuren stond. Dat was niet het geval. Mel wierp een blik naar links. Rob was bezig Freddy te installeren op de plek naast hem, en links van Freddy hing Rory onderuit om tegen het knielkussentje te trappen dat aan een haakje voor hem hing. Naast Rory zat Chrissie met haar vader te kletsen, en helemaal aan het uiteinde van de bank zat Stella geknield te bidden, met haar gezicht in haar handen.

Misschien zou ik dat ook eens moeten doen, dacht Mel, hoewel bidden geen gewoonte van haar was. Ze knielde neer op haar geborduurde kussentje en sloot haar ogen, zonder ook maar enige gedachte in haar hoofd.

Wat zal ik eens zeggen?

Ze kon helemaal niets bedenken en dus bleef ze maar zitten luisteren naar de muziek en het geroezemoes van stemmen om haar heen, totdat er uiteindelijk een woordeloos gevoel van vrede en dankbaarheid door haar heen stroomde. *O, laat me doen wat goed is.* De woorden kwamen vanzelf in haar op, hoewel ze niet goed wist wat 'goed' betekende. Goed voor mezelf, neem ik aan, verzuchtte ze, en ze duwde zichzelf weer omhoog de kerkbank op.

Het was een korte en eenvoudige dienst, waarbij de woorden van de oude kerstliedjes, die Mel elk jaar van haar leven tijdens de kerstdienst gezongen had, opeens frisser en welluidender klonken dan in jaren, alsof ze haar regelrecht troffen in haar hart, en ze luisterde aandachtig naar de oudere kinderen van de zondagsschool die passages uit het kerstverhaal voorlazen.

Toen de dominee om vrijwilligers vroeg om de houten kerstfiguren naar de stal te dragen, stak Rory meteen zijn hand op en hij was een van de eersten die gekozen werden. Chrissie schoot hem te hulp om de os op te tillen en die naast Maria en de kribbe neer te zetten. Met een enorme grijns op zijn gezicht huppelde hij terug het gangpad door.

Het laatste kerstlied was niet zoals anders 'Stille nacht' of 'Hoor de eng'len zingen', maar 'De herdertjes lagen bij nachte'. Toen het uit was, daalde er een innig gevoel over Mel neer van 'vrede op aarde en in de mensen een welbehagen'.

En toen de dienst was afgelopen, ging het licht aan en de kerk, vol vreemde mensen die voor dit kortstondige kerstmoment elkaars naasten waren geworden, vingen elkaars blik en wensten elkaar gelukkig kerstfeest, terwijl de kinderen opgewonden ronddansten bij de gedachte aan het kindeke Jezus, kerstkousen en de kerstman.

'Ziezo,' zei Stella toen ze naar buiten stapten de koude avond in. 'Wat was dat prachtig.' En dat was het ook.

Terwijl Chrissie en Stella de tafel dekten voor de thee, glipte Mel nogmaals naar boven om even te bellen. Patrick was nog steeds niet thuis, maar ditmaal liet ze een bericht voor hem achter om hem in lovende bewoordingen te bedanken voor de bloemen. Vervolgens belde ze zijn mobiele nummer en bleef ze naar het nummer op de display staren tot de verlichting van het schermpje wegviel, waarna ze op Bellen drukte. De telefoon ging over en over, en schakelde toen naar de voicemail. In plaats van nog een keer een boodschap achter te laten zette ze het toestelletje uit.

Misschien zou ze zijn ouders moeten bellen. Maar in gedachten hoorde ze al wat voor stroef gesprek ze dan zou moeten voeren als zijn moeder zou opnemen, dus zag ze daar maar van af.

Uiteindelijk toetste ze in een opwelling het nummer van Carries hotel in. Matt nam bij de tweede keer overgaan op.

'Mel!'

'Matt, hallo. Bel ik ongelegen? Heb je het erg druk?'

'Niet zo druk dat ik je niet te woord kan staan. Nog bedankt voor de kaart, trouwens. Het spijt me wel, maar wij lopen dit jaar een beetje achter met onze kaarten.'

'O, dat geeft niks. Ik wilde alleen niet dat jullie zouden denken dat ik jullie vergeten was. Matt… wat fijn om je stem te horen. Hoe maken jullie het allemaal?'

'Goed, heel goed.'

'En je moeder?'

'Dat gaat best. Na de kerst moet ze terug naar het ziekenhuis voor een bypassoperatie. We doen er alles aan om te voorkomen dat ze ons de hele keuken rond commandeert. Op dit moment is ze in de lounge om een praatje te maken met de gasten. We zitten dit jaar behoorlijk vol, want we hebben geadverteerd met een speciale lunch.'

'Dat is mooi. Hoe gaat het met Irina?'

'O, die moet hier ook ergens rondzwerven. Met haar gaat het prima.

Ze zal het leuk vinden om te horen dat je gebeld hebt. Wanneer kom je ons opzoeken?'

'Heel snel, mag ik hopen. Om eerlijk te zijn heb ik geprobeerd Patrick te bereiken. Weet jij toevallig waar hij uithangt?'

'Jazeker weet ik dat. Op een berg in Oostenrijk.'

'Ah, dat is waar ook, hij ging skiën.'

'Met een oude schoolvriend, zei hij. Aanstaande donderdag vliegt hij terug. Met oud en nieuw komt hij hier eten. En jij? Waar zit jij met de kerst?'

'Ik logeer bij mijn zus en haar gezin. Mijn vader en stiefmoeder zijn er ook.'

'Nou, maak er dan maar iets leuks van. En, eh, Mel...'

'Mm-mm?' Mel dacht verwoed na.

'Je komt ons toch wel opzoeken, hè?'

'Nou en of. Hoor eens, Matt, ik heb een idee, als jij het tenminste niet een heel slecht idee vindt.' En ze zette hem haar plan uiteen.

Het was de beste kerst die ze in jaren had gehad, bedacht ze toen ze aan het eind van de dag daarop in bed lag. Oké, Rory had om drie uur 's nachts iedereen wakker gemaakt met zijn vreugdekreet, en Freddy had moeten huilen en had niet meer kunnen slapen. En de kalkoen had langer in de oven moeten staan dan Chrissie had berekend, en de pudding was nog niet opgestijfd, en iemand anders had Rob ook het boek cadeau gedaan dat zij voor hem had gekocht – maar wat deed dat er als puntje bij paaltje kwam allemaal toe? Haar vader was zo vergenoegd geweest als ze hem nog nooit had meegemaakt. En Patrick had haar bloemen gestuurd en een lief briefje. En ze zou hem zien... heel snel al.

Toen haar vader en Stella op de avond van eerste kerstdag iedereen welterusten wensten en haar vader haar tegen zich aan trok om te zeggen dat ze een heerlijke dag hadden gehad, beantwoordde ze zijn omhelzing en mompelde hij in haar oor: 'Mijn kleine Melanie. Altijd mijn kleine Melanie.'

40

'Hallo? Patrick?'
'Ja, hallo?'
'Met mij.'
'Mel!'
'Ja!'
'Mel, wat fantastisch. Hoe is het met je? Hoe was de kerst?'
'Uitstekend, met mij is het prima. De kerst was geweldig.'
'Ik heb je bericht gehoord. Net vanochtend ben ik teruggekomen. Ik ben in Oostenrijk wezen skiën met mijn vriend Tom en zijn vrouw.'
'Dat hoorde ik van Matt, ja. Hoe heb je het gehad?'
'Fantastisch. Volop sneeuw.'
'Nogmaals bedankt voor de bloemen. Die zijn gewoon prachtig.'
'Ik zat te denken wat ik je zou sturen, zeker toen ik je kaart had gekregen. Ik geloofde gewoon mijn ogen niet toen ik ze al zo vroeg zag opkomen. Het zal wel te maken hebben met de opwarming van de aarde of zoiets. Er bloeien er tientallen.'
'Weet ik.'
'O ja?'
'Ik ben even een kijkje wezen nemen.'
'Wat?!'
'Ik ben hier in Lamorna, Patrick. Een stukje verder de heuvel op, om precies te zijn. Daar beneden bij jou had ik geen bereik.'
'Mel! Waar dan? Wacht! Ik kom eraan.' Het geluid van een telefoon die werd neergegooid.
Mel lachte en sloeg de laan weer in die naar Merryn voerde.

Ze was de dag tevoren naar Lamorna gereden, nadat ze al om vijf uur in het kille donker was vertrokken om de files voor te zijn. Ze had rustig aan gedaan en was onderweg een paar keer gestopt, totdat ze net toen de schemering viel bij Carries hotel arriveerde. Ze waren de receptie binnengestormd om haar te begroeten; Matt had met de ene hand haar koffer opgepakt en haar met de andere tegen zich aan gedrukt; Irina had haar vervolgens met een kreetje bij haar revers gepakt en haar op beide wangen gezoend, terwijl Lana in de deuropening naar de bar was blijven staan, bijtend op een haarlok en haar verlegen gedag zwaaiend.

De lounge was verlaten, op een oudere heer na die in een hoek een boek zat te lezen, en Carrie in een leren armstoel, met haar voeten op een hocker bij een knapperend haardvuur. Ze probeerde op te staan, maar Mel hield haar tegen en bukte zich in plaats daarvan om haar een zoen te geven.

'Kom lekker hier zitten,' zei Carrie met een klopje op de armleuning van de fauteuil naast haar, en Irina ging in de weer om voor hen allemaal thee te zetten.

'Ziezo, daar zijn jullie dan allemaal,' zei Mel, die hen stralend aankeek. Het was haar niet ontgaan dat Matt heel dicht bij Irina stond; ze wisselden onbewust blikken en gebaartjes die maar één ding konden betekenen.

'Jij en Matt…?' fluisterde ze toen Irina Mel boven naar haar kamer bracht. Een tweepersoonskamer die in edwardiaanse stijl was ingericht en uitzicht bood over de vallei, waar het nu donker was, op hier en daar een pinkelend lichtje na dat aangaf dat er nog andere gebouwen stonden.

'Had je het door?' zei Irina met een brede glimlach.

'Hoe zou ik dat niet door kunnen hebben? Wat geweldig!'

'Het is heel langzaam gegaan. We waren hier al zo vaak samen geweest, en Matt… Nou ja, toen Carrie ziek werd, reageerde hij heel volwassen en nam hij de touwtjes in handen. Hij is een heerlijke man, Mel. Sterk, maar zacht.'

Mel knikte. Matt straalde inderdaad iets nieuws uit dat er eerder nog niet was geweest, dat was zeker waar. 'Is hij hier nu de hele tijd? Hij werkte toch in een winkel? En,' herinnerde ze zich, in de hoop dat hij daar niet mee was gestopt, 'hij fotografeerde toch ook?'

'De winkel heeft hij opgezegd. Hij vindt het nu een stuk leuker in het hotel, omdat Carrie hem de beslissingen laat nemen. Maar hij heeft wel foto's gemaakt van Lamorna. Die heb ik aan een galerie in Penzance laten zien, en zij hebben wat afdrukken besteld om te verkopen.'

'Ah, mooi zo. En hoe staat het met Lana?'

'Goed. Ze had een heel goed rapport.'

'Dat is prachtig. Maar ik bedoel: heeft ze er moeite mee… met jou en Matt?'

'Niet echt, nee. Zij snapt ook wel dat haar vader en ik toch niet meer bij elkaar komen, en ze is erg op Matt gesteld. Hij probeert een vriend voor haar te zijn, niet haar vader.'

Misschien zou dat bij Aimee ook goed werken op den duur, bedacht Mel: als zij voor Callum een vriendin zou kunnen zijn.

Er schoot haar iets anders te binnen. 'Weet Greg ervan? Van jou en Matt, bedoel ik.'

Irina's gezicht betrok enigszins. 'Ik geloof dat Lana het hem wel verteld heeft, maar hij heeft er niets over gezegd.'

'Hoe gaat het met Greg en Lana?'

'Beter dan ik ooit had durven hopen, Mel. Ze is voor de kerst een paar dagen naar hem toe geweest, maar had tegen hem gezegd dat ze met kerst zelf hier wilde zijn, dus kwam hij haar terugbrengen. Hij is veranderd. Hij is aardiger geworden – net een wild dier dat is getemd.'

'Daar kan ik me wel iets bij voorstellen.' Mel liep naar het raam om de gordijnen dicht te doen, maar bleef even staan kijken toen ze op de weg in de diepte de koplampen van een auto zag die muren en bomen beschenen. In het dal een stukje verderop lag Merryn, net als zij wachtend op Patricks thuiskomst.

'En hoe maakt Patrick het tegenwoordig?' vroeg ze Irina met een hapering in haar stem.

'Hij heeft je gemist,' zei Irina, meewarig haar hoofd schuddend. 'Ik weet niet wat er tussen jullie is voorgevallen en waarom je toen zomaar ineens bent vertrokken, maar hij heeft het er heel moeilijk mee gehad. Er zijn weken voorbijgegaan dat we hem amper zagen. Hij moest werken, zei hij. Of hij was druk met het huis. Het dak is nu af, weet je, maar de tuin is nog steeds een rommeltje.'

'Het was toen voor ons niet het goede moment,' zei Mel.

'Misschien nu wel. Net als voor Matt en mij.'

'Misschien,' fluisterde Mel. 'Ik hoop het maar.'

De volgende ochtend werd ze wakker door het geluid van de regen die tegen het raam tikte. Ze tilde het gordijn op en zag dat het dal schuilging onder een aanrollende mist.

Tegen de tijd dat ze ontbeten had en had helpen opruimen – 'Jullie moeten me op de een of andere manier iets terug laten doen omdat ik hier mag logeren,' gaf ze Matt te verstaan, die niet had gewild dat ze in de keuken ook maar een vinger uitstak – was de mist echter al enigszins opgetrokken. Ze trok haar jas aan en liep het smalle laantje naar de weg af, waar ze koers zette de heuvel op in de richting van Merryn. Patrick zou niet voor de middag terug zijn, maar ze kon het niet laten om even een kijkje te gaan nemen.

De lucht was nog fris, maar niet meer zo ijzig koud. Het zou een warm, nat Nieuwjaar worden, en de met mos begroeide bomen stonden er druipend bij. Tegen de tijd dat ze bij het pad kwam dat naar Gardener's Cottage leidde, trok de wolk op uit de vallei, maar toch aarzelde ze. Het voelde op de een of andere manier niet goed om stiekem door de achterdeur de Hall binnen te gaan. Ze kon zich niet voorstellen dat Patrick de cottage weer zou hebben verhuurd, maar stel nou dat dat wel zo was en dat ze de privacy van een vreemde zou schenden? Ze liep door, verder de heuvel op naar de oude hekpalen, waar het bord met ERRYN HALL nog onder precies dezelfde hoek neerhing als ze het acht maanden geleden voor het eerst had aangetroffen.

Ze stond de oprijlaan af te kijken en realiseerde zich met een steek van pijn dat er nog maar weinig hetzelfde was. De voortuinen waren een desolaat niemandsland, met gerooide boomstammen die ter plekke in stukken waren gezaagd, en uitgerukte stronken die grote, met regen gevulde kraters hadden achtergelaten. Overal liepen brede bandensporen als littekens over de aarde, alsof er een batterij tanks over het land was gereden. De beschuttende groenwallen aan de rand waren gebleven, evenals een grote koperkleurige beuk rechts van het pad, maar de opslag van de plataan en esdoorn die zichzelf hadden uitgezaaid en een groot deel van de verstrengelde klimplanten waren verdwenen.

Het huis zelf leek wel een gewonde soldaat die verbonden en in het gips in een rolstoel was gezet om daar de rest van zijn dagen te verdromen. Het nieuwe, met leisteen bedekte dak zag er te nieuw uit, één kant van het huis stond nog in de steigers, en de granieten muren waren ontdaan van klimplanten en vertoonden lelijke witte plekken daar waar de schade was gerepareerd.

Het was haar Merryn niet meer. Opeens kon ze er niet meer tegen, moest ze er niet aan denken verder op onderzoek uit te gaan – want wat zou ze wel niet allemaal aantreffen? Ze draaide zich om en vluchtte terug naar het hotel.

Pas toen de sombere dag overging in de schemer keerde ze terug en zag ze Patricks glimmende blauwe auto op de voorhof geparkeerd staan. Hij was thuis. En dus, hoopte ze, zij ook. Zou Cornwall de plek zijn waar ze zichzelf weer zou vinden?

'Wat doe jij hier nou?'

Zigzaggend over de laan vol plassen kwam hij naar haar toe gerend. 'Patrick. Het spijt me, misschien had ik je van tevoren moeten waarschuwen. Vind je het erg?' riep ze terug, plotseling nerveus.

Toen was hij bij haar en sloeg hij zijn armen om haar heen, waarbij hij haar bijna smoorde; zijn lippen, die hij tegen haar gezicht drukte om haar te overladen met kussen, schonken haar zekerheid.

'Of ik het erg vind? Mallerd, hoe zou ik dat nu erg kunnen vinden?' Samen sloegen ze het pad naar het huis in.

'Ik kan gewoon niet geloven dat je hier bent, ik geloof het gewoon niet.' Ze had hem nog nooit zo blij horen klinken. 'Wat bracht je er nou toe om hierheen te komen?'

Ze hield hem staande, zodat ze hem weer kon aankijken. Hij was bruin door het skiën, maar ook al straalde zijn gezicht nog zo van vreugde, toch zag ze wel dat hij het moeilijk had gehad. Ze trok met haar vinger langs de lijntjes rond zijn ogen, streek de zorgen weg van zijn voorhoofd.

'Het kwam door de bloemen,' mompelde ze. 'Het was net alsof Merryn en jij me riepen. Ze fluisterden duizend dingen.'

'En die waren allemaal waar,' zei hij, haar weer naar zich toe trekkend om haar nogmaals innig te kussen. 'Mel, ik hou van je. Het spijt me dat ik je dat eerder nooit duidelijk heb gezegd. Ik heb je ontzettend gemist. Ik had de hoop al bijna opgegeven...'

'Je wist toch dat ik zou komen als het moment daar was?' zei ze. 'Je twijfelde toch zeker niet aan me?'

'Niet echt, diep vanbinnen niet. Elke keer dat ik de moed dreigde te verliezen, haalde ik je brief uit mijn portefeuille – kijk, hier is hij, hij is bijna uit elkaar gevallen! En toen kwam je lieve kaart en wist ik dat alles goed zou komen. Dus stuurde ik de bloemen.'

Eindelijk dan toch spraken ze in alle openheid met elkaar, drong het met grote vreugde tot Mel door, zoals tot nog toe geen van beide had gedaan. Ze kwamen bij de voorhof en bleven staan om elkaar weer te omhelzen. Toen ze zich eindelijk van elkaar losmaakten, keek Mel achterom naar de weg waarlangs ze gekomen waren.

'De voortuin is... nou ja... anders.' Ze lieten hun blik gaan over het moeras van modder en gevelde bomen.

'Het ziet er verschrikkelijk uit, dat ben ik met je eens,' zei hij. 'Het lijkt wel een soort niemandsland. Maar maak je geen zorgen – ik heb er plannen mee, zie je. Als je wilt, zal ik je de rest laten zien. Daar is minder veranderd.'

En inderdaad waren de andere delen van de tuin maar weinig gewijzigd in vergelijking met de afgelopen augustusmaand, alleen zagen ze er kaal, nat en weinig uitnodigend uit. Maar hier en daar, onder de bomen en achter Gardener's Cottage, staken sneeuwklokjes en narcissen voorzichtig hun kopjes boven de grond uit.

'We mogen hopen dat het niet gaat vriezen,' merkte Mel op. 'Maar je had het over plannen. Hoe zien die eruit?'

'Om te beginnen hoop ik dat jij daar ook deel van wilt uitmaken,' zei Patrick.

'O, Patrick...'

Ze moesten weer even blijven staan om die kwestie af te handelen met alweer een hartstochtelijke zoen.

'Er moet nog verschrikkelijk veel worden uitgezocht, natuurlijk,' zei ze later toen ze in dekens gewikkeld op de bank in de salon voor een knapperende haard lagen.

'Daar is nog tijd genoeg voor,' mompelde Patrick in haar nek.

'Wat zei je nou over plannen?'

'Hmm? O, voor de tuin.'

'De tuin? Ik dacht dat je het over ons had.'

'De tuin én wij. Lieve Mel, ook al ben je voor de rest nog zo perfect, ik heb toch een piepklein foutje ontdekt dat ik even wil corrigeren.'

'En dat is?'

'Je praat te veel op de verkeerde momenten.'

'Mmmmmm.'

Die avond voerden ze samen een goed gesprek bij een sober maal dat Patrick in elkaar had geflanst.

'Er is hier een heleboel dat ons bindt aan het verleden, hè?' zei Mel dromerig. 'We hebben zo veel aanwijzingen gevonden – niet in de laatste plaats over Pearl en haar verhaal.'

'Ja, het is een tuin vol herinneringen,' merkte Patrick op.

'Maar niet op een verdrietige manier. Het is geen tuin vol gedenktekens voor de doden.'

'Dat brengt me op een ander facet van mijn plan. Misschien zouden we hier een kunstgalerie kunnen openen. Zodat we de tuin en de schilderijen aan toeristen kunnen laten zien.'

'Wat een geweldig idee! Dan zouden we Matts foto's tentoon kunnen stellen. En Pearls schilderijen. Hoewel...' Mel vertelde over haar afspraak met Ann en zette uiteen dat de schilderijen – moreel gezien, althans – wel eens eigendom van Pearls afstammelingen zouden kunnen zijn. 'Maar misschien geven ze wel toestemming om ze tentoon te stellen,' besloot ze.

'En, Patrick, er is nog iets waar ik je nog niets over heb gezegd. Mijn redacteur heeft me laatst gebeld.'

'Bevalt je boek haar?'

'Ze vindt het schitterend. Eerlijk gezegd zouden ze graag zien dat ik er nog eentje schreef, maar dan over de St. Ives-groep. Je weet wel: Ben en Winifred Nicolson, Barbara Hepworth en zo.'

'Mel, dat is fantastisch!'

Ze bleef even zwijgen, bestormd door duizend gedachten. Zou dit allemaal wel goed voor haar uitpakken, om haar baan over te dragen aan die verschrikkelijke Rowena, weg te trekken uit haar flat, haar leven in Londen, om hiernaartoe te gaan en te gaan schrijven en wellicht een baantje te zoeken als docente? Ze wist het nog steeds niet.

Patrick leek haar verwarring aan te voelen, want hij fluisterde: 'Er is tijd zat, weet je, alle tijd van de wereld om de dingen zo te regelen dat we ons er allebei in kunnen vinden. Het belangrijkste is dat we samen zijn.'

'Tijd was Pearl niet gegeven, hè? Ze is zo jong gestorven.'

'Nee.' Zijn antwoord klonk nuchter. 'Maar misschien is ze wél gelukkig geweest, met haar lieve man en met haar kind.'

'Konden we dat maar zeker weten, dat zou ik echt graag willen,' zei Mel, en ze vertelde Patrick over de droom die ze had gehad in haar laatste nacht in Gardener's Cottage. 'Ik weet zeker dat ik haar aanwezigheid heb gevoeld. Ze leek zich diep ongelukkig te voelen.'

'Misschien is dat wel voorbijgegaan. Misschien heeft ze dat weten te overwinnen.'

'Haar kleinzoon Richard denkt van wel. O, Patrick, wat zou ik graag geloven dat dat waar was.'

41

Juli 1919

Pearl zat op een keukenstoel in de tuin erwten te doppen. Het was laat in de middag op een volmaakte julidag, en ze voelde zich voor het eerst sinds haar ziekte van het afgelopen jaar weer goed.

Het was vredig om hier zo te zitten, om te luisteren naar de vogels en de geluiden die Peter en de molenaarszoon maakten terwijl ze soldaatje speelden in de tuin. De aanblik van het frisse groen van de erwten tegen het wit van de schaal deed haar goed, evenals het koele, gladde gevoel van de binnenkant van de peulen. Een lieveheersbeestje gloeide rood op tegen het lichte groen terwijl het zich voorzichtig een weg zocht over de erwten in de kom, als een kind dat aan de kust over rotsen klautert. Hoe zou ze dat groen schilderen? Met een witte onderlaag eronder zou het levendig gaan stralen, zat ze net te bedenken, toen een geluid van metaal op steen haar opschrikte.

John was bij de Hall. Hij had zijn schoffel tegen de muur gezet en hurkte nu neer om iets op te rapen van de grond. Wat het ook was, hij hield het voorzichtig vast in het kommetje van zijn handen. Ze keek toe hoe hij over het grasveld naar haar toe kwam. Zijn haar was nu zilverkleurig, maar nog altijd dik en glanzend, tegen een huid die zo bruin was als een eikel. Hij was lang en breed, en toch heel teder voor datgene wat hij met zich meedroeg. Er rees iets op in haar keel: verlangen.

Hij kwam dichterbij en ze werd zich scherp van hem bewust, van de warmte van zijn lichaam, de dikke haren op zijn armen. Het zweet parelde op zijn sleutelbeen, zag ze door de kier van zijn openstaande hemd. Ze zag dat hij een kleine witte vogel in zijn handen had.

'Is hij dood?'

'Zijn hartje klopt nog, maar wel heel zwak en snel,' zei hij. 'Hij is bewusteloos. Misschien verblind geraakt door de zon op het raam.'

'Wat voor vogel is het, John?'

Hij haalde zijn schouders op. 'Het lijkt mij een merel.'

'Maar hij is wit.'

'Ja.'

Ze stak een vinger uit en streek over het vogelkopje. De oogjes waren tot spleetjes geknepen. Na een poosje maakte de vogel zwakke fladderbewegingen.

John zette twee stappen naar een bloembed en legde de vogel onder een struik. De bewegingen van het diertje werden krachtiger, en terwijl ze toekeken kwam de vogel op krachten. Na een poosje vloog hij weg, hoog de bomen in.

'Ziezo,' zei John, die een erwtje van haar stal en moest lachen toen zij hem een tik gaf. Hij ging weer aan het werk, en ze keek zijn verdwijnende gestalte met een hart vol tederheid na.

Toen Pearl die nacht tussen de zachte lakens in gedachten de gebeurtenissen van die dag lag door te nemen, verbaasde ze zich over deze nieuwe gevoelens: tederheid, verlangen. Ze hoorde Johns voetstappen op de trap; hij liep zachtjes om de jongen niet wakker te maken, waarna de deur van hun kamer openging en hij wat rondschuifelde bij het licht van zijn kaars om zichzelf op te maken om naar bed te gaan.

John, haar echtgenoot. Peters vader, eigenlijk, want hij hield van de jongen alsof het zijn eigen kind was. Ze mocht John op haar blote knieën danken, daar was ze al een hele tijd diep van doordrongen. Op een zachte, tedere manier was ze zo zoetjesaan van hem gaan houden. In de loop der jaren had ze zich zijn liefkozingen stil laten welgevallen; als hij klaar was, had ze zijn uitgeputte lichaam tegen zich aan gedrukt.

Maar toen hij ditmaal het laken optilde en zich zwaar naast haar neerliet, naar haar toe gekeerd, was zij voor het eerst degene die haar handen naar hem uitstak en zijn verlangen tot leven wekte. Ze hadden nooit over liefde gesproken, maar vanavond zou ze ervoor zorgen dat dat wel gebeurde. Het werd tijd.

Nawoord

Totdat halverwege de negentiende eeuw de spoorlijn van Londen naar Penzance werd aangelegd, lag Cornwall zo goed als geïsoleerd van de rest van Engeland. Met de treinen kwam het toerisme, en met het toerisme kwamen de kunstenaars. De kring van schilders die na 1870 neerstreken rond het vissersdorp Newlyn hield er een eigen stijl op na; ze hielden zich verre van fraaie landschappen en portretteerden in plaats daarvan de gewone bewoners van Cornwall terwijl die thuis en aan het werk waren, in voor- en tegenspoed, en dat met een bezield realisme waarmee ze zowel op hun critici als op hun publiek indruk wisten te maken. Tot hen behoorden Stanhope Forbes en zijn echtgenote Elizabeth, Thomas en Caroline Gotch, Charles Walter Simpson en Norman Garstin. Ze vormden een hechte sociale groep, die steeds met vers bloed werd aangevuld, en de leden ervan, zowel mannen als vrouwen, maakten werk van vergelijkbare kwaliteit.

Rond 1900 kwam er een nieuwe generatie naar Lamorna, een besloten, beboste vallei een paar kilometer ten westen van Newlyn. Laura en Harold Knight, Samuel John 'Lamorna' Birch, Dod en Ernest Procter, Alfred Munnings en – later – Augustus John werden in hun onderwerpkeus en stijl meer beïnvloed door het impressionisme; ze keerden zich af van de realistische taferelen van de Newlynse traditie om het licht, de kleuren en het landschap vast te leggen. Beide groepen hebben eraan bijgedragen dat Cornwall als een land van kunstenaars op de kaart werd gezet, en hun vrijheidsdrang en vernieuwingsgezindheid vormden een belangrijke bijdrage aan de Britse kunstwereld van die tijd.

Bij het schrijven van deze roman heb ik veel gehad aan de volgende publicaties: *Oil Paint and Grease Paint* van Dame Laura Knight, *The*

Shining Sands: Artists in Newlyn and St. Ives 1880-1930 van Tom Cross, en *Five Women Painters* van Teresa Grimes, Judith Collins en Oriana Baddeley. Eventuele fouten in deze roman komen geheel voor mijn eigen rekening.

De vallei van Lamorna heeft zijn adembenemende en raadselachtige schoonheid nog altijd behouden, maar ik moet me verontschuldigen voor de paar vrijheden die ik me om literaire redenen heb veroorloofd op het vlak van de geografie. Merryn Hall en zijn bewoners uit heden en verleden bestaan alleen op deze bladzijden, evenals Carries hotel en de cottages van Jim en Irina. Helaas is er niet langer een postkantoor annex winkel, hoewel het Cove Café en de cadeauwinkel bij de kade zonder meer een bezoekje waard zijn.

Ik wil een aantal mensen bedanken die me raad hebben gegeven of me anderszins bij het schrijven van dit boek terzijde hebben gestaan. Dat zijn Tamsin Mallett en David Thomas, archivarissen van het Regionaal Archief van Cornwall en zonder meer goudmijnen van informatie; Paul en Amanda Hook, in wier schattige cottage in Kemyel Wartha ik logeerde; Barbara en Dick Waterson van Trewoofe Orchard; en Maryella Pigott, die me hun schitterende tuinen in Lamorna lieten zien. Juliet Bamber verbeterde mijn grootste fouten op het gebied van tuinieren; dr. Hilary Johnson diende me van uitstekend redactioneel advies; en Bob Mitchell leende me zijn laptop, die ik nog steeds in bezit heb.

Heel veel dank aan mijn agent Sheila Crowley en haar collega's van A.P. Watt; aan mijn redacteur Suzanne Baboneau; aan persklaarmaker Joan Deitch; assistent-redacteur Libby Verne; publiciteitsmedewerkster Sue Stephens; en de rest van het team bij Simon & Schuster.

Tot slot dank aan jullie, Felix, Benjy en Leo, want jullie zijn het licht in mijn leven, en aan David, aan wie dit boek is opgedragen.